Linguística Textual:
DIÁLOGOS INTERDISCIPLINARES

Conselho Editorial da Editora do Programa de Pós-Graduação em Estudos Linguísticos

Alexsandro Rodrigues Meireles, Ana Cristina Carmelino, Ana Paula Duboc, Anahy Samara Zamblano de Oliveira, Cibele Brandão de Oliveira Borges, Daniel de Mello Ferraz, Edenize Ponzo Peres, Fernanda Mussalim, Gregory Riordan Guy, Isabel Roboredo Seara, Janayna Bertollo Cozer Casotti, Janice Helena Chaves Marinho, José Olímpio Magalhães, Jussara Abraçado de Almeida, Lúcia Helena Peyroton da Rocha, Luciano Novaes Vidon, Lilian Coutinho Yacovenco, Luiz Antonio Ferreira, Maria Flávia de Figueiredo, Maria das Graças Soares Rodrigues, Maria da Penha Pereira Lins, Maria Silva Cintra Martins, Marina Célia Mendonça, Maria Marta Scherre, Micheline Mattedi Tomazi, Rivaldo Capistrano Júnior, Vanda Maria da Silva Elias, Vanice Sargentim.

Linguística Textual:
Diálogos Interdisciplinares

Rivaldo Capistrano Júnior
Maria da Penha Pereira Lins
Vanda Maria Elias
(orgs.)

PPGEL-UFES

Copyright © 2017 Rivaldo Capistrano Júnior, Maria da Penha Pereira Lins, Vanda Maria Elias
Todos os direitos desta edição reservados à Editora Labrador.

Coordenação editorial
Diana Szylit

Projeto gráfico e diagramação
Maurelio Barbosa | designioseditoriais.com.br

Preparação
Vitória Lima

Capa
Rodrigo Rojas

Revisão
Andréia Andrade

Dados Internacionais de Catalogação na Publicação (CIP)
Andreia de Almeida CRB-8/7889

Linguística textual e pragmática : uma interface possível / organização de Rivaldo Capistrano Júnior, Maria da Penha Pereira Lins, Vanda Maria Elias. — São Paulo : Labrador, 2017.
456 p.

Bibliografia

ISBN 978-85-93058-34-9

1. Linguística I. Capistrano Júnior, Rivaldo II. Lins, Maria da Penha Pereira III. Elias, Vanda Maria

17-1118   CDD 410

Índices para catálogo sistemático:
1. Linguística; Pragmática; Linguística Textual

Editora Labrador
Diretor editorial: Daniel Pinsky
Rua Dr. José Elias, 520 – Alto da Lapa
05083-030 – São Paulo – SP
Telefone: +55 (11) 3641-7446
Site: http://www.editoralabrador.com.br
E-mail: contato@editoralabrador.com.br

Editora do Programa de Pós-Graduação em Estudos Linguísticos
Universidade Federal do Espírito Santo
Reitor: Reinaldo Centoducate
Vice-Reitora: Ethel Leonor Noia Maciel
Pró-Reitor de Pesquisa e Pós-Graduação: Neyval Costa Reis Júnior
Diretor do Centro de Ciências Humanas e Naturais: Renato Rodrigues Neto
Coordenador do PPGEL: Daniel de Mello Ferraz
Coordenador Adjunto: Kyria Rebeca Neiva de Lima Finardi

A reprodução de qualquer parte desta obra é ilegal e configura uma apropriação indevida dos direitos intelectuais e patrimoniais do autor.

Sumário

Apresentação 9

1. Linguística Textual e Pragmática: uma interface possível 15
   Maria da Penha Pereira Lins e Rivaldo Capistrano Júnior
2. Linguística Textual e Funcionalismo 43
   Antônio Suárez Abreu
3. Linguística Textual e Sociolinguística 57
   Maria da Conceição de Paiva
4. Linguística Textual na História das Ideias Linguísticas 79
   Leonor Lopes Fávero e Márcia A. G. Molina
5. Linguística Textual e Tradições Discursivas 97
   Alessandra Castilho da Costa
6. Linguística Textual e Retórica: diálogos possíveis 123
   Maria Cristina Taffarello
7. Linguística Textual e Modelo de Análise Modular do Discurso .. 145
   Gustavo Ximenes Cunha e Micheline Mattedi Tomazi
8. Linguística Textual e Análise Crítica do Discurso: em busca de um diálogo interdisciplinar 171
   Maria Lúcia C. V. O. Andrade

9. Linguística Textual e Análise da Conversação: o tópico discursivo e seus processos de expansão 189
Paulo de Tarso Galembeck

10. Linguística Textual e as heterogeneidades enunciativas 213
Mônica Magalhães Cavalcante e Mariza Angélica Paiva Brito

11. Linguística Textual e Teoria da Argumentação na Língua: texto e língua em diálogo 239
Ana Lúcia Tinoco Cabral

12. Linguística Textual e Argumentação 263
Rosalice Pinto

13. Linguística Textual e Análise Textual dos Discursos: sequências descritivas e progressão textual em foco 279
Sueli Cristina Marquesi

14. Linguística Textual e responsabilidade enunciativa..................... 299
Maria das Graças Soares Rodrigues

15. Linguística textual e estudos do hipertexto: focalizando o contexto e a coerência... 317
Vanda Maria Elias e Mônica Magalhães Cavalcante

16. Linguística Textual e gêneros dos textos.............................. 339
Regina L. P. Dell'Isola

17. Linguística Textual e estudos do humor............................... 363
Ana Cristina Carmelino e Paulo Ramos

18. Linguística Textual e a perspectiva sociossemiótica da linguagem: orquestrações multimodais de significados............................ 387
Sônia Pimenta e Záira Bomfante dos Santos

19. Linguística Textual e Linguística Cognitiva: explorando processos de recategorização.. 407
Silvana Maria Calixto Lima

20. Linguística Textual e ensino: panorama e perspectivas.............. 425
Leonor Werneck dos Santos e Claudia de Souza Teixeira

Os autores... 447

Este livro é uma homenagem aos precursores da Linguística Textual no Brasil: Ignacio Antônio Neis, Ingedore G. Villaça Koch, Leonor Lopes Fávero e Luiz Antônio Marcuschi.

À memória de *Clélia Cândida Abreu Spinardi Jubran, Luiz Antônio Marcuschi e Paulo de Tarso Galembeck.*

Apresentação

Na busca de compreender e explicar o texto, considerando toda a complexidade que lhe é constitutiva, a Linguística Textual (doravante LT) estabeleceu e vem estabelecendo um diálogo com muitos outros campos de conhecimento.

Nesta obra composta por vinte capítulos, pesquisadores de variadas instituições de ensino expõem como, em seus trabalhos, concebem esse diálogo e apontam desafios e perspectivas para os estudos do texto, respondendo, assim, a questões que motivaram esta publicação: como a LT pode ampliar e intensificar o diálogo com as demais ciências? O que nos revelam essas interfaces sobre o futuro da LT?

No capítulo 1, "Linguística Textual e Pragmática: uma interface possível", os autores defendem que a inserção de pressupostos e categorias da Pragmática pela LT possibilita aos estudiosos do texto uma complementação de dispositivos teórico-metodológicos e uma compreensão mais alargada de fenômenos interacionais. Reconhecem que a recíproca também é verdadeira, uma vez que categorias analíticas da LT, como a referenciação e o gerenciamento do tópico discursivo, podem auxiliar os pragmaticistas numa visão mais ampliada de aspectos interacionais e como essas categorias podem ou não afetar a imagem social dos sujeitos e de suas intenções.

No capítulo 2, "Linguística Textual e Funcionalismo", o autor argumenta que "linguística textual e gramática funcional atuam em conjunto, permitindo que os estudiosos deixem de ver apenas as árvores da gramática, isoladamente, e passem a ver a floresta da linguagem em sua totalidade". O autor ainda destaca que estudos da mente, conectados à cultura e à história, oferecem fundamentos a esse processo dinâmico e complexo que é o uso da linguagem.

No capítulo 3, "Linguística Textual e Sociolinguística", a autora propõe que diferentes opções sintagmáticas, principalmente as que envolvem as periferias da oração, se colocam a serviço da organização do discurso. Nesse sentido, defende que circunstanciais na margem esquerda da oração contribuem para a segmentação do discurso, sinalizando introdução de novos tópicos ou subtópicos, ou funcionam como *links* que garantem a coesão discursiva. Por sua vez, circunstanciais na margem direita possuem função mais local, mais predicativa.

No capítulo 4, "Linguística Textual na história das ideias linguísticas", as autoras pontuam as especificidades da história das ideias linguísticas, seu surgimento, orientações, precursores e procedimentos de análise, marcando a importância da LT como ferramenta de leitura dos textos, coadjuvante na e para a revisão e apreciação de obras gramaticais. Indicam, assim, a possibilidade de cooperação entre esses dois campos de pesquisa.

No capítulo 5, "Linguística Textual e tradições discursivas", a autora focaliza a relevância teórica e metodológica do conceito de tradições discursivas para uma LT, vista como hermenêutica do sentido, bem como algumas das implicações metodológicas da incorporação desse conceito pela LT.

No capítulo 6, "Linguística Textual e Retórica: diálogos possíveis", a autora defende que tanto na produção quanto na leitura do texto os índices de envolvimento entre os falantes constituem um constante e dinâmico "jogo retórico de persuasão", função inerente à própria linguagem.

No capítulo 7, "Linguística Textual e modelo de Análise Modular do Discurso", os autores discutem as contribuições que o modelo de Análise Modular do Discurso pode oferecer à LT nas pesquisas sobre a construção da cadeia referencial. O interesse desse diálogo reside no aprimoramento de instrumentos de descrição e de explicação da complexidade do discurso, bem como no incremento ao debate centrado na interface entre a LT e a Análise do Discurso.

No capítulo 8, "Linguística textual e Análise Crítica do Discurso: em busca de um diálogo interdisciplinar", a autora apresenta uma síntese das diversas correntes da Análise Crítica do Discurso (ACD) acompanhada de um exemplo de como o leitor pode articular a ACD e a LT. Desse modo, assinala a possibilidade de novos caminhos para os estudos discursivos na sociedade contemporânea, quando considerados o papel político, crítico e aplicado do linguista diante das demandas sociopolíticas da atualidade.

No capítulo 9, "Linguística Textual e Análise da Conversação: o tópico discursivo e seus processos de expansão", o autor analisa os procedimentos de construção e expansão do tópico discursivo em inquéritos do Projeto NURC, partindo do pressuposto de que os participantes, em eventos interativos, atuam decisivamente na construção do tópico, por meio de procedimentos de expansão e continuidade variados, buscando manter a mesma centração.

No capítulo 10, "Linguística Textual e as heterogeneidades enunciativas", as autoras relacionam aportes teóricos da Linguística da Enunciação com a LT, com o objetivo de demonstrar como a escolha dos processos referenciais e dos modos como eles se manifestam podem marcar as heterogeneidades enunciativas.

No capítulo 11, "Linguística Textual e Teoria da Argumentação na Língua: texto e língua em diálogo", a autora traz uma reflexão em torno da combinação LT e Semântica Argumentativa, enfatizando que os construtos teóricos da Teoria da Argumentação na Língua constituem instrumentos pertinentes para se compreender textos argumentativos, pois eles intervêm na construção da estruturação textual.

No capítulo 12, "Linguística Textual e Argumentação", a autora discorre sobre as relações que podem vir a ser estabelecidas entre a Argumentação e a LT, na vertente da Análise Textual dos Discursos (ATD). Além disso, demonstra, a título de exemplificação, que o teor persuasivo/argumentativo de um texto poderá ser percebido nas diversas relações estabelecidas entre todos os níveis de análise.

No capítulo 13, "Linguística Textual e Análise Textual dos Discursos: sequências descritivas e progressão textual em foco", a autora objetiva propor e aplicar procedimentos para a análise da sequência textual descritiva e da progressão textual. Com esse propósito, estabelece um diálogo entre dispositivos teóricos que evidenciam o campo de abrangência da ATD como um procedimento dentro da LT que analisa a produção contextual de sentidos em textos concretos.

No capítulo 14, "Linguística Textual e responsabilidade enunciativa", a autora discute alguns dispositivos enunciativos de grande relevância para a LT, entre eles o ponto de vista, as posturas enunciativas e a (não) assunção da responsabilidade enunciativa (evidencialidade e mediatividade).

No capítulo 15, "Linguística Textual e estudos do hipertexto: focalizando o contexto e a coerência", as autoras revisitam e atualizam a concepção de hipertexto na LT brasileira, além de discutirem as concepções de contexto e coerência delineadas sociocognitivamente, focalizando a estreita relação entre a Linguística Textual e as ciências cognitivas. No capítulo 16, "Linguística Textual e gêneros dos textos", a autora propõe uma reflexão sobre as possibilidades de uma nova perspectiva da Linguística voltada para os gêneros de texto. Também defende que a LT, ao voltar-se para a atividade da língua em uso e concentrar-se nos modos de apropriação dos gêneros textuais, propicia a instauração de interessantes estudos pautados na grande variedade de textos que circulam socialmente, com as estruturas historicamente moldadas e com funções e propósitos comunicativos.

No capítulo 17, "Linguística Textual e estudos do humor", os autores mostram um caminho possível de análise de produções cômicas com base no diálogo estabelecido entre noções da LT, como referenciação, intertextualidade, intencionalidade, multimodalidade, com princípios da teoria semântica do humor.

No capítulo 18, "Linguística Textual e perspectiva sociossemiótica da linguagem: orquestrações multimodais de significados", as autoras elencam as contribuições da Teoria Sociossemiótica da multimodalidade nos textos na contemporaneidade e mapeiam as diversas concepções textuais abarcadas pela LT e seus desdobramentos para os estudos sobre texto e discurso. Com base na discussão desenvolvida, argumentam sobre a necessidade de ampliação de um olhar sobre os textos que circulam socialmente e as formas pelas quais eles se articulam na integração dos sentidos.

No capítulo 19, "Linguística Textual e Linguística Cognitiva: explorando processos de recategorização", a autora, ao convocar pressupostos teóricos da LT e da Linguística Cognitiva, contribui para o entendimento ampliado do processo de recategorização, que não necessariamente se realiza na linearidade do texto, mas tem a sua configuração mais propícia a um movimento de circularidade que envolve tanto a superfície do texto quanto o seu entorno sociocognitivo.

No capítulo 20, "Linguística Textual e ensino: panorama e perspectivas", as autoras, com o propósito de indicar contribuições da LT para o ensino da língua portuguesa, discutem tópicos da LT como gêneros textuais, referenciação e modalização e apresentam sugestões de atividades que podem ser utilizadas nas aulas de língua portuguesa.

Aos leitores, desejamos que o conjunto dos capítulos desta obra lhes seja fonte de muitas e novas reflexões e investigações pautadas pelo viés pluridisciplinar que é constitutivo da Linguística Textual.

Aos autores que abraçaram este projeto e colaboraram para a sua concretização, aproveitamos este espaço para expressar o nosso mais sincero agradecimento.

Os organizadores

1

Linguística Textual e Pragmática: uma interface possível

Maria da Penha Pereira Lins
Rivaldo Capistrano Júnior

O objetivo deste capítulo é propor uma discussão acerca da interface possível entre a Linguística Textual (LT), de perspectiva sociocognitiva e interacional, e a Pragmática, com vistas a demonstrar aplicações possíveis na análise de fenômenos de natureza linguístico-textual.

Embora se reconheçam as diferentes bases epistemológicas dessas disciplinas e suas respectivas categorias analíticas, acreditamos que a inserção de pressupostos e categorias da Pragmática pela LT possibilita aos estudiosos do texto uma complementação de dispositivos teórico-metodológicos e uma compreensão mais alargada de fenômenos interacionais. A recíproca também é verdadeira, uma vez que categorias analíticas da LT, como a referenciação e o gerenciamento do tópico discursivo, podem auxiliar os pragmaticistas numa visão mais ampliada de aspectos interacionais e como essas categorias podem ou não afetar a imagem social dos sujeitos e de suas intenções.

Nesse sentido, este capítulo, além das considerações iniciais e finais, está organizado em três seções: a primeira tem como foco a apresentação de um breve panorama da LT, pondo em evidência categorias teórico-analíticas como a referenciação e o tópico discursivo; a segunda discorre sobre a Pragmática, focalizando ferramentas que, em conjugação com as noções de atos de fala, máximas conversacionais, face e polidez, proporcionam explicações significativas de aspectos interacionais; a terceira, na busca de evidenciar o profícuo diálogo entre a LT e a Pragmática, apresenta um panorama de pesquisas realizadas no âmbito do Programa de Pós-Graduação em Estudos Linguísticos (PPGEL) da Universidade Federal do Espírito Santo (UFES).

A Linguística Textual (LT)[1]

Segundo Koch (1999) e Fávero (2012), os primeiros trabalhos dedicados ao estudo linguístico do texto surgem, no Brasil, no final dos anos 1970. Nos anos de 1980, são publicados os primeiros trabalhos que contribuíram significativamente para a divulgação e a implementação da LT no país. Podemos destacar os trabalhos de Neis (1981); de Marcuschi (1983); de Fávero e Koch (1983) e de Fávero e Paschoal (1986).

De lá para cá, no Brasil, as perspectivas de estudo foram se estendendo tão consideravelmente, que, na atualidade, podemos afirmar a existência de uma LT genuinamente brasileira, como defendem Blühdorn e Andrade (2009, p. 37):

> A linguística textual brasileira hoje em dia parece estar mais independente de modelos europeus do que nas fases anteriores da sua história. Desde os anos 90, ela tem desenvolvido cada vez mais seu próprio perfil, determinado por discursos especificamente brasileiros.

Hoje, parte significativa dos trabalhos em LT, no Brasil, se guiam pela dimensão sociocognitiva e interacional da linguagem. Segundo essa perspectiva teórica, os sujeitos, ao realizarem ações textuais, submetem-se a um conjunto de circunstâncias de natureza interacional, cultural e social, as quais determinam e são determinadas por suas práticas, e mobilizam, de forma situada, percepções e sistemas de conhecimento socialmente compartilhados e discursivamente (re)construídos (KOCH, 2004).

Nesse quadro, os estudos vêm se diversificando e evidenciando uma abordagem necessariamente inter e multidisciplinar na análise e interpretação de

---

[1] Esta seção foi inicialmente publicada em Capistrano Júnior (2017).

fenômenos de natureza textual. É nesse panorama que se configuram duas tendências de trabalho: obras direcionadas para um público mais acadêmico (KOCH, 2002, 2004, 2008; MARCUSCHI, 2007; BENTES; LEITE, 2010; CAVALCANTE, 2011) e obras situadas na intersecção pesquisa-ensino, que, com o mesmo rigor teórico-metodológico inerente às produções acadêmicas, são voltadas para um público mais amplo (KOCH; ELIAS, 2006, 2009, 2016a, 2016b; MARCUSCHI, 2008; CAVALCANTE, 2012; CAVALCANTE; CUSTÓDIO FILHO; BRITO, 2014; MARQUESI; PAULIUKONIS, ELIAS, 2017).

Esses trabalhos têm partilhado um conjunto de concepções e conceitos que norteiam o desenvolvimento de pesquisas na área, entre os quais podemos apontar:

i) a concepção de língua como atividade cognitivo-interativa altamente complexa de produção de sentidos (MARCUSCHI, 2007), visão que implica considerar aspectos socioculturais, interacionais e cognitivos de forma imbricada e mutuamente constitutivos;

ii) a visão plástica de contexto, entendido como uma coconstrução negociada, situada e dinâmica, cuja (re)configuração pressupõe os sujeitos, seus papéis sociais, suas crenças, seus conhecimentos e os diversos elementos que os participantes de uma interação tomam como relevantes em eventos comunicativos específicos (KOCH, 2004; KOCH; CUNHA-LIMA, 2004; VAN DIJK, 2012);

iii) a concepção de texto como constructo, entendido como evento discursivo, "o próprio lugar da interação e os interlocutores, sujeitos ativos que – dialogicamente – nele se constroem e por ele são construídos" (KOCH, 2008, p. 19). Entender o texto como uma entidade multifacetada (KOCH, 2004; KOCH; ELIAS, 2016b) implica considerar que aspectos sociais e culturais e processos cognitivos são subjacentes e indissociáveis das ações textuais dos sujeitos; e os elementos linguísticos e não linguísticos presentes na superfície textual (explicitude do texto) não são autossuficientes nem portadores de um sentido completo. Daí o entendimento de que texto e contexto estão intrinsecamente vinculados.

Na agenda dos estudos do texto, as estratégias sociocognitivas e interacionais de construção da coerência, a articulação e progressão tópica, a referenciação, a intertextualidade têm merecido a atenção de pesquisadores, que, em diálogos com vozes teóricas de diferentes áreas da Linguística e das Ciências Humanas, impulsionam os estudos em LT.

Além disso, considerando as práticas textuais em mídias sociais digitais, pesquisas, como as de Elias (2012, 2014, 2015), voltam-se para a análise de textos não lineares, não delimitados, multimodais e poliautorais, o que tem levado os estudiosos a formularem a seguinte pergunta: a forma como construímos os princípios de textualidade[2] no hipertexto difere do que fazemos no texto impresso?

Nas próximas seções, trataremos especificamente da referenciação e do tópico discursivo, considerando o impacto desses temas na LT brasileira pelo número expressivo de pesquisas e de publicações a eles devotados, bem como numa compreensão mais alargada de aspectos envolvidos na produção de sentidos.

Referenciação

Segundo Capistrano Júnior (2017), os estudos em referenciação, tal como entendida por Mondada e Dubois (2003 [1995]), Apothéloz (2003 [1995]), Conte (2003 [1996]) e Francis (2003 [1994]), ganharam repercussão no Brasil a partir dos estudos de Koch e Marcuschi (1998), Marcuschi e Koch (1998). Na esteira desses pesquisadores franco-suíços, Koch e Marcuschi estabeleceram três pressupostos delineadores dos estudos sobre referenciação: i) da indeterminação linguística, que entende a língua como ação situada, trabalho cognitivo e atividade social, não como sistema autônomo que se esgota no código; ii) da ontologia não atomista, segundo a qual o mundo (realidade extramental) não se encontra completamente discretizado, identificado e demarcado, uma

---

2   Para Beaugrande (1997), os princípios de textualidade (intencionalidade, aceitabilidade, informatividade, situacionalidade, intertextualidade, coesão e coerência) são importantes formas de conectividade e não regras de constituição de texto.

vez que a discretização do mundo empírico não é um dado apriorístico, mas uma elaboração cognitiva; iii) como consequência dos pressupostos anteriores, da referenciação como atividade discursiva e negociada, não extensional, que desencadeia a construção de objetos de discurso, marcados por uma instabilidade constitutiva.

Posteriormente, em 2003, o livro *Referenciação*, organizado por Cavalcante, Rodrigues e Ciulla, reúne a tradução de textos fundadores dos estudos em referenciação. No cenário brasileiro, a publicação dessa obra e, em 2005, do livro *Referenciação e discurso*, organizado por Koch, Morato e Bentes, bem como, em 2007, do livro *Texto e discurso sob múltiplos olhares: referenciação e outros domínios discursivos*, organizado por Cavalcante; Costa; Jaguaribe e Custódio Filho, assinalaram a frutificação de trabalhos sobre referenciação no âmbito acadêmico.

Em 2011, outra significativa contribuição aos estudos em referenciação se dá com a publicação do livro *Referenciação: sobre coisas ditas e não ditas*, de Cavalcante. Nele, a pesquisadora, sem a pretensão de esgotar o tema, traz importantes reflexões, as quais têm servido de base para trabalhos acadêmicos realizados no âmbito do grupo de pesquisa PROTEXTO e em diversas universidades brasileiras. Merecem destaque os seguintes princípios e postulados que vêm permeando e impulsionando consideravelmente pesquisas no campo da referenciação até os dias de hoje:

i) "a construção de referentes é um processo cognitivo e social de interação e de atenção" (CAVALCANTE, 2011, p. 47). De interação, porque os sujeitos constroem referentes em práticas sociais em que estão inseridos, com o objetivo de apresentar/introduzir entidades, levando-se em conta o "projeto de dizer". De atenção, porque requer processos cognitivos que norteiam a orientação da atenção;

ii) "o referente vai se configurando, não somente a partir dos indícios fornecidos pelo cotexto, mas também de todos os outros dados do entorno sociocultural dos enunciadores e coenunciadores" (CAVALCANTE, 2011, p. 53). Em outras palavras, a (re)construção referencial se realiza não apenas com base em pistas linguísticas e na sua forma de organização, mas também é fruto dos conhecimentos prévios dos sujeitos, de suas vivências e percepções (inter)subjetivas e da atualidade da interação;

iii) "a continuidade referencial não significa obrigatoriamente manutenção de um mesmo referente" (CAVALCANTE, 2011, p. 61). Isto é, as cadeias referenciais se estabelecem não apenas por meio das anáforas correferenciais, que retomam referentes já introduzidos na superfície textual, mas também por meio das anáforas indiretas, que, em diversos tipos de ancoragem em pistas co(n)textuais, introduzem um referente novo, e das operações de rotulação e encapsulamento, "garantindo-se a continuidade e, simultaneamente, a progressão referencial" (KOCH, 2008, p. 119);

iv) "os processos referenciais não precisam, necessariamente, estar associados à menção de expressões referenciais para serem introduzidos no universo de discurso criado a partir do texto" (CAVALCANTE, 2011, p. 119). Nesse sentido, "o referente, ou objeto de discurso, é uma entidade que emerge da própria interação e nem sempre se explicita por uma expressão referencial..." (CAVALCANTE, 2011, p. 122). Parafraseando Cavalcante, os processos referenciais não se limitam a expressões nominais referenciais expressas no cotexto, pois o que torna um referente acessível na atividade discursiva é o trabalho sociocognitivo e interativo dos sujeitos, que se guiam pelas pistas, expressas na materialidade textual;

v) "as anáforas diretas, assim como as indiretas, são igualmente configuradas como amálgamas cognitivos, à medida que, ao serem retomados, mesmo correferencialmente, os objetos de discurso vão sendo de algum modo reapresentados, com pequenas, médias ou grandes alterações, a partir das quais novas referências podem ser realizadas" (CIULLA; SILVA, 2008, apud CAVALCANTE, 2011, p. 142). As anáforas não são um mero mecanismo de preservação de referentes ou de conteúdos, que se efetiva por meio de elos coesivos explícitos, uma vez que um referente, ao ser introduzido, mesmo sendo retomado por meio de anáforas diretas, passa por sucessivos acréscimos informacionais e/ou mudanças de estado à medida que o texto progride;

vi) "os limites do processo de recategorização vão além da superfície textual e, portanto, não se prendem à menção de uma âncora no cotexto" (CAVALCANTE, 2011, p. 148). A recategorização, longe de ser um fenômeno referencial meramente homologado por uma retomada anafórica, refere-se à propriedade de ampliação ou alteração do referente, processo evolutivo que altera de algum modo o seu significado. Podemos dizer que o referente, a cada retomada anafórica, é recategorizado por um conjunto de pistas co(n)textuais, o que evidencia ser a recategorização um fenômeno cognitivo-discursivo, que diz respeito à evolução natural por que todo referente passa na progressão textual. Na defesa dessa visão ampliada do processo cognitivo-discursivo de recategorização, situam-se os relevantes trabalhos de Lima (2009), Lima e Feltes (2012), Lima e Cavalcante (2015).

Ainda recentemente, considerando a multiplicidade e variabilidade de textos, dos mais prototípicos aos menos prototípicos (SANDIG, 2009 [2000]), estudiosos da LT (CAVALCANTE; CUSTÓDIO FILHO, 2010) propõem um alargamento do conceito de texto, de modo a incorporar na análise de fenômenos textuais as produções multimodais, caracterizadas pela copresença de dois ou mais modos de linguagem (verbal, imagética, plástica, sonora) na superfície textual.

No Brasil, o primeiro trabalho de que temos conhecimento sobre referenciação em textos multimodais é o de Ramos (2007). Em sua tese, o autor defende que os referentes podem ser percebidos, na materialidade textual, por meio de signos linguísticos ou imagéticos. Dessa maneira, Ramos muito contribuiu para os estudos em referenciação em textos multimodais, ao atribuir aos elementos não verbais o mesmo *status* dado às expressões nominais referenciais na introdução, na retomada e na transformação de referentes. Nessa mesma direção, situam-se os trabalhos de Ramos (2012), Custódio Filho (2011) e Capistrano Júnior (2011, 2012).

Mais recentemente, em 2015, um número temático da revista *ReVEL* (Revista Virtual de Estudos da Linguagem), vol. 13, n. 25, foi dedicado à referenciação, um dos temas mais desafiadores no campo da LT e que oferece ainda um vasto campo para a pesquisa.

Tópico discursivo

Segundo Cavalcante, Pinheiro, Lins e Lima (2010), no Brasil, a noção de tópico discursivo emerge nos trabalhos do subgrupo Organização Textual- -Interativa do Projeto Gramática do Português Falado (PGPF).

Definido, inicialmente, por Jubran et al. (1992), como uma categoria abstrata, primitiva, que se manifesta na conversação, mediante enunciados formulados pelos interlocutores a respeito de um conjunto de referentes explícitos ou inferíveis, concernentes entre si e em relevância num determinado ponto da mensagem (1992, p. 361), o tópico abrange duas propriedades: a centração e a organicidade.

A *centração* ("sobre o que se diz") consiste no inter-relacionamento das unidades de sentido do texto, convergindo para um eixo temático que é caracterizado pelos seguintes traços:

i) *concernência*: relação de interdependência semântica entre os enunciados – implicativa, associativa, exemplificativa ou de outra ordem – pela qual se dá sua integração no referido conjunto de referentes explícitos ou inferíveis;
ii) *relevância*: proeminência desse conjunto, decorrente da posição focal assumida pelos seus elementos;
iii) *pontualização*: localização desse conjunto, tido como focal, em determinado momento da mensagem. (JUBRAN et al., 1992, p. 361).

No entanto, Jubran (2006), ao incorporar em seus estudos os pressupostos da referenciação como atividade discursiva, ressaltou a insuficiência do léxico para a construção dos sentidos e o caráter não apriorístico e instável dos objetos de discurso. Nesse sentido, para Jubran, a propriedade de centração, tal como aparece no trabalho de 1992, apoia-se na função representacional e "não abarca a contrapartida interacional, pertinente a uma abordagem textual- -interativa do texto" (JUBRAN, 2006, p. 35). A autora propõe que as noções de concernência, relevância e pontualização, contidas na centração, sejam abordadas em uma perspectiva mais ampla de interação. Em decorrência disso, as noções passaram a ser assim concebidas:

i) *concernência*: relação de interdependência entre elementos textuais, firmada por mecanismos coesivos de sequenciação e referenciação, que promovem a integração desses elementos em um conjunto referencial, instaurado no texto como alvo da interação verbal;

ii) *relevância*: proeminência de elementos textuais na constituição desse conjunto referencial, que são projetados como focais, tendo em vista o processo interativo;

iii) *pontualização*: localização desse conjunto em determinado ponto do texto, fundamentada na integração (concernência) e na proeminência (relevância) de seus elementos, instituídas com finalidades interacionais. (JUBRAN, 2006, p. 35).

A *organicidade* ("como se trata o que se diz"), outro traço identificador do tópico discursivo, diz respeito ao seu desdobramento em tópicos coconstituintes, ou seja, em subtópicos. Sua manifestação pode ser observada na linha discursiva por meio de relações de interdependência tópica em dois planos: sequencial (horizontal) e hierárquico (vertical).

O primeiro indica em termos de adjacência as articulações intertópicas (continuidade), "com abertura de um tópico subsequente somente quando o anterior é esgotado" (PINHEIRO, 2005, p. 26) ou as interposições tópicas (descontinuidade), ou seja, uma perturbação na sequencialidade linear do texto. O segundo diz respeito às dependências de superordenação e subordinação entre tópicos.

Em seus estudos sobre o assunto, Koch (1992, p. 72) parte da definição usual de tópico como "aquilo sobre que se fala", para prevenir que essa noção é mais complexa e abstrata. A autora postula que um texto conversacional é constituído de fragmentos recobertos por um mesmo tópico. Cada conjunto de fragmentos constitui uma unidade de nível mais alto, sucessivamente, sendo que cada uma dessas unidades, em seu próprio nível, representa um tópico. Há, portanto, uma distinção de níveis hierárquicos, com a finalidade de classificar o tópico, conforme indica a Figura 1, reproduzida de Koch (1992).

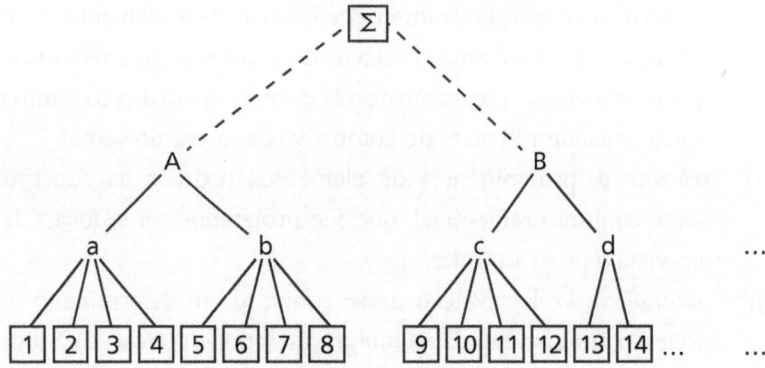

Figura 1 Diagrama da análise tópica

Segmentos tópicos: fragmentos de nível mais baixo (1, 2, 3, ...)
Subtópicos: conjunto de segmentos tópicos (a, b...)
Quadro tópico: conjunto de subtópicos (A, B)
Supertópico: um tópico superior (Σ)

Esse agrupamento organizado e hierarquizado do(s) conteúdo(s) focalizado(s) caracteriza-se por: i) fragmentos de nível mais abaixo, segmento tópico; ii) um conjunto de segmentos tópicos, que forma o subtópico; iii) diversos subtópicos que constituem um quadro tópico; iv) um tópico mais abrangente, que engloba vários tópicos, o supertópico.

Em revisão do trabalho de Jubran (2006), Cavalcante, Pinheiro, Lins e Lima (2010) evidenciam a natureza sociocognitiva do tópico discursivo. Para os autores, a centração, firmada por processos de referenciação, é estabelecida por cadeias referenciais expressas cotextualmente ou por outros dados do entorno sociocultural e situacional dos sujeitos. Da mesma forma, as relações de interdependência entre tópicos (a organicidade) se constroem sociocognitivamente com base nas pistas do cotexto.

Além disso, os autores enfatizam a relação intrínseca entre os processos de referenciação e o gerenciamento tópico: "estes processos, que dizem respeito à referenciação e à progressão e organização tópica do texto/discurso estão profundamente enraizados na dinâmica sociocognitiva e discursiva da interação" (CAVALCANTE; PINHEIRO; LINS; LIMA, 2010, p. 233).

Sob a perspectiva sociocognitiva e interacional, destacam-se os trabalhos de Lins (2004; 2008a) que se voltam para uma análise da organização tópica de tiras diárias de quadrinhos. Nesses estudos, a autora indica como a imbricação verbo-imagética atua na introdução, manutenção/progressão e fim de tópico.

Resumidamente, o tópico discursivo, fio unificador e estruturador que perpassa o texto, é entendido como uma categoria analítica de natureza textual, interacional e discursiva. Tópico discursivo e referenciação apontam para a progressão textual e a coerência, dois aspectos fulcrais e interdependentes na negociação de sentidos.

A Pragmática

A Pragmática é, atualmente, uma das disciplinas mais discutidas no campo da Linguística, haja vista seu desenvolvimento, percebido a partir da existência de um número crescente de pesquisas, as mais diversificadas possíveis, da criação de uma sociedade científica (no Brasil, a inauguração da ABRAP, Associação Brasileira de Pragmática), do grande número de congressos internacionais específicos, além de inumeráveis publicações, resultantes de monografias, dissertações de mestrado e teses de doutorado em periódicos especializados.

Isso acontece devido ao fato de estudiosos terem adotado uma perspectiva pragmática em seus estudos, o que, de certa forma, trouxe um olhar diferenciado para diversos fenômenos da área da Linguística, como, por exemplo, a referência nominal e temporal, a organização do tópico no discurso, os marcadores discursivos e a estrutura da informação, o modo de dizer, entre outros. Esse enfoque proporcionou trazer para a análise do processo comunicativo os participantes da comunicação e o contexto.

Mas o que é, mesmo, Pragmática? Levinson (2007) diz que Pragmática é uma daquelas palavras que dão a impressão de que se está falando de algo inteiramente específico e técnico, quando, na verdade, muitas vezes, ela não tem nenhum significado claro. Assim, para caracterizar essa disciplina, torna-se preciso recuperar um conjunto de definições elaboradas por diferentes estudiosos.

A definição de Pragmática restringe-se, aqui, ao sentido que é dado ao termo no âmbito da Filosofia e da Linguística anglo-americanas. De modo geral, podemos entender que a Pragmática é, em suma, o estudo do uso linguístico. Nesse sentido, é interessante, novamente, reportarmo-nos a Levinson, que, fazendo reflexões sobre maneiras de se definir Pragmática, traz várias considerações, entre elas, a de que Pragmática é o estudo da linguagem a partir de uma perspectiva funcional, isto é, que tenta explicar as facetas da estrutura linguística por referência a pressões de causas não linguísticas.

No entanto, explica o autor, essa definição deixaria de distinguir a Pragmática linguística de outras disciplinas interessadas em abordagens funcionais da linguagem, como, por exemplo, a Sociolinguística e a Psicolinguística. Desse modo, explicita Levinson, o termo Pragmática abrange tanto aspectos da estrutura linguística dependentes do contexto como princípios do uso e da compreensão linguística que não têm nenhuma ou muito pouca relação com a estrutura linguística.

Partindo desse raciocínio, Levinson faz tentativas de definições, mostrando as implicações que essas tentativas podem ter em relação a outros estudos sobre a linguagem. Entre essas definições, vale a pena citar as seguintes:

"Pragmática é o estudo das relações entre língua e contexto que são gramaticalizadas ou codificadas na estrutura de uma língua" (Levinson, 2007, p. 11);

"Pragmática é o estudo de todos os aspectos do significado não capturados em uma teoria semântica" (ibid., p. 14);

"A pragmática é o estudo das relações entre a língua e o contexto que são básicas para uma descrição da compreensão da linguagem" (ibid., p. 25);

"Pragmática é o estudo da capacidade dos usuários da língua de emparelhar sentenças com os contextos em que elas seriam adequadas" (ibid., 29);

"A pragmática é o estudo da dêixis (pelo menos em parte), da implicatura, da pressuposição, dos atos de fala e dos aspectos da estrutura discursiva" (ibid., 32).

Esse conjunto de definições mostra que umas se completam com outras e que oferecem indicação de quais tópicos são centrais nos estudos da pragmática.

Por sua vez, Yule (1996) define Pragmática como "o estudo do significado do falante". Isso quer dizer que essa disciplina tem como objetivo principal a preocupação com o estudo do significado que o usuário da língua quer dar à sua mensagem e, também, da significação que o ouvinte constrói ao interpretar determinada mensagem.

Nesses termos, depreende-se que a Pragmática tem a ver mais com a análise daquilo que os indivíduos querem significar ao produzir/ler textos do que com o que as palavras e as frases dos enunciados podem significar por si próprios. Assim, esse estudo envolve a interpretação do que as pessoas querem (pretendem) dizer, quando inseridas em contextos situados, e como esses contextos podem influenciar aquilo que é dito; ou seja, a Pragmática leva em consideração como os sujeitos organizam o que querem dizer, de acordo com quem vão interagir, o lugar onde vão estar, o momento histórico que estão vivendo e sob que circunstâncias estão atuando.

São consideradas, também, as representações da experiência do mundo de cada participante da interação e as inferências contextualmente produzidas que fazem sobre o que é dito, com vistas a percepções intersubjetivas das intenções e dos propósitos sociais. Isso envolve, ainda, a análise do não dito como parte daquilo que é comunicado, ou seja, é levada em consideração, também, a investigação do "significado invisível", isto é, das implicaturas.

Com base no exposto, entendemos que a Pragmática, como área do conhecimento interdisciplinar, trata não apenas dos aspectos sociais e situacionais das interações humanas, mas também de processos cognitivos, uma vez que grande parte desses processos acontece no interior da sociedade e não exclusivamente nos indivíduos (KOCH; CUNHA-LIMA, 2004), pressuposto assumido pela LT. Nessa visão, a noção de contexto é tributária das ações conjugadas, social e cognitivamente.

De modo mais geral, à Pragmática se atribuem as importantes tarefas de investigar aspectos intencionais que regulam o uso da linguagem, bem como de descrever suas condições de funcionamento em relação aos sujeitos e aos contextos. A seguir, discorre-se sobre alguns temas da Pragmática.

A noção de intenção e ato racional

De um ponto de vista estendido, a pragmática pode ser vista como o estudo das ações humanas realizadas intencionalmente. Isso envolve a interpretação de atos realizados com a intenção de alcançar algum propósito. Por isso, os princípios centrais da pragmática devem incluir as noções de crença, intenção e ato (LINS, 2002).

Pelo fato de a necessidade de construir significados e alcançar objetivos envolver comunicação, a pragmática também contempla o estudo de todos os tipos de comunicação, inclusive o não convencional, o não verbal e o não simbólico. Essa reflexão é exemplificada por Green (1996, p. 3) do seguinte modo:

> Quando um salva-vidas atira uma bola de vôlei na direção de um nadador que está prestes a se afogar no oceano, ele acredita que o nadador quer socorro, e que compreenderá que o ato de atirar a bola na direção dele (nadador) deve ser entendido como um socorro e que ele deverá saber tirar vantagem, usando a bola para flutuar sobre a água.

O exemplo citado pressupõe pelo menos três crenças e uma intenção da parte do salva-vidas, incluindo duas crenças sobre as crenças do nadador e uma sobre os desejos do mesmo nadador. As crenças e intenções mútuas de falante e ouvinte são típicas das conversas espontâneas, dos usos comuns da língua, e esses usos não podem ser entendidos a não ser em referência a essas crenças e intenções. É a crença que faz toda a diferença entre a verdade e a mentira: quando alguém faz uma afirmação falsa e os outros acreditam ser falsa, esse alguém está mentindo; mas se diz alguma coisa falsa e acreditam ser verdadeiro, está simplesmente cometendo um engano. Também é a crença que delimita a diferença entre informar e relembrar: se um falante diz para o ouvinte: "Os coreanos têm um feriado em que comemoram a invenção do alfabeto deles" e acredita que o ouvinte não tem essa informação, ele tem a intenção de informar; mas se o falante acredita que o ouvinte já é sabedor desse fato, o falante tem a intenção de apenas relembrar.

Os atos de fala

No ato de se comunicar umas com as outras, as pessoas não produzem enunciados que contêm apenas palavras e estruturas gramaticais; elas praticam ações através dos enunciados produzidos, ou melhor, dos textos em função, inseridos no quadro dos jogos de atuação comunicativa e social (SCHMIDT, 1978).[3]

Conforme Lins (2008b), as ações praticadas via enunciados são de modo geral chamadas de atos de fala, e, mais especificamente, de pedido, cumprimento, desculpa, resposta, convite, promessa, e outros. Esses diferentes tipos de atos de fala estão relacionados à intenção comunicativa do falante, quando produz seu enunciado. O falante normalmente espera que sua intenção comunicativa seja reconhecida por seu ouvinte. Nesse processo, ambos, falante e ouvinte, são auxiliados pelas circunstâncias que circundam o ato comunicativo. Isso é o que é chamado de evento de fala por alguns especialistas da linguagem. É a natureza do evento de fala que vai determinar a interpretação dos enunciados proferidos em determinado ato de fala. Essa explicitação é exemplificada por Yule (1996) do seguinte modo:

Se, num dia de inverno, um falante pede uma xícara de chá, acreditando que o chá esteja quente, dá um gole, e diz: "Este chá está realmente frio", ele está fazendo uma reclamação. Mas, se, por outro lado, mudarem as circunstâncias, e, num dia de verão, o falante recebe do ouvinte uma xícara de chá gelado, dá um gole e repete o mesmo enunciado, ele está fazendo um elogio. Se, para um mesmo enunciado, duas interpretações foram possíveis, isso

---

3   Para Schmidt, "na medida em que a teoria de texto vem abordar a produção e recepção de textos que funcionam comunicativamente, ela forçosamente será 'pragmática'; de outra forma ela não tem condições de existir" (p. 9). Ao considerar a dimensão pragmática dos textos, Schmidt põe em evidência o fato de que processos de significação não se limitam à identificação de estruturas linguístico-gramaticais, mas tem como fator importante o reconhecimento de funções ilocucionais em uma situação comunicativo-interativa. Seu modelo de geração de textos, influenciado pela gramática textual, traz importantes contribuições para os estudos linguísticos e textuais, ao evidenciar a) a língua como fenômeno social; b) a competência comunicativa dos sujeitos; e c) a abordagem interdisciplinar na focalização de fenômenos textuais.

quer dizer que não se pode fazer a correspondência direta entre uma ação e um ato de fala. Isso significa que há muito mais a se interpretar num ato de fala do que aquilo que está presente no enunciado. Em síntese, dizer é fazer, é agir, e o texto, lugar da interação, é visto como um macroato de fala.

As intenções envolvidas em dizer algo vão além de selecionar elementos lexicais e organizá-los em uma sintaxe, uma vez que a apreensão dos atos intencionais (força ilocutória pretendida) depende não somente de fatores sociointerativos, mas também de processos cognitivos.

Essa discussão pode ser pensada quando se tem por foco como a coerência é construída. Marcuschi (2007), ao discutir sobre como os sujeitos promovem a coerência, diz que a discussão deve ir além das perguntas "o que significa isso?" ou "o que ele quer dizer com isso?", mas se centrar na pergunta "o que entendemos com isso agora?".

A primeira pergunta evidencia uma visão de coerência presa ao código, à semântica de verdade e ao entendimento de texto como produto acabado. A segunda compreende a coerência como resultado de processos inferenciais, de captação das intenções do outro. Já a terceira associa a coerência a um trabalho "coletivo, conjuntamente construído e, em muitos casos, de difícil identificação fora do contexto em que foi produzida; implica uma noção de semântica em que os componentes cognitivo e pragmático são fundamentais" (MARCUSCHI, 2007, p. 16).

Essa concepção de coerência tem como relevo fenômenos sociais e interativos e envolve uma série de operações linguísticas e cognitivas, fruto de um processo desenvolvido na atividade inferencial colaborativa realizada local e globalmente, em que o contexto é uma noção básica (ELIAS, 2015).

O Princípio da Cooperação

Grice (1982, 86) afirma que muito mais do que é dito pode ser veiculado, se os indivíduos assumem que, na conversação, seguem uma norma comportamental chamada de Princípio da Cooperação, elaborado nos seguintes termos: "Faça sua contribuição conversacional tal como é requerida, no momento em que ocorre, pelo propósito ou direção do intercâmbio conversacional em que você está engajado". Isso significa que, considerando o significado convencional das palavras – o que se diz – e as implicaturas – o que se quer dizer – ao contrário do que possa parecer, os diálogos são esforços reconhecidos; ou seja, cada participante da interação reconhece nos diálogos um propósito comum ou um conjunto de propósitos que orienta na direção da conversa. Esse propósito pode ser fixado no início (uma questão a ser discutida, por exemplo) ou durante o diálogo. Isso implica que falante e ouvinte estão constantemente envolvidos na interpretação do objetivo de um e de outro quando dizem o que dizem do modo como dizem. Quer dizer que os indivíduos agem de acordo com seus propósitos.

Para esse princípio geral, Grice estabeleceu quatro categorias, quatro máximas que representam as regras da conversação:

1. *Máxima da Quantidade*: a) faça sua contribuição tão informativa quanto for requerido para o propósito corrente da conversação; b) não faça sua contribuição mais informativa do que é requerido.
2. *Máxima da Qualidade*: a) não diga o que você acredita ser falso; b) não diga senão aquilo para o que você possa fornecer evidência.
3. *Máxima da Relação*: a) seja relevante.
4. *Máxima do Modo*: a) evite obscuridade de expressão; b) evite ambiguidade; c) seja breve; d) seja ordenado.

O filósofo observa, ainda, que a violação deliberada de qualquer uma das máximas é um recurso de que o falante dispõe para transmitir informações que estão além do sentido literal das sentenças. Essa situação gera uma implicatura conversacional. No entanto, quando uma implicatura conversacional é gerada, o Princípio da Cooperação não está sendo contrariado, pois a máxima pode ser ignorada, ou brevemente violada, no caso em que os ouvintes estão sendo enganados. É o caso da mentira, por exemplo, que representa uma clara violação da máxima da qualidade.

Nos casos em que o falante não pode garantir uma máxima sem ignorar outra, para não deixar o ouvinte confuso, ele deve explicitar ou implicitar que não está agindo em conformidade com a máxima. É o caso dos exemplos a seguir:

Explicitamente:
1. *quantidade*: Eu não estou autorizado a dizer mais...; Provavelmente não preciso dizer mais nada...;
2. *qualidade*: Não tenho certeza se isso é verdade, mas...; Não tenho nenhuma evidência disso, mas...;
3. *relação*: Eu sei que isso é irrelevante, mas...; falando nisso...
4. *modo*: Não sei se estou sendo claro, mas...; parece não ter sentido, mas...

Implicitamente:
1. *quantidade*: Como você já sabe...
2. *qualidade*: Isto pode ser apenas uma fofoca, mas...
3. *relação*: Por falar nisso...
4. *modo*: Fazendo rima... Só para rimar...

A consequência de assumir um comportamento de acordo com o Princípio da Cooperação é que, mesmo quando o comportamento linguístico se mostra em desacordo com as máximas, os ouvintes pressupõem que o falante está obedecendo ao princípio e assumem que esse princípio não é tão irracional e imprevisível. Assumindo que o falante está agindo racionalmente, e esperando ser entendido desse modo, o ouvinte adota a estratégia de assumir que o comportamento do falante está de acordo com as máximas e de considerar que as proposições devem ser aceitas no sentido de justificar um comportamento em conformidade com o Princípio da Cooperação.

A teoria de Grice, embora seja uma importante contribuição para a apreensão dos sentidos não explicitados, fundamenta-se na concepção de um sujeito ideal, mascarando relações de assimetria e nivelando expectativas/intenções e conhecimentos. Segundo Marcuschi (2007), na perspectiva griceana, "as relações sociais não têm papel crucial, pois o cerne de sua preocupação é com uma racionalidade lógico-pragmática. A própria noção de língua é definida em termos de processamento de informação intencionalmente pretendida" (MARCUSCHI, 2007, p. 20).

Assim, tanto a teoria de atos de fala como a teoria das implicaturas muito se beneficiariam se incorporassem a seus estudos pressupostos sociocognitivo-interacionais.

A polidez

De acordo com Lins (2008b), no sentido de atender aos requisitos do Princípio da Cooperação, mais precisamente a máxima do modo, os interlocutores procuram atuar linguisticamente a partir de um comportamento polido.

Lakoff (1973) explica que a diferença entre um comportamento polido e um rude é que o comportamento polido traz sensação confortável de harmonia à conversação. Vendo por esse prisma, a polidez deve ser prioridade principal de qualquer comportamento interpessoal, inclusive dos atos não linguísticos e, também, atos de consideração que complementam significados linguísticos, além dos atos linguísticos em enunciados específicos de polidez.

Em suas reflexões sobre o assunto, Lakoff estabelece três regras formais de polidez, às quais os falantes devem seguir quando desejam ser polidos:

Regra 1: Não imponha. Em determinadas situações há uma diferença reconhecida de poder entre os participantes, nesses casos essa regra deve ser levada em conta. Impor sobre alguém significa impedir a pessoa de agir como quer. Um falante polido prefere mitigar, ou pedir permissão ou desculpar-se ao solicitar que seu destinatário execute alguma ação que ele possa não estar propenso a executar. Não impor significa não dar nem pedir opinião pessoal, evitar referência pessoal, evitar referência à família, a problemas pessoais, a hábitos etc. Num nível superficial, isso significa evitar linguagem pesada ou emocional e tópicos de conversação que representem tabus, como amor, sexo, política, religião, dificuldades econômicas, corpo humano etc.;

Regra 2: Ofereça opções. Em situações em que os participantes têm aproximadamente status e poder equivalentes, mas não são socialmente íntimos, oferecer opções parece ser o comportamento mais adequado. Oferecer opções significa expressar-se de tal modo que a opinião ou resposta possa ser ignorada sem ser contradita ou rejeitada. A intenção do falante deve ser implicada, por exemplo, em enunciados estruturados num modo pragmático, ambíguo, de modo a dar a sugestão de que prefere não agredir;

Regra 3: Encoraje sentimentos de camaradagem. Essa regra diz respeito a amigos muito chegados. Mesmo entre participantes considerados íntimos, espera-se que seja evitada uma comunicação muito direta. Pode-se usar uma polidez informal, mostrando atenção e confiança, estando aberto a detalhes da vida do outro, incluindo diminutivos e, em alguns contextos, até apelidos.

A polidez pode ser estabelecida como um conceito, uma ideia de comportamento social polido, que pode ser, também, referido como etiqueta. Numa interação, a polidez pode ser vista como esforços no sentido de reconhecer a face do outro.

Goffman (1985) conceitua face como valor social positivo que uma pessoa reivindica para si, uma imagem delineada em termos de atributos sociais aprovados, localizada no fluxo dos eventos. São os eventos que vão determinar a resposta emocional que a pessoa vai experimentar: ela se sentirá bem, se os eventos estabelecerem uma face superior ao esperado e se sentirá mal, se suas expectativas não forem preenchidas.

Para assegurar a imagem pública que estabeleceram, as pessoas executam ações, numa orientação defensiva, com o objetivo de salvar a própria face, e, também, numa orientação protetora, com o objetivo de salvar a face dos outros. Goffman distingue dois tipos de trabalho de elaboração de face: o processo de evitação (evitar atos potencialmente ameaçadores à face) e o processo corretivo (utilizar atos reparadores).

Ao tratar das estratégias utilizadas pelos indivíduos para manter o lugar social, o autor fala da arte de manipular a impressão (GOFFMAN, 1985 [1959]). Conceitua o indivíduo que manipula bem as impressões como um ator disciplinado, que representa um personagem nas dadas situações sociais. Para representar com sucesso seu papel, o ator não pode cometer atos involuntários como "gafes" ou "mancadas". Deve ter autocontrole e domínio de rosto e voz.

Complementando as noções propostas por Goffman, Brown e Levinson (1987) definem face como "a imagem própria pública que cada pessoa quer reivindicar para si próprio". Baseando-se originalmente no modelo de conversação proposto por Grice e admitindo que a comunicação humana é racional, classificam dois modelos de face: face positiva e face negativa.

A face positiva relaciona-se ao desejo da pessoa de ser aceita e estimada pelos outros e a face negativa refere-se ao desejo da pessoa de não sofrer imposição pelos outros em sua liberdade de ação. Esses desejos podem ser alcançados por atos como ordem, promessas, ameaças, críticas, contradições etc. Para minimizar tais ameaças, as pessoas adotam estratégias do discurso em suas interações. Essas estratégias variam desde a não realização do ato, a especificações das intenções, o uso de ações reparadoras até a realização do ato de maneira indireta.

A escolha de qualquer das estratégias de polidez vai estar na dependência de variáveis tais quais poder, distância social e teor de risco. Conforme o teor de risco, isto é, de ameaça à face do falante e/ou do ouvinte, o falante vai optar por uma estratégia de polidez. Se o risco é baixo, o falante poderá realizar o ato diretamente. Se o risco é alto, o falante vai procurar uma estratégia para realizar o ato de modo que a intenção pretendida seja percebida pelo ouvinte através de uma inferência.

Brown e Levinson (1987) chamam a atenção para a utilização de estratégias de polidez em diferentes culturas. Há que se levar em conta os valores atribuídos ao poder, à distância e, ainda, ao risco de um ato de ameaça à face em relação à qualidade afetiva típica da interação dos membros de uma dada cultura.

Linguística Textual e Pragmática: uma interface possível

Feito um panorama dos princípios teórico-metodológicos das duas disciplinas, apontam-se pesquisas em que a interface entre LT e Pragmática se faz satisfatória.

No âmbito do Programa de Pós-Graduação em Estudos Linguísticos (PPGEL) da Universidade Federal do Espírito Santo (UFES), sob a orientação da Professora Doutora Maria da Penha Pereira Lins, destacamos, a título de exemplificação, os estudos realizados por Gonçalves (2012), Marchezi (2014) e Silva (2015).

O primeiro combina a noção de referenciação com a noção de polidez na análise de depoimentos veiculados na extinta rede social digital *Orkut*. Com base na análise empreendida, Gonçalves (2012) conclui que, em depoimentos, são construídas duas faces positivas bidirecionais: a do dono do perfil, uma vez que o texto é a apresentação por escrito de impressões positivas que o falante possui acerca dele; e a do amigo que, ao criar o depoimento e demonstrar tantas qualidades do objeto de discurso a que faz referência, está seguindo a face positiva, ao postular a maximização de expressões que sugerem o benefício do outro.

O segundo focaliza as interações verbais em entrevistas com políticos, realizadas e publicadas pelo jornal *A Gazeta*. Nele, Marchezi (2014) mostra como acontecem os atos de ameaça às faces positiva e negativa na relação entre entrevistador e entrevistado, bem como quais estratégias de polidez eles utilizam para salvar e preservar as suas faces a partir do gerenciamento do tópico discursivo.

O terceiro analisa os atos de fala na construção de referentes em parábolas bíblicas criadas por Jesus. Numa interface textual-pragmática, Silva (2015), com base no estudo sobre atos de fala de Searle (1976), analisa como as escolhas referenciais influenciam na argumentação, pondo em evidência a noção de texto como macroato de fala, uma vez que há uma indissociabilidade entre texto e ato de fala que lhe dá sustentação.

Considerações finais

Com o breve panorama das pesquisas desenvolvidas em LT e em Pragmática e com as considerações feitas sobre o diálogo possível entre as duas disciplinas, buscou-se oferecer um quadro de reflexão teórico-metodológica para as investigações de fenômenos interacionais e textuais.

As pesquisas citadas e desenvolvidas no âmbito do PPGEL buscaram evidenciar: 1) como a construção e reconstrução de referentes, objetos cognitivos e discursivos, bem como o gerenciamento do tópico discursivo, constituem interessantes estratégias de (im)polidez linguística, presentes em textos de diferentes modalidades de linguagem e 2) como os objetos de discurso, numa visão de texto como ato comunicativo social-interativo por excelência, constituem atos de fala que orientam argumentativamente a construção de sentido em parábolas bíblicas.

À LT e à Pragmática cabem alargar o diálogo com outras áreas do conhecimento. Desse modo, a interface entre elas permite evidenciar uma compreensão mais global do texto na multiplicidade de fatores envolvidos em sua constituição.

Referências

APOTHÉLOZ, D. (1995). Papel e funcionamento da anáfora na dinâmica textual. In: CAVALCANTE, M. M.; RODRIGUES, B. B.; CIULLA, A. (Org.). *Referenciação*. São Paulo: Contexto, 2003. p. 53-84. (Coleção Clássicos da Linguística).

BEAUGRANDE, R. *New foundations for a science of text and discourse*: cognition, communication, and freedom of access to knowledge and society. Norwood, New Jersey: Ablex, 1997.

BENTES, A. C.; LEITE, M. Q. (Org.). *Linguística de texto e análise da conversação*: panorama das pesquisas no Brasil. São Paulo: Cortez, 2010.

BLÜHDORN, H.; ANDRADE, M. L. C. V. O. Tendências recentes da linguística textual na Alemanha e no Brasil. In: WIESER, H. P.; KOCH, I. G. V. (Org.). *Linguística textual*: perspectivas alemãs. Rio de Janeiro: Nova Fronteira, 2009. p. 17-46.

BROWN, P.; LEVINSON, S. *Politeness*. Some universals in language usage. Cambridge: Cambridge University Press, 1987.

CAPISTRANO JÚNIOR, R. Ler e compreender tirinhas. In: ELIAS, Vanda Maria (Org.). *Ensino da língua portuguesa*: oralidade, escrita e leitura. São Paulo: Contexto, 2011. p. 227-235.

_____. *Referenciação e humor em tiras do Gatão de meia-idade, de Miguel Paiva*. 2012. 139 f. Tese (Doutorado em Língua Portuguesa) – Programa de Estudos Pós-Graduados em Língua Portuguesa, Pontifícia Universidade Católica de São Paulo, São Paulo, 2012.

_____. *Referenciação, multimodalidade e humor em tiras cômicas do Gatão de meia-idade, de Miguel Paiva*. Campinas: Pontes Editores, 2017.

CAVALCANTE, M. M. *Referenciação*: sobre coisas ditas e não ditas. Fortaleza: UFC, 2011.

_____. *Os sentidos do texto*. São Paulo: Contexto, 2012. (Coleção Linguagem e Ensino).

_____ et al. *Texto e discurso sob múltiplos olhares*: referenciação e outros domínios discursivos. Rio de Janeiro: Lucerna, 2007. v. 2.

_____ et al. Dimensões textuais nas perspectivas sociocognitiva e interacional. In: BENTES, A. C.; LEITE, M. Q. (Org.). *Linguística de texto e análise da conversação*: panorama das pesquisas no Brasil. São Paulo: Cortez, 2010. p. 225-261.

_____; CUSTÓDIO FILHO, V. Revisitando o estatuto do texto. *Revista do GELNE*, Piauí, v. 12, n. 2, p. 56-71, 2010.

_____; CUSTÓDIO FILHO, V.; BRITO, M. A. P. *Coerência, referenciação e ensino*. São Paulo: Cortez, 2014.

_____; RODRIGUES, B. B.; CIULLA, A. (Org.). *Referenciação*. São Paulo: Contexto, 2003. p. 53-84. (Coleção Clássicos da Linguística).

CONTE, M. E. Encapsulamento anafórico. In: CAVALCANTE, M. M.; RODRIGUES, B. B.; CIULLA, A. (Org.). (1996). *Referenciação*. São Paulo: Contexto, 2003. p. 177-190. (Coleção Clássicos da Linguística).

CUSTÓDIO FILHO, V. *Múltiplos fatores, distintas interações*: esmiuçando o caráter heterogêneo da referenciação. 2011. 330 f. Tese (Doutorado em Linguística) – Centro de Humanidades, Universidade Federal do Ceará, Fortaleza, 2011.

ELIAS, V. M. Texto e hipertexto: questões para a pesquisa e o ensino. In: MENDES, E.; CUNHA, J. C. (Org.). *Práticas em sala de aula de línguas*: diálogos necessários entre teoria(s) e ações situadas. Campinas: Pontes, 2012. p. 81-98.

_____. Quadrinhos e leitura na mídia social digital: porque comentar é preciso. In: LINS, M. P. P.; CAPISTRANO JÚNIOR, R. (Org.). *Quadrinhos sob diferentes olhares teóricos*. Vitória: PPGEL-UFES, 2014. p. 45-64.

_____. Hipertexto e leitura: como o leitor constrói a coerência? In: CABRAL, A. L. T.; MINEL, J. L.; MARQUESI, S. C. (Org.). *Leitura, escrita e tecnologias da informação*. São Paulo: Terracota, 2015. (Coleção Linguagem e Tecnologia).

FÁVERO, L. L. Linguística textual: memória e representação. *Filologia e linguística portuguesa*, São Paulo, v. 14, n. 2, p. 225-233, 2012.

_____; KOCH, I. G. V. *Linguística textual*: introdução. São Paulo: Cortez, 1993.

_____; PASCHOAL, M. S. Z. *Linguística textual*: texto e leitura. São Paulo, EDUC, 1985. (Série Cadernos PUC, 22).

FRANCIS, G. Rotulação do discurso: um aspecto da coesão lexical de grupos nominais. In: CAVALCANTE, M. M.; RODRIGUES, B. B.; CIULLA,

A. (Org.). (1994). *Referenciação*. São Paulo: Contexto, 2003. p. 191-228. (Coleção Clássicos da Linguística).

GOFFMAN, E. (1959). *A representação do eu na vida cotidiana*. Petrópolis: Vozes, 1985.

GONÇALVES, L. S. *A categorização e recategorização de objeto de discurso como estratégia de construção de face*: uma análise de depoimentos de Orkut. 2012. 151 f. Dissertação (Mestrado em Linguística) – Programa de Pós-graduação em Estudos Linguísticos, Universidade Federal do Espírito Santo, Vitória, 2012.

GREEN, G. H. *Pragmatics and a natural language understanding*. New Jersey: Lawrence Erlbaun Associates Publishers, 1996.

GRICE, H. P. Lógica e conversação. In: DASCAL, M. (Org.). *Fundamentos metodológicos da Linguística*: Pragmática – problemas, críticas, perspectivas linguísticas. Unicamp, 1982. v. IV.

JUBRAN, C. A. S. Tópico discursivo. In: _____; KOCH, I. G. V. (Org.). *Gramática do português culto falado no Brasil*. Campinas: Editora da Unicamp, 2006. v. I.

_____ et al. Organização tópica da conversação. In: ILARI, R. (Org.). *Gramática do português falado*. Campinas: Unicamp; São Paulo: Fapesp, 1992. v. II.

KOCH, I. G. V. *A inter-ação pela linguagem*. São Paulo: Contexto, 1992.

_____. O desenvolvimento da Linguística Textual no Brasil. *DELTA – Documentação de Estudos em Linguística Teórica e Aplicada*, São Paulo, v. 15, n. especial, p. 167-182, 1999.

_____. *Desvendando os segredos do texto*. São Paulo: Cortez, 2002.

_____. *Introdução à linguística textual*: trajetória e grandes temas. São Paulo: Martins Fontes, 2004.

_____. *As tramas do texto*. Rio de Janeiro: Nova Fronteira, 2008.

_____; CUNHA-LIMA, M. L. Do cognitivismo ao sociocognitivismo. In: MUSSALIM, F.; BENTES, A. C. *Introdução à linguística*: fundamentos epistemológicos. São Paulo: Cortez, 2004. v. 3, p. 251-300.

_____; ELIAS, V. M. *Ler e compreender*: os sentidos do texto. São Paulo: Contexto, 2006.

_____; _____. *Ler e escrever*: estratégias de produção textual. São Paulo: Contexto, 2009.

_____; _____. *Escrever e argumentar*. São Paulo: Contexto, 2016a.

_____; _____. O texto na linguística textual. In: BATISTA, R. O. (Org.). *O texto e seus conceitos*. São Paulo: Parábola, 2016b. p. 31-44.

_____; MARCUSCHI, L. A. Processos de referenciação na produção discursiva. *DELTA – Documentação de Estudos em Linguística Teórica e Aplicada*, São Paulo, v. 14, n. especial, p. 169-190, 1998.

_____; MORATO, E. M.; BENTES, A. C. *Referenciação e discurso*. São Paulo: Contexto, 2005.

LAKOFF, R. The logic of politeness, or minding your P's and Q's. In: CORUM, C.; SMITH-STARK, T. Cedric; WEISER, A. (Ed.). *Papers from the Ninth Regional Meeting of the Chicago Linguistics Society*. Chicago: University of Chicago Press, Department of Linguistics, 1973. p. 292-305.

LEVINSON, S. C. *Pragmática*. Martins Fontes: São Paulo, 2007.

LIMA, S. M. C. *Entre os domínios da metáfora e metonímia*: um estudo de processos de recategorização. 2009. 204 f. Tese (Doutorado em Linguística). Centro de Humanidades, Universidade Federal do Ceará, Fortaleza, 2009.

_____; CAVALCANTE, M. M. Revisitando os parâmetros do processo de recategorização. *Revista Virtual de Estudos da Linguagem*, v. 13, p. 295-315, 2015. Disponível em: <http://www.repositorio.ufc.br/bitstream/riufc/19416/1/2015_art_smclima.pdf>. Acesso em: 18 jul. 2017.

_____; FELTES, H. P. de M. A construção de referentes no texto/discurso: um processo de múltiplas âncoras. In: CAVALCANTE, M. M; LIMA, S. M. C. de (Org.). *Referenciação*: teoria e prática. São Paulo: Cortez, 2013. p. 30-58.

LINS, M. P. P. Mas, afinal, o que é mesmo pragmática? *Revista Fala Palavra*, Aracruz, n. 2, nov. 2002.

_____. *Organização tópica do discurso de tiras diárias de Quadrinhos*. 2004. Tese (Doutorado em Linguística) – Faculdade de Letras, Universidade Federal do Rio de Janeiro, Rio de Janeiro, 2004.

_____. *O tópico discursivo em textos de quadrinhos*. Vitória: EDUFES, 2008a.

_____. A Pragmática e a análise de textos. *Revista (Con)Textos Linguísticos*. Vitória, v. 2, n. 2, p. 158-176, 2008b.

MARCHEZI, N. M. *A manipulação do tópico discursivo como estratégia de preservação da face*. 2014. Dissertação (Mestrado em Linguística) – Programa de Pós-graduação em Estudos Linguísticos, Universidade Federal do Espírito Santo, Vitória, 2014.

MARCUSCHI, L. A. *Cognição, linguagem e práticas interacionais*. Rio de Janeiro: Lucerna, 2007.

_____. *Produção textual, análise de gêneros e compreensão*. São Paulo: Parábola, 2008.

_____. *Linguística de Texto – o que é e como se faz*. Recife: Universidade Federal de Pernambuco, 1983. (Série Debates 1).

_____; KOCH, I. V. G. Estratégias de referenciação e progressão referencial na língua falada. In: ABAURRE, M. B. (Org.). *Gramática do português falado*. Campinas: Edunicamp; Fapesp, 1998. v. VIII, p. 31-58.

MARQUESI, S. C.; PAULIUKONIS, A. L.; ELIAS, V. M. (Org.). *Linguística Textual e ensino*. São Paulo: Contexto, 2017.

MONDADA, L.; DUBOIS, D. (1995). Construção de objetos de discurso e categorização: uma abordagem dos processos de referenciação. In: CAVALCANTE, M. M.; RODRIGUES, B. B.; CIULLA, A. (Org.). *Referenciação*. São Paulo: Contexto, 2003. p. 17-52. (Coleção Clássicos da Linguística).

NEIS, Ignácio Antônio. Por uma Gramática Textual. *Letras de Hoje*, PUC-RS, n. 44, 1981.

PINHEIRO, C. L. *Estratégias textuais-interativas*: a articulação tópica. Maceió: Edufal, 2005.

RAMOS, P. Tiras cômicas e piadas: duas leituras, um efeito de humor. 2007. 431 f. Tese (Doutorado em Filologia e Língua Portuguesa) – Faculdade de Filosofia, Letras e Ciências Humanas, Universidade de São Paulo, São Paulo, 2007.

_____. Estratégias de referenciação em textos multimodais: uma aplicação em tiras cômicas. *Linguagem em (Dis)curso*, Santa Catarina, v. 12, n. 3, p. 743-763, set./dez. 2012.

SANDIG, B. (2000). O texto como conceito prototípico. In: WIESER, P.; KOCH, I. G. V. (Org.). *Linguística textual*: perspectivas alemãs. Rio de Janeiro: Nova Fronteira, 2009. p. 47-72.

SCHMIDT, S. J. *Linguística e teoria de texto*: os problemas de uma linguística voltada para a comunicação. São Paulo: Pioneira, 1978.

SEARLE, J. The classification of illocutionary acts. *Language and Society*, 5, p. 1-24, 1976.

SILVA, M. M. *Atos de referenciação na construção de sentido em parábolas contadas por Jesus*. 2015. 102 f. Dissertação (Mestrado em Linguística) – Programa de Pós-graduação em Estudos Linguísticos, Universidade Federal do Espírito Santo, Vitória, 2015.

VAN DIJK, T. A. *Discurso e contexto*: uma abordagem sociocognitiva. São Paulo: Contexto, 2012.

YULE, G. *Pragmatics*. Oxford: Oxford University Press, 1996.

2

Linguística Textual e Funcionalismo

Antônio Suárez Abreu

O Funcionalismo deve sua existência a uma mudança teórica importante, fruto do surgimento da Fonologia, no final do século XIX. Até então, o estudo da linguagem se resumia a uma descrição exaustiva tanto quanto possível das unidades que compunham os três níveis gramaticais das línguas: fonética, morfologia e sintaxe. Na fonética, a preocupação dos foneticistas era descrever detalhadamente a articulação dos sons de uma língua. Discutia-se, por exemplo, se um /t/ seria simplesmente um fonema linguodental ou se seria mais apropriado dizer que era um fonema ápico-alveolar. Terminada a descrição exaustiva da articulação dos sons, estava pronta a tarefa! Esse tipo de enfoque é conhecido hoje como analítico ou taxonômico.

A pergunta pioneira feita por Trubetzkoy (1969 [1939]) foi mais ou menos o seguinte: Para que servem os sons de uma língua? Qual a sua função? A resposta encontrada foi que serviam para distinguir as palavras umas das outras. Um *t*, por exemplo, serve para distinguir uma palavra como *tapa* de outra como *capa* em português. Um *r*, para distinguir uma palavra como *rato* de outra como *mato*. Estava em pauta, portanto, o estudo da *função* distintiva dos sons. Tratava-se, portanto, de outro tipo de enfoque, conhecido hoje como sistêmico ou contextual, que era estudar o papel dos fonemas em sua funcionalidade dentro do sistema da língua. Os fonólogos foram, portanto, os primeiros funcionalistas. Mais à frente, já na metade do século XX, essa visão sistêmica ou funcional foi estendida aos outros níveis gramaticais restantes: a morfologia e a sintaxe, fazendo surgir a chamada Gramática Funcional. A partir do axioma de que a função básica da linguagem é a comunicação, o objetivo passou a ser o de descrever qualquer unidade linguística – seja ela um fonema, uma palavra ou uma frase – a partir de sua função na comunicação humana. Ora, os seres humanos comunicam-se por meio de textos – curtos ou longos, não importa – e não por meio de unidades gramaticais singulares. A consequência imediata desse posicionamento foi a necessidade de serem levados em conta os níveis de análise superiores à frase, como o texto, a enunciação e o discurso.[1]

A linguística textual, surgida nos anos 1970, tinha também por missão fazer uma descrição linguística que não fosse limitada pelo nível da frase. No dizer de Koch (1997, p. 68):

> O que se percebeu, em um primeiro momento, foi justamente a necessidade de ultrapassar os limites da frase, para dar conta de certos fenômenos como referenciação, seleção do artigo, concordância de tempos verbais, relação semântica entre frases não ligadas por conectivo, vários fatos de ordem prosódica, e assim por diante.

Um dos primeiros temas tratados na linguística textual foi, portanto, o da coesão textual por meio da recuperação de elementos presentes em partes anteriores de um texto, a chamada referenciação anafórica, o que levou à

---

[1] Enunciação é a intenção que o falante tem ao produzir um texto. Pode ser a de passar informações, de apenas gerenciar o relacionamento com o interlocutor – como acontece em uma conversa sobre o tempo –, de seduzir, de pedir ou ordenar. A enunciação é objeto de estudo da Pragmática. O texto é visto, portanto, como um produto da enunciação. Discurso é o processo dinâmico por meio do qual um texto é produzido por um enunciador e entendido por um enunciatário, que lhe constrói o sentido a partir de seu conhecimento enciclopédico de mundo. Sob esse aspecto, um texto é visto, também, como uma proposta de construção de sentido, sentido esse que é construído na mente de quem ouve ou lê.

percepção de que unidades gramaticais bastante diferentes podem ter uma mesma função. Vejamos diferentes versões de um texto em sequências como:

1. A Kia Motors já trabalha com um cenário de alta dos preços em 2016. Ela terá de aumentar o valor dos carros, em função da alta do dólar.
2. A Kia Motors já trabalha com um cenário de alta dos preços em 2016. ___Terá de aumentar o valor dos carros, em função da alta do dólar.
3. A Kia Motors já trabalha com um cenário de alta dos preços em 2016. A montadora terá de aumentar o valor dos carros, em função da alta do dólar.

Na sequência (1), *Kia Motors* é retomada, na segunda frase, pelo pronome *ela*. Na (2), por uma posição vazia – o chamado *sujeito oculto* – e, na (3), pelo substantivo *montadora*. A conclusão a que chegamos é que elementos gramaticais tão diferentes entre si, como um pronome pessoal do caso reto, um "sujeito oculto" e um substantivo hiperônimo podem ter exatamente a mesma função: a de recuperar, por anáfora, um termo de uma frase anterior. Esse procedimento textual é ao mesmo tempo funcional e, como tal, foi amplamente desenvolvido por Halliday e Hasan (1976) em seu famoso livro *Cohesion in English*.

A visão funcional dessas unidades tão diferentes, na construção do texto, é resultado de uma categorização vertical, como explicam Hofstadter e Sander (2013, p. 214):

> O salto para cima em direção a uma nova categoria – um deslizamento vertical, por assim dizer, pode abrir importantes perspectivas, seja nas mais simples atividades da vida diária, seja nas mais elevadas descobertas científicas. (tradução nossa)[2]

---

[2] "The leap upwards to a new general category – a vertical slippage, so to speak – can open up important perspectives, whether in the simplest activities of everyday life or in the most exalted of scientific discoveries."

Categorizamos horizontalmente, quando, a partir de uma categoria, como *cão*, por exemplo, reunimos sob seu domínio raças diferentes como: boxer, poodle, pastor alemão etc. Todos são cães. Categorizamos verticalmente, quando "subimos degraus" em direção a categorias mais abstratas. Fazemos isso quando, em vez de falar da categoria *cão*, falamos da categoria *mamífero*. Nesse caso, podemos reunir sob seu domínio seres bastante diferentes entre si, como cão, homem e baleia, uma vez que todos eles reúnem a condição de serem mamíferos. No caso da linguagem humana, se formos usar pronome como categoria, podemos reunir, horizontalmente sob esse domínio, pronomes pessoais, demonstrativos, possessivos etc. Mas, se subirmos um degrau abstrato e falarmos em operadores de coesão textual, podemos reunir sob essa nova categoria: pronomes, elipses de termos que já tenham ocorrido anteriormente e, também, substantivos de significados mais gerais, os chamados hiperônimos.

Outro exemplo desse procedimento de categorização vertical provocado pelo modelo funcionalista foram os chamados substantivos abstratos. As tradicionais gramáticas do português, em sua visão apenas analítica, são bastante lacônicas quando falam desse tipo de substantivo. Em sua *Nova Gramática do Português Contemporâneo*, o gramático Celso Cunha e o linguista Luís Cintra (1985, p. 172) resumem o estudo do substantivo abstrato apenas ao que segue:

> Dá-se o nome de ABSTRATOS aos substantivos que designam noções, ações, estados e qualidades, considerados como seres: justiça, verdade, glória, colheita, viagem, opinião, velhice, doença, limpeza, largura, otimismo, caridade, bondade, doçura, ira.

De fato, o que está escrito é a única descrição possível a fazer, quando se assume uma posição analítica taxonômica. Mas, quando se assume uma posição funcional contextualizada dentro da linguística textual, podemos entender melhor esse substantivo a partir da análise de sua função em um texto como:

> Duas pessoas incendiaram um ônibus na noite desta quinta-feira, 6, em Guarulhos, na Grande São Paulo. O *incêndio* aconteceu em frente a uma loja de fogos de artifício, que não foi atingida. (*O Estado de S. Paulo*, 7 mar. 2014)

Nesse texto, vemos que o substantivo abstrato *incêndio* tem a função de recuperar anaforicamente todo o conteúdo da frase anterior, ou seja, o fato de duas pessoas terem incendiado um ônibus na Grande São Paulo. Logo, esse tipo de substantivo pode ser incluído, em termos funcionais, na categoria dos operadores de coesão textual, junto com os substantivos hiperônimos, os pronomes e a elipse. A diferença é que os substantivos abstratos, em vez de retomar um único termo de uma frase ou oração anterior, retomam uma frase ou oração inteira.

Uma tendência atual é ampliar o escopo da linguística textual, transformando-a numa espécie de "linguística discursiva" ou, melhor ainda, "interdiscursiva", uma vez que o texto, como vimos anteriormente, é apenas uma proposta de construção de sentido que é criado na mente do interlocutor, seja ele um ouvinte ou um leitor. Podemos ver essa tendência até mesmo no estudo da metáfora, que tem sido vista há mais de uma década como um processamento meramente cognitivo, mas que pode ser vista também, por meio de sua função interdiscursiva, como advoga Steen (2015, p. 68):

> Metáforas não são somente uma questão de pensamento (com estruturas conceptuais ligando domínios conceptuais ou espaços mentais) e uma questão de linguagem (com expressões linguísticas em contexto indicando ao menos um aspecto de tais mapeamentos de domínios em pensamentos), mas também de comunicação, com expressões linguísticas em contexto sugerindo se a metáfora tem um valor específico para os interlocutores como um instrumento comunicativo distinto (tipicamente: retórico) – ou não. (tradução nossa)[3]

O objetivo do autor nesse artigo é discutir se existem ou não metáforas intencionais, ou seja, se o enunciador, quando cria uma metáfora, faz isso de modo consciente, tendo em vista algum propósito em relação ao seu interlocutor.

---

[3] "Metaphors are not only a matter of thought (with conceptual structures bridging conceptual domains or mental spaces) and a matter of language (with linguistic expressions in context indicating at least one aspect of such cross-domain mappings in thoughts) but also of communication, with linguistic expressions in context suggesting whether the metaphor has a specific value to the interlocutors as a distinct communicative (typically: rhetorical) device – or not."

A linguística cognitiva, trabalhando apenas a "matéria do pensamento", põe foco sobretudo nas metáforas conceptuais, como as que ocorrem em frases como:

4. Agora ficou claro o que você quis dizer.
5. Vejo que você defende uma nova coalisão política.

Nessas frases, é óbvio que os falantes usam a metáfora "claro", na primeira frase, e "vejo", na segunda, de modo inconsciente. Isso é reflexo de uma metáfora conceptual universal de que ver é conhecer e, *ipso facto*, quando as coisas estão claras, podemos ver melhor, ou seja, conhecê-las melhor. Nos dias de hoje, é difícil até mesmo identificar esses usos como metáfora. A maior parte das pessoas dirá que se trata simplesmente de polissemia.

Outras metáforas mais facilmente reconhecidas como tais são vistas igualmente como inconscientes, como as que ocorrem em frases como:

6. Esse relacionamento vem me sufocando ultimamente.
7. Comprei esse carro de um sujeito que estava enforcado.

A repetição e a tradição certamente contribuem para que a pessoa que produz tais frases não tenha consciência plena de que está usando linguagem figurada.

Em outras situações, contudo, é possível perceber a intenção consciente do falante em usar metáforas tendo em vista seu interlocutor, como na fala que ouvi certa vez em uma emissora FM de notícias, em que um especialista em automóveis dava sugestões sobre como economizar combustível. Disse ele mais ou menos o seguinte:

> Procure evitar usar uma marcha alta, uma quarta ou uma quinta marcha, quando estiver andando devagar, pois aí o motor começa a vibrar e o sistema de injeção do carro acha que o carro vai morrer. Ele, então, despeja um balde de combustível nos cilindros, para fazer o motor ressuscitar.

É claro que o especialista em questão teve a intenção explícita de usar, em seu conselho, as metáforas do balde de combustível e da ressurreição do motor, dentro da função retórica de que nos fala Steen. Estamos tratando, portanto, não mais da construção mental da metáfora como processo cognitivo, mas de sua função textual interdiscursiva, uma vez que o falante pretende que seu interlocutor construa em sua mente a imagem de um balde cheio de combustível e visualize o motor como uma espécie de ser vivo que possa ser ressuscitado. Temos aí, então, não mais uma linguística meramente textual, mas, sim, uma linguística interdiscursiva.

Outro tema que nos leva, obrigatoriamente, a ir além do texto, assumindo uma postura interdiscursiva, é o estudo funcional dos artigos, citado há pouco por Koch.

Quando o falante usa um artigo definido antes de um substantivo ou de um grupo nominal, faz isso porque imagina que seu interlocutor compartilhe com ele a referência desse substantivo ou grupo nominal. Se ele diz algo como:

8. Você me trouxe *a* certidão?

é porque imagina que a pessoa a quem se dirige tenha um conhecimento prévio dessa certidão. Esse compartilhamento pode também ser dêitico, em uma situação em que o falante, apontando para um carro, diz: "*o* pneu dianteiro esquerdo está murcho". Ele pode usar o artigo definido "o", antes do grupo nominal "pneu dianteiro esquerdo", porque tem a certeza de que o interlocutor está olhando para o pneu apontado por ele. Pode também usar o artigo definido, quando o substantivo ou grupo nominal já apareceu, previamente, em uma frase anterior, como em:

9. Outro dia apareceu, na porta de casa, **um *vendedor de laranjas*. O *vendedor*** queria dez reais por um saco com três dúzias.

O fato de "vendedor" ter aparecido na primeira frase precedido de um artigo indefinido licencia sua retomada, na segunda frase, com artigo definido, que, agora, por sua natureza anafórica, assume, além da função de compartilhar interdiscursivamente uma referência, também a função de operador de coesão textual.

O estudo da comparação é outro tema com que podemos mostrar a passagem de uma visão gramatical meramente analítica para uma visão sistêmica ou contextual, dentro dos modelos teóricos da linguística textual e da gramática funcional.

Todas as gramáticas tradicionais, no capítulo do adjetivo, trabalham com os chamados graus do adjetivo, que, aliás, por longo tempo foram considerados, sobretudo em sua versão superlativa sintética (cf. *feliz – felicíssimo*), como um processo de flexão, até que Mattoso Câmara Jr. (1971, p. 72-73) – mesmo dentro de sua visão estruturalista analítica – a pôs em seu devido lugar, nos mecanismos de derivação:

> Na realidade, o que se tem com os superlativos é uma derivação possível em muitos adjetivos, como para os substantivos há a possibilidade dos diminutivos e para alguns (não muitos) a dos aumentativos. [...]
> Em outros termos, a expressão de grau não é um processo flexional em português, porque não é um mecanismo obrigatório e coerente, e não estabelece paradigmas exaustivos e de termos exclusivos entre si.

Desse modo, grau é visto hoje como flexão, apenas na expressão popular "concordo com você em gênero, número e grau".

Todas as gramáticas constroem um paradigma de graus do adjetivo, com a seguinte forma:

10. Maria é *mais* inteligente *do que* Mercedes (grau comparativo de superioridade)
    Maria é *tão* inteligente *quanto* Mercedes (grau comparativo de igualdade)
    Maria é *menos* inteligente *do que* Mercedes (grau comparativo de inferioridade)

Mas, estranhamente, no capítulo dos verbos, nunca achamos um paradigma como:

11. Maria trabalhou mais do que Mercedes. (grau comparativo de superioridade)
    Maria trabalhou tanto quanto Mercedes. (grau comparativo de igualdade)
    Maria trabalhou menos do que Mercedes. (grau comparativo de inferioridade)

Esse fenômeno, relativo aos verbos, aparece apenas no capítulo da sintaxe, e a única preocupação dos gramáticos é dizer que as orações que aparecem depois de *mais*, *tanto* e *menos* são orações subordinadas adverbiais comparativas e que são usualmente truncadas. Segundo eles, a versão completa de uma dessas orações, por exemplo, deveria ser:

12. Maria trabalhou mais *do que Mercedes trabalhou*.

Essas descrições não são um primor de taxonomia? E levam a quê?
A Linguística Textual e a Gramática Funcional permitem, aqui também, um deslizamento vertical em direção a uma categoria mais abstrata: a comparação como uma categoria mais geral que se aplica a qualquer tipo de predicador. Ora, verbos e adjetivos são considerados pela Gramática Funcional como predicadores. A mesma gramática tradicional reconhece isso, implicitamente, quando, na análise sintática, estabelece que, em uma oração como "Maria é bonita", o núcleo do predicado é o adjetivo predicativo "bonita" e não o verbo "ser". Logo, basta, em termos funcionais, dizer que qualquer predicador pode ser objeto de comparação, seja um verbo, seja um adjetivo. Ah! E é preciso lembrar que o segundo termo da comparação de predicadores adjetivos configura igualmente uma oração truncada, tanto quanto a comparação de predicadores verbos, como se pode ver em:

13. Maria trabalhou mais do que Mercedes (trabalhou).
    Maria é mais bonita do que Mercedes (é bonita).

Esse processo inclui, igualmente, os advérbios predicativos ou predicadores. (cf. ABREU, 2012). Advérbios predicativos ou predicadores são aqueles que interferem no sentido do verbo, como:

14. Maria fala *bem*.
    Maria fala *depressa*.
    Maria fala *calmamente*.

Podemos construir frases comparativas com esses advérbios, como:

15. Maria anda mais *depressa* do que a irmã.
    Maria anda tão *calmamente* como a irmã.
    Maria anda menos *calmamente* do que Mercedes.

Advérbios não predicadores não afetam o sentido do verbo. Apenas acrescentam circunstâncias a ele, como tempo e lugar, em frases como:

16. Maria viaja *amanhã*.
    Maria vendeu *aqui* o seu carro usado.

Por não serem predicadores, esses advérbios não podem ser objeto de comparação, como se vê pela agramaticalidade de frases como:

17. *Maria viaja mais amanhã do que Mercedes.
    *Maria vendeu menos *aqui* seu carro usado do que Mercedes.

Dentro de uma perspectiva funcionalista, podemos ainda acrescentar à comparação categorizada verticalmente as construções correlativas que as gramáticas tradicionais tratam apenas superficialmente no capítulo da coordenação aditiva, como: *não só... mas também, não só... mas ainda, tanto... quanto, tanto... como*, que podem ocorrer em frases como:

18. *Tanto* o atacante *como* o goleiro foram responsáveis pela vitória.
    Maria *não só* fez sua lição, *mas também* fez a da sua irmã.

Do ponto de vista funcionalista, há, nessas frases, comparações sobrepostas pragmaticamente ao processo de coordenação. No primeiro caso, temos uma comparação de igualdade sobreposta: o atacante e o goleiro foram igualmente responsáveis pela vitória. No segundo, uma comparação de superioridade sobreposta. Maria fez "não só" sua lição, o que seria pouco; mas, ao contrário, ela fez também a da irmã, o que representa algo a mais do que fazer apenas a própria lição.

Como se vê, dentro de uma perspectiva funcionalista, conseguimos uma visão contextual bem mais ampla do que a tradição analítica nos oferece.

Um dos precursores da linguística textual foi, sem dúvida, o alemão Harald Weinrich, que, segundo Koch (op. cit., p. 67), cunhou pela primeira vez a expressão *Linguística Textual* com seu atual sentido. Seu trabalho mais conhecido é o livro intitulado *Tempus – Besprochene und erzählte Welt* ("O tempo – a narração e o comentário"), cuja primeira edição foi publicada em 1964. Nele, faz uma correlação entre o uso dos tempos verbais em textos referentes ao passado e referentes ao presente, criando o conceito de *metáfora temporal*, em duas situações: a) quando tempos do passado, usualmente utilizados em textos narrativos (mundo narrado), passam a ser empregados em situações do presente (mundo comentado), como em: "Você poderia me mostrar aquela bolsa?" e b) quando tempos do presente, usualmente utilizados em textos argumentativos (mundo comentado), passam a ser empregados em situações de passado (mundo narrado), como em: "César, não tem outra opção. Precisa alcançar Pompeu e, então, atravessa o Rubicão com seu exército". Este último exemplo, narrando no presente um fato passado acontecido em 49 a. C, configura o que as gramáticas escolares chamam de presente histórico.

O trabalho de linguística textual de Weinrich não deixa de ter, também, um caráter funcional, uma vez que procura mostrar que os tempos do passado usados para momentos presentes funcionam como marcadores de atenuação e que os tempos do presente usados para momentos passados funcionam como geradores de um efeito de realidade. Fica, contudo, uma lacuna: que mecanismos fizeram com que os falantes escolhessem o futuro do pretérito para atenuar uma ordem ou um pedido? Que mecanismos fizeram com que os falantes usassem o presente do indicativo (e às vezes o futuro do indicativo também) para falar do passado?

É nesse momento que a moderna linguística cognitiva traz sua contribuição ao assunto. De acordo com Abreu (2013, p. 251-252), o emprego canônico do futuro do pretérito é narrar um fato passado em relação a um passado anterior, como em:

19. O senador *chegou* a São Paulo às 8h da manhã. Ao meio dia, *almoçaria* com o governador.

O uso desse tempo como metáfora tem sua origem em um processo adaptativo chamado "integração conceptual" ou *"blending"* (cf. FAUCONNIER & TURNER, 2002 e TURNER, 2014), a partir de construções condicionais como:

20. Se eu ganhasse na loteria, *compraria* um BMW.

Aqui, o futuro do pretérito tem ainda um caráter canônico, pois o momento da compra do automóvel é posterior ao ganho na loteria. Mas existe agora um caráter de condição e hipótese que tem origem na oração condicional. Pelo uso repetido de construções como essa, da contiguidade entre condição e hipótese, em uma primeira oração, e futuro do pretérito, em uma segunda oração subsequente, o sentido de condição e hipótese incorpora-se, funde-se por *blending* ao futuro do pretérito, fazendo surgir a metáfora temporal em frases como:

21. Eu *gostaria* de experimentar aquela blusa.
    Você *iria* comigo ao shopping hoje à tarde?

Podemos até mesmo "repor" orações condicionais junto a essas orações, dizendo:

22. Eu *gostaria* de experimentar aquela blusa (se você quisesse/pudesse me trazer).
    Você *iria* comigo ao shopping hoje à tarde? (se você pudesse/concordasse em ir).

Esse processo de integração conceptual de sentidos, por contiguidade, é o mesmo que ocorre em situações em que, havendo duas palavras adjacentes, uma delas assume o sentido da outra e passa a ser usada por ambas, como em: telefone celular > celular; arremesso lateral > lateral, filme de longa--metragem > longa.

Esse processo de integração conceptual ou *"blending"* é uma característica cognitiva bastante geral na espécie humana. Trata-se de um processo pelo qual nossa mente aproxima coisas ou eventos entre si, criando associações de diversos tipos entre eles, promovendo *"insights"*. O mais comum deles é a metonímia, por meio da qual associamos uma parte ao seu todo, como uma pegada de um cavalo ao próprio cavalo, uma foto 3 x 4 do rosto de uma pessoa a essa própria pessoa, ou quando dizemos algo como: "Vejo novos <u>rostos</u> na seleção brasileira", em vez de "Vejo novos <u>jogadores</u> na seleção brasileira".

Outros tipos de *"blending"* acontecem, por exemplo, quando, ao sermos alfabetizados, integramos uma sequência de sinais escritos a uma palavra, ou quando usamos metáforas. Quando dizemos que determinado político é uma raposa, integramos, seletivamente a ele, em nossa mente, algumas propriedades desse animal, tais como ser esperto e agir furtivamente.

Um tipo de *"blending"* bastante estudado é o chamado *"blending"* por compressão. O exemplo clássico é o de alguém que, ao consultar uma conta de telefone, diz: – "A cada mês que passa, essa conta fica mais cara!". Ora, é claro que não é uma única conta que tem seu valor aumentado no decorrer dos meses, mas todas as contas anteriores "comprimidas" cognitivamente naquela que está nas mãos do falante. Quando dizemos, por exemplo, que a Biblioteca Municipal fecha às 17 horas, não nos estamos referindo apenas ao dia de hoje, mas a todos os dias úteis do ano, que comprimimos em um só dia. Pois bem, cognitivamente, o presente histórico é também um caso de *"blending"* por compressão. Quando alguém diz: "César, não <u>tem</u> outra opção. <u>Precisa</u> alcançar Pompeu e, então, <u>atravessa</u> o Rubicão com seu exército.", comprime o tempo passado, integrando-o, cognitivamente, ao tempo presente, com a função de obter um efeito maior de realidade.

Considerações finais

Como vimos, Linguística Textual e gramática funcional atuam em conjunto, permitindo aos estudiosos deixar de ver apenas as árvores da gramática, isoladamente, e passar a ver a floresta da linguagem em sua totalidade. Somente a partir desse *"vertical slippage"*, é possível ligar os pontos e ver um resultado maior do que a soma das partes. A Linguística Cognitiva entra no processo, mostrando como a mente, conectada à cultura e à história, oferece fundamentos a esse processo dinâmico e complexo que é o uso da linguagem.

Referências

ABREU, A. S. *Gramática mínima para domínio da língua padrão*. 3. ed. Cotia, SP: Ateliê Editorial, 2012.

_____. Integração conceptual na descrição de fenômenos gramaticais do português. *ALFA*, n. 57, p. 229-256, 2013.

CÂMARA JR, J. M. *Estrutura da língua portuguesa*. 2. ed. Petrópolis: Vozes, 1970.

CUNHA, C. F. da; CINTRA, L. F. L. *Nova gramática do português contemporâneo*. Rio de Janeiro: Nova Fronteira, 1985.

FAUCONNIER, G.; TURNER, M. *The way We think*: conceptual blending and the mind's hidden complexities. Nova York: Basic Books, 2002.

HALLIDAY, M. A. K.; HASAN, R. *Cohesion in English*. Nova York: Longman, 1976.

HOFSTADTER, D.; SANDER, E. *Surfaces and essences*. Analogy as the fuel and fire of thinking. Nova York: Basic Books, 2013.

KOCH, I. G. V. Linguística Textual: retrospecto e perspectivas. *ALFA*, São Paulo, v. 41, p. 67-78, 1997.

STEEN, G. Developing, testing and interpreting Deliberate Metaphor Theory. *Journal of Pragmatics*, v. 90, p. 67-72, 2015.

TURNER, M. *The origin of ideas*: blending, creativity and the human spark. Oxford: Oxford University Press, 2014.

TRUBETZKOY, N. S. *Principles of phonology*. Tradução de Chistiane Baltaxe. Berkeley: University of California Press, 1969. (Tradução de *Gründzüge der Phonologie*. Praga: Travaux du cercle linguistique de Prague, 1939).

3

Linguística Textual e Sociolinguística

Maria da Conceição de Paiva

Ao aceitar o convite para escrever um capítulo sobre a interface entre Linguística Textual e Sociolinguística, me vi frente ao desafio de refletir sobre as possíveis convergências entre duas áreas de estudos voltadas para o uso da língua, sem ignorar o fato de que cada uma delas se instituiu como uma disciplina distinta, que recorta diferentes objetos de análise e possui técnicas próprias de investigação. Mais desafiante se torna a tarefa, se considerarmos que o termo Sociolinguística, em razão da própria amplitude do termo, recobre grande heterogeneidade de correntes que, nem sempre, compartilham os mesmos pressupostos.

Dessa forma, mesmo correndo o risco de simplificar e ignorar importantes contribuições de outras vertentes da Sociolinguística, me vejo obrigada a estabelecer um recorte na orientação deste artigo. Por vício de formação, vou me restringir às possíveis interseções entre a Linguística Textual e a corrente variacionista da Sociolinguística, ou Teoria da Variação como ficou mais comumente conhecida, não apenas no nível dos construtos teóricos mas também na prática de uma análise mais integrada de fatos da língua. Assim, a maioria das reflexões tecidas neste artigo toma como ponto de partida a forma como os estudos no âmbito da Sociolinguística Variacionista incorporaram questões e categorias próprias da Linguística Textual não só para explicar fatos específicos de variação, mas também para generalizar a forma como o uso de variantes linguísticas envolve a atuação de princípios motivadores da organização textual.

Apesar das diferenças entre as duas áreas de estudo, uma primeira convergência entre elas é a rejeição de um conceito de sistema linguístico autônomo, invariável, e a consequente priorização do estudo das atividades linguísticas nas suas mais diferentes manifestações. Essa convergência permitiria considerá-las como perspectivas distintas do que, mais recentemente, se denomina modelos baseados no uso, para quem os estudos linguísticos devem enfatizar os mecanismos que subjazem à estrutura das línguas e os processos dinâmicos que lhe são inerentes (BYBEE, 2010). Tal objetivo implica um rompimento com a dicotomia língua/fala, herdada da formulação saussureana, para colocar no centro das investigações a forma como a experiência dos usuários com a língua se reflete, ou mesmo molda generalizações mais abstratas. Na seção "Além das diferenças, as convergências" deste artigo, retomamos mais detalhadamente esses aspectos com o intuito de mostrar que, embora recortem objetos de estudo distintos, Linguística Textual e Sociolinguística Variacionista possuem um frutífero espaço de interseção.

Dadas as peculiaridades metodológicas das duas áreas de estudo, este espaço de convergência se traduz na Sociolinguística Variacionista em duas formas distintas de incorporação do componente textual: de um lado, pela análise de aspectos da constituição do texto como variáveis correlacionadas à frequência de variantes linguísticas; por outro, na extensão dos pressupostos e da metodologia variacionista à análise de elementos cuja função primeira é a de organização discursiva. Essas duas interfaces são detalhadas na seção seguinte. Na penúltima seção, exemplificamos essa interface entre as duas áreas de estudo através da discussão de um fenômeno de ordenação de constituintes frasais, qual seja, a de constituintes adverbiais temporais e locativos, um fenômeno, por definição, multifatorial e que exige considerar a forma como se entrelaçam forma e função discursiva. Seguem-se as considerações finais.

Além das diferenças, as convergências

Na perspectiva inaugurada por Saussure, a construção de uma "ciência da linguagem" se fez em detrimento de inúmeros aspectos: as condições e princípios ligados à produção da fala, as práticas comunicativas, a variação inerente aos sistemas linguísticos, os princípios ligados à construção do texto, a mudança linguística, suas restrições estruturais e as condições sócio-históricas da sua implementação. Nesse cenário, é possível afirmar que tanto a Sociolinguística Variacionista como a Linguística Textual nascem, durante os anos 1960, como formas de reação a essa exclusão e vêm preencher os espaços deixados por uma concepção de sistema linguístico ancorado em pressupostos de autossuficiência e autonomia. Embora essas duas áreas de pesquisa coloquem no centro de suas preocupações a língua como atividade, elas distinguem-se por recortarem distintos objetos de análise.

Na sua essência, o projeto epistemológico da Sociolinguística Variacionista é interdisciplinar, na medida em que enfatiza a heterogeneidade ordenada como inerente ao sistema linguístico e relacionada a fatores estruturais, geográficos, sociais e estilísticos. Explicar a sistematicidade da variação implica, portanto, entender a forma como os diversos aspectos ligados ao uso da língua intervêm ou motivam "escolhas" linguísticas (LABOV, 1972, 1991, 1994; CHAMBERS, 1995).

A desconstrução da dicotomia entre sistema e uso no modelo proposto inicialmente pela teoria da Variação visou, sobretudo, a incorporar no próprio sistema a noção de "regra variável", ou melhor dizendo, a "variável sociolinguística", entendida como um conjunto de alternativas para a expressão do mesmo significado, e legitimar o coletivo, ou seja, a comunidade de fala como o *locus* da sistematicidade. Embora tal proposta não chegue a colocar em causa o próprio conceito de sistema, problematiza sua autonomia em relação à forma de organização social das comunidades de fala e, consequentemente, o pressuposto de homogeneidade. Inicialmente mais restrita a fenômenos de variação fonético-fonológica, essa formulação de variável sociolinguística encontrou ampla acolhida nos meios acadêmicos e permitiu oferecer descrições mais reais não só da variação atestada em sincronia como também da inter-relação entre variação e mudança na forma como defendida no texto seminal de Weinreich, Labov e Herzog (1968).

A extensão dessa proposta a fenômenos de outros níveis linguísticos, como morfológico, sintático e, principalmente, discursivo, não deixa de colocar problemas e foi objeto de debates acalorados, sustentados, principalmente, no argumento de que a equivalência semântica, garantia de alternância entre duas ou mais formas, é discutível no caso de fenômenos em níveis outros que o fonético-fonológico. Fenômenos morfológicos e sintáticos envolvem, necessariamente, fatores cotextuais ligados ao papel das variantes na organização textual, e contextuais, como os seus efeitos pragmáticos.

Apesar das dificuldades brevemente destacadas acima, os pressupostos centrais da Sociolinguística Variacionista se revelaram eficazes para a análise de fenômenos variáveis em diferentes níveis e para a depreensão de mudanças em curso em diversas línguas (ver, por exemplo, SANKOFF, 2006; PAIVA; SILVA, 2012).

Embora priorize igualmente o uso, a Linguística Textual vem legitimar o texto como unidade de análise linguística, insurgindo-se contra sua limitação ao nível da frase. (BEAUGRANDE; DRESSLER, 1981; VAN DIJK, 1983; MARCUSCHI, 1986; FÁVERO; KOCH, 2000; KOCH, 2002, 2003, 2004; BENTES, 2001). Entendido como o *"locus"* da produção de sentido, o texto ganha estatuto epistemológico próprio. Dentro dessa perspectiva, necessariamente as questões centrais se deslocam para aspectos cuja explicação é insuficiente, ou mesmo impossível, em modelos que tomam a frase como objeto de análise: referenciação, coesão e coerência, progressão textual, mecanismos de conexão entre segmentos textuais. Numa perspectiva que torna mais nítida a concepção de texto como unidade estrutural com categorias próprias, estudiosos da área buscam compreender os princípios da gramática textual, entendida como um sistema de regras partilhado que conjuga conhecimentos de diferentes domínios. Nessa perspectiva, ganham relevo questões relacionadas aos critérios de definição de textualidade, como também a caracterização e delimitação de diferentes tipos textuais. Uma outra via de exploração volta-se para a determinação dos princípios de constituição de bons textos, ou seja, a construção de uma teoria do texto, incorporando aspectos ligados à caracterização e tipologia dos gêneros textuais e, ainda, os processos e mecanismos sociocognitivos ligados ao processamento.

Esses distintos recortes de objeto se traduzem naturalmente em diferenças de tratamento metodológico. A destacar, em primeiro lugar, que a Sociolinguística busca identificar os padrões de variação e as possíveis mudanças em curso nas comunidades de fala, enquanto, pelo menos no seu início, a Linguística

Textual se concentra em textos escritos. Sob certos aspectos, pode-se falar igualmente de uma diferença no estatuto atribuído aos processos e mecanismos linguísticos: para a Sociolinguística Variacionista, a sistematicidade da variação linguística e sua interpelação com a mudança; para a Linguística Textual, os mecanismos, os processos de construção e a compreensão do texto.

Apesar dessas diferenças não negligenciáveis, Linguística Textual e Sociolinguística Variacionista podem ser vistas, sob muitos aspectos, como um *carrefour* em que se entrecruzam preocupações e pressupostos que vão além da priorização do uso e das produções linguísticas reais e cotidianas do falante, da comunidade da fala ou das instituições. Se esses encontros não são suficientes para incluir as duas disciplinas na mesma classe, eles podem ser pensados em termos de "l'air de famille wittgensteinien", para retomar os termos de Boutet e Mainguenau (2005, p. 8). Ainda de acordo com as autoras, o horizonte comum entre as duas áreas de estudos da linguagem pode ser identificado em três pontos interligados: o suporte ou meio a partir do qual se busca identificar os processos linguísticos e suas regularidades; o interesse pelos grandes *corpora*, ponto em que intersectam com o que ficou conhecido mais recentemente como Linguística de *corpus*; e a informatização de dados. Para a Linguística Textual, a questão do suporte se traduziu no crescente interesse pelas diferenças sociocomunicativas e composicionais entre diferentes textos, ou seja, pela distinção entre os gêneros do discurso como formas institucionalizadas de comunicação e que integram a competência comunicativa dos falantes e por que não, das comunidades de fala, na medida em que os gêneros se inscrevem no componente social.

Imbricada na questão dos gêneros está, inevitavelmente, a das fronteiras entre fala e escrita, uma questão central na pauta tanto da Linguística Textual como da Sociolinguística Variacionista. No âmbito da segunda, a tradicional polarização entre os dois canais (falado e escrito) é discutida em diversos estudos que colocam em causa equações como fala = heterogeneidade *vs.* escrita = homogeneidade, trazendo claras evidências para o reducionismo dessa binarização. As diferenças entre as duas modalidades passam a ser vistas em termos de um *continuum* que envolve não apenas as particularidades de cada canal como também as especificidades de cada gênero discursivo (cf. PAIVA; GOMES, 2014). Assim, Biber (1988), por exemplo, mostra de forma empírica uma hierarquia de traços linguísticos que permite situar diferentes pontos num *continuum* de maior proximidade/afastamento entre o oral e o escrito.[1] Essa perspectiva vai se mostrar frutífera para a análise de fenômenos variáveis e da forma como inovações linguísticas migram para a escrita.

Na interface entre língua e texto

O *carrefour* entre Sociolinguística Variacionista e Linguística Textual tem que ser visto sob a perspectiva de que a própria complexidade dos fenômenos de variação e mudança requer, necessariamente, o diálogo com outras disciplinas e modelos teóricos, visto que o "fato variável" só pode ser bem explicado com referência a princípios mais gerais de organização da linguagem humana. Como já destacado na introdução deste capítulo, os pressupostos teóricos e procedimentos metodológicos da Teoria Variacionista foram, progressivamente, estendidos à análise de variações e mudanças morfossintáticas e sintáticas. Partindo de uma perspectiva de que as estruturas linguísticas não são independentes das funções que desempenham, muitos pesquisadores encontraram no sociofuncionalismo (GÖRSKY; TAVARES; FREITAG, 2008) uma explicação mais adequada para a variação e os processos de mudança na língua. Essa perspectiva, iniciada por pesquisadores do grupo PEUL, ganhou importante terreno como uma interface que permite controlar de forma mais precisa propriedades contextuais e discursivas envolvidas principalmente na variação morfossintática. Uma pergunta central orientava esses estudos: em que medida princípios gerenciadores da organização textual podem explicar o uso de diferentes opções estruturais ligadas a um mesmo domínio funcional? (cf. GÖRSKY; TAVARES; FREITAG, 2008; TAVARES, 2013). Nesse sentido, duas direções de análise ganharam relevo: da forma para a função, de acordo com o modelo próprio da Sociolinguística Variacionista, e da função para a forma, permitindo, assim, a inclusão de outros fenômenos.

---

1 A destacar, por exemplo, que, no âmbito da Sociolinguística, incursões foram feitas no que poderia ser considerado domínio da Linguística Textual, como o trabalho desenvolvido por Labov e Waletzky (1967) sobre a estrutura das narrativas orais, mesmo se o rótulo não é reivindicado.

Um pressuposto básico da perspectiva sociofuncionalista é a de que as estruturas linguísticas se instanciam no texto e desempenham funções discursivas e pragmáticas, o que requer, portanto, operacionalizar como variáveis independentes o papel das variantes linguísticas na tessitura do texto. Dessa forma, destaca-se em diversos estudos a correlação entre o uso de uma determinada variante linguística e aspectos que envolvem relações transfásicas como foco, contraste, introdução, manutenção e fechamento de tópicos, o tipo de informação codificada pelos constituintes linguísticos, progressão temática, segmentação de episódios, o grau de conexão entre os segmentos discursivos, entre outros.

Dada a impossibilidade de discutir de forma mais extensiva o valor explicativo dessa incorporação de fatores discursivo-textuais na análise variacionista e esgotar a contribuição de todos os trabalhos já realizados, vou me concentrar aqui em comentários acerca da importância da variável *status* informacional, ligada diretamente à tessitura da coesão textual, entre outros.[2]

Aspectos ligados à estrutura informacional do texto têm-se mostrado particularmente relevantes na explicação de fenômenos ligados à ordem de constituintes oracionais, como, por exemplo, as construções de tópico. Utilizando a distinção entre informação nova, evocada ou inferível, proposta por Prince (1981), Braga (1984, 1987) mostra que são mais propícios à topicalização, ou seja, a se situarem na margem esquerda da oração, os sintagmas nominais que codificam referentes evocados ou inferíveis. Embora não excluída, a ocorrência de Sn's que codificam informação nova nessa posição é bastante escassa. A autora interpreta tal distribuição em termos de uma congruência entre uma ordem sintática não marcada e um princípio que regula a organização do texto, qual seja, o de que informação velha precede informação nova.

O mesmo princípio pode explicar também casos de mudança, como a que envolve a gradativa redução ou perda de uma variante linguística. Na análise da variação entre sujeito posposto e sujeito anteposto ao longo do período compreendido entre os séculos XVIII e XX, Berlinck (1989) mostra a incontestável

---

2   Para uma visão mais geral sobre o alcance explicativo de fatores discursivos na variação linguística, remetemos o leitor para Braga (2003) e Paiva e Paredes (2012).

redução da ordem VS em relação à SV. Segundo a autora, há indicações de que, ao longo do tempo, um princípio relacionado ao grau de informatividade do sujeito perde espaço para restrições sintático-semânticas que culminam numa quase cristalização da estrutura VS.

A generalidade do princípio de distribuição de informação encontra evidências também na ordenação de orações, como evidenciado por Paiva (1991) para os enunciados causais. Analisando, separadamente, os enunciados com orações justapostas e com orações interligadas por conectores, a autora destaca que, independentemente do processo de combinação de orações, orações causais que codificam informação já mencionada no discurso anterior tendem a ser antepostas. Funcionam, portanto, como um *link* com um discurso precedente, colaborando para a coesão do discurso.[3]

A perspectiva brevemente exemplificada até aqui poderia ser resumida como "uma análise linguística no discurso" para retomar os termos de Votre e Naro (1992). Ancorada em uma perspectiva que não dissocia forma e função, essa abordagem de fenômenos variáveis permite, inclusive, refutar a crítica, bastante frequente, a uma tendência a operar de forma atomística, isolando as estruturas linguísticas do "fil du texte" (cf. GADET, 2015).

Uma interface produtiva no *carrefour* entre Sociolinguística Variacionista e Linguística textual fica transparente no crescente interesse pela análise da diversidade linguística em diferentes gêneros, entendidos aqui como "formas estáveis de enunciado" (BAKHTIN, 2003a [1952, 1953], 2003b [1959, 1961]). Como já propugnava o autor, as escolhas linguísticas do falante no repertório de formas possíveis da língua são afetadas pelo gênero textual e, consequentemente, pela esfera socioideológica em que ele se inscreve. Nesse sentido, abre-se uma nova frente de investigação, partindo do pressuposto de que especificidades composicionais dos diferentes gêneros podem não só impor restrições sobre a maior ou menor recorrência de variantes linguísticas como também explicar a forma como variantes inovadoras são implementadas na escrita.

---

3   Outra incursão da Sociolinguística na interface com a Linguística Textual é a incorporação da relação de contraste como uma variável explicativa da "seleção" de uma variante linguística, como no estudo de Paredes e Silva (1988).

Trabalhos variacionistas orientados por essa perspectiva contribuem com evidências significativas de que a distribuição de muitas variáveis morfossintáticas e sintáticas na fala e na escrita é fortemente perpassada pelo grau de oralidade do texto. São bastante contundentes, ainda, as evidências de que a gradativa incorporação pela escrita de variantes em curso de implementação na fala se faz em uma gradação cuja porta de entrada são os gêneros textuais caracterizados por menor formalidade (cf., por exemplo, trabalhos reunidos em PAIVA; GOMES, 2014).

A importância de olhar a variação e a mudança pelo prisma das propriedades inerentes a cada gênero textual pode ser bem exemplificada pelo estudo de Gomes (2007, 2014) sobre a alternância entre as preposições *a* e *para* como núcleos de Spreps na função dativa. Largamente espraiada no português falado, pelo menos na sua variedade carioca, o uso da preposição *para* nos Spreps dativos se estende igualmente para a escrita. Através da análise de textos da mídia jornalística, a autora mostra que a substituição da preposição *a* pela preposição *para* é significativamente mais frequente em horóscopos, textos mais direcionados para um destinatário/interlocutor mais específico (no caso, as pessoas que nasceram sob o mesmo signo), estabelecendo, portanto, uma relação dialógica particular. A mesma forma é mais escassa, ou mesmo evitada, em outros gêneros próprios da escrita jornalística, como, por exemplo, os editoriais.

O exemplo brevemente discutido acima se inscreve numa perspectiva de análise direcionada da forma para a função. O entrecruzamento entre Teoria da Variação e Linguística se torna patente, também, na extensão do modelo variacionista ao estudo de variáveis discursivas, entendidas como aquelas cuja função precípua é a de organização do discurso e gerenciamento da situação de comunicação, tais como conectores, elementos de segmentação textual, modalizadores e outras estratégias de atenuação. Explicar o uso desses elementos exige uma incursão em aspectos fundamentais da construção da coesão e da coerência discursivas e em princípios que subjazem as relações interacionais. Como se pode esperar, essa extensão alimenta questionamentos acerca do próprio conceito de variação linguística, pois conduz a uma mudança na direção de análise: da função para a forma. A descrição das "partículas do oral", em especial, levanta o problema de como delimitar variáveis discursivas e integrá-las em um modelo baseado na condição de equivalência semântica. Como defende Vincent (1984, 1986), essa integração foi proveitosa, pois permitiu identificar com mais clareza as formas linguísticas que contribuem para a construção de conversações coerentes.

Um estudo de caso: a variação na ordem de sintagmas preposicionais

A posição dos constituintes circunstanciais na oração constitui um fenômeno emblemático da forma como fenômenos fortemente ligados ao plano discursivo-textual podem ser tratados numa perspectiva variacionista. Advérbios ou Spreps, mais especificamente aqueles que especificam as coordenadas temporais ou locativas de estados de coisas, gozam de certa flexibilidade na oração, como já atestado em diversos estudos sobre o português falado e escrito (NEVES, 1992; ILARI et al., 1992; MARTELOTTA, 1994; TARALLO et al., 1993; PAIVA, 2002; CEZÁRIO et al., 2005; BRASIL, 2005; LESSA, 2007; PAIVA et al., 2007; PAIVA, 2008a, 2008b, 2012, 2014; SÁ, 2009). Esses constituintes podem ocupar tanto posições periféricas, nas margens da oração, como posições mediais, seja entre sujeito e verbo, seja entre verbo e complemento. Análises empíricas tanto da fala como da escrita atestam, no entanto, a recorrência desses constituintes, em especial dos Spreps, nas margens direita e esquerda da oração e sua restrição nas posições internas, como mostram os exemplos de (1) a (4):

1. **Na parte da manhã**, ele vai trabalhar lá no hospital São Domingos. (Fala, Amostra Censo 1980, fal. 47)
2. **Na zona Norte**, os confrontos culminaram com a morte de quatro traficantes. (Escrita, reportagem, *JB*, 19/10/2002)
3. Vi a partir dali que todas as esperanças de um diferencial crítico ao liberalismo estavam mortas e que se resta ao presidente segurar as pontas de uma crise **por mais quatro anos.** (Escrita, crônica, *O Globo*, 1/10/2002).
4. Eu morava com a minha tia **em Campo Grande**. (Fala, Amostra Censo 1980, fal. 05)

Para os circunstanciais temporais, atesta-se acentuada variabilidade entre as duas posições, relacionada, inclusive, à modalidade. Na análise de dados de fala, Paiva (2008a) constata 46,67% de circunstanciais na margem esquerda contra 29,81% na margem direita. Em amostras de escrita formal, essa distribuição se inverte com 38% para ME e 45% em MD. (cf. também, por exemplo, PAIVA et al., 2007; SÁ, 2009). Os circunstanciais locativos, por sua vez, apresentam tendência mais independente e regular a se posicionarem na margem direita da oração: 41,16% para MD contra 22,35% para ME, em amostras de fala, e 69% contra apenas 16%, em amostras de escrita. Parte dessas diferenças pode ser explicada pelo fato de que Spreps locativos são, em muitos casos, projetados pelos núcleos verbais a que se ligam. Em outros termos, constituem argumentos com o traço [+ locativo], submetendo-se, portanto, a restrições que preveem adjacência entre o verbo e seus argumentos.

Evidentemente, circunstanciais na margem direita ou esquerda da oração cumprem funções comunicativas distintas. Circunstanciais situados na periferia direita da oração podem ser explicados, em grande parte, pela própria função inerente desses constituintes, qual seja, a de introduzir coordenadas temporais ou locativas do estado de coisas descritos na oração. A recorrência de circunstanciais, sobretudo temporais, na margem esquerda da oração, por outro lado, tem recebido maior atenção por suscitar questões tanto nos níveis sintático e semântico como no nível discursivo-textual. (SHAER, 2004; FAUCONNIER, 1984; CHAROLLES, 2003, 2005; CHAROLLES; VIGIER, 2005; BORILLO, 2005; LE DRAOULEC; PÉRY- WOODLEY, 2003, 2005; PAIVA, 2008a, 2008b, entre outros).

É necessário considerar, antes de mais nada, as assimetrias semânticas e discursivas entre as duas posições periféricas da oração, mais salientes quando se consideram os Spreps temporais. Sintagmas preposicionais temporais situados na periferia direita da oração possuem uma função mais local, tendo como escopo a predicação. Circunstanciais na margem esquerda, por sua vez, mais frequentemente possuem escopo mais amplo e podem funcionar como ponto de ligação com o discurso antecedente (*backward tie*) ou subsequente (*forward tie*), indexando um conjunto maior de informações. Essa diferença é nítida nos exemplos (5) e (6).

5. Creio que você errou o lugar onde ocorreu a espera pelo disco voador, **no final dos anos 70**. (Escrita, crônica, *O Globo*, 23-10-2002)
6. **A partir da estabilidade monetária**, os números vieram à tona e a renegociação da dívida, embora dura, foi feita com base na realidade das finanças estaduais e municipais. (Escrita, editorial, *O Globo*, 22/10/2002)

Em (5), o Sprep "no final dos anos 1970" se limita a especificar o momento em que se situa a espera pelo disco voador. No exemplo (6), por outro lado, as coordenadas temporais introduzidas pelo Sprep "A partir da estabilidade financeira" delimita um ponto de referência temporal que recobre diversos estados de coisas, não se limitando a situar o fato descrito na oração em que se encontra. Dessa forma, o circunstancial em (6) opera a uma segmentação do discurso, na medida em que introduz um critério de referência temporal, a partir do qual devem ser interpretados os segmentos discursivos seguintes. Numa perspectiva macrodiscursiva, o circunstancial temporal constitui um recurso de estruturação discursiva, ao sinalizar uma transição entre unidades tópicas, ou, nos termos de Brown e Yule (1983) e Van Dijk (1983), anunciam o início de um novo episódio.

Como já atestado em diferentes estudos, Spreps temporais que introduzem novos tópicos ou subtópicos no texto se incluem entre os mais frequentemente situados na margem esquerda da oração tanto na fala como na escrita. Como mostra Paiva et al. (2007), temporais indexadores na margem esquerda alcançam 85,71%, na fala, e 82,05%, na escrita.

Embora os Spreps locativos sejam menos frequentes na margem esquerda da oração (cf. PAIVA, 2002, 2014), comportam-se de forma similar, ou seja, são mais frequentemente situados na margem esquerda da oração quando sinalizam a transição entre unidades tópicas (87% em dados de escrita, segundo PAIVA, 2014), como ilustra o trecho (7).

7. **De sua janela, no 10º andar,** a moradora presencia uma troca de tiros. Os quatro homens atacaram o Restaurante L., na esquina da avenida Atlântica com a rua Souza Lima, no Posto 6, em Copacabana.[A.F.R] levou um tiro no abdômen. [S.F] chegava para fazer manutenção no sistema de refrigeração. (Escrita, reportagem, *JB*, 23/10/02)

Como afirmamos no início desta seção, a importância do circunstancial na margem esquerda da oração na construção da tessitura textual pode ser percebida igualmente no seu funcionamento como *backward tie*, ligando um ponto específico do texto ao discurso precedente, como é o caso do temporal no exemplo (8) e do locativo no exemplo (9), ambos extraídos de dados de escrita.

8. Fomos jogar. Estreamos na Europa, na Turquia. Nessa altura, eu era jogador
e treinador, Eu era jogador, porque eu já tinha jogado em seleções cariocas, entendeu? Eu era um jogador de maior cartaz na equipe. (...) Bom, aí jogamos. **Na estreia**, perdemos de quatro a um. Uma vergonha! (Amostra Censo 80, Fal. 14).

9. Em vários países desenvolvidos, há uma clara auto-regulação da fertilidade. **Neles**, a diminuição das taxas de fecundidade são tão substanciais, média de 1 a
2 filhos por casal, que os governos até estimulam programas de aumento da natalidade. (Escrita, editorial, *O Globo*, 18-01-03)

Em (8) e (9), os circunstanciais em destaque rementem, embora de uma forma um pouco distinta, para coordenadas temporais (em 8) e locativas (em 9) já introduzidas no discurso precedente, compartilhadas, portanto, pelos interlocutores e colaboram para garantir a coesão discursiva.

A colaboração dos circunstanciais temporais e locativos em ME na coesão textual se faz perceber igualmente nos contextos em que se estabelece uma relação de contraste entre duas coordenadas temporais ou locativas, como em (10) e (11):

10. **Numa semana** ele trabalha das seis às duas e **na outra semana** ele trabalha das dez às seis (Fala, Amostra Censo 1980, fal. 02)

11. Mesmo nos momentos em que as mulheres obtiveram a maioria dos direitos sociais, ingressaram nas universidades, tiraram os primeiros

lugares nos concursos de juízes e promotores, abriram consultórios, transformaram-se em deputadas e governadoras, continuou fazendo sucesso a piada do Nelson Rodrigues: "Mulher gosta de apanhar". E apanha mesmo. Apanha nos barracos da favela e nos aposentos de luxo. **Nas favelas**, as mulheres agredidas até gritam por socorro. **Nas classes** *média* **e alta** sufocam os gritos, escondem as lágrimas nos travesseiros (Escrita, crônica, *JB*, 8-3-4)

Em (9), os dois Spreps temporais, ambos posicionados em ME, opõem situações complementares (os horários de trabalho do pai), de tal forma que a interpretação do segundo remete necessariamente à referência temporal já introduzida pelo primeiro. Em (10), os dois Spreps locativos situam comportamentos opostos das mulheres vítimas de violência, de tal forma que o segundo só pode ser corretamente interpretado pela sua relação com o primeiro.

Uma questão já salientada por Charolles (2003), Prévost (2003) e retomada em Paiva (2008b) diz respeito à dificuldade de traçar fronteiras inequívocas entre uma função retroprojetiva, como no caso de ligação anafórica, e uma função projetiva como a de introdução de *frames*, visto que, inclusive, as duas funções estão associadas à mesma posição estrutural. Não raro, o mesmo circunstancial que se ancora em informações já compartilhadas no texto pode constituir um ponto de segmentação, introduzindo um critério de indexação do discurso subsequente.

A análise acima, ainda que breve, fornece evidências para uma interpretação dos circunstanciais situados na periferia esquerda da oração como elementos extrafrásicos, ou seja, que ocupam uma posição extrassentencial (cf. SHAER, 2004). Índices suprassegmentais como pausa, ou vírgula na escrita, e entonação colaboram para o "desligamento" desses constituintes.

Embora a tendência acima caracterize os dois tipos de circunstanciais considerados nesta oportunidade, ela se aplica de forma um tanto diferenciada de acordo com a categoria dêitica expressa pelo circunstancial. Considerando apenas os Spreps temporais e locativos nas margens da oração, os resultados da Tabela 1 permitem identificar algumas diferenças entre locativos e temporais.

Sprep circ.	Locativos			Temporais		
Função do Circunstancial	ME	MD	TOTAL	ME	MD	TOTAL
Retomada anafórica	58	47	105	124	64	188
	55,23	44,77		65,95	34,05	
Especificação de predicação	59	227	286	151	186	337
	20,27	79,73		44,80	55,20	
Segmentação tópica	61	68	129	92	1	93
	47,28	52,72		98,92	1,08	
Contraste	71	15	86	13	0	13
	82,55	17,45		100%		

Tabela 1 Distribuição dos circunstanciais em ME e MD de acordo com sua função

Tanto para os locativos como para os temporais, destaca-se a predominância de Spreps que especificam uma predicação na margem direita da oração, embora muito mais saliente para os locativos (99,73%) do que para os temporais (55,20%). Há indicações, portanto, de que, na função especificadora, os Spreps locativos possuem uma posição não marcada, *default*. Os temporais, por sua vez, admitem maior variabilidade, como já atestado em diferentes estudos.

Outra similaridade diz respeito aos Spreps que estabelecem relação de contraste com outra coordenada temporal já introduzida no discurso: nessa função, os temporais são categoricamente situados em ME e os locativos atingem o índice de 82,55% para essa posição. A notar que, mesmo nessa função, alguns locativos com função de contraste admitem a margem esquerda da oração.

Diferenças mais acentuadas podem ser constatadas quanto aos Spreps de retomada anafórica e, principalmente, aqueles que introduzem segmentação tópica, enquadrando o discurso subsequente. Tanto os Spreps locativos como os temporais anafóricos se situam mais frequentemente na periferia esquerda da oração. A destacar, no entanto, que a diferença entre os valores para as duas posições é significativamente maior para os temporais do que para os locativos.

A diferença mais relevante diz respeito aos Spreps que introduzem uma segmentação tópica. Spreps temporais que sinalizam pontos de introdução de novas unidades discursivas, e que podem possuir escopo mais amplo, se conformam ao esperado, alcançando o índice de 98,92% na margem esquerda. Raras são as ocorrências de Spreps desse tipo na periferia direita da oração. Para os Spreps locativos, por sua vez, não chega a haver diferença significativa entre as percentagens obtidas para as duas posições, sinalizando uma atuação mais fraca desses constituintes na segmentação discursiva. Essas diferenças favorecem a posição de Charolles (1997, 2003, 2005) de que a introdução de *frames* ou enquadres em que se inserem diversos estados de coisas é a principal função dos temporais na periferia esquerda da oração.

Considerações finais

Ao longo deste artigo, focalizamos a interface entre Linguística Textual e Sociolinguística Variacionista, duas vertentes de estudo que buscam depreender os princípios subjacentes ao uso da língua. Procuramos enfatizar que, apesar das diferenças no recorte de objeto de estudo, forma de argumentação e *modus operandi*, elas compartilham pressupostos que ultrapassam uma concepção de língua em termos abstratos, desvinculados do seu uso nos eventos comunicativos.

A interseção entre conceitos e categorias da Linguística Textual na análise variacionista decorre, quase que naturalmente, da extensão de pressupostos teóricos e procedimentos metodológicos a processos variáveis que só podem ser compreendidos na complexa interface entre estrutura e função. Necessariamente, uma abordagem que procura depreender em que medida princípios subjacentes ao discurso motivam, restringem ou favorecem alternativas linguísticas distintas vai se situar num *carrefour* em que se entrecruzam questões centrais da Sociolinguística Variacionista e objetos preferenciais da Linguística Textual, como coesão, progressão temática, segmentação tópica, entre outras.

O fenômeno tomado para breve discussão, a ordenação dos circunstanciais temporais e locativos ilustram bastante bem a forma como certo espaço de interesse pode ser partilhado. Considerando tanto textos falados como escritos, mostramos que diferentes opções sintagmáticas, principalmente as que envolvem as periferias da oração, colocam-se a serviço da organização do discurso. Circunstanciais na margem esquerda da oração contribuem para a segmentação do discurso, sinalizando introdução de novos tópicos ou subtópicos, ou funcionam como *links* que garantem a coesão discursiva. Circunstanciais na margem direita, por sua vez, possuem função mais local, mais predicativa. Uma análise mais rigorosa, que permite quantificar a correlação entre essas funções discursivas e a maior ou menor recorrência de uma ou outra forma de ordenação traz evidências mais seguras acerca da íntima inter-relação entre estrutura e texto. Nesse caso, se estabelece uma via de mão dupla, produtiva para ambas as disciplinas.

Referências

BAKHTIN, M. (1952-1953). Os gêneros do discurso. In: *Estética da criação verbal*. Tradução de Paulo Bezerra. 4. ed. São Paulo: Martins Fontes, 2003a. p. 261-306.

_____. (1959-1961). O problema do texto em linguística, em filologia e em outras ciências humanas. In: _____. *Estética da criação verbal*. Tradução de Paulo Bezerra. 4. ed. São Paulo: Martins Fontes, 2003b. p. 307-336.

BEAUGRANDE, R. de; DRESSLER, W. U. *Introduction to text linguistics*. Londres/Nova York: Longman, 1981.

BENTES, A. C. Linguística textual. In: MUSSALIM, F.; BENTES, A. C. (Org.). *Introdução à linguística*: domínios e fronteiras. São Paulo: Cortez, 2001. v. 1, p. 239-270.

BERLINK, R. de A. A construção V+SN no português do Brasil: uma visão diacrônica do fenômeno da ordem. In: TARALLO, F. (Org.). Fotografias sociolinguísticas. Campinas: Pontes, 1989.

BIBER, D. *Variation accross speech and writing*. Cambrige: Cambridge University Press, 1988.

BORILLO, A. Place et portée des adverbes de temps dans la strucutre de la phrase et dans la structure du discours. In: GOES, J. (Org.). *L'adverbe: un pervers polymorphe*. Artois: Artois Presses Université, 2005. p. 127- 146.

BOUTET, J.; MAINGUENEAU, D. Sociolinguistique et analyse de discours: façons de dire, façons de faire. *Langage et Société*, n. 114, p. 15-47, 2005. Disponível em: <www.cairn.info/revue-langage-et-societe-2005-4-page-15.htm>. Acesso em: 18 jul. 2017.

BRAGA, M. L. Tópico e Ordem Vocabular. In: REUNIÃO DA SBPC, 36., 1984, São Paulo. *Anais*... São Paulo, 1984. v. 1, p. 174-188.

_____. Esta dupla manifestação de sujeito, ela é condicionada linguisticamente. In: SEMINÁRIO DO GEL, 14., 1987, Campinas. *Anais*... Campinas, 1987. v. 1, p. 106-116.

_____. Variáveis discursivas sob a perspectiva da Teoria da Variação. In: MOLLICA, M. C.; BRAGA, M. L. *Introdução à Sociolinguística*: o tratamento da variação. São Paulo: Contexto, 2003. p. 101-116.

BRASIL, A. V. *Ordenação de circunstanciais na escrita*: um estudo contrastivo entre PB e PE. 2005. 180 f. Tese (Doutorado em Linguística) – Faculdade de Letras, Universidade Federal do Rio de Janeiro, Rio de Janeiro, 2005.

BROWN, G.; YULE, G. *Discourse analysis*. Cambridge: Cambridge University Press, 1983.

BYBBE, J. *Language, usage and cognition*. Cambridge: Cambridge University Press, 2010.

CEZÁRIO, M. M.; ANDRADE, Q. P. de; FREITAS, E. V. P. Ordenação de Adverbiais Temporais e Aspectuais. In: SIMÕES, C. C. H.; SIMÕES, D. (Org.). *Língua Portuguesa*: reflexões sobre descrição, pesquisa e ensino. Rio de Janeiro: Europa, 2005.

CHAFE, W. How people use adverbial clauses. *Proceedings of the thenth annual meeting of the Bekerley Linguistics Society*, p. 437-449, 1984.

CHAMBERS, J. K. *Sociolinguistic theory*: linguistic variation and its social significance. Oxford; Cambridge: Blackwell, 1995.

CHAROLLES, M. L'encadrement du discours: univers, champs, domaine et espaces. *Cahiers de Recherche Linguistique*, n. 6, p. 1-73, 1997.

_____. De la topicalité des adverbiaux détachés en tête de phrase. *Travaux de Linguistique*, n. 47, p. 11-51, 2003.

_____. Framing adverbials and their role in discourse cohesion: from connection to forward labelling. *Papers of the Symposium on the Exploration and modelling of meaning*, Biarritz, p. 13-30, 2005.

_____; VIGIER, D. Les adverbiaux en position préverbale: portée cadrative et organisation des discours. *Langue Française*. Paris, Larousse, n. 148, p. 9-30, 2005.

FAUCONIER, G. *Espace mentaux*. Paris: Minuit, 1984.

FÁVERO, L. L.; KOCH, I. G. V. *Linguística textual*: introdução. São Paulo: Cortez, 2000.

FISCHER, S. Les compléments spatiaux: du topique au focus en passant par les cadres. *Travaux de Linguistique*, n. 47, p. 51-78, 2003.

FUCHS, C., FOURNIER, N. Du rôle cadratif des compléments localisants initiaux selon la position du sujet nominal. *Travaux de Linguistique*, n. 47, p. 79-110, 2003.

GADET, F. Enjeux de langue dans l'analyse de discours. *Semen*, n. 29. Disponível em: <http://semen.revues.org/8812>. Acesso em: 19 jul. 2017.

GOMES. C. A. *Aquisição e perda de preposição no português do Brasil*. 1996. 148 f. Tese (Doutorado em Linguística) – Faculdade de Letras, Universidade Federal do Rio de Janeiro, Rio de Janeiro, 1996.

_____. Variação e mudança na expressão do dativo no português brasileiro. In: Paiva, M. C.; Duarte, M. E. (Org.). *Mudança linguística em tempo real*. Rio de Janeiro: Contracapa, 2007. p. 81-96.

GÖRSKI, E. M.; TAVARES, M. A.; FREITAG, R. M. K. Restrições de natureza cognitivo-comunicativa: marcação versus expressividade retórica em fenômenos variáveis. In: RONCARATI, C.; ABRAÇADO, J. (Org.). *Português brasileiro II*: contato linguístico, heterogeneidade e história. Rio de Janeiro: 7Letras, 2008. p. 101-117.

ILARI, R. et al. Considerações sobre a posição dos advérbios. In: CASTILHO, A. T. de (Org.). *Gramática do português falado*. Volume 1: a ordem. Campinas: Fapesp/Editora da Unicamp, 1990. p. 63-141.

KOCH, I. G. V. *A coesão textual*. São Paulo: Contexto, 1989.
_____. *Desvendando os segredos do texto*. São Paulo: Cortez Editora, 2002.
_____. *O texto e a construção dos sentidos*. São Paulo: Contexto, 2003.
_____. *Introdução à linguística textual*: trajetórias e grandes temas. São Paulo: Martins Fontes, 2004.
LABOV, W. *Sociolinguistics patterns*. Pensilvânia: University of Pennsylvania Press, 1972.
_____. *Principles of linguistic change*: internal factors. Oxford: Blackwell, 1991.
_____. *Principles of linguistic change*: social factors. Oxford: Blackwell, 1994.
_____; WALETZKY, J. Narrative analysis: oral versions of personal experience. In: PAULSTON, C. B.; TUCKER, R. (Eds.). *Sociolinguistics* – the essential readings. Oxford: Blackwell, 2003. p. 74-104.
LE DRAOULEC, A.; PÉRY-WOODLEY, M.-P. Time travel in text: temporal framing in narratives and non narratives. In: LAGERWERF, W.; DEGAND, L. (Eds.). *Determinantion of information and tenor in texts*. Proceddings of multidisciplinary approaches to discourse, 2003. p. 267-275.
_____; _____. Encadrement temporel et relations de discours. *Langue Française – Les adverbiaux cadratifs*, n. 148, p. 45-60, 2005.
LESSA, M. M. Ordenação de circunstanciais temporais na escrita: uma comparação entre português e inglês. 2007. 100 f. Dissertação (Mestrado em Linguística) – Universidade Federal do Rio de Janeiro, Rio de Janeiro, 2007.
MACEDO, A. M. N. de; SANTANCHÉ, L. M. Reflexões sobre a sintaxe dos advérbios. *Estudos Linguísticos e Literários*, n. 21/22, jun.-dez., p. 15-38, 1998.
MARCUSCHI, L. A. *Linguística de texto*: o que é e como se faz. Recife: Universidade Federal de Pernambuco, 1986. (Série Debates 1).
MARTELOTTA, M. E. T. *Os circunstanciadores temporais e sua ordenação*: uma visão funcional. 1994, 242 f. Tese (Doutorado) – Curso de Pós-graduação da Faculdade de Letras, Universidade Federal do Rio de Janeiro, Rio de Janeiro, 1994.
NEVES, M. H. M. Os advérbios circunstanciais (de lugar e de tempo). In: ILARI, R. *Gramática do português falado*: Níveis de análise linguística. 2. ed. Campinas: Editora da Unicamp, 1992. v. II, p. 265-291.

PAIVA, M. C. de. *Ordenação de cláusulas causais*: forma e função. 1991. Tese (Doutorado em Linguística) – Faculdade de Letras, Universidade Federal do Rio de Janeiro, Rio de Janeiro, 1991.

_____. A ordem não marcada dos circunstanciais locativos. In: LINS, M. da P. P.; YACOVENCO, L. (Org.). *Caminhos em Linguística*. Vitória: NUPLES/DLL/UFES, 2002. p. 16-34.

_____. Ordem não marcada de circunstanciais locativos e temporais. In: VOTRE, S. J.; RONCARATI, C. *Anthony Julius Naro e a linguística no Brasil* – uma homenagem acadêmica por sua contribuição relevante ao estudo do português. Rio de Janeiro: 7Letras, 2008a. p. 254-264.

_____. Temporais na margem esquerda da oração: indexação na fala e na escrita. In: ALMEIDA, J. A.; RONCARATI, C. *Português brasileiro II*: contato linguístico, heterogeneidade e história II. Niterói: EDUF, 2008b. p. 101-119.

_____. Restrições à posição de Spreps temporais na modalidade falada. *Alfa*. São Paulo, v. 1, n. 56, p. 29-53, 2012.

_____. Posição variável de circunstanciais na escrita: motivações em competição. In: _____; GOMES, C. A. *Dinâmica da variação e da mudança na fala e na escrita*. Rio de Janeiro: Contra Capa; Faperj, 2014a. p. 71-97.

_____.; _____. Introdução. In: _____. *Dinâmica da variação e da mudança na fala e na escrita*. Rio de Janeiro: Contra Capa/Faperj, 2014b.

_____ et al. Padrão não marcado de ordenação de circunstanciais temporais: regularidades e divergências entre fala e escrita. *Linguística*: Revista de Linguística do Programa de Pós-graduação em Linguística, Faculdade de Letras, UFRJ, v. 3, n. 1, p. 87-97, 2007.

_____; SILVA, V. L. P. Cumprindo uma pauta de trabalho: contribuições recentes do Peul. *Alfa*. São Paulo, v. 3, n. 56, p. 739-770, 2012.

PRÉVOST, S. Les compléments spatiaux: du topique au focus en passant par les cadres. *Travaux de Linguistique*, n. 47, p. 51-78, 2003.

PRINCE, E. F. Toward a taxonomy of given-new information. In: COLE, P. (Ed.). *Radical pragmatics*. Nova York: Academic Press, 1981.

SÁ, E. I. de. *Ordenação de locuções de tempo e aspecto em textos jornalísticos*: uma abordagem funcionalista. 2009. 120 f. Dissertação (Mestrado em Linguística) – Faculdade de Letras, Universidade Federal do Rio de Janeiro, Rio de Janeiro, 2009.

SANKOFF, G. Age: apparent time and real time. *Elsevier Encyclopedia of language and linguistics.* 2. ed. 2006.

SHAER, B. Left/right contrasts among English temporal adverbs. In: AUSTIN, J. R.; ENGELBERG, S.; RAUH, G. *Adverbials* – the interplay between meaning, context, and syntactic structure. Amsterdam; Philadelphia: John Benjamins, 2004. p. 289-332.

SILVA, V. L. P. *Cartas cariocas:* a variação do sujeito na escrita informal. 1988. Tese (Doutorado em Linguística) – Faculdade de Letras, Universidade Federal do Rio de Janeiro, Rio de Janeiro, 1988.

TARALLO, F. et al. Preenchimentos em fronteiras de constituintes. In: ILARI, R. *Gramática do português falado:* Níveis de análise linguística. 2. ed. Campinas: Editora da Unicamp, 1993. v. II, p. 315-356.

TAVARES, M. A. Sociofuncionalismo: Um duplo olhar sobre a variação e a mudança linguística. *Interdisciplinar,* Edição Especial, ABRALIN/SE, Itabaiana/SE, ano VIII, v. 17, p. 27-47, jan./jun. 2013.

VAN DIJK, T. A. Episodes as units of discourse analysis. In: TANNEN, D. (Ed.). *Analysing discourse:* text and talk. Washington: Georgetown University Press, 1983. p. 177-95.

VINCENT, D. Que fait la sociolinguistique avec l'analyse de discours et vice versa? *Langage et Société,* n. 38, p. 7-17, 1986.

_____. *Les ponctuants de la langue.* Thèse de doctorat inédite.

VOTRE, S. J.; NARO, A. J. Mecanismos funcionais do uso da língua. *D.E.L.TA.,* São Paulo, v. 5, n. 2, p. 169-184, 1989.

_____. Mecanismos funcionais do uso da língua: função e forma. *D.E.L.TA.,* São Paulo, v. 8, n. 2, p. 285-290, 1992.

WEINREICH, U.; LABOV, W.; HERZOG, M. Empirical Foundations for Theory of Language Change. In: LEHMANN, P.; MALKIEL, Y. (Eds.) *Directions for Historical Linguistics.* Austin: University of Texas Press, 1968. p. 95-188. [trad. bras.: *Fundamentos empíricos para uma teoria da mudança linguística.* Tradução de Marcos Bagno. Revisão técnica de Carlos Alberto Faraco. São Paulo: Parábola, 2006].

4

Linguística Textual na História das Ideias Linguísticas

Leonor Lopes Fávero
Márcia A. G. Molina

O objetivo deste capítulo é pontuar as especificidades da História das Ideias Linguísticas, seu surgimento, orientações, precursores e procedimentos de análise, apontando a importância da Linguística Textual como ferramenta de leitura dos textos, coadjuvante na e para a revisão e apreciação de obras gramaticais. Começa-se tratando do surgimento da História das Ideias, mostrando a ampliação das pesquisas para outras áreas do saber, chegando-se à História das Ideias Linguísticas (HIL) e, em especial, à História das Ideias Linguísticas no Brasil. Segue-se frisando a relevância do trabalho interdisciplinar, em que elementos do contexto no qual obra foi criada devem ser relevados, somando-se a questão da autoria. Prossegue-se com a Linguística Textual, mostrando seu surgimento e o desenvolvimento de pesquisas no Brasil, e termina-se sublinhando que a Linguística Textual pode ser uma ferramenta importante na e para a leitura e compreensão de documentos que constituem a História das nossas Ideias Linguísticas.

História das Ideias Linguísticas

O termo História das Ideias (HI) diz respeito a um campo de pesquisa da História que busca compreender os fatos, sua expressão, preservação e mudanças pelos quais passou, examinando-se o contexto em que surgiram. Para muitos estudiosos é uma disciplina bastante próxima da História Intelectual e da História Cultural, indo além, militando por um diálogo interdisciplinar, fazendo intersecção, muitas vezes, com Filosofia, Ciências Políticas, Linguística e Literatura.

Em relação à História, diz Foucault (1987, p. 8):

> A história é o que transforma os documentos em monumentos e que desdobra, onde se decifravam rastros deixados pelos homens, onde se tentava reconhecer em profundidade o que tinha sido, uma série de elementos que devem ser isolados, agrupados, tornados pertinentes, inter-relacionados, organizados em conjunto.

Tratando dessa necessária inter-relação, Colombat, Fournier e Puech (2010, p. 19) vão além: "Dessa forma, os trabalhos 'transversais' são essenciais para reunir especialistas de diferentes períodos e regiões do mundo" (tradução nossa).[1]

No início dos anos de 1960, como contextualismo linguístico, pensou-se que, para uma correta interpretação do fato histórico, se deveria avaliar o contexto original em que aquele trabalho, documento, fato ou instituição (onde foram eles gestados ou veiculados) surgiram, as correntes filosóficas que iluminavam aquela instância, a concepção de mundo que dominava o período.

Na década seguinte, o debate em torno da História das Ideias ganhou amplitude e novos contornos em virtude tanto do fortalecimento da corrente contextualista e interpretativa de textos quanto da adesão de outros pesquisadores, em várias áreas do saber. Advieram pesquisas em todos os continentes, fazendo surgir a História das Ideias Pedagógicas, a História das Ideias Políticas e a História das Ideias Linguísticas, que tem como seu precursor o estudioso Sylvain Auroux.

Para esse autor, a História das Ideias Linguísticas visa fornecer a compreensão de um texto e seu contexto, as diversidades que envolvem reflexões

---

[1] "En cela, des travaux, 'transversaux' sont indispensables pour mettre en contact spécialistes de diverses périodes ou des diverses 'régions' du monde."

sobre a língua e os autores de trabalhos metalinguísticos, as causas que ensejaram de fato aquele saber e aquela tradição (DECROSSE, 1992, p. 96).

Aqui no Brasil, pesquisas ancoradas na HIL principiaram a ganhar corpo nos anos de 1990. Nessa ocasião, estudiosos começaram a se preocupar com a questão brasileira, especialmente focados no século XIX, quando as discussões em torno do português brasileiro ganharam corpo e quando ocorreu o que Auroux (1992, p. 65) chama de gramatização, ou seja: "o processo que conduz a descrever e a instrumentar uma língua na base de duas tecnologias, que são ainda hoje os pilares de nosso saber metalinguístico: a gramática e o dicionário".

Assim, os pesquisadores brasileiros iniciaram suas visitas às obras gramaticais produzidas naquele período, buscando compreender como viam o artefato gramatical e por que o conceberam naqueles moldes.[2] Grupos de pesquisa, como os de Eni Orlandi e Eduardo Guimarães e o de Leonor Lopes Fávero, foram os precursores de estudar aquele momento histórico aqui no Brasil.

Comungando com Auroux (1989), Fávero e Molina (2004, 2006) informam: uma ideia linguística é todo saber construído em torno de uma língua, num dado momento, como produto quer de uma reflexão metalinguística, quer de uma atividade metalinguística não explícita.

De acordo com as autoras, o estudioso da HIL pode rastrear não somente as antigas gramáticas portuguesas, anteriores ou não à de Adolfo Coelho, como as escritas por brasileiros antes ou depois da de Júlio Ribeiro, ou até mesmo as instituições por onde tais instrumentos circulavam, as políticas institucionais que as orientavam para serem concebidas deste ou daquele jeito e as polêmicas que suscitavam.

Compreendem as autoras que, como parte da história cultural, seu objetivo deverá ser identificar a maneira como, em diversos lugares e situações, aquele material foi pensado, compreendido e escrito, cabendo não apenas o papel de contar o passado, mas recuperá-lo, interpretá-lo, dialogando com o presente em que é dado a ler.

---

2   Recordem-se de que duas vertentes gramaticais habitaram o século XIX: as ancoradas nos princípios da gramática tradicional; e as orientadas pelo modelo histórico-comparativo, surgidas, sobretudo depois da *Grammatica Portugueza*, de Júlio Ribeiro (1881).

Nesse sentido, descrição e explicação devem caminhar lado a lado, intimamente ligadas, devendo haver por parte do pesquisador um empenho bastante significativo de não só reconstruir o passado, mas buscar entendê-lo, relacionando fatos, desatando fios, esticando e entrelaçando-os, compreendendo o contexto em que a obra foi gestada, pois uma análise que considerasse tão somente a descrição de um documento resultaria num mero inventário de dados, datas e nomes; ou seja, esse estudo tornar-se-ia uma simples cronologia.

Apesar disso, nota-se em algumas áreas do saber uma tendência de se separarem dois princípios não antagônicos de trabalhos historiográficos: um levando em consideração o conteúdo e um segundo, o contexto. Como a HIL é uma disciplina interdisciplinar, como já falado, compreende-se que o contexto iluminará as análises do conteúdo. Dessa feita, ambos – conteúdo e contexto – estão estreitamente relacionados, já que uma pesquisa verdadeiramente representativa deve avaliar não só a instância do aparecimento de uma teoria, mas ainda as mensagens enredadas nela, isto é, as forças variadas da sociedade que podem regular a vida, o comportamento e até o pensamento de cada indivíduo: "Os fatos (da história) são fatos sobre as relações de indivíduos entre si em sociedade e sobre as forças sociais que, a partir das ações individuais, produzem resultados" (CARR, 1996, p. 87).

Para um trabalho relevante na e da História das Ideias Linguísticas é, então, necessária a reconstrução de um conteúdo mental, explicitado e vinculado com o contexto sócio-histórico em que está inserido, não podendo ser dissociado de tal, pois, como diz Lajolo (1993, p. 23): "Por vezes, o que dá significação a um conjunto de obras ou de autores é um recorte da vida social [...]".

Para Auroux (1989, p. 8), a História das Ciências faz parte do que chama de *epistemologia descritiva*, ou seja, preocupa-se com a construção de uma reflexão coerente, sob variados aspectos, entre eles teórico, sociológico e pragmático; por isso, há um olhar do pesquisador direcionado para a dimensão temporal. E essa temporalidade para ele é de dois tipos: externa e interna. A primeira restringe-se puramente a descrever uma teoria passada; já a segunda procura reconstruir os modelos existentes, buscando por explicações.

Assim, o historiador deve pensar as ideias em sua relação com aquele mundo, descrevê-lo, e o objeto de análise começa a ser entendido em função de trocas, transformações, desenvolvimentos ocorridos naquele espaço e em seu tempo, visto que, como utensílios culturais, variam em função das culturas em que estão inseridas, das diversas maneiras como os autores veem o mundo, sua concepção do fato.

Esse estudo historiográfico torna-se, ao mesmo tempo, uma idealização e uma reconstrução, já que reporta a um momento de constituição do saber que, de um lado, está articulado a uma linguagem dotada de um léxico, uma sintaxe e uma semântica próprios, e, de outro, soma-se a um funcionamento pragmático específico.

Para Colombat, Fournier e Puech (2010, p. 39):

> Essas questões levam-nos a pensar que a história das ideias linguísticas não é apenas um subconjunto dessa área relativamente desconhecida chamada "história das ideias". O conceito de "contexto" ideológico e filosófico é essencial para a compreensão das condições gerais da produção do conhecimento linguístico, sem os quais não há um valor explicativo por si, tornando fraco seu valor descritivo. (tradução nossa)[3]

A linguagem passa a ser entendida como processo de metalinguagem e como concepção histórica, cabendo ao estudioso, portanto, a combinação de uma dupla competência: primeiramente, ser capaz de fazer um estudo linguístico, buscando a emergência de determinados conceitos, sua duração e mudanças; a seguir, possuir condições para traçar uma pesquisa histórica múltipla, alicerçada em um vasto conhecimento enciclopédico, pois a função do historiador, informa-nos Carr (1996), não é amar o passado ou emancipar-se dele, mas dominá-lo e entendê-lo como a chave para a compreensão do presente.

---

3 "Ces questions concluent à penser que l'histoire des idées linguístiques n'est sûrement pas seulement un sous-ensemble de ce domaine relativement indéterminé qu'on appelle 'histoire des idees'. La notion de 'contexte' idéologique, philosophique est indispensable à la compréhension des conditions générales de production des savoirs linguístiques, mais elle n'a pas de *valeur explicative* en elle-même et sa valeur descriptive reste faible."

Para um trabalho de pesquisa como este, também é necessário colocar-se a distância, no momento de (re)criação científica daquele período, estudar campos diversos, fazendo uma reflexão aprofundada também das implicações que outras ciências poderiam ter tido na constituição daquele trabalho de metalinguagem, procedendo-se a um trabalho mais *teoria-orientado* do que *dado-orientado* (AUROUX, 1992).

Em linhas gerais, é como se os historiadores da ciência da linguagem analisassem um objeto específico, inscrito num contexto distante que devem reconstruir, pois a língua e a cultura estão em constante estado de interação e em associação definida por um grande lapso de tempo (SAPIR, 1961, p. 60).

Clercq e Swiggers (1991) ainda esclarecem que se deve somar o aspecto subjetivo a esse estudo. Falar de uma obra, por exemplo, implica falar ao mesmo tempo de seu autor e do contexto sócio-histórico-cultural em que ele está incluído, de sua formação profissional, de sua metodologia, de suas convicções científicas, ideológicas e até de seu estilo. Como produto da história de sua sociedade, é sob essa duplicidade que urge analisá-lo.

Nesse sentido, Foucault (1983) assevera que um autor, ou melhor, seu nome próprio, não é apenas um elemento do discurso, mas realiza certas regras nele, servindo essas para caracterizar até um certo modelo discursivo, inserindo-os – autor e texto – numa determinada sociedade, numa determinada cultura e, numa outra obra, completa: "A linguagem enraíza-se não (só) do lado das coisas percebidas, mas (também) do lado do sujeito em sua atividade" (FOUCAULT, 1990, p. 305).

Para esse filósofo da linguagem, o nome próprio, portanto, não é simples referência; é também uma descrição, uma projeção do autor no significado do texto, uma imbricação dele com suas conexões e operações, e todos os documentos dizem-nos mais do que aquilo que o autor pensava, ou que pensava haver acontecido. O papel do historiador, mais particularmente, do historiador da linguagem, é trabalhar o material de análise, fazer as inter--relações e decifrá-lo.

Assim, pode-se dizer que esse conhecimento é constituído por uma multiplicidade de fatores que, interpenetrados, resultarão num *produto final*, fazendo-se necessário analisar tanto o contexto quanto o sujeito e a motivação do ato historiográfico.

Desta feita, o estudo deve englobar uma série de elementos: clima intelectual, visão histórica da época, estado dos estudos de linguagem e situação sociocultural; a personagem mesma que constituiu aquele saber e, finalmente, a produção propriamente dita responsável por conferir uma orientação particular ao trabalho, que pode ser, entre outras: conhecer o saber de uma determinada época, fazer a descrição de uma doutrina, difundir um modelo linguístico e até ilustrar o progresso ou a discussão de uma ideia.

Colombat, Fournier e Puech (2010, p. 12) esclarecem o que faz uma pessoa que se dedica a estudar as Ideias Linguísticas: "Um primeiro nível de resposta imediatamente se impõe a quem explora textos (por vezes esquecidos) e pratica restaurações ou reparos: que teorias, sujeitos ou ideias eles expõem" (nossa tradução).[4]

Para esse alinhamento, os pressupostos da Linguística Textual ser-lhe-ão bastante úteis.

Linguística Textual

A Linguística Textual na Europa

Sabe-se que a Linguística Textual desenvolveu-se especialmente na Alemanha: federal e democrática. Depois de seu surgimento, houve um verdadeiro "boom". Os principais centros em que se desenvolveram seus estudos foram Munster, Colônia, Berlin Oriental, Constança e Bielefeld. O impacto foi muito grande, e um levantamento bibliográfico feito, em 1973, por Dressler e Schmidt documentava quase 500 títulos, verbetes em vários dicionários e enciclopédias, como os artigos "Textlinguístik", de Kallmeyer e Meyer-Hermann, e "Texttheorie/Pragmalinguístik", de Schmidt, publicados no *Lexikon der Germanistischen Linguístik*, organizado por Althaus, Henne e Wiegand, publicado em 1973, além de números especiais, monográficos, de revistas, como *Replic*, 1 (1968) *Poetics*, 3 (1972), *Langages*, 26 (1977).

---

4   "Un premier niveau de réponse très simple s'impose immédiatement: on explore des texts (parfois oubliés), et on restaure ou répare l'oubli dont sont l'objet les théories ou les idées qu'ils exposent."

O termo Linguística Textual aparece já em 1955, no trabalho de Coseriu, *Determinación y Entorno*, porém, no sentido que lhe é atribuído, foi empregado pela primeira vez por Weinrich, em 1976. Devido à diversidade de concepções de texto, várias são as denominações por que passa: Teoria de Texto (Schmidt), Textologia (Harweg), Teoria da Estrutura do Texto – Estrutura do Mundo (Petofi), Análise do Discurso (Harris), Translinguística (Barthes).

Entre os pesquisadores destacam-se:

Munster: Hartmann (transferiu-se depois para Constança)
            Harweg (1968,1969,1971,1974; transferiu-se depois para Bielefeld)
            Alfred Koch

Colônia: H.Weinrich (1966, 1969,1971,1972)
            Elisabeth Gulich (1970, 1972, 1974)
            Wolfgang Raible (1972)
(Os três transferiram-se depois para Bielefeld)

Berlin Oriental: M. Bierwisch:
                    Heidolf
                    Isenberg
                    E. Lang

Constança: Janos Petofi (transferiu-se depois para Bielefeld)
            H. Rieser
            Siegfried Schmidt

Fora da Alemanha, podem-se citar Van Dijk, em Amsterdã, e Wolfgang Dressler, em Viena.

Sua hipótese é que o texto e não o enunciado é o signo linguístico primário. Esses e outros estudiosos procuravam respostas a indagações como: o que é um texto? Como se constitui? Em que se distingue de um conjunto de frases? Quando pode ser considerado completo? Quais os contextos extralinguísticos, mental e social que fazem com que um texto seja dotado de sentido? Que funções têm os diferentes elementos linguísticos do texto? Como se constitui o sentido de um texto? O que é competência textual?

Como afirma Conte (1977), as causas de seu desenvolvimento foram, Entre outras, as falhas da gramática do enunciado no tratamento de fenômenos, como a correferência, a definitivização, a ordem das palavras no enunciado, a relação tópico-comentário, a *consecutio temporum*, que só podem ser explicadas em termos de texto.

A Linguística Textual no Brasil

A Linguística Textual inicia-se, no Brasil, nos anos de 1980. O primeiro trabalho de que se tem notícia é de Ignácio Antônio Neis da PUCRS, intitulado *Por uma gramática textual*, publicado na revista *Letras de Hoje*, do curso de Pós-Graduação em Linguística e Letras e do Centro de Estudos Portugueses da PUCRS, em junho de 1981, número 44. Seguem-se, em 1983, duas obras:

Linguística de texto – o que é e como se faz?, de Luíz Antônio Marcuschi, publicado pela *Série Debates* – Revista do Mestrado em Letras da Universidade Federal de Pernambuco em 1983; e

Linguística Textual – introdução, de Leonor Lopes Fávero e Ingedore Villaça Koch, publicado em São Paulo, pela Editora Cortez, em 1983.

Esses pesquisadores foram fortemente influenciados, entre outros, pelos trabalhos de: Beaugrande & Dressler, Weinrich, Motsch & Pash, Gulich & Kotschi – Alemanha; Halliday & Hasan – Inglaterra; Charolles, Adam, Vigner, Combettes – França; e Van Dijk – Holanda; Brown & Yule, Chafe, Givón, Minsky, Johnson-Laird – Estados Unidos.

Em 1983, Marcuschi, numa conferência na PUC-SP, no IV Congresso Brasileiro de Língua Portuguesa do Instituto de Pesquisas Linguísticas, destinado principalmente a professores do então ensino de primeiro e segundo graus e alunos de pós-graduação, realizado a cada dois anos, informou que a Linguística Textual "dispõe de um dogma de fé: o texto – unidade linguisticamente superior à frase – e uma certeza: a gramática de frase não dá conta do texto" (p. 16).

Na sequência, sublinha que:

> todos nós sabemos, intuitivamente, distinguir entre um texto e um não texto. Também sabemos que a produção linguística geralmente se dá em textos e não em palavras isoladas. [...] Apesar desta noção intuitiva de texto, não saberíamos definir intuitivamente o que é que faz de uma sequência linguística um texto. (p. 4).

Dentro de duas alternativas básicas para defini-lo – partindo de critérios internos ao texto ou de critérios temáticos ou transcendentes ao sistema –, Marcuschi apresenta, a seguir, várias alternativas, trazendo concepções de diferentes autores, como Harris (1952), Harweg (1968), Bellert (1970), Weinrich (1976); Petofi (1972), Van Dijk (1977, 1978), para, finalmente, chegar a sua, apoiado em Beaugrande e Dressler (1981): "o texto é o resultado atual das operações que controlam e regulam as unidades morfológicas, as sentenças e os sentidos durante o emprego do sistema linguístico numa ocorrência comunicativa" (p. 30).

Partindo das concepções de texto apresentadas, propõe que se veja a Linguística Textual como o "estudo das operações linguísticas e cognitivas reguladoras e controladoras da produção, construção, funcionamento e recepção de textos escritos ou orais" (p. 12).

Apoia-se nas propostas de Beaugrande e Dressler (1981), Beaugrande (1980), Harweg (1974, 1978) e Halliday e Hasan (1976), entre outros, especialmente no que se refere à conceituação da coesão e coerência, e sem preocupação classificatória – "não podemos ir além de breves incursões em terreno tão vasto" (MARCUSCHI, 1983, p. 31) – apresenta o esquema geral provisório das categorias textuais, lembrando que com essas categorias não se esgotam os aspectos de observação do texto (usa o termo "categoria" como classe de aspectos, isto é, "as categorias propostas são de natureza funcional" (p. 13) e faz um alerta importante: "as regras do texto não são as mesmas do sistema da língua [...] um texto é sempre situacionalmente condicionado, ao passo que a língua, não" (p. 14). Deve-se ressaltar que Marcuschi faz acréscimos a essas propostas, não as seguindo *ipsis litteris*.

Explicando que seu interesse é mais prático que teórico, traz o esquema geral e provisório das categorias textuais:[5]

1. fatores de contextualização: contextualizadores (assinatura, localização etc.) e perspectivos (título, início, autor etc.);
2. fatores de conexão sequencial (coesão): repetidores, substituidores, sequenciadores e moduladores;
3. fatores de conexão conceitual-cognitiva (coerência): relações lógicas e modelos cognitivos globais;
4. fatores de conexão de ações (pragmática): intencionalidade, informatividade, situacionalidade, aceitabilidade e intertextualidade.[6]

Era dado o primeiro passo para a Linguística Textual no Brasil. Simultaneamente, foi lançada a *Linguística textual – introdução*, de Leonor Lopes Fávero e Ingedore Villaça Koch, cujo objetivo era apresentar ao leitor brasileiro uma visão da Linguística Textual, então um recente ramo da ciência da linguagem.

Vale ressaltar que *Cohesion in English*, de Halliday e Hasan (1973), muito influenciou pesquisadores da Linguística Textual no Brasil, informando que o texto é uma "[...] realização verbal entendida como uma organização de sentido, que tem o valor de uma mensagem completa e válida num contexto dado [...] o texto é unidade da língua em uso, unidade semântica [...] não de forma e sim de significado".

Lembram os autores que o que faz com que um texto seja um texto, isto é, a textualidade, depende de fatores responsáveis pela coesão que, segundo eles, são a referência, a substituição, a elipse, a conjunção e a coesão lexical.

Depois, com o avanço da Linguística e sua inter-relação com outras áreas, em especial, com os estudos de cognição, surgiram adeptos do modelo

---

5 Dadas as limitações de um trabalho desta natureza, apresentamos somente um esquema da proposta. Para maiores informações, ver Marcuschi (1983).
6 Marcuschi avisa que não vai tratar dos fatores desse grupo, posteriormente estudados em diferentes publicações por L. L. Fávero (1985a, 1985b) e Ingedore V. Koch (1985).

procedimental. Para esses, são considerados os modelos e tipos de operações mentais de que dispõem os envolvidos na instância da interação.

Nesse modelo, percebe-se que a compreensão de um texto envolve muito mais que fatores internos a ele. Sabe-se que os parceiros de uma interação comunicativa ativam saberes acumulados na memória. Assim feito, muita coisa no texto não precisa ser dita (ou escrita), já que fica subentendida. Cita-se, como exemplo, um falante que diz para o outro: "Estou com pressa, vou almoçar naquele restaurante por quilo na esquina". Não é necessário que se informe que, num restaurante desse tipo, os próprios frequentares servem-se do que está à disposição, agilizando o processo. Não é preciso que chegue um garçom, que se proceda à escolha de um prato, se aguarde o tempo de elaboração do mesmo etc. Tudo fica muito mais prático e rápido. Não é necessário dizer nada disso, porque possuem ambos o conhecimento de mundo partilhado sobre o fato.

Heinemann e Viehweger (1991) apontam quatro grandes modelos, responsáveis pelo processamento textual: conhecimento linguístico, enciclopédico, interacional e ilocucional. Além desses, há o conhecimento comunicacional, metacomunicativo e o das superestruturas textuais, ou modelos textuais globais, que permitem aos usuários reconhecer o gênero ou tipo a que pertence determinado texto.

Como se pôde perceber, a compreensão de um texto vai muito além dele mesmo. Portanto, com os avanços do sociointeracionismo, a concepção de texto também caminha para muito além dele. De acordo com essa teoria, o processamento de um texto não depende exclusivamente de características internas dele, pelo contrário, quem define as estratégias a serem usadas tanto na leitura quanto na produção do texto é o usuário.

Assim, compreende-se que o processo de leitura e produção textual é ativo, ligado por uma rede de unidades e elementos ativados em relação com o contexto e com o outro, aquele a quem se dirige a sequência. É nessa relação que se instaura o sentido do texto.

Para Sperber e Wilson (1986, p. 109 e ss.), o contexto cria também efeitos que permitem a interação entre informações velhas e novas, fazendo com que muita coisa não precise ser dita, já que é de conhecimento de ambos os envolvidos na instância interacional.

Essa forma de compreender o texto deriva da concepção dialógica da linguagem: o ser humano só se constrói como ator e agente e só define sua identidade em face do outro (BAKHTIN, 1992). A compreensão do texto é, desse modo, uma atividade interativa e contextualizada, que exige a ativação de um complexo conjunto de saberes e habilidades.

Dessa feita, o sentido de um texto é construído (ou reconstruído) na interação texto-sujeitos (ou texto-coenunciadores); assim a coerência deixa de ser vista como propriedade exclusiva ou qualidade do texto e passa a ser relacionada ao modo como o leitor/ouvinte interage com o texto e o reconstrói como uma configuração veiculadora de sentidos.

Exatamente esses fatores e, sobretudo, a contextualização é que podem tornar a Linguística Textual uma ferramenta importante na e para a leitura e compreensão de obras gramaticais do passado.

A Linguística Textual na História das Ideias

A título de ilustração, imaginemos que vamos pesquisar a *Grammatica Portugueza*, de Júlio Ribeiro, escrita em 1881.[7] Para que a análise não corra o risco de ser feita com o olhar hodierno, temos de procurar compreender o contexto em que foi gestada: o momento histórico, as concepções de gramática que circulavam, as partições frequentemente apresentadas por estudiosos da época, os conceitos de língua, morfologia, sintaxe etc., ou seja, temos de procurar nos valer de conhecimentos enciclopédico, interacional e ilocucional para que bem situemos a obra. Assim, para que essa análise seja feita, é preciso que se pense a história dessa obra como um trabalho de representação, isto é, observando-se "como são traduzidas as posições e interesses dos indivíduos que compõem a sociedade, como pensam que ela é, como agem, ou como gostariam que ela fosse" (FÁVERO; MOLINA, 2006, p. 23).

Dessa feita, mergulhados, dentro do possível, naquele contexto, balizar a obra com as de autores a ela contemporâneos, verificar os intertextos presentes, as rupturas, a importância da obra, sua situacionalidade e intencionalidade.

---

7   Trabalho realizado em nosso livro: Fávero, L. L. e Molina, M. A. G. (2006).

Logo de início, pode-se perceber que autores como Sotero dos Reis (1871) e Augusto Freire da Silva (1906), amparados nas obras de inspiração filosófica, asseveram que há dois tipos de gramática: a Geral e a Particular. A primeira, para ambos, é a ciência dos princípios imutáveis e gerais da palavra, e a segunda, a arte de aplicar esses princípios a uma língua particular.

Esses autores fizeram escola e publicaram suas obras quando a gramática filosófica pontificava. Na instância em que Júlio Ribeiro publicou sua *Grammatica*, já circulavam pela Europa os ideais da gramática histórico-comparativa e, como afirma Maciel (1894, p. 500): teve ele "o mérito de haver sido o primeiro a trasladar para compêndio didático a nova orientação, revertendo os alicerces da rotina e servindo de norma para algumas Gramáticas que se publicaram em São Paulo". Instruído pelo comparativismo e pelo evolucionismo que iluminavam intelectuais de várias áreas, em especial os que se dedicavam aos estudos da linguagem, apresenta, baseado em Whitney (1899), a seguinte conceituação de gramática: "Exposição metódica dos fatos da linguagem", continuando: "ela não faz leis e regras para a linguagem". Assevera ainda que ela "não tem por principal objetivo a correção da linguagem" (p. 1), opondo-se aos estudiosos que lhe foram anteriores.

Esse é apenas um exemplo para que se frise a importância da Linguística Textual na compreensão de uma obra também estudada à luz da História das Ideias Linguísticas. A título de exemplo, detivemo-nos a apenas uma microparte da *Grammatica Portugueza*, e somente essa pequena parcela já nos mostrou a importância de a situarmos no tempo em que foi produzida, de a balizarmos com outras de seu tempo, de verificarmos os intertextos lá presentes, suas rupturas (lembremo-nos de que a obra em questão foi divisora de águas) e as intenções de seu autor. Pontuamos que, já no "Prólogo", Ribeiro esclarece a natureza e os objetivos de seu trabalho: "As antigas gramáticas portuguesas eram mais dissertações de metafísica do que exposição dos usos da língua" (p. 1), portanto, pretendia de fato a inovação. Assim compreendida, a obra ganha novos contornos, profundidade e verticalidade.

Considerações finais

Lembramos, primeiramente, que o objetivo deste trabalho foi pontuar as especificidades da História das Ideias Linguísticas, seu surgimento, orientações, precursores e procedimentos de análise, apontando a importância da Linguística Textual como ferramenta de estudo dos textos, coadjuvante na e para a leitura e análise de obras gramaticais.

Na sequência, traçamos um percurso da Linguística Textual no Brasil e, ao final do trabalho, podemos afirmar que vimos o que é e como se faz História das Ideias Linguísticas, sua vocação interdisciplinar e, exatamente por isso, a possibilidade de cooperação da Linguística Textual, em especial no que tange à contextualização, intertextualidade, intencionalidade etc., no fazer histórico do pensamento linguístico.

Referências

AUROUX, S. *Histoire dês idées linguístiques.* Paris: Pierre Mardaga éditeur, 1989. Tomo 1.

_____. *A revolução tecnológica da gramatização.* Tradução de Eni Orlandi. Campinas: Editora da Unicamp, 1992.

BAKHTIN, M. (1979). *Estética da criação verbal.* São Paulo: Martins Fontes, 1992.

BEAUGRANDE, R. de. *Text, discourse and process.* Norwood: N. J. Ablex, 1980.

_____; DRESSLER, W. *Einfuhrung in die Textlinguístic.* Tubigen: Max Niemeyer, 1981.

CARR, E. H. *Que é História?* Rio de Janeiro: Paz e Terra, 1996.

CLERCQ, J. de; SWIGGERS, P. L'histoire de la linguistique: l'autre histoire et l'histoire d'une histoire. In: FELDBUSCH, E.; POGARELL, R.; WEISS, C. *Neue Fragen der Linguistik.* Tubegen: Miemeyer Verlag, 1991.

COLOMBAT, B.; FOURNIER, J.-M.; PUECH, C. *Histoire des idées sur le langage et les langues.* Paris: Klinscksiech, 2010.

CONTE, M. E. *La linguística testuale.* Milão: Feltrinelli, 1977.

COSÉRIU, E. Determinación y entorno. De los problemas de uma linguistica del hablar. *Romanistisches Jabrbuch*, v. 7, p. 29-54, 1955.

DECROSSE, A. Resenha de AUROUX, Sylvain. *Histoire des Idées Linguistiques*. *Langage et société*, v. 61, n. 1, p. 95-106, 1992.

FÁVERO, L. L.; KOCK, I. V. *Linguística Textual* – Introdução. São Paulo: Cortez, 1983.

_____. Critérios de Textualidade. *Revista Veredas*, n. 104, p. 17-34, 1985a.

_____. Intencionalidade e aceitabilidade como critérios de textualidade. *Cadernos PUC*, n. 22, p. 31-38, 1985b.

_____; MOLINA, M. A. G. História das ideias linguísticas: origem, método e limitações. *Revista da ANPOLL*, São Paulo, Humanitas, n. 16. 2004.

_____; _____. *As concepções linguísticas no século XIX*: a gramática no Brasil. Rio de Janeiro: Lucerna, 2006.

FOUCAULT, M. *Qu'est-ce qu'um auteur?* Paris: Littoral, 1983.

_____. *A arqueologia do saber*. 2. ed. Rio de Janeiro: Forense, 1987.

_____. *A palavra e as coisas*. 5. ed. São Paulo: Martins Fontes: 1990.

HALLIDAY, M. A. K.; HASAN, R. *Cohesion in English*. Londres: Longmann, 1976.

HARWEG, R. Bifurcations de textes. *Semiótica*, v. 12, p. 41-59, 1974.

_____. Substitutional Text Linguistics. In: DRESSLER, R-A. (Ed.). *Current Trends in Textlinguistics*. Berlin: Walter de Gruyter, 1978.

HEINEMANN, W.; VIEHWEGER, D. *Textlinguistik*: eine Einführung. Tubigen: Niemeyer, 1991.

LAJOLO, M. *Do mundo da leitura para a leitura do mundo*. São Paulo: Ática, 1993.

MACIEL, M. (1894). *Grammatica Descriptiva*. 5. ed. São Paulo: Francisco Alves, 1914.

MARCUSCHI, L. A. *Linguística de Texto* – o que é e como se faz. Recife: Universidade Federal de Pernambuco, 1983. (Série Debates 1).

NEIS, I. A. Por uma Gramática Textual. *Letras de Hoje*, PUC/RS, n. 44, 1981.

REIS, F. S. dos. *Grammatica Portugueza*. 2. ed. Maranhão: Tipografia R. d'Almeida & C. Edirotes, 1871.

RIBEIRO, J. (1881). *Grammatica Portugueza*. 71. ed. Rio de Janeiro; São Paulo: N. Falcone & Comp, 1913.

SAPIR, E. *Linguística como ciência*. Rio de Janeiro: Livraria Acadêmica, 1961.

SILVA, A. F. da. *Grammatica Portugueza*. 8. ed. São Paulo: Augusto Siqueira, 1906.

SPERBER, D.; WILSON, D. *Relevance*: Comunication and Cognition. Oxford: Blackwell; Oxford University Press, 1986.

WEINRICH, H. *Sprache in Textes*. Stuttgart: Klett, 1976.

WHITNEY, W. D. *Essencials of English Grammar*. Boston: Ginn and Company Publishers, 1899.

5

Linguística Textual e Tradições Discursivas

Alessandra Castilho da Costa

Todo texto constitui criação única de um ser humano, isto é, trata-se de uma unidade de sentido construída em uma situação de interação específica no tempo e no espaço e que cumpre propósitos comunicativos determinados. Ao produzirmos textos, não usamos apenas o aprendido, mas, de fato, também criamos o novo. Essa capacidade criadora permite produzirmos sempre novos textos, não existindo um limite definido para aqueles que possam ser construídos ao longo da existência de um indivíduo. Por isso, produzir textos é uma atividade criadora por excelência. Nessa direção, o filósofo alemão Wilhelm von Humboldt afirmava que nunca se aprende uma língua; na verdade, aprende-se a *criar* por meio de uma língua.

Contudo, isso não significa que todo texto é constituído unicamente do novo. Apesar de serem criações únicas, os textos também compartilham traços comuns que se tornam convencionais. Se, de um lado, não repetimos apenas o que já foi dito, por outro, tampouco somos a fonte *ex nihilo* de nossos discursos e sentidos (cf. GERALDI, 2003, p. 135-136). Uma carta de amor é uma criação única enquanto expressão de intimidade entre dois interlocutores específicos num determinado momento da História. Entretanto, a fórmula "eu te amo" é uma convenção presente em muitas cartas de amor como resposta à necessidade comunicativa recorrente do ser humano de expressão de afetividade.

De modo semelhante, convenções podem se formar com relação a conteúdos, a formulações linguísticas e a modos de estruturação do texto. Na perspectiva do modelo teórico desenvolvido por Koch e Oesterreicher (1990), tais convenções ou tradicionalidades de conteúdo, língua ou forma são denominadas de tradições discursivas.

Textos e suas tradições discursivas apresentam uma forte relação de interdependência (ASCHENBERG, 2003, p. 1; WILHELM, 2001, p. 467-470): de um lado, os textos são formados por tradições discursivas, pois não podem prescindir de convenções; por outro, as tradições discursivas surgem, formam-se e transformam-se exatamente por meio de textos.

Nas próximas seções, abordaremos o conceito de tradição discursiva e sua relevância teórica e metodológica para uma Linguística Textual (LT) como hermenêutica do sentido.

Linguística Textual como hermenêutica do sentido

Na filosofia da linguagem de Eugenio Coseriu, a LT, como disciplina da linguística geral – ou, como propunha esse linguista, da *linguística integral* (cf. LOUREDA, 2007, p. 20) –, deveria ter seus objetivos, alcances e limites definidos a partir de uma perspectiva do linguístico concebida em três níveis: universal, histórico e individual. A partir dessa perspectiva, o autor concebe a linguagem como o falar-um-com-o-outro,[1] como atividade *criadora* humana universal realizada como atos de fala por indivíduos que seguem normas de línguas particulares numa situação determinada. Em correspondência a esses três níveis, Coseriu sugere a delimitação de três tipos diversos de linguística na qual a Linguística de Texto se encaixa:

---

1 "[...] a essência da linguagem está no diálogo, no 'falar-um-com-o-outro', isto é, está intimamente vinculada àquilo que os interlocutores têm em comum" (COSERIU, 1987, p. 18).

Níveis do linguístico	Ponto de vista: língua como atividade[2]	Tipos de conteúdos	Disciplinas correspondentes
Nível universal	falar no geral	designação	Linguística do Falar
Nível histórico	língua particular	significado	Linguística das Línguas Particulares
Nível individual	discurso (ou texto)	sentido	Linguística do Texto

A tarefa central da Linguística Textual, na visão coseriana, é ser uma *hermenêutica do sentido*, isto é, uma linguística que busca compreender de que maneira e em que níveis se articula o sentido do texto. Os fundamentos iniciais dessa hermenêutica são apresentados no ensaio "Determinacción y entorno: dos problemas de una lingüística del hablar" (COSERIU, 1955-1956), mas também se encontram em parte em sua *Textlinguistik* (1994) e em outras publicações e manuscritos inéditos.

Cabe aqui destacar que Coseriu contrapõe o termo *sentido* a dois outros tipos de conteúdo: à *designação* e ao *significado*. A designação é um universal linguístico de referência à realidade, isto é, a objetos e estados de coisas; já o significado corresponde ao conteúdo específico que uma determinada língua particular seleciona com seus meios (COSERIU, 2006, p. 57). Nesse contexto, as línguas não possuem os mesmos significados, pois cada língua seleciona conteúdos específicos com seus meios linguísticos. Por fim, o sentido é o conteúdo próprio de um discurso, que é manifestado por meio da designação e

---

2   Coseriu define a linguagem como atividade (energeia) no mesmo sentido de Humboldt, como criação do novo:
    "Quando Humboldt diz que a língua é *energeia,* consequentemente considera que a língua é exatamente uma atividade que, como no caso da arte e da filosofia, não apenas usa o aprendido, mas também realmente cria o novo. Assim também se deve entender, quando ele afirma que não se aprende uma língua, mas se aprende a criar em uma língua. Isso significa, porém, que das duas criatividades de Chomsky somente a segunda, para Humboldt, seria criatividade no verdadeiro sentido, já que a primeira consiste somente da utilização de regras, portanto, trata-se somente da utilização de uma *dynamis* [= potência, conhecimento] já existente. A criação de orações mediante regras conhecidas não é para Humboldt criatividade alguma, porque não lhe interessa a criação de orações, mas a criação da própria língua" (COSERIU, 1979, p. 5, tradução nossa).

do significado, e que corresponde à finalidade comunicativa que tal discurso persegue. Desse modo, "pergunta", "resposta", "ordem", "súplica", "convite", "saudação", "comprovação" seriam, no entender desse autor, unidades mínimas de *sentido*, e a Linguística do Texto, como hermenêutica do sentido, teria por tarefa a revelação sistemática da maneira como as unidades de sentido se combinam umas com as outras, construindo unidades de nível cada vez maior, até que se chegue ao sentido global do discurso (COSERIU, 2006, p. 57-58). Logo, a identificação da articulação do sentido seria a metodologia hermenêutica da Linguística do Texto e sua heurística residiria em buscar estabelecer os tipos de sentido e os procedimentos utilizados para construí-los.

Nessa perspectiva, o texto – objeto da LT como hermenêutica do sentido – é uma criação, uma atividade que vai além do linguístico e que engloba, além de regras gerais do pensar (nível universal), ideologias, isto é, ideias e crenças que também contribuem para a construção do sentido e que se manifestam tanto no nível dos significados selecionados por uma língua (seus meios linguísticos) quanto no do sentido. Ao conceber a linguagem como atividade e estabelecer o texto no nível individual do linguístico, Coseriu não se refere a qualquer atividade, mas à atividade criadora, como já mencionado, especificamente, no sentido humboldtiano e aos textos como *criações livres* do espírito humano:

> Com efeito, Humboldt não escreve simplesmente *Werk*, "produto", e *Tätigkeit*, "atividade", mas acrescenta as expressões técnicas de Aristóteles *ergon* e *enérgeia*, com o que mostra claramente que por *Tätigkeit* não entende uma atividade qualquer, mas um tipo especial e determinado de atividade, precisamente a *energeia* aristotélica: a atividade anterior à potência (*dynamis*), isto é, a atividade criadora ou "livre", no sentido filosófico da palavra *livre*. Pois bem, uma atividade "livre" é uma atividade cujo objeto é necessariamente infinito (Schelling). (COSERIU, 1987, p. 22)

O conceito de tradição discursiva

Como aludido anteriormente, dizer que os textos são criações livres não é, porém, dizer que tudo o que há no texto é absolutamente novo. Assim como postula que o idioma particular (as regras da língua) e a construção do texto (regras do discurso) são fenômenos que pertencem a níveis distintos, Coseriu afirma que o nível do texto também tem sua própria universalidade e historicidade:

> [...] o saber expressivo [na terminologia de Coseriu, o saber relacionado à construção dos textos] possui sua própria universalidade e sua própria historicidade. Existem, de fato, modos universais (não idiomáticos) de falar em tipos de circunstâncias e modos universais de estruturar certos tipos de discurso (por exemplo, discursos narrativos), e, analogamente, modos históricos de ambas as espécies. (COSERIU, 1957, p. 30)

Essa visão implicaria a necessidade de tripartição do nível do texto (cf. KABATEK, 2013), de modo que se estabelecessem distinções entre aqueles fenômenos universais relativos à construção dos discursos, àqueles que dizem respeito a modos particulares de dizer determinados cultural e historicamente (que Coseriu denomina *tradições de textos*) e àqueles que dizem respeito à construção do sentido específico num determinado texto.

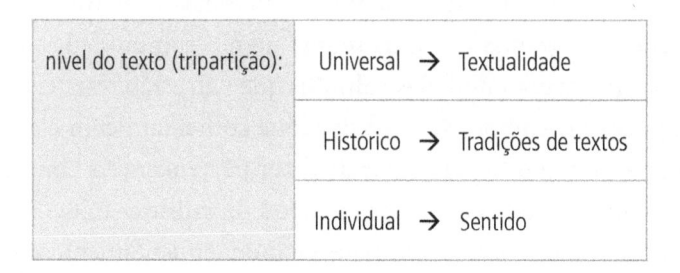

nível do texto (tripartição):	Universal → Textualidade
	Histórico → Tradições de textos
	Individual → Sentido

A discussão a respeito da localização dessas tradições no edifício coseriano (se no nível individual ou histórico) teve uma contribuição definitiva do romanista alemão Peter Koch. Segundo Kabatek (2013), em 1988, Koch apresentou, pela primeira vez, o termo *tradições discursivas* para acrescentar a esse edifício uma segunda dimensão histórica ao lado da dimensão das línguas, duplicando o nível histórico (cf. Tabela 1) ao estabelecer dois filtros dos enunciados: o filtro da língua particular e o das tradições discursivas.

Quase dez anos depois, Koch lançaria as bases teóricas do conceito de tradição discursiva com seu ensaio *Diskurstraditionen: zu ihrem sprachtheoretischen Status und zu ihrer Dynamik* (1997).

Nível	Campo ou área
Universal	Atividade de falar
Histórico	Línguas particulares
Histórico	Tradições discursivas
Individual	Discurso ou texto

Tabela 1   Duplicação do nível histórico proposta por Koch (1997)

Com o termo *tradição discursiva*, Koch se refere à historicidade dos textos: a quaisquer elementos dos discursos repetidos em constelações discursivas semelhantes que se tornam convencionais. Tais tradicionalidades não pertencem à gramática duma língua nem a comunidades linguísticas delimitadas, mas a comunidades culturais que não estão restritas a comunidades linguísticas, embora seja possível que coincidam com elas. Trata-se, portanto, de todo modo particular de dizer pertencente a "âmbitos historicamente determinados da experiência ou da cultura" (COSERIU, 1957, p. 30). Tradições discursivas formam-se independentemente da extensão que tais âmbitos possam apresentar, por exemplo, desde âmbitos mais gerais como a cultura ocidental ou mais específicos como determinados grupos profissionais, políticos, filosóficos, literários etc. Segundo ilustra Coseriu (SCHLIEBEN-LANGE et al., 1979, p. 77), o gênero *soneto* surgiu na Itália e, por muito tempo, permaneceu como um gênero desconhecido em outros lugares. Apesar disso, não se pode dizer que o soneto seja uma forma da língua italiana, já que, posteriormente, passou a ser produzido em outras comunidades linguísticas. Por conseguinte, não é preciso saber escrever um soneto para falar italiano, tampouco falar italiano para poder escrever um soneto. Essa ilustração permite, pois, concluir que o soneto é uma tradição discursiva do âmbito da literatura, mas não pertence às regras de uma língua específica.

Convém, assim, estabelecer uma distinção entre tradição discursiva e gênero, já que os termos não são sinônimos. Um gênero é, certamente, uma tradição discursiva, visto que, devido à execução de tarefas comunicativas recorrentes, elementos de conteúdo, língua e forma dos textos se habitualizam, levando à formação de modelos textuais como os gêneros (COSERIU, 1957; BAKHTIN, 1953; HEINEMANN; VIEHWEGER, 1991, entre outros). Nesse sentido, Bakhtin (1953) defende que cada esfera de utilização da linguagem elabora seus tipos relativamente estáveis de enunciados – os gêneros do discurso –, caracterizados por um conteúdo temático, um estilo e uma estrutura composicional. Entretanto, uma tradição discursiva não corresponde necessariamente a um gênero. Kabatek (2012) ilustra esse fato com o exemplo de uma citação literária específica num texto, que pode se tornar tradicional; ao mesmo tempo, essa citação tradicional específica também é parte de outra tradição mais ampla que é a tradição da ação de citar. Também o título é uma tradição discursiva, embora não seja um gênero e atravesse gêneros variados de diferentes âmbitos culturais. A tradição do título numa notícia é uma tradição discursiva específica interna a essa tradição mais ampla. Logo, uma tradição discursiva pode ser um aspecto fonético (a prosódia particular dos jogadores de futebol, por exemplo), sintático (por exemplo, o uso de formas de apagamento do sujeito no discurso científico), uma fórmula, um gênero, uma classe de gêneros, um subgênero, um estilo, um universo de discurso; em suma, uma tradição discursiva pode se formar com relação a qualquer tipo de tradicionalidade de conteúdo, forma ou expressão linguística que funcione como signo de pertença a um grupo cultural. Por isso, Kabatek (2012) afirma que a lista dos elementos que fazem parte dessa rede de tradições é teoricamente interminável.

Com a Tabela 2, a seguir, podemos ilustrar algumas das principais semelhanças e distinções entre línguas particulares, tradições discursivas e gêneros:

Critérios de distinção	Variedades linguísticas	Gêneros textuais/ discursivos	Tradições discursivas
Tipo de norma	• Norma linguística	• Normas discursivas	• Normas discursivas
Grupo de transportadores	• Comunidades linguísticas	• Comunidades discursivas/ grupos culturais (profissionais, literários, religiosos, políticos etc.)	• Comunidades discursivas/grupos culturais (profissionais, literários, religiosos, políticos etc.)
Tipo de objeto	• Objeto linguístico	• Objeto cultural; não limitado a comunidades linguísticas	• Objeto cultural; não limitado a comunidades linguísticas
Graus de abstração	• Sistema linguístico	• Agrupamento de textos que compartilha de três traços comuns: conteúdo temático, estilo e estrutura composicional	• Agrupamentos de textos de diferentes extensões, desde um único traço comum (agrupamentos muito amplos) a agrupamentos com n traços em comum (agrupamentos menores)
Exemplos	• Inglês, Francês, Espanhol, Alemão, Português Brasileiro, Português Europeu, Português Paulista, Português Carioca etc.	• Conversação cotidiana face a face • Telefonema pessoal • Carta pessoal • Notícia de jornal • Artigo acadêmico • Etc.	• Cultura (ocidental, latino-americana, brasileira etc.) • Universos de discurso (Cotidiano, Literatura, Ciência, Religião) • Estilos (realismo, sensacionalismo, romantismo etc.) • Tipo de texto (oral, escrito, informativo, argumentativo, narrativo etc.) • Classe de gênero (cartas, por exemplo) • Gênero textual • Subgênero (carta do leitor em jornal impresso vs. carta do leitor em jornal virtual) • Ato de fala (saudar, intitular etc.)

Tabela 2

Ressalte-se que não devemos restringir o conceito de tradição discursiva unicamente a certas categorias fechadas de agrupamentos textuais, como as que apenas nos serviram na tabela anterior como ilustração de diferentes graus de abstração. Pelo contrário, assim como Raible (1996, p. 72), Wilhelm (2001, p. 469) e Aschenberg (2003, p. 7), Kabatek (2015, p. 54) sugere adotar a perspectiva inversa: partir do tradicional nos textos para o reconhecimento ou estabelecimento de categorias, que, aliás, podem ser totalmente novas. Na realidade, a vantagem teórica e metodológica do conceito de tradição discursiva reside justamente na possibilidade de descrever uma vastidão de elementos tradicionais de diferentes grandezas nos textos. Além do perigo de bloquearmos o processo de construção de categorias de análise em função de categorias já fechadas e definidas, outro argumento a favor dessa mudança de perspectiva reside no fato de que mesmo os exemplares de gêneros textuais com que nos confrontamos não são monolíticos, quer dizer, não são representantes de uma única tradição discursiva.

De fato, uma notícia de jornal, por exemplo, é um gênero de texto e, portanto, uma tradição discursiva, mas pode evocar uma série de outras tradições que não são gêneros, como a tradição do *infotainment*, isto é, da mistura de informação com entretenimento (cf. KOCH, 1997), que vem se tornando uma tendência cada vez mais comum no jornalismo. Assim, algumas notícias em órgãos da imprensa brasileira de veiculação nacional, como *O Estado de S. Paulo, Folha de S.Paulo* e *Jornal da Tarde*, entre outros, podem conter gírias que evocam situações de comunicação menos formais (cf. PRETI, 2004) e até mesmo práticas tradicionais do discurso ficcional, como alusões a poemas e narrador onisciente e onipresente (cf. DIAS, 2006), na tentativa de aproximação com o leitor.

Consideremos os seguintes exemplos:

1. Ladrões *fazem a limpa* em creche e 50 crianças carentes ficam sem aulas em Santa Maria (Zero Hora, 2/3/2016, título de notícia)
2. Governo Alckmin reduz repasse e *dá calote* de R$ 66 milhões no Metrô (*Folha de S. Paulo*, 2/3/2016, título de notícia)

3. Após um ano, SABESP já arrecadou R$ 550 mi com multa a *gastões* (*O Estado de S. Paulo*, 1/3/2016, título de notícia)
4. Prefeito de Maricá se irrita em entrevista e manda governador do RJ '*tomar no c...*' (*O Globo*, 2/3/2016, título de notícia)

O título de uma notícia de jornal constitui uma *zona textual* (em alemão, *Diskurszone*; cf. KABATEK, 2015) em que diferentes elementos tradicionais convergem. Desde o início do século XX, com a predominância do *princípio temático* na organização do jornal (cf. HRBEK, 1995), os títulos de notícias deixaram de ser meras referências à data e ao local de procedência das informações e passaram a trazer *um resumo do assunto principal do texto de forma clara e sucinta*, mas, geralmente, evitando-se nominalizações que demandam maior esforço cognitivo para seu processamento. Assim, os títulos nesse gênero obedecem, via de regra, à *estrutura SN+SV*, como ocorre nos exemplos (1) a (4). Além dessa estrutura sintática, o *uso do presente do indicativo* corresponde a uma estratégia de aproximação do leitor com o acontecimento ou fato, no sentido proposto por Fiorin (1996) de *embreagem enunciativa*. De um lado, todos esses elementos usados de forma combinada compõem a tradição do título da notícia e representam normatizações históricas advindas duma tradição discursiva mais ampla – o ideal iluminista do jornalismo de notícias que Habermas analisou em *Mudança estrutural da esfera pública* (1971). Esse estilo iluminista não se restringiu ao gênero *notícia*, mas impregnou toda a prática jornalística a partir do século XIX. De outro lado, contudo, gírias como as dos exemplos (1) a (4) funcionam como sintomas da tradição discursiva do *infotainment*, constituindo uma ruptura cultural no jornalismo que encontrou adesão e difusão pelo grupo de transportadores culturais em questão (jornalistas), manifestando-se não somente no gênero *notícia*, mas em uma série de outros gêneros jornalísticos, como reportagens, artigos de opinião, entre outros.

Com esses exemplos podemos constatar que há tradicionalidades nos textos que surgem e se expandem a partir de âmbitos mais gerais ou mais específicos que o de gênero textual.

O princípio de composicionalidade tradicional

Os exemplos anteriores estão relacionados a um conceito fundamental para o modelo de Tradições Discursivas: o princípio de composicionalidade tradicional. Kabatek (2005, p. 162) propõe esse conceito para explicar que uma tradição discursiva é composta, em geral, de vários elementos, que se apresentam, com frequência, de forma combinada. Essa possibilidade de combinação de diferentes elementos de modo convencional ou inovador é o que permite a transformação dos textos e, por conseguinte, das tradições discursivas que se formam a partir deles.

No âmbito da composicionalidade tradicional, o autor introduz a diferenciação entre composicionalidade paradigmática e composicionalidade sintagmática de tradições discursivas. A composicionalidade paradigmática é caracterizada pela presença de diferentes tradições discursivas em um mesmo trecho de um texto. Por exemplo, um poema pode pertencer, ao mesmo tempo, à tradição dos sonetos, mas também à tradição dos poemas de amor. Os títulos de notícias (1) a (4) antecedentes ilustram esse tipo de composicionalidade em que mais de uma tradição ocorre no mesmo trecho (as tradições do *infotainment* e do ideal iluminista do jornalismo de notícias).

Já o conceito de composicionalidade sintagmática diz respeito à sucessão de elementos num texto. Uma ilustração clara disso é a sucessão de diferentes partes composicionais, como data, vocativo, *narratio* e assinatura na carta pessoal. Cada uma dessas partes pode ser delimitada das demais, mas todas elas ocorrem em combinação, seguindo uma ordem determinada.

Esse caráter composicional, tanto sintagmático quanto paradigmático, permite a transformação de tradições discursivas, de modo que ao final de uma filiação de textos possamos encontrar uma configuração bastante diferente da tradição inicial. A notícia de jornal, que se formou a partir do gênero *carta pessoal*, é um exemplo desse processo de mudança. Nos séculos XIV e XV, era costume trazer em cartas pessoais uma rubrica que não dizia respeito à troca de informações entre os interlocutores sobre sua vida privada, mas trazia informações sobre a situação política e comercial. Mais tarde, esse tipo de informação deixou de ser apenas um anexo e a carta toda passou a ser dedicada a esse tipo de noticiário. Desse modo, surge a notícia comercial e política (cf.

STEINHAUSEN-KASSEL, 1928, p. 54), afastando-se ao longo da História cada vez mais da constituição do gênero *carta pessoal* e desenvolvendo uma configuração própria.

Tradições discursivas entre oralidade e escrituralidade

Seja um texto veiculado gráfica ou fonicamente, há uma série de fatores que influenciam sua configuração linguística. Em nossas comunicações cotidianas, podemos nos confrontar com um texto reverente, elaborado e formal, ainda que veiculado fonicamente, a exemplo do pronunciamento oficial de uma autoridade. Também encontramos textos veiculados graficamente que expressam informalidade e intimidade, como uma carta pessoal, um bilhete, entre outros. Isso quer dizer que o meio de veiculação (gráfico *vs.* fônico) não dá conta da complexidade de semelhanças e diferenças entre textos orais e escritos. Ora, se o meio de veiculação é um critério insuficiente, como podemos lidar, então, com as diferenças entre fala e escrita numa perspectiva linguística?

A respeito dessa problemática, Koch e Oesterreicher (1990, 2007) propuseram substituir os conceitos dicotômicos de *fala* e *escrita*, baseados no meio de veiculação dos textos, pelos conceitos de *oralidade* e *escrituralidade*, que dizem respeito à sua concepção discursiva, entendida como a configuração linguística mais ou menos elaborada dos textos e que é determinada por uma série de condições de comunicação que influenciam as escolhas linguísticas. Com os termos *"oralidade"* e *"escrituralidade"*, os autores fazem referência a dois extremos de um contínuo: a imediatez comunicativa, típica de comunicações marcadas por proximidade entre os interlocutores e mais características da esfera privada, e a distância comunicativa, em que os interlocutores expressam afastamento em diversos sentidos, e que está ligada a comunicações da esfera pública. Esses autores distinguem os 10 seguintes parâmetros comunicativos que determinam o espaço de um texto no contínuo de variações entre oralidade e escrituralidade:

Linguística Textual e Tradições Discursivas

Parâmetros comunicativos	Oralidade	Escrituralidade
1. Grau de publicidade	Caráter privado e não institucional, baixo número de interlocutores	Caráter público e/ou institucional, grande número de interlocutores
2. Grau de intimidades entre os interlocutores	Íntimo, experiências comunicativas comuns, conhecimento partilhado	Não íntimo
3. Grau de emocionalidade	Alto grau de emocionalidade	Baixo grau de emocionalidade
4. Grau de dependência da situação imediata de comunicação	Texto altamente dependente da situação de comunicação imediata	Autonomia do texto com relação à situação de comunicação imediata
5. Ponto de referência da comunicação	Objetos do discurso dizem respeito ao *eu-aqui-agora* do falante	Objetos do discurso não dizem respeito ao *eu-aqui-agora* do falante
6. Proximidade física	Proximidade espacial e temporal	Distância espacial e temporal
7. Grau de cooperação	Possibilidades de intervenção direta dos parceiros na produção do discurso	Baixa ou nenhuma possibilidade de intervenção direta dos parceiros na produção do discurso
8. Grau de dialogicidade	Possibilidades e frequência dos parceiros de assumir o papel de enunciador do discurso (diálogo)	Não há possibilidades de troca do papel de enunciador (monólogo)
9. Grau de espontaneidade	Alto grau de espontaneidade	Alto grau de planejamento
10. Grau de fixação temática	Desenvolvimento temático livre	Forte fixação temática

Tabela 3 Contínuo de oralidade e escrituralidade, adaptado de Koch e Oesterreicher (2007, p. 34)

Retomando o exemplo da carta pessoal, que é um texto veiculado graficamente, podemos observar como esse gênero se comporta em relação aos parâmetros comunicativos propostos por Koch e Oesterreicher: trata-se de uma comunicação com baixo grau de publicidade (1), já que os enunciadores são indivíduos que se conhecem na vida privada e possuem experiências em comum e intimidade (2). Em virtude dessa intimidade, os interlocutores podem expressar sua subjetividade mais livremente, manifestando um grau relativamente alto de emocionalidade (3). Contudo, devido ao fato de os interlocutores estarem separados no tempo e no espaço (6), a carta possui relativa independência do contexto situacional imediato (4): quer dizer, não é preciso que seu leitor esteja no mesmo espaço que o missivista para poder entender a mensagem. Justamente porque o produtor da carta e o leitor não estão no mesmo espaço e tempo, há algumas restrições quanto ao uso da dêixis (5): para que o leitor compreenda o que advérbios dêiticos – como "aqui", "agora", "lá" etc. – significam, é necessário que essa referência seja recuperável no texto. De certo modo, o texto da carta precisa tornar essas informações contextuais explícitas, o que não seria necessário se os interactantes estivessem no mesmo espaço-tempo. Ainda em virtude dessa separação espacial e temporal, as possibilidades de cooperação são restritas, pois não é possível interromper o turno de fala do interlocutor, como é comum em conversações face a face (7). Também é evidente que não podemos interromper o processo de produção da carta, embora possamos deixar de responder, se assim escolhermos. Em consequência disso, a dialogicidade, no sentido específico de possibilidade de troca de turnos entre os coenunciadores, apresenta igualmente limitações nesse tipo de interação (8). E enquanto num encontro casual entre amigos no dia a dia a conversação é produzida *on-line*, isto é, espontaneamente e com pouco tempo de planejamento, o processo de escrita de uma carta oferece maior tempo de reflexão acerca do que será comunicado, possibilitando alterações. Por isso, o grau de espontaneidade (9) é menor do que na conversação prototípica. Com relação ao grau de fixação temática, uma carta é, em geral, iniciada por um vocativo e uma saudação e finalizada por uma despedida e uma assinatura. Entre seu início e seu fim, há uma série de atos de fala comuns, como perguntar pela família do interlocutor, relatar acontecimentos importantes acerca da própria família etc.; todavia, embora tais informações sejam comuns, não se pode efetivamente prever o que será comunicado em uma carta pessoal, o que torna seu desenvolvimento temático relativamente livre (10). Esses valores paramétricos da carta pessoal são representados por Koch e Oesterreicher da seguinte maneira:

	oralidade	escrituralidade
a)		
b)		
c)		
d)		
e)		
f)		
g)		
h)		
i)		
j)		

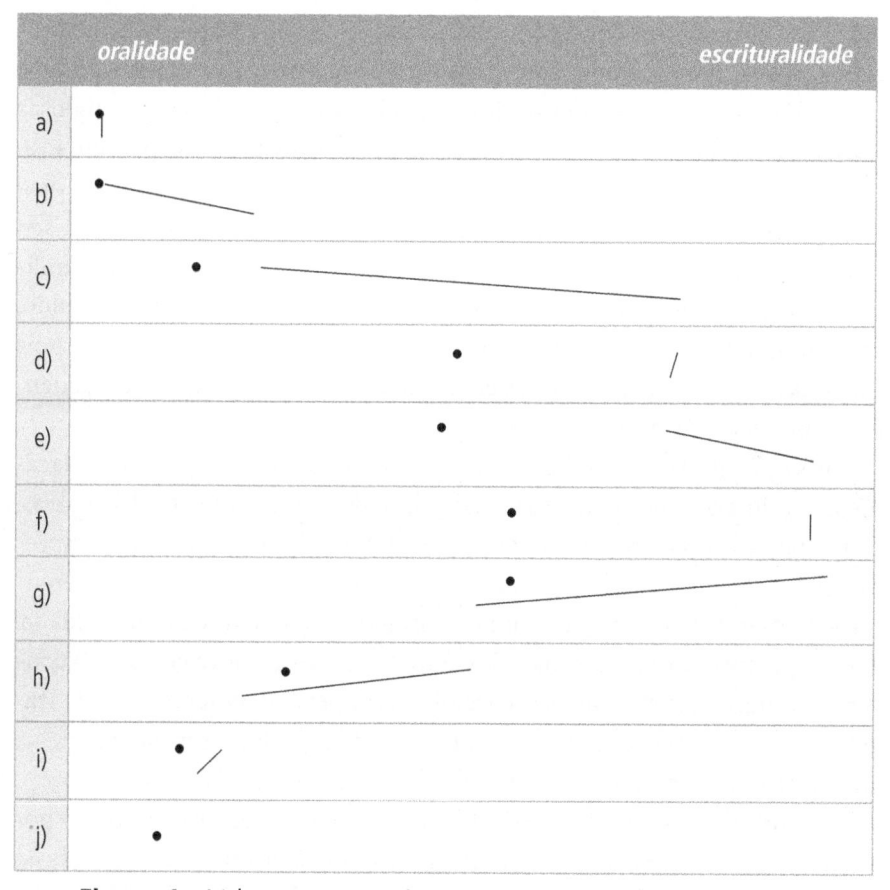

Figura 1 Valores paramétricos comunicativos da carta pessoal
(cf. KOCH; OESTERREICHER, 2007, p. 28)

O gráfico acima permite perceber que a carta pessoal é um gênero influenciado pela oralidade, embora possua aspectos relativos à escrituralidade. Dessa maneira, podemos afirmar que esse gênero é marcado por uma linguagem menos elaborada e mais informal; no entanto, ler ou escrever uma carta não é o mesmo que interagir espontaneamente face a face.

Essa concepção global de oralidade e escrituralidade possibilita a caracterização de todos os textos não somente segundo seu perfil medial, mas também concepcional. Dependendo da localização da tradição discursiva no contínuo de oralidade e escrituralidade, o texto apresentará maior ou menor afinidade com determinadas variedades linguísticas. De seu alto grau de publicidade, entre outras condições comunicativas, resulta a afinidade da notícia televisiva, por exemplo, com uma variedade linguística diatopicamente neutra e com variedades diastráticas e diafásicas consideradas prestigiosas (cf. COSTA, prelo). O mesmo vale para qualquer tipo de tradição discursiva.

Cada uma das tradições discursivas que se localizam no contínuo de oralidade e escrituralidade possui, portanto, suas regras, suas convenções, sua estrutura, seu sentido particular. Tais gradações entre a oralidade e escrituralidade são relevantes para a Linguística do Texto como hermenêutica do sentido, como linguística que se ocupa da produção e interpretação do sentido, pois é necessário, nesse processo, levar em conta as especificidades de cada gênero e suas restrições às possibilidades de sentido.

Essa perspectiva permite identificar e explicar uma série de entrelaçamentos e intersecções entre variedades linguísticas e tradições discursivas. Com a figura a seguir, Koch e Oesterreicher (1990, p. 35) representam a perspectiva global de meio e concepção que permite a localização relativa de diferentes gêneros e tradições discursivas no contínuo de oralidade e escrituralidade. Tal perspectiva é exemplificada pelos autores a partir de nove gêneros: i) conversa familiar; ii) conversa telefônica; iii) carta pessoal; iv) entrevista de trabalho; v) versão impressa de uma entrevista de jornal; vi) sermão religioso; vii) conferência científica; viii) artigo editorial; e ix) texto jurídico.

No Brasil, Marcuschi (2010) adota o contínuo de gêneros proposto por Koch e Oesterreicher e desenvolve uma metodologia de trabalho de produção textual com atividades de retextualização, isto é, de nova produção do sentido, por meio de estratégias de transposição dos textos que englobam tanto o meio de veiculação quanto sua configuração linguística. A metodologia desenvolvida por Marcuschi a partir dos postulados de Koch e Oesterreicher demonstra que a abordagem de tradições discursivas no contínuo de oralidade e escrituralidade possui implicações relevantes para a teoria da linguagem e para o ensino. No próximo tópico, sua utilidade para o trabalho com textos como unidade de ensino será destacada.

Linguística Textual e Tradições Discursivas

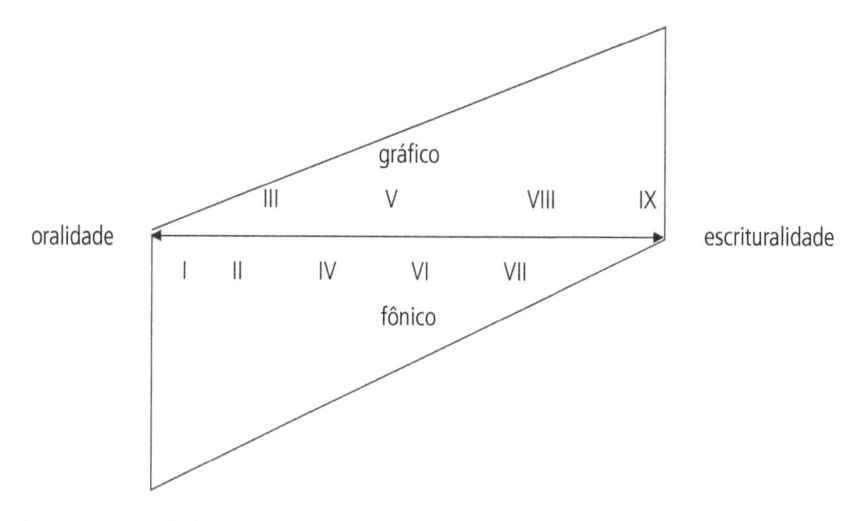

Figura 2 Meio e concepção. Contínuo entre oralidade e escrituralidade e perfil concepcional de TD (cf. KOCH; OESTERREICHER, 1990, p. 34)

Tradições discursivas e sua aplicação no ensino

Ao distinguir a oralidade e a escrituralidade concepcional do meio, quer dizer, ao diferenciar uma configuração linguística de um enunciado e sua veiculação gráfica ou fônica, Koch e Oesterreicher entendem, portanto, que os textos e as variedades linguísticas que mais se afastam do *ego-hic-nunc* (o eu-aqui-agora da enunciação) são aqueles que mais se aproximam da escrituralidade, também denominada, por isso, de linguagem da distância comunicativa. Quanto mais distante do *ego-hic-nunc*, tanto mais o texto tenderá à escrituralidade; quanto mais próximo tanto mais terá afinidades com a oralidade.

Isso quer dizer que a aquisição da escrituralidade corresponde à aquisição de habilidades, estratégias e recursos linguístico-discursivos que permitem a superação de diversos tipos de distância do *ego-hic-nunc*, seja a distância espacial, temporal, social, emocional, referencial, entre outros. Os autores postulam que a localização de tais habilidades, recursos e estratégias no contínuo de gradações entre oralidade e escrituralidade também determina a ordem de aquisição dessas habilidades. Assim, quanto mais uma habilidade comunicativa estiver ligada à superação dos variados tipos de distância comunicativa, tanto mais tarde tal estratégia será adquirida pelo indivíduo (cf. KOCH; OSTERREICHER, 1994, p. 588). Nesse sentido, uma das tarefas centrais da escola e do professor no trabalho com produção de texto é auxiliar o aluno a adquirir habilidades para a superação da distância comunicativa e para a produção de textos da escrituralidade.

De um lado, a aquisição dessas habilidades é um processo pertencente ao nível universal da linguagem. Por exemplo, a habilidade de dar ao seu enunciado certa autonomia do contexto situacional imediato e conferir-lhe estabilidade, para que possa superar a distância comunicativa entre o enunciador e o coenunciador, é necessária para a produção de diversos gêneros da esfera pública, como conferências, contratos, artigos de opinião, aulas etc. Também a habilidade de ligar as partes do texto predominantemente por meio de signos verbais para a construção da coerência textual é típica da produção de textos da distância comunicativa. Essas e outras habilidades demandam não somente maior tempo, reflexão e planejamento da produção, mas também maior esforço cognitivo por parte do enunciador e do coenunciador.

De outro lado, os recursos linguísticos selecionados e utilizados pertencem ao nível histórico da linguagem em duplo sentido: estão sempre na tradição de uma variedade linguística particular, mas também se distribuem em diferentes tradições discursivas. Tome-se, por exemplo, a habilidade universal de explicitação de relações lógico-semânticas. Tal habilidade motivará, independentemente de qual seja o idioma, a maior utilização de hipotaxe que de parataxe em textos da escrituralidade. Todavia, no nível histórico, cada língua particular oferece um inventário de recursos específicos para o estabelecimento de nexos coesivos e tais recursos são empregados preferencialmente em determinadas tradições discursivas e não em outras. Conectores temporais, por exemplo, ocorrem com maior frequência nos discursos da ordem do narrar, enquanto os conectores lógicos são mais frequentes em textos expositivos (cf. BRONCKART, 1999, p. 264). Por isso, para desenvolver a habilidade de explicitação de relações lógico-semânticas, o aluno deverá ter acesso ao inventário de recursos disponíveis e à sua utilização em diferentes tradições discursivas.

Toda tradição discursiva possui um caráter modelar, desempenhando um papel simplificador e facilitador da produção textual e tornando a produção e a recepção do texto como signo complexo mais simples, ao mesmo tempo que restringe as possibilidades de produção de sentido (cf. RAIBLE, 1980, p. 322). Em função de seu caráter modelar e facilitador, tradições discursivas desempenham um papel decisivo no ensino de produção e interpretação de textos, especialmente na aquisição de habilidades que demandam maior esforço cognitivo.

Ao produzir uma redação dissertativa, uma das tarefas comunicativas recorrentes com a qual o enunciador deve lidar é, por exemplo, a introdução do tema, que requer uma estratégia de formulação. Em vista da recorrência da situação comunicativa (introduzir o tema), podemos identificar em redações dissertativas formulações semelhantes que se tornam convencionais (portanto, discursivamente tradicionais) e evidenciam diferentes tipos de conhecimentos e modelos ativados pelos produtores dos textos, bem como seu grau de intimidade com a escrituralidade e suas dificuldades no processo de produção de texto.

Seguindo uma metodologia *bottom-up* (que parte das tradicionalidades nos textos), vejamos exemplos de tradições discursivas que se formam na introdução do tema em redações[3] produzidas em 2014 a respeito do assunto "Crescimento Urbano" por alunos de um curso preparatório para exames de admissão em universidades, localizado em Natal:

5. "**No mundo contemporâneo**, grande parte da população brasileira sofre [...]"
6. "**No mundo contemporâneo**, há um grande problema social relacionado ao crescimento das médias e grandes cidades [...]"
7. "**Atualmente**, um problema vem sendo discutido entre a população [...]"
8. "**Atualmente**, a população urbana no Brasil vem crescendo de maneira rápida [...]"
9. "**No mundo de hoje**, vivemos em um caos [...]"

---

3   As redações fazem parte do *corpus* levantado e organizado por Daville Henrique Garcia (UFRN), que gentilmente cedeu os materiais para o presente artigo.

10. "**Nos tempos hodiernos**, o crescimento acelerado em centros urbanos [...]"
11. "**Até poucas décadas atrás**, via-se um grande número de pessoas nas zonas urbanas [...]"
12. "**Até pouco tempo**, o Brasil tinha como base de renda [...]"
13. "**Nos tempos pretéritos**, as dificuldades do homem que morava no campo [...]"
14. "**Ultimamente**, é observado alguns conflitos sociais nos centros urbanos [...]"
15. "**Ao longo de anos**, temos observado o crescimento das cidades [...]"

A ação tradicional de introduzir o tema numa redação evoca outra tradição que é o *motivo temporal*. As duas tradições ocorrem simultaneamente no mesmo trecho do texto (composicionalidade paradigmática) e poderíamos, ainda, identificar demais tradições internas à tradição do motivo temporal que se expressam por meio da referência à temporalidade simultânea (falar do presente, exemplos (5) a (10)) e à temporalidade anterior (falar do passado, exemplos (11) a (15)). Quando um aluno escreve "Atualmente" e outro "Nos tempos hodiernos", por exemplo, tais fragmentos estão na tradição de uma redação dissertativa, mas também na tradição da introdução do tema em uma redação dissertativa e na tradição do motivo temporal, de modo que a tradicionalidade nesse trecho é, no mínimo, tripla.

No contexto do trabalho com a produção de texto na escola, as questões que se colocam a partir desses exemplos são: por que esses alunos constituíram seus textos por meio dessas tradicionalidades? Por que seus produtores escolheram tais recursos linguísticos? E ainda: são tais tradicionalidades adequadas para o propósito comunicativo que perseguem? Que variedades e registros linguísticos são por elas impulsionadas? Em que medida sua utilização revela domínio da escrituralidade?

Na verdade, o motivo temporal em redações dissertativas é uma estratégia comum em textos dissertativos. Entretanto, o que realmente chama a atenção nos fragmentos (5) a (15) é que o modo como tal estratégia é utilizada parece sinalizar a dificuldade dos produtores dos textos com a tarefa de introdução do tema e com o desenvolvimento de sua própria autoria. Essa avaliação pode se tornar um recurso valioso se o professor buscar, a partir disso, oferecer subsídios ao aluno para que ele possa desenvolver outras estratégias de introdução temática. Dessa maneira, por meio do levantamento de tradições discursivas relativas à introdução do tema numa redação dissertativa, por exemplo, o professor pode auxiliar o aluno a adquirir um inventário de recursos e construções pertencentes a registros variados e de maior ou menor grau de cristalização que não somente podem ser por ele utilizados em diferentes gêneros, mas, sobretudo, podem ser retextualizados, reformulados e transformados, com o objetivo de desenvolvimento de autoria. Isso é compatível com o processo natural de aquisição da linguagem, em que novas funções são expressas inicialmente por meio de formas antigas (cf. SLOBIN, 1973, p. 184).

Nessa mesma direção, Kabatek (cf. 2015, p. 64) defende que a partir da composicionalidade tradicional (isto é, das possibilidades combinatórias) resultam módulos ricos de construção semiótica, que permitem incontáveis evocações e estão ligados à comunicação de modo essencial. Por isso, tradições discursivas desempenham um papel central na formação de comunicadores proficientes e constituem a ligação entre meios linguísticos, estratégias de formulação e estruturação textual.

Considerações finais

Na presente contribuição, buscamos apontar, de forma breve, aspectos centrais relativos ao status teórico do conceito de tradição discursiva para os estudos do texto e do discurso, destacando, ainda, algumas das implicações metodológicas da incorporação desse conceito pela Linguística Textual como hermenêutica do sentido. Em essência, comentamos os seguintes aspectos teórico-metodológicos como decorrentes da incorporação do conceito de TD à linguística do texto:

- **Há uma relação de interdependência entre textos e tradições discursivas**: de um lado, textos convencionalizam-se, dando origem, dessa maneira, a tradições discursivas; de outro, tradições discursivas, isto

é, elementos do discurso, repetidos em constelações discursivas semelhantes que se tornam convencionais, formam novos textos. Portanto, uma linguística do texto que investiga as articulações do sentido não pode prescindir desse conceito.
- **A metodologia proposta pelo Modelo de Tradições Discursivas é *bottom-up*,** quer dizer, não se propõe o trabalho com categorias fechadas; antes, busca-se estabelecer e/ou reconhecer categorias, a partir de qualquer elemento, tradicionais nos textos, independentemente de sua grandeza ou tipo (temático, estrutural ou linguístico).
- **A composicionalidade tradicional é um princípio fundamental de constituição dos textos.** Tanto a composicionalidade paradigmática quanto sintagmática das tradições discursivas é o que permite não somente sua formação e convencionalização, mas também sua transformação. Como unidades compósitas, tradições discursivas permitem a ligação entre inovação e tradição a partir de sua combinatória.
- **Tradições discursivas não pertencem às regras da língua, mas estão correlacionadas a variedades linguísticas que se localizam em diferentes espaços do contínuo de oralidade e escrituralidade.** Desse modo, o filtro da tradição discursiva influencia a escolha da variedade linguística a ser usada e seus efeitos de sentido na situação de comunicação.
- Considerando seu papel como princípio de constituição dos textos e de seleção dos meios linguísticos, **a investigação de tradições discursivas pode trazer subsídios preciosos para o ensino de leitura e produção de textos**, proporcionando aos alunos um recurso de criação do sentido.

Referências

ASCHENBERG, H. Diskurstraditionen – Orientierungen und Fragestellungen. In: _____; WILHELM, R. (Hrsg.). *Romanische Sprachgeschichte und Diskurstraditionen*. Akten der gleichnamigen Sektion des XXVII. Deutschen Romanistentags. Tübingen: Narr, 2003. p. 1-18.

BAKHTIN, M. (1953) *Estética da criação verbal*. São Paulo: Martins Fontes, 1992.

BRONCKART, J.-P. *Atividade de linguagem, textos e discursos*. Por um interacionismo sociodiscursivo. Tradução de Anna Rachel Machado e Péricles Cunha. São Paulo: Educ, 1999.

COSERIU, E. Determinación y entorno. Dos problemas de una linguística del hablar. *Romanistisches Jahrbuch*, 7, p. 24-54, 1955-56.

_____. *El problema de la corrección idiomática*. Manuscrito inédito, 1957.

_____. *Humboldt und die moderne Sprachwissenschaft*, 1979. p. 5. Disponível em: <http://www.romling.uni-tuebingen.de/coseriu/publi/coseriu235.pdf>. Acesso em: 19 jul. 2017.

_____. (1977). *O homem e a sua linguagem*. Tradução de Carlos Alberto da Fonseca e Mário Ferreira. Rio de Janeiro: Presença, 1987.

_____. (1980). *Textlinguistik*: Eine Einführung. Hrsg. und bearb. von Jörn Albrecht. Tübingen: Francke, 1994.

_____. La lingüística del texto como hermenéutica del sentido. In: COSERIU, E. LAMAS, O. L. *Lenguaje y discurso*. Pamplona: EUNSA, 2006. p. 57-60.

_____. *Lingüística del texto*. Introducción a la hermenéutica del sentido. Edición, anotación y estudio previo de Óscar Loureda Lamas. Madrid: Arcos, 2007.

COSTA, A. C. da. Spoken VS. Written language. In: KABATEK, J.; SIMÕES, J. S.; WALL, A. (Eds.). *Manual of Brazilian Portuguese Linguistics*. Berlin; Boston: De Gruyter Mouton. No prelo.

DIAS, A. R. F. Mídia e interação: estratégias de envolvimento do leitor na construção do discurso da notícia. In: PRETI, D. (Org.). *Oralidade em diferentes discursos*. São Paulo: Associação Editorial Humanitas, 2006. p. 111-127.

FIORIN, J. L. *As astúcias da enunciação*: as categorias de pessoa, espaço e tempo. São Paulo: Ática, 1996.

GERALDI, J. W. *Portos de passagem*. 4. ed. São Paulo: Martins Fontes, 2003.

HEINEMANN, W.; VIEHWEGER, D. *Textlinguistik*. Eine Einführung. Tübingen: Niemeyer, 1991.

HRBEK, A. *Vierjahrhunderte Zeitungsgeschichte in Oberitalien*. Text-, sprach- und allgemeingeschichtliche Entwicklungen in der "Gazzeta di Mantova" und vergleichbaren Zeitungen. Tübingen: Niemeyer, 1995.

KABATEK, J. Tradição discursiva e gênero. In: LOBO, T. et al. (Org.): *Rosae. Linguística histórica, história das línguas e outras histórias*. Salvador: EDUFBA, 2012. p. 579-588.

_____. Eugenio Coseriu, las tesis de Estrasburgo y el postulado de una linguística. In: GÓMEZ, M. C.; VELA, S. (Hrsg.): *Eugenio Coseriu, in memoriam*. XIV Jornadas de Lingüística. Cádiz: Servicio de Publicaciones de la Universidad de Cádiz, 2013, p. 35-56.

_____. Tradiciones discursivas y cambio lingüístico. *Lexis*, v. 29, n. 2, p. 151-177, dez. 2014.

_____. Wie kann man Diskurstraditionen kategorisieren? In: WINTER-FROEMEL, E. (Hrsg.). *Diskurstraditionelles und Einzelsprachliches im Sprachwandel*. Tradicionalidad discursiva e idiomaticidade en los processos de cambio linguístico. Tübingen: Narr, 2015. p. 51-65.

KOCH, P. Diskurstraditionen: zu ihrem sprachtheoretischen Status und zu ihrer Dynamik. In: FRANK, B.; HAYE, T.; TOPHINKE, D. (Org.). *Gattungen mittelalterlicher Schriftlichkeit*. Tübingen: Narr, 1997. p. 43-79.

_____; OESTERREICHER, W. *Gesprochene Sprache in der Romania*: Französisch, Italienisch, Spanisch. Tübingen: Niemeyer, 1990.

_____; _____. Schriftlichkeit und Sprache. In: GÜNTHER, H.; LUDWIG, O. (Hrsg.): *Schrift und Schriftlichkeit*. Writing and Its Use. Bd.1. Berlim; Nova York: De Gruyter, 1994. p. 587-603.

_____; _____. (1990). *Lengua hablada en la romania*: español, francés, italiano. Versión española de Araceli López Serena. Madrid: Gredos, 2007.

LAMAS, O. L. La lingüística del texto de Eugenio Coseriu. In: _____ (Org.). *Eugenio Coseriu, Lingüística del texto*. Introducción a la hermenéutica del sentido. Madrid: Arco/Libros, 2007. p. 19-74.

MARCUSCHI, L. A. (2000) *Da fala para a escrita*: atividades de retextualização. São Paulo: Cortez Editora, 2010.

OESTERREICHER, W. La 'recontextualización' de los géneros medievales. In: JACOB, D.; KABATEK, J. (Eds.). *Lengua medieval y tradiciones discursivas en la Península Ibérica*. Madrid: Iberoamericana, 2001. p. 199-231.

PRETI, D. Transformações no fenômeno sociolinguístico da gíria. In: _____. *Estudos de língua oral e escrita*. Rio de Janeiro: Lucerna, 2004. p. 99-107.

RAIBLE, W. Was sind Gattungen? Eine Antwort aus semiotischer und textlinguistischer Sicht. In: *Poetica Zeitschrift für Sprach- und Literaturwissenschaft*. 12. Band, Heft 3-4. Amsterdam: Verlag B. R. Grüner, 1980. p. 320-349.

_____. Wie soll man Texte typisieren? In: MICHAELIS, S.; TOPHINKE, D. (Hrsg.). *Texte* – Konstitution, Verarbeitung, Typik. Munique: Lincom, 1996. p. 59-72. (Edition Linguistik 13).

SCHLIEBEN-LANGE, B. et al. Streitgespräch zur Historizität von Sprechakten. *Linguistische Berichte*, 60/79, p. 65-78.

SELIG, M. El problema de la tipologia de los textos románicos primitivos. In: JACOB, D.; KABATEK, J. (Eds.). *Lengua medieval y tradiciones discursivas en la Península Ibérica*. Madrid: Iberoamericana, 2001. p. 233-248.

SILVA, P. N. da. *Tipologias textuais*: como classificar textos e sequências. Coimbra: Almedina, 2012.

SLOBIN, D. I. Cognitive prerequisites from the development of grammar. In: FERGUSON, C. A.; SLOBIN, D. I. (Eds.). *Studies of child language development*. Nova York: Holf, Rinehart e Winston, 1973.

STEINHAUSEN-KASSEL, G. Die Entstehung der Zeitung aus dem brieflichen Verkehr. In: *Archiv für Buchgewerbe und Gebrauchsgraphik*, Heft 4, Sonderheft anlässlich der Internationalen Presseausstellung "Pressa". Köln: Verlag des Deutschen Buchgewerbevereins zu Leipzig, 1928. p. 51-64.

WILHELM, R. *Italienische Flugschriften des Cinquecento* (1500-1550). Tübingen, 2001.

6

Linguística Textual e Retórica: diálogos possíveis

Maria Cristina Taffarello

Nesse sentido, o discurso persuasivo quer convencer o ouvinte com base naquilo que ele já sabe, já deseja, quer ou teme. O discurso persuasivo tende a confirmar o ouvinte nas suas opiniões e convenções. Não lhe propõe nada de novo, não o provoca, mas o consola; assim, hoje a publicidade me induz a comprar aquilo que eu já desejo, e a desejar aquilo que não desejo, mas responde às minhas tendências secretas [...]. (ECO, 1971, p. 281)

Podemos iniciar por meio de uma pergunta retórica? E também metafórica? Lá vai: como não se entusiasmar diante da retórica, senhora vetusta que ainda surpreende nos sulcos de suas rugas? Embora tenha passado por momentos de rejeição e de transformação, foram tantos os seus admiradores no decorrer dos séculos que nos sentimos intimidados ao receber a incumbência de abordá-la e de relacioná-la com a Linguística Textual. Manuel Alexandre Júnior, no prefácio das *Obras completas de Aristóteles* (ALEXANDRE JR., 2005a, p. 10), vem, em parte, ao nosso socorro, ao afirmar que a retórica é um saber interdisciplinar e transdisciplinar firmado como arte de pensar e de comunicar o pensamento, saber esse "[...] presente no direito, na filosofia, na oratória, na dialética, na literatura, na crítica literária e na ciência".

Sendo assim, nosso propósito é visualizar possíveis diálogos da Retórica com a Linguística Textual.

Barilli (1985), por exemplo, dedica à retórica um tratado minucioso, já a partir da sua etimologia: a raiz grega *re* significa "dizer", fazer uso do *logos* ou do discurso. Ao mesmo tempo, tem um valor intensivo, de plurissignificação. Das marcas morfológicas de *torica*, extrai *-ica,* marca de adjetivo feminino (como em *poética*, por exemplo), que remete a um substantivo subentendido: *techné* ou arte, no caso. Ao ser encarada propriamente como uma "técnica", a retórica já se vê cindida dentro de seu próprio nome. Seria então, por um lado, um dizer democrático da comunidade, ou *demos*, dirigido ao homem político, aos juízes, mas também aos homens comuns, de carne e osso, todos com o mesmo direito de participar de um debate, de decidir sua veracidade; o discurso retórico, então, atenderia a três finalidades: o *docere* (transmitir noções intelectuais), o *movere* (atingir a emoção) e o *delectare* (entreter o auditório). Por outro lado, seria um modelo de dizer técnico, especializado, formalizado, setorial, ou, de acordo com Aristóteles, analítico, que afirma a obrigatoriedade moral de buscar o verdadeiro, diferentemente da dialética,[1] cujas provas se referem ao verossímil, concebida por Aristóteles como a arte de raciocinar a partir de opiniões geralmente aceitas. Tal dilema marcou a juventude da retórica, angariando-lhe ao mesmo tempo amantes e desafetos.

Reboul (2000) afirma que a retórica judiciária, origem utilitária da retórica, levava os retores a convencer qualquer um de qualquer coisa, haja vista que não argumentavam a partir do verdadeiro, mas do verossímil (*eikos*). Também observa, em relação à história da retórica, que esta "termina quando começa" (REBOUL, 2000, p. 1), constatando que, entre os séculos V e IV a.C., os gregos inventaram a "técnica retórica" e, após isso, a teoria da retórica; porém, na sequência, "durante dois milênios e meio, de Górgias a Napoleão III" (BARTHES, 1970, p. 174), ela ficou praticamente intacta. Já Meyer (2007, p. 19), devido ao fato de a retórica ter surgido em terreno conflitante da Sicília, com o "desmoronamento da tirania", já a vê como desdita desde o nascimento, por permitir aos

---

[1] Rohden (2010, p. 34) comenta que Aristóteles distingue duas racionalidades: a "empírico-dialética" e a "científico-apodítica", ambas relevantes para o âmbito filosófico. A racionalidade retórica (pertencente à racionalidade empírico-dialética) tem como campo próprio a verossimilhança.

primeiros advogados ou sofistas empregar sua sabedoria para "intervir em favor do destino das vítimas espoliadas". Isso forçou Platão a condenar a retórica e a opô-la à filosofia, tida então como a libertadora dos "prisioneiros da Caverna".

Também a definição de retórica é instável. Quintiliano (1969), por exemplo, expõe quatro definições, as quais considera as mais representativas da retórica clássica: a) geradora de persuasão (Córax e Tísias, Górgias e Platão); b) capacidade de descobrir os meios de persuasão relativos a um dado assunto (Aristóteles); c) faculdade de falar bem no que concerne a assuntos públicos (Hermágoras); d) ciência de bem falar (Quintiliano).

Perelman e Olbrechts-Tyteca (2005, p. 4), por sua vez, retomam Aristóteles vinte séculos depois: "O objetivo desta teoria é o estudo das técnicas discursivas que permitem provocar ou aumentar a adesão dos espíritos às teses apresentadas ao seu assentimento"; mais precisamente, consideram-na como a arte de argumentar, explorando exemplos entre oradores religiosos, políticos, jurídicos e até filosóficos. Meyer (1993, 2007), contrariamente, intensifica a distância entre a argumentação e a retórica, considerando a última como a negociação da distância entre os sujeitos, a qual tem lugar por meio da linguagem racional ou emotiva, indiferentemente. Quanto a Reboul (2000, p. XIV), este a define como "a arte de persuadir pelo discurso", entendendo por discurso tanto a produção textual oral como a escrita, constituída por uma frase ou uma sequência delas, com unidade de sentido.

Apesar da instabilidade de concepções, nos arriscamos a mostrar como a retórica tem convivido com a Linguística Textual. Antes disso, exporemos sucintamente algumas considerações teóricas relevantes sobre o assunto.

Um pouco de teoria

Todos os elementos didáticos que alimentam os manuais clássicos relacionados à retórica se apoiam em Aristóteles, como observa Barthes (1970). Na verdade, o famoso estagirita (384-322 a.C.), ao abordar temas relacionados à lógica, à gramática, à estilística, à filosofia, entre outros, já nos legava reflexões preciosas sobre os processos de composição e a função pragmática da linguagem.

Sem nenhuma pretensão de esgotar os conceitos aristotélicos, lembremos que a *Arte retórica* se compõe de três livros, sendo que o primeiro se divide em quinze capítulos: nos três primeiros, define-se retórica e apresenta-se sua relação com a dialética; nos capítulos seguintes, até o quatorze, preocupa-se com as provas técnicas; no capítulo quinze, com as provas extratécnicas (depoimentos, leis, contratos, juramentos etc.). O livro II, por sua vez, composto de duas partes, dedica-se, do primeiro capítulo ao dezessete, às provas subjetivas e morais; nos seguintes, até o vinte e seis, às provas lógicas. Deixa para a terceira parte as reflexões sobre a forma.

Aristóteles não foi o criador da retórica, mas, preocupado, como aventado acima, com o modelo de dizer técnico-analítico, a conduz pelos caminhos de uma cientificidade que não assume prioritariamente uma atitude ética, relacionada ao verdadeiro, mas busca os meios de fazer algo ganhar a dimensão de verdade. É, com efeito, uma retórica da razão, do silogismo aproximativo (entimema),[2] e mais: uma lógica adaptada ao nível do "público", ao senso comum, à opinião corrente, como nos revela Barthes (1970). Estendida às produções literárias, embora esse não tenha sido seu motivo original, acarretou uma estética do público, em vez de uma estética da obra. Daí ser possível dizer que ela acabou por convir a uma cultura de massa, regida pela verossimilhança (*eikos*) aristotélica, ou seja, aquilo que o público crê ser possível. Somos tentados, continua o autor, a fazer uma associação entre a retórica de massa e a política aristotélica, "[...] favorável a uma democracia equilibrada, centrada na classe média e encarregada de reduzir os antagonismos entre os ricos e os pobres, a maioria e a minoria" (BARTHES, 1970, p. 265, tradução nossa).

Por seu turno, Citelli (2002, p. 10), concisamente, deduz da proposta de Aristóteles:

1. a retórica não é persuasão;
2. a retórica pode revelar como se faz a persuasão;

---

[2] Conforme Reboul (2000) há apenas duas estruturas argumentativas em Aristóteles: a indutiva, do particular para o geral, e a dedutiva ou entimema, que parte do geral para o particular. É por meio do entimema ou argumentação do cotidiano, silogismo do verossímil ou silogismo abreviado, que o filósofo prova a utilidade da retórica. Se uma premissa é evidente, não é necessário enunciá-la: "Por ser homem, Sócrates é mortal".

3. os discursos institucionais da medicina, da matemática, da história, do judiciário, da família etc. são o lugar da persuasão;
4. a retórica é analítica (descobrir o que é próprio para persuadir);
5. a retórica é uma espécie de código dos códigos, está acima do compromisso estritamente persuasivo (ela não aplica suas regras a um gênero próprio e determinado), pois abarca todas as formas discursivas.

E Barthes (1970) assim se expressa a respeito: o importante, acima de qualquer tentativa de definir retórica, é o fato de que ela é uma técnica, ou melhor, "[...] *o meio de produzir uma das coisas que pode indiferentemente ser ou não ser*, pois a origem está no agente criador, não no objeto criado: não há *techné* das coisas naturais ou necessárias: o discurso não faz parte nem de uma, nem de outra" (BARTHES, 1970, p. 264, grifo do autor, tradução nossa). Dessa forma, continua o semiótico, o livro I de Aristóteles, ao abordar o ato de criação ou de concepção dos argumentos, é, na verdade, o livro do emissor ou do orador da mensagem, pois aquele ato depende do orador, assim como de sua adaptação ao público, de acordo com os três gêneros do discurso (*oratio*): o judiciário, o deliberativo e o epidítico. O livro II, por sua vez, é o livro do receptor da mensagem, do público: trata das emoções e também dos argumentos, porém pela forma como estes são recebidos. O livro III é o livro da própria mensagem, pois aborda a *inventio* (*invenire quid dicas:* achar o que dizer), que é mais uma extração do que já existe do que uma criação, um "lugar" ou tópico; a *taxis* ou *dispositio* (*inventa disponere:* pôr em ordem o que se achou), isto é, a ordem das partes do discurso; e ainda a *lexis* ou *elocutio*, ou seja, as "figuras" (*ornare verbis:* ornamentar as palavras).

Das três categorias básicas de definições de retórica, ou seja, a manipulação do auditório (Platão), a arte de bem falar (Quintiliano) e a exposição de argumentos para persuadir (Aristóteles), decorrem as concepções de interlocutor, de orador e de discurso no sentido amplo, da "política ao direito e a suas argumentações contraditórias, do discurso literário ao da vida cotidiana" (MEYER, 2007, p. 20). Em outras palavras, o *pathos*, o *ethos* e o *logos*. Sendo que o *ethos* não é meramente o orador, mas o é como um princípio de autoridade, aquele com quem o auditório se identifica, o caráter, a imagem de si, a personalidade, os traços de comportamento, a escolha de vida, dos meios (costumes, prudência, coragem etc.) e dos fins (justiça, prazer, felicidade etc.). Ainda de acordo com o autor, o *pathos*, ou auditório, é a dimensão retórica que compreende as perguntas do auditório, as emoções experimentadas diante dessas perguntas e suas respostas e os valores que justificam a seus olhos essas respostas a tais perguntas. Já o *logos* "deve poder expressar as perguntas e as respostas preservando sua diferença" (MEYER, 2007, p. 40); aborda-se aqui a noção de *contexto*, como o "conjunto de respostas supostas que o orador e o auditório devem compartilhar, a título de conhecimento" (Ibid., p. 43).

Aristóteles, como citado, distinguiu três grandes gêneros retóricos, o *epidítico*, centrado no estilo atraente, louvável ou censurável, o qual diríamos hoje que é o discurso publicitário; o *judiciário*, em que se determina a justiça ou a injustiça de uma ação; o *deliberativo*, em que se decide agir em função do útil ou do prejudicial. Cada um desses gêneros possui um componente de *ethos, pathos* ou *logos:* o auditório julga se o gênero é belo (epidítico), justo (judiciário) ou útil (deliberativo); o orador, por sua vez, pode ornamentá-lo, defendê-lo ou deliberá-lo; quanto ao discurso, este se assenta sobre o possível nos três gêneros: "o que teria sido possível, o que o é e o que o será" (MEYER, 2007, p. 29).

Associando a eficácia do discurso persuasivo ao domínio do processo argumentativo, o autor grego estabelece a estrutura do texto (*dispositio*) em quatro instâncias sequenciais: a) *exórdio*, início do discurso, que, conforme o gênero, pode se constituir de uma indicação do assunto, um conselho, um elogio, uma censura; b) *narração/descrição*, que contempla a consistência da argumentação propriamente dita; em linhas gerais, importa menos a rapidez ou a concisão, mas a justa medida, provando que o fato ocorreu e constituiu um dano ou uma injustiça; c) *provas* ou elementos que sustentam a argumentação; d) *peroração*, epílogo ou conclusão, que se compõe de quatro partes: a primeira consiste em apresentar negativamente o receptor ao adversário; a segunda tem por finalidade ampliar ou atenuar o que se disse; a terceira, excitar as paixões no ouvinte; a quarta, proceder a uma recapitulação.

Cabem ainda aqui brevíssimas observações do mundo clássico sobre os raciocínios discursivos: o *apodítico*, com tom de verdade inquestionável; o *implícito*, fechado em si mesmo, sem dar margem a qualquer discussão; o *dialético*, que, embora aponte para várias conclusões, já que se ocupa de questões universais, formula hipóteses que direcionam racionalmente para uma só; o *retórico*, que se ocupa de questões particulares, acrescenta à razão a emoção. Citelli (2002, p. 18) exemplifica de forma simples: "Zupavitin, a sopa que emagrece 1 quilo por dia" é discurso apodítico, enquanto "Se você quer emagrecer, deve tomar Zupavitin", com caráter imperativo, é implícito. Já "Você poderia comprar várias marcas de sabão em pó. Mas há uma que lava mais branco" tem caráter dialético, aponta para a verdade final desejada pelo emissor, ao passo que é retórico, envolvente, o raciocínio: "O candidato X deve merecer o seu voto porque é um democrata; realizará mais pelo bem comum, é amigo dos humildes, defensor dos desfavorecidos".

Meyer (2007, p. 27) afirma que hoje se usa o termo "dialética" em vez de "argumentação", esclarecendo sobre esta:

> A grande diferença entre a retórica e a argumentação deve-se ao fato de que a primeira aborda a pergunta pelo viés da resposta, apresentando-a como desaparecida, portanto resolvida, ao passo que a argumentação parte da própria pergunta, que ela explicita para chegar ao que resolve a diferença, o diferencial entre os indivíduos.

De todas as definições clássicas de retórica, Alexandre Júnior, em fecunda introdução à obra de Aristóteles (ALEXANDRE JR., 2005b), mostra seus pontos de interseção: a criação e a elaboração do discurso persuasivo. Mas há também os pontos que não se coadunam. Alguns filósofos encaravam ceticamente seu *estatuto metodológico*. Brotavam dúvidas quanto a seu *propósito*: como distinguir o nível teórico da retórica do nível prático da eloquência? Quanto ao seu *objeto*, as questões: deve-se focar no discurso público ou em qualquer tipo de texto persuasivo, considerando a retórica como uma superciência? Já em relação ao *conteúdo ético*, Platão o defendia, Aristóteles fazia depender do orador e não do sistema retórico o uso responsável de suas técnicas e Quintiliano, por sua vez, assumia posição intermediária: a eloquência é uma virtude e o orador é capaz de falar bem, no sentido de eticamente aceitável.

Como sumariamente mostrado, na retórica aristotélica encontramos o saber como teoria, como arte e como ciência. Após alguns anos de sonolência e outros de preocupação excessiva com a estética do texto em detrimento do conteúdo, particularmente no final do século XIX, ela veio a ter uma fama pouco meritória para uma senhora, fazendo jus ao seu nascimento na Sicília, regado de propósitos um tanto escusos. Mas na transição para a chamada nova retórica, a partir dos anos de 1960, transforma-se de arte da comunicação persuasiva para a ciência hermenêutica da interpretação. Fundamentais nesse processo foram a teoria argumentativa de Perelman e Olbrechts-Tyteca (2005) e seus continuadores e Dubois (1974) e o grupo μ da universidade de Liège, reatualizando o conceito de retórica, revitalizando-o com a análise do discurso poético. Além do estudo das figuras de linguagem, retoma-se o das técnicas que permitem ligar a adesão de um ponto de vista às ideias que lhes são apresentadas. A produção de efeitos de sentido dos mecanismos retóricos inevitavelmente atraiu a Semiótica a seus estudos. Em 1964, Barthes lançou a revista *Communication,* dedicando-se a isso.

E a velha retórica foi-se revitalizando pelas versões modernas da teoria da argumentação, da composição do discurso e da elocução, todas tendo em comum o fato de que a enunciação supõe um locutor, um ouvinte e as intenções de influenciar o outro de alguma maneira, mas com uma concepção mais ampla de razão, conquanto haja liberdade de o outro estar apto a compreender e a reagir, não sobre a manifestação da verdade, mas sobre o provável ou o crível. Sendo assim, tais teorias se desenvolvem sobre "postulados democráticos e têm que necessariamente lidar com *valores, preferências* e *decisões*" (MOSCA, 1997, p. 42, grifos do autor).

Consequentemente, aperfeiçoou-se a noção de público(-alvo): Perelman, por exemplo, distingue o auditório universal do particular:

> O primeiro constituído pela humanidade inteira, ou pelo menos por todos os homens adultos e normais [...] o segundo formado no diálogo, unicamente pelo *interlocutor* a quem se dirige; [...] Toda argumentação que visa somente a um auditório particular oferece um inconveniente, o de que o orador, precisamente na medida em que se adapta ao modo de ver de seus ouvintes, arrisca-se a apoiar-se em teses que são estranhas, ou mesmo francamente opostas ao que admitem outras pessoas que não aquelas a que, naquele momento, ele se dirige. (PERELMAN; OLBRECHTS-TYTECA, 2000, p. 34).

Modelos pragmáticos e sociointeracionistas também foram redefinindo a velha senhora, na apreensão das relações intersubjetivas do discurso e nas propostas de modelos hierárquicos do discurso conversacional. Os semanticistas Anscombre e Ducrot (1997), por exemplo, nos anos de 1970, desenvolvem a Teoria da Argumentação da Língua a partir do pressuposto de que a argumentação se inscreve na própria língua, haja vista os encadeamentos argumentativos estarem ligados à estrutura linguística dos enunciados. Nessa mesma linha, Koch (1987) explora as marcas linguísticas da argumentação. Mais recentemente, Ducrot (2001) e Carel (2001) ampliam tal teoria para a Teoria dos Blocos Semânticos (TBS), investigada no Brasil por linguistas como Cabral (2010), a qual alerta que essa teoria se difere da Retórica, para a qual a argumentação se encontra na organização do discurso e na escolha dos argumentos. À TSB importam as escolhas linguísticas do locutor, dotadas de força argumentativa, constituindo estratégias linguísticas de argumentação.

Linguística textual (LT) e retórica: diálogos possíveis

Diante do exposto, poderíamos deduzir que Aristóteles foi também um cientista da linguagem, haja vista sua preocupação com o domínio do processo argumentativo para a eficácia do discurso persuasivo? Na verdade, desejamos saber: de que forma a retórica dialoga com a LT? Marcuschi (2009) afirma que uma abordagem em sentido estrito da LT revela-se diferente da análise retórica, embora evidencie parentesco com ela. E entre as vertentes da LT, assumimos com o autor a posição sociointerativa de que:

> A LT dedica-se a domínios mais flutuantes ou dinâmicos, como observa Beaugrande (1997), tais como a concatenação de enunciados, a produção de sentido, a pragmática, os processos de compreensão, as operações cognitivas, a diferença entre os gêneros textuais, a inserção de linguagens em contextos, o aspecto social, e o funcionamento discursivo da língua. Trata-se de uma *linguística da enunciação* em oposição a uma *linguística do enunciado*, ou do *significante*. (MARCUSCHI, 2009, p. 75, grifos do autor)

Se pensarmos, em primeiro lugar, na vertente que considera a retórica uma espécie de código dos códigos, acima do compromisso estritamente persuasivo, por abarcar todas as formas discursivas, damos o primeiro passo para uma aproximação entre tais áreas, haja vista a preocupação da LT com a caracterização e ensino dos gêneros textuais, incluindo os tipologicamente argumentativos (CAVALCANTE, 2013; TRAVAGLIA; FINOTTI; MESQUITA, 2008; SANTOS; RICHE; TEIXEIRA, 2012, entre outros).

Em segundo lugar, se consideramos não só o texto oral, mas também o escrito, encontramos pesquisadores que, numa perspectiva sociointerativa e didático-pedagógica, têm se comprometido com o estudo dos gêneros da comunicação escrita, abarcando grandes escolas do pensamento científico-social contemporâneo: a psicologia sociocultural, a sociologia fenomenológica e a tradição pragmática das ciências sociais, entre eles Bazerman (2005, 2015a, 2015b). Adotando o conceito de gênero como ação social, o autor americano declara: "[...] temos de repensar a retórica fundamentalmente em torno dos problemas da comunicação escrita, não nos interesses fundadores da retórica, que diziam respeito à persuasão oral pública, agonística e de alto risco" (BAZERMAN, 2015b, p. 8).

Na verdade, os estudos retóricos do gênero (ERG) buscam verificar de que forma os gêneros possibilitam a seus usuários realizar retórica e linguisticamente ações simbólicas situadas, capacitando-os, dessa forma, a estabelecer ações sociais e a promover realidades sociais em situações típicas. Essas "tipificações" constituem-se de "inferências": experiências disponíveis para agirmos em situações reconhecíveis, de acordo com Schutz e Luckmann (1973).

Por sua vez, Bazerman (1994, p. 133) explicita a ligação entre a concepção sociológica de gênero e a noção de tipificação ao reinterpretar o conceito retórico de *Kairós*, ou seja, de que forma, ao aprender gênero, aprendemos a interagir uns com os outros no momento oportuno, de que forma aprendemos a refletir cognitivamente, "a reconhecer não apenas categorias de momentos sociais e o que funciona retoricamente nesse momento, mas também modos de agir e de responder". E a *intencionalidade*, ligada diretamente à noção de mundo da experiência comum e de ato cognitivo de produção de sentido dirigido a um objeto, passa a ser apreendida por meio do gênero. Tal noção se aproxima de um dos critérios de textualidade adotado atualmente pela LT: intencionalidade não como realidade psicológica, mas "linguisticamente constituída" no uso efetivo da linguagem (KOCH; ELIAS, 2016, p. 13).

Numa linha de pesquisa dos gêneros nas tradições linguísticas, mas particularmente focada na análise e no ensino de gêneros em inglês para fins específicos (*English for Specific Purposes* – ESP), temos ainda as contribuições de abordagens sociorretóricas inspiradas em Swales: Heimas e Biasi-Rodrigues (2005) e Carvalho (2005), entre outras. Só para termos uma ideia de como o autor considerava a noção de retórica ligada à de propósito comunicativo, eis uma definição de gênero, revista posteriormente em alguns aspectos:

> Um gênero compreende uma classe de *eventos comunicativos*, cujos exemplares compartilham os mesmos propósitos comunicativos. Esses propósitos são reconhecidos pelos membros mais experientes da comunidade discursiva original e constituem a razão do gênero. A razão subjacente dá o contorno da estrutura esquemática do discurso e influencia e restringe as escolhas de conteúdo e estilo. O propósito comunicativo é o critério que é privilegiado e que faz com que o escopo do gênero se mantenha enfocado estreitamente em determinada *ação retórica* compatível com o gênero. Além do propósito, os exemplares do gênero demonstram padrões semelhantes, mas com variação em termos de estrutura, estilo, conteúdo e público-alvo. (SWALES, 1990, p. 58, grifo nosso).

No entender de Swales, gêneros são ações linguísticas e retóricas que envolvem o uso da linguagem para comunicar algo a alguém, em algum momento, em algum contexto e para algum propósito. Em outras palavras, o autor considera gênero "uma classe relativamente estável de 'eventos' linguísticos e retóricos tipificados pelos membros de uma comunidade discursiva, a fim de atender e atingir objetivos comunicativos compartilhados", como esclarecem Bawarshi e Reiff (2013, p. 66).

Aliás, esses pesquisadores americanos, num minucioso estudo sobre gêneros, afirmam que testemunhamos

[...] uma espécie de "virada genérica" nos estudos de retórica e escrita, virada que vem embasando diversos aspectos dos compromissos da área: do ensino da escrita em vários níveis e contextos ao estudo da escrita como forma de ação ideológica e participação social e à pesquisa sobre a escrita, a metacognição e a transferibilidade. (BAWARSHI e REIFF, 2013, p. 19)

Resumindo, o conceito de gênero como ação social tem por palavras-chave *recorrência* e *ação retórica*, ou melhor, *situação retórica tipificada*, funcionando como resposta a situações recorrentes definidas socialmente, incluindo, para além do contexto, a motivação dos participantes do discurso e os efeitos pretendidos ou percebidos por eles (MILLER, 1994). Aristóteles (2005), ao distinguir entre dois tipos de conhecimento, as "verdades imutáveis" (*theoria*), do campo da ciência, e as "verdades contingentes" (*phronesis*), do campo da retórica, já mostrava que as decisões sobre a vida e o mundo em sociedade eram dependentes deste último tipo, advindo da concepção pragmática de retórica como uso de todos os meios possíveis de persuasão.

E a pesquisa no Brasil em relação aos estudos sobre gêneros? É bastante conciliadora, pois não só faz uma síntese das principais tendências de tradição linguística e retórico-sociológica sucintamente abordadas, como se identifica, em vários aspectos, com as linhas de pesquisa francesa e suíça, particularmente a teoria do interacionismo sociodiscursivo (ISD), baseada nas concepções bakhtinianas de interação comunicativa e na teoria da aprendizagem vygotskyana, com forte influência no ensino. Resumidamente, a ISD se preocupa com os planos motivacionais (razões para agir), os planos intencionais (propósitos para agir) e com os instrumentos disponíveis (estratégias habituais, ferramentas familiares) (BALTAR; CASTALDELLO; CAMELO, 2009, p. 54).

Além de Bronckart (1999; 2001), também Dolz; Noverraz; Schneuwly (2004), entre outros, servem de modelo para investigar: "(a) o conteúdo com o qual, o lugar onde e o momento em que os participantes se engajam na interação; (b) os participantes em seu espaço físico; (c) o lugar social em que a interação se realiza; (d) os papéis sociais dos participantes; e (e) os efeitos da escrita" (ARAÚJO, 2010, p. 46). Os últimos autores, com a noção de "sequência didática", auxiliam os professores na tarefa com o ensino dos gêneros por meio de "um conjunto de atividades escolares organizadas de modo sistemático, em torno de um gênero oral ou escrito" (DOLZ; NOVERRAZ; SCHNEUWLY, 2004, p. 97).

Tais abordagens sociodiscursivas encontram eco ainda na noção de sequência textual na análise pragmático-textual de Adam (1992; 1997), entre outros, permitindo repensar questões sobre metodologia de ensino de língua e sobre processamento cognitivo da linguagem. Embora sem o objetivo de nos aprofundarmos em tais teorias, vale frisar que Adam, por exemplo, ao buscar a delimitação do campo da LT e a redefinição da noção de texto, explora o que denomina "ações discursivas" dentro do esquema do funcionamento discursivo, resgatando noções retóricas como "Comandar, Instruir (*docere*): informar-explicar, argumentar. Agradar (*placere*). Seduzir, Distrair, Comover (*movere*)" (ADAM, 1997, p. 16). Sobre tal esquematização, o autor realça ainda a importância dos saberes enciclopédicos, do grau de familiaridade com o gênero e dos objetivos dos participantes da ação da linguagem, além do que a caracteriza por um dizer (*logos*) pelo qual ela pode mobilizar no coesquematizador (*pathos*) e pelo qual pode insinuar da figura e do comportamento de seu esquematizador (*ethos*).

Na verdade, no Brasil, conciliam-se as tradições sociológicas e retóricas de estudo de gênero com as linguísticas. Aos procedimentos da ISD, por exemplo, muitas vezes se mesclam, de modo produtivo, as descrições de aspectos estruturais e léxico-gramaticais dos gêneros. Partindo da definição formulada por Beaugrande (1997), que também considera *texto* como um *evento comunicativo* no qual convergem ações linguísticas, cognitivas e sociais, Marcuschi (2009, p. 80) pressupõe sobre a concepção de texto: ser "*um sistema de conexões entre vários elementos*" (sons, palavras, enunciados, significações, participantes, contextos, ações etc.); ser construído numa "orientação de *multissistemas*", sendo em geral multimodal (aspectos linguísticos e não linguísticos ou imagéticos); ser "um *evento interativo*", isto é, processo e coprodução; ser composto de elementos "*multifuncionais*" (um som, uma palavra, uma significação, uma instrução etc.).

A LT, que no início (década de 1960) limitava sua pesquisa ao processo de produção de textos escritos, tem cada vez mais ampliados seus horizontes, sendo definida atualmente como "o estudo das operações linguísticas, discursivas e cognitivas reguladoras e controladoras da produção, construção e processamento de textos escritos ou orais em contextos naturais de uso" (MARCUSCHI, 2009, p. 73). E acrescentamos, como já referido, o texto multimodal.

E mesmo os critérios de textualidade sugeridos por Beaugrande e Dresser (1981), a saber, coesão, coerência, aceitabilidade, informatividade, situacionalidade, intertextualidade e intencionalidade, resumidos no esquema abaixo por Marcuschi (2009, p. 96), são todos contextuais num sentido amplo e dinâmico da palavra, pois são, na verdade, antes critérios de acesso à produção de sentido do que princípios de boa formação textual:

TEXTUALIZAÇÃO

autor   texto   leitor

Processo e produto

configuração linguística   situação comunicativa

CONTEXTUALIDADE
(CONHECIMENTOS LINGUÍSTICOS)
critérios

CONTEXTUALIDADE
(CONHECIMENTOS DE MUNDO)
critérios

coesão   coerência   aceitabilidade   intertextualidade
informatividade   intencionalidade
situacionalidade

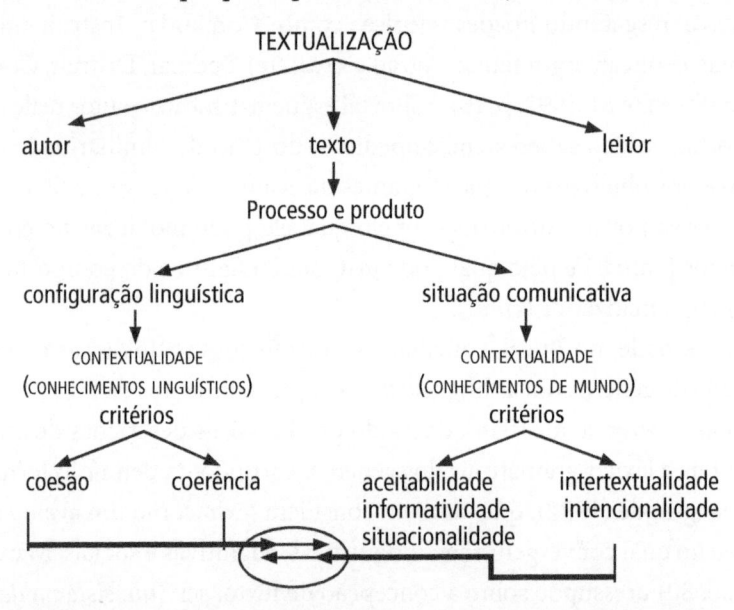

Figura 1   Esquema dos critérios gerais sobre textualidade
Fonte: Marcuschi (2009, p. 97).

Importante frisar que contexto é visto também como "uma rede de textos que dialogam tanto de modo negociado como conflituoso. Contrato e conflito fazem parte dos movimentos de produção de sentido". E mais: "Não podemos esquecer que todo sentido é *sentido situado*." (MARCUSCHI, 2009, p. 87, grifo nosso). Creio podermos expandir tal conceito para *retórica situada,* num sentido amplo de envolvimento de produção e coprodução de sentido numa prática discursiva sempre única.

Uma prática

Antes de uma breve demonstração, trazemos as observações de Koch e Elias (2016, p. 13) que, ponderando sobre a argumentação na produção escrita, expõem que o uso da linguagem, além de ser regido, no sentido do enunciado, pela intenção "linguisticamente constituída", é também "essencialmente argumentativo" e se dá na forma de textos "constituídos por sujeitos em interação, seus quereres e saberes, [e] então *argumentar é humano*" (KOCH; ELIAS, 2016, p. 13, grifo do autor). Vejamos um texto considerado argumentativo em sua essência:

Figura 2   Desenho de Lila, publicado no *Jornal da Paraíba* em 20 de janeiro de 2014
Fonte: <jornaldabestfubana.blogspot.com.br>. Acesso em: 4 fev. 2014.

De acordo com nosso conhecimento metagenérico, temos aqui uma charge, gênero opinativo-argumentativo e multimodal por excelência. A leitura da charge, em especial, impõe sua contextualização devido à efemeridade desse gênero em relação aos fatos contemporâneos motivadores de sua criação. A partir de janeiro de 2014, aconteceram os chamados "rolezinhos", encontro entre jovens de periferia nos shoppings. Por medo de confusão, numa atitude aparentemente discriminatória, alguns estabelecimentos proibiram a entrada desses jovens, acusando-os inclusive de "formação de quadrilha", e pediram reforço à segurança.

Para o entendimento da Figura 2, iniciemos com a leitura dos seus signos visuais: um só quadro distribuído em três partes, a saber, o desenho de uma família numerosa e pobre, centralizado nas figuras de um provável pai e de uma mãe, ambos com as pálpebras ligeiramente cerradas, numa demonstração mista de medo, de submissão e de tristeza, esta realçada pelos lábios encurvados para baixo; há ainda a imagem de várias crianças com roupas minguadas, algumas descalças e com chupeta na boca (acentuando sua pouca idade), de olhos arregalados, demonstrando muito medo, agarrando-se aos pais numa busca de proteção, atitude desconhecida ainda pelo pequeno, chorando (boca aberta encurvada e olhos apertados) no colo da mãe; no meio do quadro, um policial, com o olhar duro direcionado à família e tipicamente fardado e armado, anota algo em um papel, como se abrisse um registro de ocorrência; em sua retaguarda, à direita do quadro, um pelotão de policiais bem armados com cassetetes em punho.

Em relação aos elementos verbais, temos, além da assinatura em letras versais do cartunista Lila, mais duas falas: a fala coloquial do pai, puxada por um rabisco: "...O senhor tá enganado! Isso não é rolezinho. Todos são meus filhos", a qual parece se defrontar com a energia da fala do policial do meio: "...Saiba que formação de quadrilha também é crime". Tudo isso coroado pelo título em forma de placa: SHOPPING, com clara função de coerência e marca de intertextualidade em relação às notícias, veiculadas na mídia na ocasião de sua produção, sobre rolezinho em shoppings.

A partir da soma de todos esses signos verbais e não verbais, o leitor, em coautoria com o jornalista, processa seus conhecimentos prévios (e universais) de mundo e gradativamente articula um raciocínio argumentativo:

- O *script*[3] da cena é o de um pretendido passeio de uma família numerosa e pobrezinha a um shopping, por se encontrar nas proximidades deste;

---

3   A noção de *script* advém da explicação dos elementos componentes da piada de acordo com uma visão semântica. Cada palavra de uma sentença evoca um ou mais

- Pela fala coloquial do pai, "...O senhor tá enganado! Isso não é rolezinho. Todos são meus filhos", se infere que, anteriormente, o pai fora abordado pelo policial por pretender fazer um rolezinho no shopping;
- Pela atitude da família e pela fala do pai, deduz-se que este gostaria de ser reconhecido como uma família e que o policial percebesse seu engano;
- Ser pobre e ter uma família numerosa levam a uma falsa interpretação de bandidagem ou de crime; concomitantemente, tal imagem silencia o fato de como seria ter o privilégio de ser rico e não ter tantos filhos numa hora dessa;
- A fala do policial "... Saiba que formação de quadrilha também é crime" faz pressupor, pelo uso do advérbio *também*, não só que várias outras coisas são consideradas criminosas, mas particularmente que a mera "formação" (de quadrilha) já é assim considerada. E pelo uso do verbo declarativo *saiba* no imperativo, ocorre uma reafirmação da própria autoridade do policial.
- Todo esse raciocínio se valida ainda mais pela assinatura de seu criador, Lila, que, sendo reconhecido como um chargista de qualidade, imprime ao ato de assinar o efeito de sentido da assinatura de um bom articulista, autor de um texto estritamente verbal: credibilidade (na crítica social).

Em resumo, monta-se o seguinte raciocínio silogístico-argumentativo, tremendamente discriminatório:

- Premissa maior: Toda conduta do pobre em grupo é suspeita (e pode/deve sofrer sanção legal).
- Premissa menor: Ora, o passeio de uma família pobre e numerosa condiz com uma atitude do pobre em grupo.
- Conclusão: Logo, o passeio de uma família pobre e numerosa é suspeito (e pode/deve sofrer sanção legal).

---

scripts ou domínios de significado. Um texto é caracterizado como uma piada simples se: i) É compatível, total ou parcialmente, com dois *scripts* diferentes; ii) Os dois *scripts*, com os quais o texto é compatível, são opostos.

Ou, ainda, chega-se ao raciocínio falacioso do entimema, excluindo-se a premissa menor: Toda conduta do pobre em grupo é suspeita, então um passeio de uma família numerosa e pobre é suspeita (e pode/deve sofrer sanção legal).

Tais raciocínios revelam uma coconstrução de sentido, por meio de elementos verbais e não verbais somados a inferências, a força persuasiva-opinativa de alerta e revolta de um enunciador contra as atitudes descabidas de certas autoridades. E o sentido retórico situado se constrói nessa interação de forma ímpar, revelando como se dão as estratégias da persuasão.

De acordo com uma das teorias de humor que explica a piada, há regras que combinam certos domínios (*scripts*) com um ou mais *scripts* maiores compatíveis com o texto, calculando as pressuposições, as inferências e as perguntas ligadas a ele. E se isso é válido para o texto verbal, também o é para o texto multimodal. O "riso", no caso, é provocado pela atitude e fala insólitas do policial, causando a mudança de comunicação do modo chamado *bona fide* (confiável) para o *non bona-fide* (não confiável): a atitude que deveria ser para com bandidos de verdade se dá em relação a uma família necessitada, o que faz com que o texto se desvie de uma situação real para uma irreal, como numa piada. Em outras palavras, o humor, fruto da dubiedade de sentido e do inesperado, é suscitado justamente pela segunda fala, em particular pela expressão "formação de quadrilha" em contraste com a representação imagética do que seria quadrilha, corporificada na primeira imagem, da família numerosa e carente, em contraste com o forte esquema de segurança (terceira imagem) necessário para evitar tal "formação".

Claro que poderíamos processar novas suposições regadas de invectivas acentuadamente crítico-persuasivas: o mundo seria melhor se houvesse mais justiça, menos discriminação etc. Em suma, o texto tipologicamente argumentativo incorpora nesse momento uma atitude injuntiva: "Não julgue as pessoas pela aparência", por exemplo.

Tal temática transversal não só seria entendida em várias culturas, mas também se caracteriza por uma visão ideológica e uma relativa atemporalidade. Porém, por aparecer em um jornal brasileiro de um famoso ilustrador, Lila, cujo estilo é particular (no caso, um quadro sem contorno, constituído de uma só cena, com fundo claro, acomoda as figuras coloridas e caricatas bem delineadas), pode-se ainda inferir o tópico da desigualdade social, o que particulariza um problema que tem sido nosso, brasileiro. E não se pode esquecer que o aspecto estilístico de cada um desses textos também pode ser proficuamente explorado.

E na sintaxe que constitui o jornal como suporte de gênero, o texto chárgico só se forma e se completa enquanto tal, em sua articulação e correferencialidade, junto de outros gêneros coexistentes, seja um artigo, uma foto da manchete, seja o próprio editorial, sem os quais muito se perde de sua leitura e de sua finalidade persuasiva. Sem esquecer do papel do jornalista-chargista, compondo o *ethos* do jornal e traçando sua confiabilidade, mesmo que às avessas, por ser um gênero de humor.

Considerações finais

Esperamos que o objetivo de demonstrar um provável diálogo entre a LT e a velha-nova senhora retórica, em seu sentido lato, tenha sido, em linhas gerais, alcançado, permeado por práticas que consideram relevante a visão sociointeracional da linguagem. E realmente não há como produzir um texto sem considerá-lo um evento comunicativo em que interagem aspectos linguísticos e não linguísticos, sociais e cognitivos.

Nessa linha, além de Luiz Antônio Marcuschi, vários pesquisadores brasileiros, como Ingedore Koch, Vanda Elias, Luiz C. Travaglia, Anna Christina Bentes, Sueli Marquesi, Leonor Fávero, Mônica Cavalcante, Penha Lins, M. da Graça Rodrigues, entre outros, têm se dedicado com afinco aos estudos e ao ensino do texto e dos gêneros textuais e de outras relevantes noções que disso advêm, como as noções de organização tópica, de inferenciação, de intertextualidade e de referenciação. Para não fazer injustiça aos não citados, basta dizer que o Grupo de Trabalho de Linguística Textual e Análise da Conversação (GT-LTAC) da Associação Nacional de Pesquisa e Pós-Graduação em Letras e Linguística (ANPOLL) tem atualmente por volta de 80 membros atuantes. E tais estudos nos confirmam que tanto na produção quanto na leitura do texto os índices de envolvimento entre os falantes constituem um constante e dinâmico *jogo retórico de persuasão*, função inerente à própria linguagem.

Referências

ADAM, J. M. *Eléments de linguistique textuelle*. Liége: Mardaga, 1992.

_____. Unités rédactionnelles et genres discursifs: cadre general pour une approche de la press écrite. *Pratiques*, n. 94, p. 3-18, 1997.

ALEXANDRE JR., M. Prefácio. In: ARISTÓTELES. *Retórica*. Tradução de Manuel Alexandre Júnior, Paulo Farmhouse Alberto e Abel do Nascimento Pena. 2. ed. Lisboa: INCM, 2005a. p. 9 -11.

_____. Introdução. In: ARISTÓTELES. *Retórica*. Tradução de Manuel Alexandre Júnior, Paulo Farmhouse Alberto e Abel do Nascimento Pena. 2. ed. Lisboa: INCM, 2005b. p. 15-84.

ANSCOMBRE, J.-C.; DUCROT, O. *L'argumentation dans la langue*. Liège: Mardaga, 1997.

ARAÚJO, A. D. Mapping Genre Research in Brazil: an Exploratory Study. In: BAZERMAN, C. et al. *Traditions of Writting Research*. Nova York: Routledge, 2010. p. 44-57.

ARISTÓTELES. *Retórica*. Tradução de Manuel Alexandre Júnior, Paulo Farmhouse Alberto e Abel do Nascimento Pena. 2. ed. Lisboa: INCM, 2005.

BALTAR, M.; CASTALDELLO, M. E. T.; CAMELO, M. A. School Radio: Socio--Discursive Interaction Tool in the School. L1 – *Educational Studies in Language and Literature*, 9.2, p. 49-70, 2009.

BAWARSHI, A. S.; REIFF, M. J. *Gêneros*: história, teoria, pesquisa, ensino. Tradução de Benedito Gomes Bezerra. São Paulo: Parábola, 2013.

BARILLI, R. *Retórica*. Lisboa: Presença, 1985.

BARTHES, R. L'ancienne rhétorique. *Communications*, 16, Seuil, 1970.

BAZERMAN, C. *Constructing Experience*. Carbondale: Southern Illinois University Press, 1994.

_____. *Teoria da ação letrada*. Tradução de M. C. Mota e A. P. Dionisio, J. C. Hoffnagel. São Paulo: Parábola Editorial, 2015a.

_____. *Retórica da ação letrada*. Tradução de A. Sobral, A. Dionisio, J. C. Hoffnagel e P. Acunha. São Paulo: Parábola Editorial, 2015b.

_____; DIONISIO, A. P.; HOFFNAGEL, J. C. (Org.). *Gêneros textuais, tipificação e interação*. São Paulo: Cortez, 2005.

BEAUGRANDE, R. de. *New Foundations for a Science of Text and Discourse*: Cognition, Communication, and the Freedom of Access to Knowledge and Society. Norwood: Ablex, 1997.

_____; DRESSLER, W. *Introduction to Text Linguistics*. Londres: Longman, 1981.

BRONCKART, J. P. *Atividade de linguagem, textos e discursos*: por um interacionismo sociodiscursivo. Tradução de A. R. Machado. São Paulo: EDUC, 1999.

_____. L'Enseignement des discours. De l'appropriation pratique à la maîtrise formelle. In: ALMGREN, M. et al. (Org.) *Research on Child language Acquisition*. Nova York: Cascadilha Press, 2001. p. 1-16.

CABRAL, A. L. T. *A força das palavras*: dizer e argumentar. São Paulo: Contexto, 2010.

CAREL, M. Argumentation interne et argumentation externe au lexique: des propriétés différentes. *Langages – Les discours intérieurs au lexique*, Paris, Larousse, 142, p. 10-21, 2001.

CARVALHO, G. de. Gênero como ação social em Miller e Bazeman: o conceito, uma sugestão metodológica e um exemplo de aplicação. In: MEURER, J. L.; BONINI, A.; MOTTA-ROTH, D. (Org.). *Gêneros*: teorias, métodos, debates. São Paulo: Parábola Editorial, 2005.

CAVALCANTE, M. M. *Os sentidos do texto*. São Paulo: Contexto, 2013.

CITELLI, A. *Linguagem e persuasão*. São Paulo: Ática, 1985. (Série Princípios, 17).

DOLZ, J.; NOVERRAZ, M.; SCHNEUWLY, B. Sequências didáticas para o oral e a escrita: apresentação de um procedimento. In: DOLZ, J.; SCHNEUWLY, B. (Org.). *Gêneros orais e escritos na escola*. Campinas: Mercado de Letras, 2004. p. 95-128.

DUBOIS, J. et al. *Retórica geral*. São Paulo: Cultrix, 1974.

DUCROT, O. Critères Argumentatifs et Analyse Lexicale. *Langage – le discours intérieurs au lexique*, Paris, Larousse, n. 142, p. 22-40, 2001. (direção de A. H. Ibrahim).

ECO, U. *Obra aberta*. 2. ed. São Paulo: Perspectiva. 1971. (Coleção Debates, 4).

HEIMAS, B.; BIASI-RODRIGUES, B. A proposta sociorretórica de John Swales para o estudo dos gêneros. In: MEURER, J. L.; BONINI, A.;

MOTTA-ROTH, D. (Org.). *Gêneros*: teorias, métodos, debates. São Paulo: Parábola Editorial, 2005. p. 108-129.

KOCH, I. V. *Argumentação e linguagem*. 2. ed. São Paulo: Cortez, 1987.

_____; ELIAS, V. M. *Escrever e argumentar*. São Paulo: Contexto, 2016.

MARCUSCHI, L. A. *Produção textual, análise de gêneros e compreensão*. 3. ed. São Paulo: Parábola, 2009.

MEYER, M. *Questões de retórica*: linguagem, razão e sedução. Lisboa: Edições 70, 1993.

_____. *A retórica*. Tradução de Marli N. Peres. São Paulo: Ática, 2007. (Série Essencial).

MILLER, C. R. Genre as Social Action. In: FREEDMAN, A.; MEDWAY, P. (Org.). *Genre and the New Rhetoric*. Londres: Taylor & Francis, 1994. p. 23-42.

MOSCA, L. do L. S. Velhas e novas retóricas. In: _____. (Org.). *Retóricas de ontem e de hoje*. São Paulo: Humanitas, 1997. p. 17-54.

PERELMAN, C.; OLBRECHTS-TYTECA, L. *Tratado da argumentação*: a nova retórica. Tradução de Maria Ermantina de Almeida Prado Galvão. 1. ed. 4. tiragem. São Paulo: Martins Fontes, 2000.

QUINTILIANO. *Institutio oratoria*. Cambridge, MA: Harvard University Press, 1969.

REBOUL, O. *Introdução à retórica*. Tradução de Ivone Castilho Benedetti. 1. ed. 2. tiragem. São Paulo: Martins Fontes, 2000.

ROHDEN, L. *O poder da linguagem*: a arte retórica de Aristóteles. Porto Alegre: EDIPUCRS, 2010.

SANTOS, L. W.; RICHE, R. C.; TEIXEIRA, C. S. *Análise e produção de textos*. São Paulo: Contexto, 2012.

SCHUTZ, A.; LUCKMANN, T. *The Structures of the Life-world*. Evanston: Northwestern University Press, 1973.

SWALES, J. M. *Genre Analysis*: English in Academic and Research Settings. Cambridge: CUP, 1990.

TRAVAGLIA, L. C.; FINOTTI, L. H. B.; MESQUITA, E. M. C. de (Org.). *Gêneros de texto*: caracterização e ensino. Uberlândia: Edufu, 2008.

7

Linguística Textual e Modelo de Análise Modular do Discurso

Gustavo Ximenes Cunha
Micheline Mattedi Tomazi

Neste capítulo, o objetivo é promover uma aproximação dos estudos referentes à construção da cadeia referencial que, nas últimas décadas, vêm sendo conduzidos no quadro da Linguística Textual no Brasil (cf. KOCH, 2004) e um modelo da Análise do Discurso, o Modelo de Análise Modular do Discurso (ROULET; FILLIETTAZ; GROBET, 2001), a fim de verificarmos contribuições que, do nosso ponto de vista, esse modelo pode oferecer aos estudiosos da Linguística Textual. Antes de tratarmos dessas contribuições, faremos uma breve exposição desse modelo.[1]

No Modelo de Análise Modular do Discurso, o discurso constitui um fenômeno cuja complexidade se deve ao fato de que de sua composição participam informações pertencentes a diferentes planos, como o lexical, o sintático, o textual, o referencial, o sequencial, o semântico, o interacional, o tópico etc. Dada a complexidade da organização do discurso, o modelo modular visa descrever e explicar essa organização por meio de um quadro teórico e metodológico que abarca as contribuições de pesquisadores que se

---

1   Para apresentações detalhadas do Modelo de Análise Modular do Discurso, cf. Roulet; Filliettaz; Grobet (2001) e Marinho (2004).

ocuparam de aspectos isolados dessa organização.[2] Para tratar o discurso de maneira sistemática, a abordagem modular implica duas exigências de natureza metodológica:

a) decompor a organização complexa do discurso em um número limitado de sistemas (ou módulos) reduzidos a informações simples e b) descrever de maneira tão precisa quanto possível a forma como essas informações simples podem ser combinadas para dar conta das diferentes formas de organização dos discursos analisados (ROULET; FILLIETTAZ; GROBET, 2001, p. 42).

Conforme esse método, inicialmente é feita a identificação dos módulos que compõem os discursos. Um módulo corresponde a um sistema de informações responsável pela descrição de um domínio específico da organização discursiva (ROULET; FILLIETTAZ; GROBET, 2001; FILLIETTAZ; ROULET, 2002). Nessa abordagem, considera-se que o discurso possui cinco módulos de base, que dão conta das informações de ordem linguística, textual e situacional de que o discurso se compõe. Assim, a dimensão linguística se constitui dos módulos lexical e sintático; a dimensão textual se constitui do módulo hierárquico; e a dimensão situacional se constitui dos módulos interacional e referencial.

Na produção e na interpretação de todo discurso, as informações de origem modular se inter-relacionam em unidades complexas de análise, que são as formas de organização. Por isso, após a definição dos módulos, descreve-se como as informações modulares se combinam em formas de organização do discurso. No modelo modular, propõem-se dois tipos de formas de organização: as elementares (fonoprosódica, semântica, relacional, informacional, enunciativa, sequencial, operacional) e as complexas (periódica, tópica, polifônica, composicional, estratégica). As formas de organização elementares são resultantes da combinação de informações provenientes dos módulos. Por sua

---

2   A postura integradora do modelo se verifica em sua busca por propor um diálogo interdisciplinar entre pesquisas desenvolvidas na Linguística (Benveniste, Ducrot), na Sociologia (Goffman, Habermas), na Filosofia (Ricoeur, Schutz) e na Psicologia (Vygotsky, Bronckart).

vez, as formas de organização complexas resultam da combinação de informações extraídas dos módulos e das formas de organização elementares e/ou complexas.

A nosso ver, são pelo menos duas as contribuições que o modelo modular pode trazer para a Linguística Textual. A primeira, de natureza mais geral, está em evidenciar que a complexidade da organização do discurso se deve, em grande medida, ao fato de que tanto na produção quanto na interpretação do discurso as informações dos diferentes planos dessa organização (sintático, informacional, sequencial, enunciativo, referencial, semântico, textual, lexical etc.) atuam conjunta e simultaneamente. Por adotar uma metodologia modular, o modelo permite que informações desses diferentes planos sejam combinadas, a fim de compreender a complexidade da organização do discurso, bem como o modo que esses planos se influenciam mutuamente.

Em decorrência dessa primeira contribuição, a segunda está em permitir uma compreensão mais profunda do papel que os fenômenos implicados na construção da cadeia referencial exercem em outros planos da organização do discurso. Como já evidenciado em trabalhos anteriores (CUNHA, 2009), a análise da cadeia referencial oferece uma análise essencialmente descritiva e linear da maneira como os objetos de discurso são ativados, desativados e reativados ao longo de uma interação. Ao possibilitar a combinação dessa análise com as análises de outros planos da organização do discurso, o modelo modular permite propor hipóteses explicativas para fenômenos apenas descritos no estudo da cadeia referencial. Assim, a maneira como os interlocutores constroem a cadeia referencial pode se explicar pela maneira como os constituintes textuais se articulam (CUNHA, 2010a; TOMAZI; MARINHO, 2014), pelo modo como os conceitos ativados ao longo da interação se organizam na estrutura conceitual que subjaz ao discurso (CUNHA; MARINHO, 2014) ou pela materialidade da interação, em termos da maneira como os interlocutores interagem (CUNHA, 2013a).

Aprofundando estudos realizados em Cunha (2010b), este trabalho propõe, assim, articular o estudo da cadeia referencial e o estudo de sequências narrativas. Nos termos do modelo modular, a proposta consiste em articular o estudo da forma de organização sequencial, que se ocupa da descrição dos tipos e sequências textuais, e o estudo da forma de organização informacional, que descreve a construção da cadeia referencial do discurso. Para isso, apresentaremos o modo como o modelo estuda as sequências narrativas e a construção da cadeia referencial. Sobre a construção da cadeia referencial, apontaremos em que medida o estudo proposto pelo modelo modular se aproxima daqueles realizados pela Linguística Textual no Brasil. Por fim, estudaremos a construção da cadeia referencial de um *corpus* de sequências narrativas extraídas de reportagens.

Forma de organização sequencial

Essa forma de organização estuda os tipos de discurso (narração, descrição e argumentação) e as sequências discursivas (narrativas, descritivas e argumentativas). Neste estudo, o objetivo é, de um lado, definir uma tipologia discursiva que possa ser aplicada a todas as produções linguageiras e, de outro, extrair as sequências discursivas em que os tipos de discurso se atualizam.

No modelo modular, os tipos constituem representações abstratas e esquemáticas, cuja função, enquanto instrumento teórico de análise, é possibilitar a identificação das sequências discursivas (FILLIETTAZ, 1999; ROULET; FILLIETTAZ; GROBET, 2001). Dado que os tipos são representações referenciais esquemáticas, as marcas linguísticas, como formas verbais e estruturas sintáticas, não são consideradas no estudo da forma de organização sequencial. Conforme Filliettaz e Grobet (1999), utilizar essas marcas na definição dos tipos de discurso é pressupor erroneamente que seu emprego se dá exatamente da mesma forma nos diferentes gêneros em que ocorrem e que essas marcas e a função que exercem não variam com o passar do tempo ou com diferenças culturais.

Por esse motivo, no modelo, a elaboração da tipologia e a identificação das sequências se afastam de abordagens linguísticas, como a de Benveniste (1976) e a de Weinrich (1973), que se baseiam, sobretudo, na recorrência de formas verbais. Para elaborar uma tipologia e identificar sequências, o modelo se beneficia em especial de contribuições das propostas de Adam (1992, 2008) e de Bronckart (2007), para os quais os sujeitos dispõem de recursos psicológicos pré-linguageiros com que interpretam e produzem sequências particulares.

Em função dos objetivos deste trabalho, a continuação deste item apresenta apenas o tipo narrativo.[3] Filliettaz (1999) defende que as diferentes formas de expressão da narratividade representam acontecimentos que se articulam em uma cadeia culminativa. A hipótese dessa cadeia repousa sobre a ideia de que toda história pressupõe uma tensão entre acontecimentos desencadeadores e acontecimentos conclusivos, a qual decorre da transformação dos personagens e da situação em que se encontram inicialmente implicados. No modelo modular, essa cadeia de acontecimentos se compõe dos episódios *estado inicial, complicação, reação, resolução* e *estado final*. Em Cunha (2015, p. 101), é dada a seguinte descrição de cada um desses episódios:

> Estado inicial: nesse episódio, é feita a apresentação dos personagens e do mundo que eles habitam. Esse episódio representa uma situação inicial de equilíbrio.
> Complicação: esse é o momento da história em que algum acontecimento (um problema, um acidente, uma notícia inesperada) quebra o equilíbrio do estado inicial.
> Reação: esse episódio traz os acontecimentos decorrentes da complicação ou uma avaliação do narrador ou de outros personagens sobre os acontecimentos expressos na complicação.
> Resolução: aqui o abalo provocado pela complicação se soluciona.
> Estado final: nesse episódio, alcança-se nova situação de equilíbrio, a qual será diametralmente oposta à situação de equilíbrio representada no estado inicial. Assim, se no começo da história um personagem estava infeliz, no final estará feliz.

Para o modelo, essa cadeia de acontecimentos constitui uma representação de ações que subjaz a todas as sequências narrativas. Desse modo, em uma sequência narrativa, a organização dos acontecimentos pode assumir uma configuração típica, muito próxima dessa representação, mas pode também assumir uma configuração atípica, em que nem todos os episódios estão

---

3   Para uma descrição da tipologia completa proposta pelo modelo modular, cf. Roulet, Filliettaz e Grobet, 2001.

explicitamente verbalizados. A noção de cadeia culminativa de acontecimentos constitui, portanto, um instrumento teórico que não apresenta um caráter normativo, porque não corresponde a um padrão com que uma sequência discursiva deve se identificar para ser considerada uma sequência narrativa (ROULET; FILLIETTAZ; GROBET, 2001; CUNHA, 2013a).

Diferentemente dos tipos de discurso, as sequências discursivas são segmentos empíricos, que manifestam algumas propriedades dos tipos de discurso. Nessa perspectiva, a definição de um tipo só se justifica na medida em que funciona como um instrumento de análise capaz de identificar as sequências discursivas presentes em discursos particulares. Em outros termos, a cadeia culminativa de acontecimentos que constitui o tipo narrativo deve funcionar como parâmetro para a identificação das sequências narrativas (ROULET; FILLIETTAZ; GROBET, 2001).

Forma de organização informacional

Essa forma de organização tem como objetivo dar conta da continuidade e da progressão informacionais no discurso. Mais especificamente, essa forma de organização estuda a estrutura informacional de cada ato, que é a unidade mínima de análise do modelo modular, e descreve sua inserção na estrutura do discurso através das formas de progressão informacional que se observam na sucessão dos atos.

O tipo de estudo que a forma de organização informacional permite desenvolver encontra pontos de contato importantes com os trabalhos que, no Brasil, vêm sendo realizados por grande parte dos autores da Linguística Textual. No quadro de uma reflexão ampla e sistemática sobre a noção de texto e dos processos de textualização, esses trabalhos buscam ultrapassar um estudo centrado nas regularidades de nível transfrástico com o fim de entender como fatores pragmáticos e sociocognitivos atuam nos processos de produção e de compreensão textuais.[4] Nesse quadro e impulsionados, em grande medida, pelas contribuições de autores como Koch e Marcuschi, a Linguística

---

4   Para um histórico da Linguística Textual, cf. Koch (2004).

Textual tem centrado sua atenção em especial nos processos envolvidos na construção da coesão e da coerência.

Nessa perspectiva e adotando uma visão sociocognitiva dos processos de referenciação (MONDADA; DUBOIS, 2003), a Linguística Textual obteve e obtém resultados importantes no estudo de fenômenos muito próximos dos investigados pelo modelo modular, no interior da forma de organização informacional. Alguns desses fenômenos são a referenciação (KOCH, 2004; MARCUSCHI, 2007; MARCUSCHI; KOCH, 2006), a anáfora indireta (KOCH, 2006; MARCUSCHI, 2005), a progressão tópica (KOCH, 2004; JUBRAN, 2006), os processos de tematização e rematização (KOCH, 2006, 2009), assim como a forma e a função das expressões nominais referenciais (KOCH, 2004, 2009; ANTUNES, 2005). Na sequência deste item, vamos nos deter na apresentação da forma como a construção da cadeia referencial é estudada pelo modelo modular, estabelecendo pontos de contato com estudos desenvolvidos pela Linguística Textual acerca dos fenômenos mencionados.

No modelo modular, a construção da cadeia referencial também é estudada numa perspectiva sociocognitiva, porque adota uma abordagem que, embora leve em conta as marcas linguísticas deixadas ao longo dessa construção, prioriza o estudo dos processos cognitivos (ou referenciais) envolvidos na ativação, reativação e desativação de objetos de discurso, bem como o estudo de como esses processos são impactados pela negociação de sentidos que ocorre entre os interactantes (GROBET, 2000).

Nessa proposta, considera-se que cada ato ativa uma informação, o propósito, que ocupa temporariamente o centro da atenção dos interlocutores e que se encadeia em pelo menos uma informação da memória discursiva, noção que corresponde, em linhas gerais, aos conhecimentos compartilhados pelos interlocutores (ROULET; FILLIETTAZ; GROBET, 2001). Essa informação ou ponto de ancoragem pode ter sua origem no cotexto, na situação de comunicação ou mesmo nas inferências que podem surgir de um ou de outro (CUNHA, 2009; GROBET, 2000).[5]

---

5   Em versões anteriores da forma de organização informacional (GROBET, 1996; ROULET, 1996), a informação ativada em cada ato recebeu o nome de *objeto de discurso*. Na versão atual, esse termo foi substituído pelo termo *propósito*, por ser considerado mais adequado para designar a informação de tipo proposicional que é ativada pelo ato (GROBET, 2000; ROULET; FILLIETTAZ; GROBET, 2001).

Um propósito pode ter diversos pontos de ancoragem, situados em diferentes níveis da memória discursiva (GROBET, 1999, 2000). Desses pontos de ancoragem, há os que se situam num nível imediato, enquanto outros se situam num nível mais profundo. O ponto de ancoragem imediato é constituído pela informação mais diretamente acessível da memória discursiva na qual o propósito se encadeia. Esse ponto de ancoragem é o *tópico* do ato, o qual recebe esta definição:

[o tópico é] uma informação identificável e presente na consciência dos interlocutores, que constitui, para cada ato, o ponto de ancoragem mais imediatamente pertinente, mantendo uma relação de 'a propósito' (*aboutness*) com a informação ativada por esse ato. (ROULET; FILLIETTAZ; GROBET, 2001, p. 255, grifo do autor)

Porque compreende que a construção da cadeia referencial não envolve apenas informações linguísticas, mas também informações de ordem cognitiva e social, essa abordagem concebe o tópico não como um elemento textual, mas como uma informação pertencente à memória discursiva dos interlocutores, cuja seleção acontece de forma retroativa. No que se refere à marcação linguística, em cada ato os tópicos podem ser marcados ou verbalizados por traços anafóricos, como pronomes ou expressões nominais. Esses traços são chamados de traços tópicos. Porém, é comum os tópicos ficarem implícitos, isto é, não serem verbalizados por nenhum traço.

O estudo da construção da cadeia referencial de um discurso se faz, assim, mediante a combinação das noções de ato, pontos de ancoragem e propósito, com o objetivo de "identificar o tópico de cada ato, definido como uma informação já ativa (presente na memória de curto termo) e como o elemento 'a propósito' do qual a informação é ativada" (GROBET; BORSINGER, 2012, p. 550).

Além de descrever o tópico em que cada ato se encadeia, a forma de organização informacional estuda ainda os tipos de progressões informacionais ou modos de encadeamento que se observam na sucessão dos atos. Como esse estudo tem sua origem nos trabalhos de Daneš (1974) sobre as noções de tema e rema e de progressões temáticas, ele encontra pontos de contato importantes com aqueles desenvolvidos por Koch (2006, 2009). O estudo das progressões informacionais se faz "a partir do critério *da origem do tópico*" (ROULET; FILLIETTAZ; GROBET, 2001, p. 258, grifo nosso). Identificado o tópico ao qual a informação ativada pelo ato se encadeia, classifica-se o modo de encadeamento que caracteriza essa ancoragem. Os três modos de encadeamento considerados pelo modelo modular são:

- *Progressão linear*: o tópico de um ato tem origem no propósito precedente, ou seja, tem origem na informação que acaba de ser ativada. Esse tipo de progressão corresponde à progressão temática linear de Koch (2009).
- *Progressão com tópico constante*: o tópico de um ato é o tópico do ato anterior, ou seja, dois ou mais atos se ancoram num mesmo tópico. Esse tipo de progressão é semelhante à progressão temática com um tema constante, que é estudada em Koch (2009).
- *Encadeamento à distância*: o tópico de um ato tem origem não no propósito que acaba de ser ativado, mas em um propósito mais distante. O encadeamento à distância possui semelhanças com a progressão com tema derivado e com a progressão com salto temático, também estudadas por Koch (2009).

Feita a apresentação das formas de organização sequencial e informacional, a continuação deste trabalho expõe os resultados de uma análise que estudou a construção da cadeia referencial em um *corpus* formado por sequências narrativas extraídas de reportagens.

A construção da cadeia referencial em sequências narrativas de reportagens

Este item apresenta parte dos resultados da pesquisa relatada em Cunha (2013a), que estudou a construção da narrativa no gênero reportagem. Com base em um *corpus* formado por 53 sequências narrativas extraídas de oito reportagens,[6] a parte da pesquisa em que se baseia este capítulo procurou verificar como os jornalistas, ao elaborarem as sequências narrativas presentes nessas reportagens, constroem a cadeia referencial. Por isso, esse estudo resulta da combinação de informações da forma de organização sequencial, acerca da estrutura da sequência narrativa, e de informações da forma de organização informacional, sobre a construção da cadeia referencial.

O estudo se dividiu em duas etapas maiores. Na primeira etapa, foi realizado o estudo da frequência das progressões informacionais, inicialmente, no conjunto das 53 sequências narrativas e, depois, no interior de cada episódio dessas sequências. Na segunda etapa, foi realizado o estudo da marcação linguística dos tópicos por meio de expressões anafóricas. Assim, foi verificada a frequência de atos com e sem traços tópicos no conjunto das 53 sequências narrativas, bem como a frequência de traços tópicos formados por expressões plenas e vazias. Posteriormente, foi verificada a frequência de atos com e sem traços tópicos e de traços tópicos formados por expressões plenas e vazias no interior de cada episódio das sequências narrativas.

A continuação deste capítulo se dedica a apresentar os resultados mais significativos obtidos nas diferentes etapas e subetapas desse estudo. Por isso, vamos apresentar as porcentagens das análises apenas quando se fizerem necessárias para a compreensão de nossa exposição. A análise completa encontra-se em Cunha (2013b, capítulo 6).

Progressões informacionais

No estudo das progressões informacionais, o objetivo principal foi o de verificar a frequência dos tipos dessas progressões, a fim de saber como os jornalistas, ao produzirem sequências narrativas em reportagens, costumam encadear os atos aos tópicos. O estudo dessa frequência é importante, uma vez que, como observa Grobet (2000), ela é sensível ao gênero a que pertence uma dada produção discursiva. Assim, enquanto gêneros distensos, informais,

---

6   As reportagens foram publicadas em edições de janeiro de 2010 das revistas *Carta Capital*, Época, *IstoÉ* e *Veja*.

costumam apresentar frequência de encadeamentos à distância, gêneros formais costumam exibir frequência de progressões lineares e de progressões por tópico constante (GROBET, 2000).

Nas sequências narrativas de reportagens, a maior parte dos atos se liga ao tópico por progressão linear. Com esse tipo de progressão, considerado o tipo básico (GROBET, 2000), o jornalista encadeia o propósito na informação ativada no ato imediatamente anterior. Em termos de economia cognitiva, a progressão linear exige menos esforço de processamento por parte do leitor, uma vez que o produtor do texto introduz novas informações ancorando-as em informação facilmente recuperável, por ser bastante acessível (GROBET, 2000; RONCARATI, 2010).

Nesse sentido, o predomínio de progressões lineares nas sequências narrativas de reportagens pode ser compreendido como um recurso por meio do qual o jornalista busca cooperar com o leitor no processamento do texto. Em outros termos, porque o jornalista deseja que o leitor se mantenha na leitura da reportagem até o fim, ele lança mão de recursos, como as progressões lineares, que facilitem essa tarefa, que a tornem menos custosa do ponto de vista cognitivo. Neste exemplo, o tópico do ato (02) é a informação *economia da Venezuela*, ativada no ato imediatamente anterior.[7]

(01)	A economia da Venezuela entrou cambaleante em 2010.	
(02)	(economia da Venezuela) A crise global reduziu a demanda por petróleo, responsável por 94% das exportações venezuelanas,	Progressão linear

("O bolívar forte ficou fraco". Época, 15/01/2010)

O encadeamento à distância, por sua vez, é o tipo de progressão que exige maior esforço de processamento por parte do leitor, porque, por meio

---

7 Em todos os exemplos, os quadros representam o resultado da análise informacional. Nesses quadros, os atos são numerados e separados pelas linhas. Quando se fizer necessária, a informação sobre o tipo de progressão informacional que liga o ato ao tópico será dada na coluna mais à direita. Nos outros quadros, as expressões em negrito são os traços tópicos.

dele, o jornalista encadeia o propósito de um ato em informação com origem em outro ato mais distante. Por implicar um dispêndio maior de esforço cognitivo, esse é o tipo de progressão menos frequente em sequências narrativas de reportagens. No exemplo a seguir, que trata da demolição das casas de áreas inundadas às margens do rio Tietê, o ato (07) se liga ao tópico por encadeamento à distância.

(01)	O som estridente da marreta contra a coluna de concreto ecoa pela ladeira dos Peixes, na Vila Aimoré, zona leste de São Paulo.	
(02)	Ao redor dos trabalhadores,	
(03)	um cenário de destruição.	
(04)	Ao menos uma dezena de casas já havia sido demolida por ordem da prefeitura,	
(05)	após a remoção das famílias que concordaram em receber um auxílio aluguel de 300 reais para abandonar a várzea do rio Tietê,	
(06)	severamente castigada pela megaenchente de 8 de dezembro.	
(07)	(os trabalhadores) De uniforme azul,	Encadeamento à distância
(08)	o cabisbaixo pedreiro Crispim Antonio de Souza, de 50 anos, lamenta:	
(09)	"Hoje derrubo a casa dos outros.	
(10)	Amanhã pode ser a minha".	

("São Paulo na lama". *Carta Capital*, 20/01/2010)

Como o ato (07) trata de um dos trabalhadores responsáveis pela demolição das casas, o tópico desse ato é a informação *os trabalhadores*, ativada em (02) e reativada em (03). Por isso, o ato (07) se encadeia ao tópico por encadeamento à distância. Evidentemente, esse tipo de encadeamento implica um custo cognitivo maior por parte do leitor, que deve buscar na memória discursiva o ponto de ancoragem mais pertinente para o ato.

Outra explicação para a menor frequência de encadeamentos à distância em sequências narrativas de reportagens está nas propriedades materiais do gênero reportagem. Como nesse gênero não há reciprocidade imediata entre leitor e autor, eventuais problemas de compreensão não podem ser solucionados por meio de pedidos de esclarecimentos sobre o tópico, como ocorre em interações face a face informais, em que é possível um perguntar ao outro: "Do que você está falando?". A impossibilidade de solucionar dúvidas a respeito do tópico de um ato também parece explicar a baixa frequência de encadeamentos à distância nas sequências narrativas de reportagens, já que nesse tipo de progressão o tópico em que o ato se encadeia pode não ser recuperado pelo leitor.

Identificada a frequência dos tipos de progressão informacional no conjunto das sequências narrativas, este estudo deve se completar com o da frequência de cada tipo de progressão informacional no interior de cada episódio do tipo narrativo da reportagem. Os resultados desta análise são interessantes, porque refletem fenômenos que ocorrem no interior de cada episódio das sequências narrativas. Tais fenômenos não são perceptíveis na análise global realizada anteriormente e, portanto, só podem ser apreendidos mediante a combinação das análises informacional e sequencial.

Nos episódios centrais do tipo narrativo (complicação, reação/avaliação e resolução), verifica-se a tendência constatada na análise global, segundo a qual a progressão linear é o tipo de progressão mais frequente. Entretanto, nos episódios que tipicamente iniciam e finalizam as sequências narrativas (estado inicial e estado final), não se observa essa tendência. No estado inicial, há uma frequência elevada de encadeamentos à distância, o que pode se explicar pelo fato de que nesse episódio inicial o jornalista costuma reativar informações com origem em atos mais distantes, fazendo delas o "ponto de partida" da sequência, como se vê neste exemplo, que corresponde ao estado inicial de uma sequência narrativa:

Estado inicial	(01)	(mudança no câmbio) O mercado financeiro internacional gostou.	Encadeamento à distância
	(02)	Não se pode dizer o mesmo do povo venezuelano.	

("O bolívar forte ficou fraco". Época, 15/01/2010)

O tópico do ato (01) é a informação *mudança de câmbio*, mudança que constitui a medida tomada pelo então presidente da Venezuela, Hugo Chávez, para tentar reverter a recessão que seu país enfrentava na época de publicação da reportagem. Essa informação é ativada na passagem que antecede a sequência narrativa: "A mudança [de câmbio] fará dobrar os ganhos da PDVSA e sua arrecadação ao Estado, o que dá um respiro ao governo para honrar seus compromissos da dívida pública".

Quanto ao estado final, o predomínio de encadeamento à distância parece se explicar pelo fato de que nesse episódio o jornalista costuma reativar alguma informação ativada em outro episódio para finalizar a sequência, como ocorre neste exemplo:

Estado inicial	(01)	Desde o início do ano,	
	(02)	a prefeitura já vinha tentando acabar com a bagunça provocada pelos barraqueiros.	
	(03)	Eles estacionavam Kombis velhas nos melhores pontos em frente à praia	
	(04)	apenas para servir como depósito de seus produtos.	
Complicação	(05)	Depois de algumas tentativas de driblar a fiscalização,	
Resolução	(06)	as sucatas desapareceram	
	(07)	e um esquema de abastecimento racional foi adotado.	
Estado final	(08)	Mas persistiam **as barracas**, de aparência lastimável,	Encadeamento à distância
	(09)	que começam a ser removidas agora.	

("Sol, mar e organização". *Veja*, 6/1/2010)

Nessa sequência, o ato (08), que é o primeiro do estado final, reativa a informação *os barraqueiros*, a qual foi ativada no ato (02) e reativada nos atos (03) e (05). Por meio desse encadeamento, o jornalista coloca novamente sob o foco de atenção do leitor um referente importante para a história narrada, que é o personagem que sofre as ações da prefeitura. Entretanto, essa reativação se dá de maneira indireta (CHAROLLES, 1999; MARCUSCHI, 2005). O jornalista reativa *os barraqueiros* por meio do traço *as barracas*.

Realizado o estudo das progressões informacionais, analisaremos no próximo item a marcação linguística dos tópicos por meio de expressões anafóricas, os traços tópicos.

Marcação linguística dos tópicos

A marcação linguística dos tópicos é um campo de estudos que, desde os trabalhos sobre a estrutura informacional da sentença, desenvolvidos pela Escola de Praga (DANEŠ, 1974; ILARI, 1992), tem interessado um número expressivo de linguistas do campo da Linguística Textual (ADAM, 2008; APOTHÉLOZ, 2003; APOTHÉLOZ; REICHLER-BÉGUELIN, 1999; JUBRAN, 2005; KLEIBER, 1990, 1999; MARCUSCHI; KOCH, 2006; MILNER, 2003). Isso se deve ao fato de que essas marcas tocam diferentes níveis de análise (lexical, sintático, textual, referencial etc.) e exercem diferentes funções cognitivas e discursivas (BERTHOUD; MONDADA, 1995; MONDADA, 2001). Por isso mesmo, elas, assim como as progressões informacionais que sinalizam, são sensíveis ao gênero do discurso, podendo, por exemplo, variar em frequência e em natureza dependendo do grau de formalidade e da finalidade do gênero (KOCH, 2006; MARCUSCHI, 2008).

Nessa perspectiva, esta parte do capítulo tem como objetivo geral investigar a frequência com que os jornalistas, ao produzirem sequências narrativas em reportagens, sinalizam a ancoragem de um ato ao tópico, por meio de traços tópicos, bem como a natureza desses traços.

Iniciando esse estudo, verificamos quantos atos das sequências narrativas apresentam traços tópicos e quantos não os apresentam. Em sequências narrativas de reportagens, é muito frequente a ausência de expressões anafóricas retomando os tópicos. No *corpus* formado pelas 53 sequências narrativas, 240 (46,69%) atos apresentam traços tópicos, enquanto 274 (53,31%) não apresentam traços. Portanto, mais da metade dos atos não traz nenhuma marca (pronome ou expressão nominal) indicando qual é o tópico do ato. Para entender esse resultado, é preciso lembrar que, nas sequências narrativas de reportagens, predominam as progressões lineares. Como esclarece Grobet (2000), esse tipo de progressão não costuma ser sinalizado por traço tópico, já que o tópico em que o ato se encadeia corresponde a uma informação recentemente ativada e, portanto, altamente acessível.

A relação entre traços tópicos e grau de acessibilidade dos tópicos é estudada por Grobet (2000, 2001, 2002), que, baseando-se em trabalhos de Ariel, Givón e Lambrecht, aponta para o fato de que, quanto menor é o grau de acessibilidade de um referente na memória discursiva, maior é a quantidade de material linguístico necessária para expressá-lo. A correlação entre marcação linguística e grau de acessibilidade dos referentes é representada pelos autores mencionados por Grobet por meio de escalas, que, de modo geral, estabelecem a seguinte gradação:

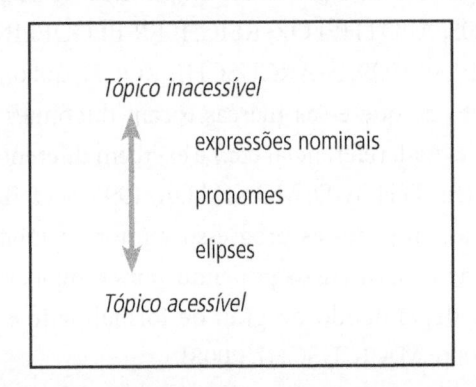

```
         Tópico inacessível
              ▲
                expressões nominais
              │
                pronomes
              │
              ▼ elipses
         Tópico acessível
```

Figura 1 Correlação entre marcação linguística e grau de acessibilidade dos referentes

A relação entre traço tópico e grau de acessibilidade dos tópicos aponta para a grande acessibilidade dos tópicos nas sequências narrativas de reportagens. Afinal, mais da metade dos atos das sequências narrativas do *corpus* estudado não apresentou traço tópico, encadeando-se ao tópico por elipse.

Essa relação sinaliza ainda a necessidade de se estudarem mais a fundo os 240 traços tópicos identificados no *corpus*, verificando sua distribuição entre expressões nominais (expressões plenas) e pronomes (expressões vazias). A distinção entre expressões plenas e vazias refere-se à carga semântica do nome-núcleo dessas expressões. Enquanto nas expressões plenas esse nome apresenta um "conteúdo descritivo denso", nas expressões vazias esse nome apresenta um "conteúdo descritivo fraco" (GROBET, 1996, p. 84). A mesma distinção é proposta por Moeschler e Reboul (1994) em termos de saturação semântica das expressões anafóricas. Já Koch (2009) define as expressões vazias como *formas remissivas gramaticais livres* (pronomes e advérbios) e as expressões plenas como *formas remissivas lexicais*.

A partir dessa correlação entre traço tópico e grau de acessibilidade dos tópicos, é possível levantar a hipótese de que, se, em sequências narrativas de reportagens, os tópicos costumam ser bastante acessíveis, a maior parte desses traços é formada por expressões vazias, como pronomes (*ele, isso*) e advérbios (*aqui, lá*). Porém, contrariando essa hipótese, nessas sequências narrativas, a maior parte dos 240 traços tópicos encontrados nessas sequências narrativas (185 (77,08%)) é formada por expressões plenas (expressões nominais).

A predominância desse tipo de expressões encontra duas justificativas. A primeira, de natureza cognitiva, diz respeito ao fato de que os encadeamentos à distância costumam ser sinalizados por traços tópicos formados por expressões plenas, exatamente porque nesse tipo de encadeamento o tópico se constitui de informação menos acessível, ativada em ato mais distante. Assim, nas sequências estudadas, o encadeamento de um ato em um tópico menos acessível parece ser um fator que leva o jornalista a sinalizar esse encadeamento por meio de expressões plenas, a fim de que o leitor não tenha dúvidas acerca do tópico tratado e, em último caso, não abandone a leitura da reportagem.

A segunda justificativa possui natureza interacional e refere-se à forma como o traço tópico reativa o tópico. A escolha do traço tópico, ao categorizar um referente, revela muito do posicionamento do produtor do discurso em relação ao tópico (MONDADA; DUBOIS, 2003), evidenciando que "as escolhas lexicais são pistas do lugar social e ideológico de onde os sujeitos enunciam, da posição que ocupam em um dado discurso" (CAVALCANTI, 2008). É o que aponta Neves (2006, p. 102) ao observar que "a categorização representa o ponto de vista do falante naquele determinado momento da construção do discurso". Nesse sentido, mesmo tópicos constituídos por referentes altamente acessíveis podem ser retomados por expressões nominais, caso seja do interesse do jornalista levar o leitor a compartilhar seu ponto de vista (KOCH, 2005).

Linguística Textual: diálogos interdisciplinares

A sequência narrativa abaixo ilustra essas duas justificativas para a predominância de traços tópicos formados por expressões plenas.

(01)	Poucas horas depois (da reunião de Lula com ministros),	
(02)	as redes de tevê escancaravam para todo o Brasil que **o absurdo da tortura** não foi uma exclusividade da ditadura e que suas vítimas não se resumem à elite intelectual e política que hoje está no poder.	Encadeamento à distância
(03)	(as redes de tevê escancaravam... hoje está no poder.) Por meio de uma câmera de celular,	Progressão linear
(04)	(Por meio de uma câmera de celular) parentes de Jerônimo Júnior, preso na cadeia municipal de Santo Antônio do Descoberto, em Goiás, a poucas centenas de quilômetros do gabinete presidencial, filmaram mais um caso de tortura no País.	Progressão linear
(05)	Além de pisar e dar tapas **no rosto de Jerônimo**,	Progressão linear
(06)	**o agente penitenciário Kalil Araújo** utilizou um saco plástico	Encadeamento à distância
(07)	para asfixiar **sua vítima**,	Progressão linear
(08)	**que** desmaiou.	Progressão linear
(09)	Diante **da barbárie registrada em vídeo**,	Progressão linear
(10)	**Araújo** foi demitido	Encadeamento à distância
(11)	(Araújo) e responderá a processo.	Progressão linear
(12)	(o absurdo da tortura) Na maioria das vezes, no entanto,	Encadeamento à distância
(13)	**os agressores** ficam impunes.	Tópico constante

("O Passado ainda Presente". *IstoÉ*, 20/01/2010)

Nessa sequência, apenas um pronome atua como traço tópico (ato 08). Os outros sete traços tópicos são expressões nominais. Dos cinco atos que se ligam ao tópico por encadeamento à distância, três apresentam traços (atos (02), (06) e (10)), uma vez que esses tópicos são expressões ativadas em atos mais distantes. No ato (10), por exemplo, o tópico é o agente penitenciário Kalil Araújo, informação ativada em (06) e reativada em (07). Em (10), foi preciso utilizar o traço *Araújo* para retomar o tópico, porque esse tópico é menos acessível do que o referente *Jerônimo Júnior*, vítima de Araújo e tópico do ato (08). Assim, o uso de uma elipse ou de um pronome, como *ele* (*Ele foi demitido*), poderia ser fonte de um problema de interpretação, por poder retomar qualquer um dos dois referentes.

Além disso, nessa sequência, a maior parte dos traços tópicos formados por expressões plenas revela o posicionamento do jornalista em relação ao referente retomado, mostrando que "propor um tópico, da parte do enunciador, significa uma maneira de construir e de estruturar discursivamente um mundo e um espaço intersubjetivos" (BERTHOUD; MONDADA, 1995, p. 206). Assim, considerando que o leitor previsto pelo jornalista é o cidadão, que considera que as instituições públicas e privadas devem estar a serviço da construção de uma sociedade democrática (WOLTON, 2004), o jornalista, na sequência acima, pode categorizar a tortura como *absurdo* (ato 02) e como *barbárie* (ato 09), as pessoas que cometem a tortura como *agressores* (ato 13) e o presidiário Jerônimo Júnior como *vítima* (ato 07).

Após o estudo dos traços tópicos no conjunto das sequências narrativas, a análise buscou verificar a frequência de traços tópicos no interior de cada episódio das sequências narrativas. A maior parte dos episódios segue a tendência verificada na análise global, ou seja, apresenta predomínio de atos sem traços tópicos. Apenas a resolução e o estado final não seguem essa tendência, porque apresentam predomínio de atos com traços tópicos. Enquanto na resolução 49 atos (54,44%) apresentam traços tópicos, no estado final 18 atos (66,67%) apresentam traços.

Na resolução, a presença marcante de traços tópicos se deve ao fato de que a maior parte deles é formada por expressões plenas, ou seja, por expressões nominais que, independentemente do grau de acessibilidade da informação a que se referem, permitem ao jornalista expressar seu ponto de vista acerca dessa informação. Dos 49 traços tópicos identificados na resolução, 39 (79,59%) são expressões plenas.

Quanto ao estado inicial, a frequência de atos com traços tópicos deve-se ao fato de que esse é o único episódio em que predominam os encadeamentos à distância, que, como exposto, favorecem o emprego de traços tópicos, em função do grau menor de acessibilidade do tópico. Mas também nesse episódio o predomínio de atos com traços tópicos se explica pela busca do jornalista por explicitar seu ponto de vista acerca do tópico por meio do emprego de expressões nominais plenas. No estado final, dos 18 traços tópicos, 12 (66,67%) são expressões plenas.

Considerações finais

Neste capítulo, procuramos realizar uma aproximação do Modelo de Análise Modular do Discurso (ROULET; FILLIETTAZ; GROBET, 2001) a estudos acerca da construção da cadeia referencial, plano da organização do discurso para o qual a Linguística Textual, no Brasil, tem trazido inúmeras e importantes contribuições. Como exposto na introdução, nosso intuito central foi apontar algumas contribuições que, do nosso ponto de vista, o modelo modular pode trazer para a Linguística Textual.

Por conceber o discurso como um fenômeno complexo, o modelo adota uma metodologia modular que lhe possibilita articular os resultados de pesquisas conduzidas em diferentes quadros teóricos. Essa postura integradora do modelo permite descrever e explicar aspectos que a consideração isolada de planos do discurso muitas vezes não deixa perceber. Assim, nas últimas décadas, a Linguística Textual obteve resultados importantes acerca dos processos envolvidos na construção da cadeia referencial, o que se reflete na obtenção de um conjunto bastante extenso de conhecimentos sobre esse plano da organização do discurso. Considerarmos que, numa perspectiva metodológica modular, a combinação desses resultados com os resultados obtidos em pesquisas sobre outros planos da organização do discurso, como o sequencial ou o polifônico, por exemplo, pode contribuir para ampliar o conhecimento sobre os processos envolvidos na produção e na interpretação do discurso.

Para evidenciar como uma metodologia modular pode contribuir para aprofundar o estudo da construção da cadeia referencial, propusemos neste capítulo articular esse estudo e o estudo sobre os tipos e sequências discursivas. Analisando um *corpus* formado por sequências narrativas de reportagens, verificamos que há aspectos da construção da cadeia referencial que podem ser compreendidos de modo mais aprofundado à luz da estrutura da sequência narrativa. Assim, a consideração da estrutura da narrativa ajudou a compreender melhor decisões tomadas pelos jornalistas no que se refere à maneira de encadear os atos, os tópicos ou à escolha dos traços tópicos que sinalizam esse encadeamento.

Com este capítulo, procuramos estabelecer um diálogo entre a Linguística Textual e uma abordagem específica da Análise do Discurso, o Modelo de Análise Modular do Discurso. Acreditamos que, para ambas as partes, o interesse desse diálogo reside em poder oferecer e aprimorar instrumentos de descrição e de explicação da complexidade do discurso, bem como em fomentar debates que, ao aproximarem planos diferentes da organização do discurso, aproximem diferentes campos dos estudos da linguagem, como a Linguística Textual e a Análise do Discurso.

Referências

ADAM, J. M. *Les textes: types et prototypes*. Paris: Nathan, 1992.

_____. *A linguística textual*: introdução à análise textual dos discursos. São Paulo: Cortez, 2008.

ANTUNES, I. *Lutar com palavras*: coesão e coerência. São Paulo: Parábola, 2005.

APOTHÉLOZ, D. Papel e funcionamento da anáfora na dinâmica textual. In: CAVALCANTE, M. M.; RODRIGUES, B. B.; CIULLA, A. (Org.). *Referenciação*. São Paulo: Contexto, 2003. p. 53-84.

_____; REICHLER-BÉGUELIN, M. J. Interpretations and functions of demonstrative NPs in indirect anaphora. *Journal of Pragmatics*, v. 31, p. 363-397, 1999.

BENVENISTE, E. As relações de tempo no verbo francês. In: _____. *Problemas de linguística geral*. São Paulo: Ed. Nacional; Ed. Universidade de São Paulo, 1976. p. 260-276.

BERTHOUD, A. C.; MONDADA, L. Traitement du topic, process énonciatifs et séquences conversationnelles. *Cahiers de linguistique française*, n. 17, p. 205-228, 1995.

BRONCKART, J. P. *Atividade de linguagem textos e discursos*: por um interacionismo sócio-discursivo. São Paulo: EDUC, 2007.

CAVALCANTI, J. R. Considerações sobre o ethos do sujeito jornalista. In: MOTTA, A. R.; SALGADO, L. (Org.). *Ethos discursivo*. São Paulo: Contexto, 2008. p. 173-184.

CHAROLLES, M. Associative anaphora and its interpretation. *Journal of Pragmatics*, v. 31, p. 311-326, 1999.

CUNHA, G. X. O tratamento do tópico em uma perspectiva modular da organização do discurso. *Estudos Linguísticos*, v. 38, p. 125-135, 2009.

_____. Estudo sobre a identificação da hierarquia temática. *Acta Scientiarum. Language and Culture*, v. 32, p. 240-246, 2010a.

_____. A inter-relação de aspectos discursivos em processos complexos de produção e de interpretação textual. *Estudos Linguísticos*, v. 39, p. 793-802, 2010b.

_____. A construção da narrativa em reportagens. 2013. 601 f. Tese (Doutorado em Linguística) – Faculdade de Letras, Universidade Federal de Minas Gerais, Belo Horizonte, 2013a.

_____. Estudo da organização informacional do gênero entrevista sociolinguística. *Estudos Linguísticos*, v. 42, 213, p. 1240-1251, 2013b.

_____. A estrutura composicional do discurso literário. In: NASCIMENTO, J. V.; TOMAZI, M. M.; SODRÉ, P. R. (Org.). *Língua, literatura e ensino*. São Paulo: Blücher, 2015. p. 99-116.

_____; MARINHO, J. H. C. A construção da cadeia referencial em textos de estudantes universitários. *Alfa*: Revista de Linguística, v. 58, p. 11-33, 2014.

DANEŠ, F. Functional sentence perspective and the organization of the text. In: _____. (Ed.). *Papers on functional sentence perspective*. Praga: Mouton, 1974. p. 106-128.

FILLIETTAZ, L. Une approche modulaire de l'hétérogénéité compositionnelle du discours: Le cas des récits oraux. *Cahiers de linguistique française*, v. 21, p. 261-327, 1999.

_____; GROBET, A. L'hétérogénéité compositionnelle du discours: quelques remarques préliminaires. *Cahiers de linguistique française*, v. 21, p. 213-259, 1999.

_____; ROULET, E. The Geneva Model of discourse analysis: an interactionist and modular approach to discourse organization. *Discourse Studies*, v. 3, n. 4, p. 369-392, 2002.

GROBET, A. Phénomènes de continuité: anaphoriques et traces de points d'ancrage. *Cahiers de linguistique française*, v. 18, p. 69-93, 1996.

_____. L'organisation topicale de la narration. Les interrelations de l'organisation topicale et des organisations séquentielle et compositionnelle. *Cahiers de linguistique française*, v. 21, p. 329-368, 1999.

_____. *L'identification des topiques dans les dialogues*. 2000. 513 f. Tese (Doutorado em Linguística) – Faculdade de Letras, Universidade de Genebra, Genebra, 2000.

_____. L'organisation informationnelle: aspects linguistiques et discursifs. *French Language Sudies*, v. 11 p. 71-87, 2001.

_____. Evaluating topic salience in dialogues. In: NÉMETH, E. (Ed.). *Cognition in language use: selected papers form 7th International Pragmatics Conference*, Antuérpia, International Pragmatics Association, v. 1, 2002.

_____; BORSINGER, A. M. Double éclairage sur l'organisation thématique de discours oraux publics. In: CONGRÉS MONDIAL DE LINGUISTIQUE FRANÇAISE, 2012. *Anais*. 2012. p. 545-559.

ILARI, R. *Perspectiva funcional da frase portuguesa*. Campinas: Unicamp, 1992.

JUBRAN, C. C. A. S. Especificidades da referenciação metadiscursiva. In: KOCH, I. G. V.; MORATO, E. M.; BENTES, A. C. (Org.). *Referenciação e discurso*. São Paulo: Contexto, 2005. p. 219-241.

_____. Tópico discursivo. In: JUBRAN, C. C. A. S.; KOCH, I. G. V. *Gramática do português culto falado no Brasil*: construção do texto falado. Campinas: Unicamp, 2006. v. 1, p. 89-132.

KLEIBER, G. Marqueurs référentiels et processus interprétatifs: pour une approche "plus sémantique". *Cahiers de linguistique française*, v. 11, p. 241-258, 1990.

_____. Associative anaphora and part-whole relationship: the condition of alienation and the principle of ontological congruence. *Journal of Pragmatics*, v. 31, p. 339-362, 1999.

KOCH, I. G. V. *Introdução à Linguística Textual*. São Paulo: Martins Fontes, 2004.

_____. Referenciação e orientação argumentativa. In: KOCH, I. G. V.; MORATO, E. M.; BENTES, A. C. (Org.). *Referenciação e discurso*. São Paulo: Contexto, 2005. p. 33-52.

_____. *Desvendando os segredos do texto*. São Paulo: Cortez, 2006.

_____. *A coesão textual*. São Paulo: Contexto, 2009.

MARCUSCHI, L. A. Anáfora indireta: o barco textual e suas âncoras. In: KOCH, I. G. V.; MORATO, E. M.; BENTES, A. C. (Org.). *Referenciação e discurso*. São Paulo: Contexto, 2005. p. 53-102.

_____. *Cognição, linguagem e práticas interacionais*. Rio de Janeiro: Lucerna, 2007.

_____. *Produção textual, análise de gêneros e compreensão*. São Paulo: Parábola Editorial, 2008.

_____; KOCH, I. G. V. Referenciação. In: JUBRAN, C. C. A. S.; KOCH, I. G. V. *Gramática do português culto falado no Brasil*: construção do texto falado. Campinas: Unicamp, 2006. v. 1, p. 381-402.

MARINHO, J. H. C. Uma abordagem modular e interacionista da organização do discurso. *Revista da Anpoll*, v. 16, p. 75-100, 2004.

MILNER, J. C. Reflexões sobre a referência e a correferência. In: CAVALCANTE, M. M.; RODRIGUES, B. B.; CIULLA, A. (Org.). *Referenciação*. São Paulo: Contexto, 2003. p. 85-130.

MOESCHLER, J.; REBOUL, A. Déixis et anaphore. In: _____; _____. *Dictionnaire encyclopédique de pragmatique*. Paris: Editions du Seuil, 1994. p. 349-372.

MONDADA, L. Pour une approche conversationelle des objets de discours. *Boletim da ABRALIN*, v. 26, p. 66-70, 2001.

_____; DUBOIS, M. Construção dos objetos de discurso e categorização: uma abordagem dos processos de referenciação. In: CAVALCANTE, M. M.; RODRIGUES, B. B.; CIULLA, A. (Org.). *Referenciação*. São Paulo: Contexto, 2003. p. 17-52.

NEVES, M. H. M. *Gramática e texto*. São Paulo: Contexto, 2006.

RONCARATI, C. *As cadeias do texto*: construindo sentidos. São Paulo: Parábola Editorial, 2010.

ROULET, E. Une description modulaire de l'organisation topicale d'un fragment d'entretien. *Cahiers de linguistique française*, v. 18, p. 11-32, 1996.

_____; FILLIETTAZ, L.; GROBET, A. *Un modèle et un instrument d'analyse de l'organisation du discours*. Berne: Lang, 2001.

TOMAZI, M. M.; MARINHO, J. H. C. Discurso jurídico e relações de poder: gestão de faces e de lugares. *Revista (Con)textos Linguísticos*, v. 8, n. 10.1, p. 245-278, 2014.

WEINRICH, H. *Le temps*. Paris: Éditions du Seuil, 1973.

WOLTON, D. *Pensar a comunicação*. Brasília: Editora Universidade de Brasília, 2004.

8

Linguística Textual e Análise Crítica do Discurso: em busca de um diálogo interdisciplinar

Maria Lúcia C. V. O. Andrade

(...) los discursos no reflejan la 'realidad', no son un espejo fiel de ésta, sino que construyen, mantienen y refuerzan interpretaciones de esa 'realidad', es decir construyen representaciones de la sociedad, de las prácticas sociales, de los actores sociales y de las relaciones que entre ellos se establecen. Los discursos generan, por tanto, un saber, un conocimiento. (MARTIN-ROJO, 1997, p. 1-2)

Este capítulo busca apresentar uma reflexão sobre as diversas correntes da Análise Crítica do Discurso (ACD), objetivando enfocar como a ACD se destaca por ser uma perspectiva diferente para aproximar a análise do discurso, que prima pela implicação do pesquisador naquilo que estuda e também uma visão crítica que se destaca por problematizar o modo de olhar o objeto de estudo e almeja pontos de união que permitam abrir novos caminhos, estabelecendo, assim, novas perspectivas de estudo.

Na visão de Wodak (2004, p. 226), as raízes da ACD estão "na retórica clássica, na linguística textual e na sociologia, assim como na linguística aplicada e na pragmática". Chouliaraki e Fairclough (1999, p. 16) afirmam que essa modalidade de análise opera "uma síntese mutante de outras teorias", teorizando em particular a "mediação entre o social e o linguístico".

Análise Crítica do Discurso:[1] uma abordagem interdisciplinar

A ACD é uma abordagem teórico-metodológica interdisciplinar que define o discurso como uma prática social por meio da qual as pessoas podem agir sobre o mundo e sobre os outros. Nesse sentido, a ACD visa descobrir, revelar e divulgar aquilo que está implícito, rejeitando a "naturalização" dos processos sociais e permitindo que as ideologias subjacentes ao discurso, bem como as relações de poder e dominação instituídas por elas, sejam reveladas.

Por seguir uma perspectiva interdisciplinar, a ACD aplica outras teorias rompendo fronteiras epistemológicas, operacionalizando e transformando tais teorias com vistas à abordagem sociodiscursiva. Assim a ACD tem origem na operacionalização de diversos estudos, entre os quais se podem destacar os de Fairclough (2001), Bakhtin (2002, 2011) e Foucault (1977, 2003), cujas propostas teóricas vincularam *discurso* e *poder* e estão na base dos estudos em ACD.

Segundo Ramalho (2005, p. 276, grifo nosso), "Bakhtin é o fundador da primeira teoria semiótica de *ideologia*, da noção de *dialogismo* na linguagem e precursor da crítica ao objetivismo abstrato de Saussure". Eagleton (1997), por sua vez, reconhece em Bakhtin o "pai da análise do discurso", dado que em seus ensaios filosóficos aborda o jogo social do poder no âmbito da própria linguagem, destacando que a "verdadeira substância da língua" não se encontra na interioridade do sistema linguístico, mas no processo social da interação verbal (cf. BAKHTIN, 2002, p. 123).

Bakhtin afirma que não se deve separar a língua de seu conteúdo ideológico como fez Saussure, dado que as articulações a que os signos linguísticos

---

[1] Alguns estudiosos brasileiros traduzem o termo original do inglês "Critical Discourse Analysis" como "Análise do Discurso Crítica", conforme podemos verificar nos trabalhos do grupo de pesquisa na UnB, que durante vários anos foi liderado pela professora Maria Izabel Magalhães. Para essa pesquisadora, tal preferência terminológica se justifica por dissociar os estudos críticos do discurso da tradição em "Análise do Discurso" (corrente conhecida como francesa), já estabelecida no Brasil há mais tempo (cf. MAGALHÃES, 2005). Neste capítulo, preferimos empregar a tradução que segue o original em inglês e que se usa tanto em espanhol (Espanha e toda a América Hispânica) como em Portugal.

se submetem estão relacionadas ao meio o social, centro organizador da atividade linguística. Na perspectiva bakhtiniana, "o signo é visto como um fragmento material da realidade, que a refrata, representando-a e constituindo-a de formas particulares, de modo a instaurar, sustentar ou superar formas de dominação" (RAMALHO, 2005, p. 277).

Na opinião de Ramalho (2005, p. 278), Bakhtin apresenta em sua proposta interativo-discursiva conceitos que se tornariam fundamentais para a ACD, tais como: linguagem como interação e produção social, gêneros discursivos, dialogismo, e conclui:

> Em *Estética da Criação Verbal*, o autor sustenta que a diversidade infinita de produções da linguagem na interação social só não constitui um todo caótico porque cada esfera de utilização da língua, de acordo com suas funções e condições específicas, elabora gêneros, ou seja, *tipos relativamente estáveis* do ponto de vista temático, composicional e estilístico, que refletem a esfera social em que são gerados.

A percepção bakhtiniana de que a linguagem apresenta uma perspectiva dialógica e polifônica e que no discurso o enunciador retoma outras vozes na cadeia interacional são elementos fundamentais para o tratamento da linguagem como espaço de lutas hegemônicas. Essa noção "viabiliza a análise de contradições sociais e lutas pelo poder que levam o sujeito a selecionar determinadas estruturas linguísticas e articulá-las de determinadas maneiras num conjunto de outras possibilidades" (RAMALHO, 2005, p. 279).

Foucault (2003, p. 10) evidencia a face constitutiva do discurso, concebendo a linguagem como uma prática que estabelece o social, os objetos e os sujeitos sociais. O autor destaca que analisar discursos significa especificar, em termos sócio-históricos, formações discursivas interdependentes, bem como sistemas de regras que possibilitam a ocorrência de certos enunciados em tempo e espaço determinados. (cf. RAMALHO, 2005, p. 279).

Ramalho (2005, p. 280) prossegue suas considerações a respeito das contribuições de Foucault aos estudos discursivos, dizendo que:

ao sugerir que o poder na sociedade moderna é exercido por meio de práticas discursivas institucionalizadas, Foucault contribui, por um lado, para o estabelecimento do vínculo entre discurso e poder, e, por outro, para a noção de que mudanças em práticas discursivas, a exemplo do aprimoramento das técnicas de vigilância, são um indicativo da mudança social.

Fairclough (2001) reconhece na obra de Foucault contribuições significativas para a ACD, mas aponta duas lacunas de que essa abordagem teórico-metodológica precisa se dedicar numa perspectiva interdisciplinar:

a) visão determinista do aspecto constitutivo do discurso, que vê a ação humana unilateralmente constrangida pela estrutura da sociedade disciplinar;
b) a necessidade de análise empírica de textos. Visando tratar aos objetivos da ACD, cujo foco se encontra na variabilidade e mudança, bem como na luta social estabelecida no discurso, Fairclough (1997, 2001, 2003) e Chouliaraki e Fairclough (1999) discutem e aplicam a teoria de Foucault, objetivando aprimorar a concepção de linguagem como parte irredutível da vida social.

Breve Percurso Histórico e Agenda Teórica da ACD

O termo *Análise Crítica do Discurso* foi empregado pelo linguista britânico Norman Fairclough, professor e pesquisador da Universidade de Lancaster, em artigo publicado no *Journal of Pragmatics*, em 1985. Tal perspectiva científica surgiu a partir da filiação a uma corrente da Linguística hoje denominada Linguística Crítica.

Rajagopalan (2002) afirma que a Linguística Crítica surgiu na década de 1970 e explica que teorizar sobre a linguagem não é, como se pode pensar normalmente, empenhar-se em construir um metadiscurso relativo ao objeto, mas sim seguir a tese de que essa é uma atividade que revela uma forma de intervir na linguagem e na estrutura social que lhe serve de norte.

Podemos dizer que a ACD surge como uma continuidade dos estudos da Linguística Crítica,[2] entretanto, ela somente se consolida como disciplina no início da década de 1990, conforme palavras de Wodak (2003b), quando vários estudiosos, entre eles Teun Van Dijk, Norman Fairclough, Gunther Kress, Theo Van Leeuwen e Ruth Wodak, se reuniram em um simpósio realizado em janeiro de 1991, em Amsterdã, com o apoio da Universidade de Amsterdã. Nesse evento, os estudiosos tiveram a oportunidade de discutir teorias e métodos de análise do discurso. Nas palavras de Wodak (2003a, p. 21), o evento "permitiu que todos confrontassem entre si abordagens distintas e diferenciadas, abordagens que ainda marcam as tendências existentes hoje". Esses teóricos procuraram discutir e equacionar os problemas até então sem respostas nas várias tradições intelectuais, em um esforço de síntese crítica, voltada para os problemas sociais mais urgentes, como: racismo, imigração, desigualdade social, pobreza, diversidade de gênero, abuso de poder.

Van Dijk (1999, p. 23) afirma que a ACD revela a busca do analista em oferecer um caminho ou perspectiva distinta de teorização, análise e aplicação por meio de um campo de investigação íntegro, destacando a consciência de seu papel na sociedade. Ainda segundo o autor:

> A ACD é um tipo de pesquisa analítica sobre o discurso que estuda primariamente o modo como o abuso do poder social, o domínio e a desigualdade são praticados, reproduzidos, e ocasionalmente combatidos, pelos textos e pela fala no contexto social e político. Com uma pesquisa tão peculiar, a ACD toma explicitamente partido e espera contribuir de maneira efetiva com a resistência contra a desigualdade social.

As principais vertentes desenvolvidas nos estudos em ACD podem ser assim sintetizadas:

---

2   A Linguística Crítica surgiu em 1979 com a publicação do livro *Language and Control*, de Roger Fowler, Bob Hodge, Gunter Kress e Tony Trew, pesquisadores da Universidade de East Anglia. Segundo esses autores, a Linguística precisaria ser capaz de responder a questões de igualdade social.

Norman Fairclough e a Teoria Social do Discurso

Considerado um dos mais atuantes analistas do discurso de linha crítica, Norma Fairclough criou o método de análise intitulado *Análise do Discurso Textualmente Orientanda* (cf. FAIRCLOUGH, 2001), inserida no que o autor concebe como Teoria Social do Discurso: um método de analisar as relações entre o discurso e os demais elementos componentes da prática social.

Fairclough (1997) define que o papel do analista crítico do discurso é descrever a formação dos textos, interpretar o processo discursivo e explicar a prática social que se constitui na linguagem. Sua contribuição aos estudos discursivos permite entender o discurso como elemento constitutivo da vida social. Para o autor, qualquer evento discursivo deve ser visto, simultaneamente, como um texto, uma prática discursiva e uma prática social. A partir dessas três esferas, o autor estabelece a perspectiva tridimensional do discurso, entendida, respectivamente, como a dimensão da Linguística, da análise do processo interacional e da análise de circunstâncias organizacionais e institucionais da sociedade. Cabe destacar que nessa proposta Fairclough (2001, 2003) considera a natureza dialética social do discurso como base de sua teoria. Para sintetizar essa perspectiva, o autor elabora o quadro a seguir:

TEXTO

PRÁTICA DISCURSIVA
(produção, distribuição, consumo)

PRÁTICA SOCIAL

Quadro 1 Fonte: Fairclough (2001, p. 101)

As dimensões propostas no Quadro 1 correspondem aos elementos estruturais, a saber: léxico, processos de coesão textual, ordem sintática e transitividade (texto); a produção, distribuição e consumo de textos, como os princípios de coerência textual, intertextualidade, interdiscursividade e força ilocucionária (prática discursiva); e às atividades socioculturais e seus significados, como: ideologia, exercício de poder, hegemonia (prática social).

Na visão do autor, o mundo é formado pela atribuição de sentido que os atores sociais lhe impõem. Em sua abordagem, Fairclough procura tratar de aspectos como a resistência do discurso e a natureza de mudança que as práticas discursivas carregam. Devido a essa tendência, o autor não pretende fazer análise do discurso como procedimento epistemológico sobre a língua, mas como instrumento político contra a injustiça social vigente na sociedade contemporânea. Assim, para ele, o discurso é um modo de ação, capaz de transformar o mundo. Sua teoria exige dos analistas a elaboração de métodos que "sirvam para formular pesquisas que exerçam ações de contrapoder e contraideologia, práticas de resistência à opressão social" (MELO, 2012, p. 67).

Ruth Wodak e o lugar da História na Análise Crítica do Discurso

Entre os trabalhos desenvolvidos por Ruth Wodak, destaca-se a investigação sobre temas e textos históricos e políticos para integrar os inúmeros conhecimentos disponíveis sobre fontes históricas, buscando interpretar os aspectos sociopolíticos nos discursos. Nessa perspectiva, a autora analisa a dimensão cultural das ações discursivas, explorando, diacronicamente, os modos como os vários tipos de discurso formam a historicidade do indivíduo. É preciso, portanto, reconhecer quais práticas discursivas institucionalizam a sociedade e que imagens sociais permeiam essas práticas.

Teun Van Dijk e a vertente Sociocognitivista

Van Dijk (1997) se destaca pela proposta sociocognivista nos estudos discursivos, buscando reconhecer quais práticas discursivas institucionalizam a sociedade e quais cognições sociais permeiam essas práticas. De acordo com o autor, ainda que as ideologias sejam evidentemente sociais e políticas e estejam relacionadas a grupos e estruturas societais, possuem também uma dimensão cognitiva fundamental. Em termos intuitivos, as ideologias incorporam objetos mentais, como: ideias, pensamentos, valores, crenças e apreciações

Na opinião de Melo (2012), entre os conceitos empregados por Van Dijk para explicar a cognição social destaca-se o de *acesso discursivo*, "que significa a chance de o indivíduo se inserir socialmente num discurso de domínio prestigiado". Van Dijk buscou observar como aquele que não participa de circuitos de poder pode ter acesso a esses circuitos por meio da linguagem. Para alcançar esse objetivo, o autor analisou vários domínios discursivos, entre eles o jornalístico, e encontrou dois tipos de inserção: o acesso ao domínio discursivo por meio de voz reportada (em entrevistas e reportagens, por exemplo) e o acesso ao discurso propriamente dito por meio do uso de construção predicativa, ou seja, como o texto jornalístico constrói a imagem de determinado grupo desprestigiado através do comentário. Segundo Van Dijk, o modo como determinado grupo social tem acesso a certos discursos permite pressupor como são construídas sua representação e inclusão sociais.

Theo Van Leeuwen e a Teoria da Representação Social

Sua grande contribuição à ACD é ter sido o responsável por integrar os estudos sobre a representação dos atores e ações sociais à Linguística. Em seu trabalho publicado em 2008, Van Leeuwen questiona quais são os diversos modos pelos quais os atores e as ações sociais podem ser representados no discurso verbal e que escolhas nos oferece a língua para nos referirmos às pessoas, aos grupos e suas práticas sociais. A partir dessas indagações, o autor descreve um quadro de aspectos sociodiscursivos que marca a representação dos indivíduos e das ações representadas nos textos.

Segundo Van Leeuwen, em nosso cotidiano temos necessidade de categorizar pessoas, grupos e atitudes por meio de vários aspectos que os identificam culturalmente, visto que a língua nos oferece diversas formas para representar o mundo. Essas formas compõem nosso sistema linguístico e são usadas de acordo com os fatores que circundam nossa relação com o que desejamos ou necessitamos representar. Para sintetizar essa categorização, o autor elabora um esquema que reproduzimos, em parte, no Quadro 2 abaixo:

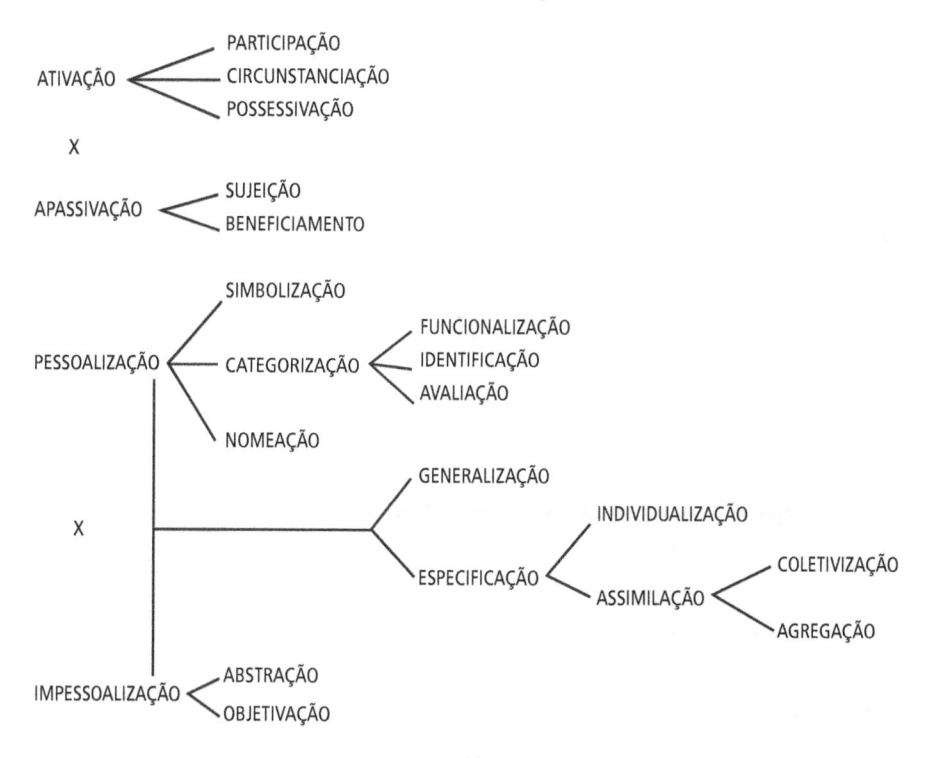

```
ATIVAÇÃO ─┬── PARTICIPAÇÃO
          ├── CIRCUNSTANCIAÇÃO
          └── POSSESSIVAÇÃO
   X
APASSIVAÇÃO ─┬── SUJEIÇÃO
             └── BENEFICIAMENTO

PESSOALIZAÇÃO ─┬── SIMBOLIZAÇÃO
               ├── CATEGORIZAÇÃO ─┬── FUNCIONALIZAÇÃO
               │                  ├── IDENTIFICAÇÃO
               │                  └── AVALIAÇÃO
               └── NOMEAÇÃO

   X
               ┌── GENERALIZAÇÃO
               └── ESPECIFICAÇÃO ─┬── INDIVIDUALIZAÇÃO
                                  └── ASSIMILAÇÃO ─┬── COLETIVIZAÇÃO
                                                   └── AGREGAÇÃO

IMPESSOALIZAÇÃO ─┬── ABSTRAÇÃO
                 └── OBJETIVAÇÃO
```

Quadro 2 Categoria para representação dos atores sociais no discurso: rede de sistemas.

Fonte: Van Leeuwen (1997, p. 219)

A partir dessa proposta, o autor esboçou um inventário sociossemântico dos modos pelos quais os atores sociais podem ser representados e estabeleceu a relevância sociológica e crítica de algumas categorias linguísticas que enquadrou nesse inventário, entre as quais se destacam os processos de inclusão e exclusão social por meio do discurso.

No Quadro 3, o autor sintetiza as categorias usadas para a representação dos atores sociais no discurso no que se refere aos fatores de Exclusão por supressão e encobrimento e os de Inclusão, conforme se verifica a seguir:

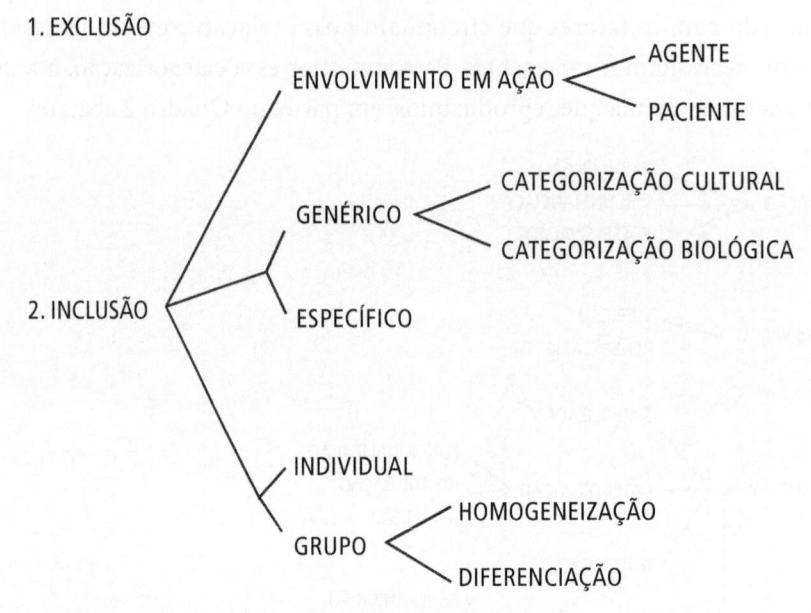

```
1. EXCLUSÃO
                                                    ┌── AGENTE
                        ENVOLVIMENTO EM AÇÃO ──┤
                                                    └── PACIENTE

                                          ┌── CATEGORIZAÇÃO CULTURAL
                        GENÉRICO ──┤
                                          └── CATEGORIZAÇÃO BIOLÓGICA
2. INCLUSÃO
                        ESPECÍFICO


                        INDIVIDUAL
                                          ┌── HOMOGENEIZAÇÃO
                        GRUPO ──┤
                                          └── DIFERENCIAÇÃO
```

Quadro 3 Categoria para representação dos atores sociais na linguagem. Fonte: Van Leeuwen (1997, p. 219)

Gunther Kress e a Semiótica Social

Considerado herdeiro da escola funcionalista de Michael Halliday, Gunther Kress fundou a perspectiva semiótica da ACD e se destaca por desenvolver trabalhos sobre teorias multimodais, concepção segundo a qual o discurso se constrói não apenas com base nos significados linguísticos, mas também naqueles relacionados à imagem. Destaca em seus estudos que o formato de um texto escrito, por exemplo, revela muito a respeito de sua construção discursiva à medida que for possível reconhecer a imagem e relacioná-la com seu contexto de uso.

Proposta Teórico-Metodológica

A tarefa da ACD é construir um quadro teórico-metodológico integrado, por meio do qual se torne possível desenvolver uma *descrição, explicação* e *interpretação* dos modos como os discursos dominantes influenciam o conhecimento, os saberes e as ideologias partilhadas na sociedade.

Fairclough distingue a existência de dois tipos de relações que o poder estabelece com o discurso: *o poder no discurso* e *o poder por trás do discurso*. O primeiro é exercido por meio da textura da linguagem, isto é, na seleção lexical e na construção textual específica; já o segundo deriva das ordens do discurso a que o texto está ligado, isto é, os textos estão atrelados a distintos âmbitos sociais (meios de comunicação, acadêmico, político etc.) que regulam a produção discursiva.

Cabe apontar que na ACD o método de análise resulta totalmente da proposta teórica, isto é, os procedimentos de aplicação da análise estão associados diretamente aos princípios teóricos (relações de poder, ideologia, opacidade da linguagem, discurso como prática social). Segundo Pedro (1997, p. 21), trata-se de "um processo analítico que julga os seres humanos a partir da sua socialização e as subjetividades humanas e o uso linguístico como expressão de uma produção realizada em contextos sociais e culturais, orientados por formas ideológicas e desigualdades".

Da Linguística Textual à Análise Crítica do Discurso: uma proposta de análise

Diferentes correntes linguísticas possuem diferentes perspectivas para analisar um mesmo objeto. Nesta parte, propomos a análise de uma tirinha humorística de Mafalda – publicada originalmente entre os anos de 1964 e 1973 –, do cartunista argentino Quino – cujo nome verdadeiro é Joaquim Salvador Lavado (nascido na cidade de Mendoza, na Argentina em 1932), a quem ele denomina de "niña terrible".

Vejamos a tirinha[3] descrita a seguir:

Quadro 1
(Felipe chega à casa de sua amiga Mafalda falando alto, e ela faz gestos solicitando silêncio)
Felipe: – Olá!
Mafalda: – Shhh!... Fale baixo, estou com um doente em casa.

Quadro 2
(Com Mafalda à frente, os dois seguem para um cômodo)
Felipe: – Seu pai está doente?
Mafalda: – Não.

Quadro 3
(Com Mafalda à frente, os dois continuam a seguir para um cômodo)
Felipe: – Sua mãe, então?
Mafalda: – Não.

Quadro 4
Felipe se surpreende quando entra no quarto e vê o globo terrestre deitado em uma pequena cama.

Na perspectiva da Linguística Textual, para compreender o efeito de sentido construído pelo autor e que deve ser compreendido pelo leitor, é preciso observar a cena em foco e prestar atenção na interação desenvolvida entre as personagens, pois Felipe chega à casa de sua amiga Mafalda falando alto e, devido a essa ação, Mafalda faz gestos solicitando silêncio. Em seguida, pede que ele fale baixo, porque está com *um doente* em casa. Conforme o garoto pergunta se o doente é seu pai ou sua mãe e ela vai respondendo que não, ele se surpreende quando entra no quarto e vê o globo terrestre deitado em uma

---

3   Para visualização da imagem, direcionamos o leitor para o seguinte link: <http://epoca.globo.com/vida/noticia/2015/01/o-mundo-visto-bpor-mafaldab.html>; acesso em: 20 jul. 2017 (Nina Finco, "O mundo visto por Mafalda", 4/1/2015).

pequena cama. O efeito humorístico se explica pelo fato de somente, nesse momento, Felipe perceber que ao empregar a expressão *um doente* a menina está se referindo ao mundo.

Somente ativando seu conhecimento enciclopédico, o leitor compreende a tirinha e ri da situação, relacionando a atitude da menina que observa os problemas da humanidade e acha que o mundo está doente.

Na perspectiva da Análise Crítica do Discurso, o mesmo efeito de sentido é percebido pelo leitor, mas a partir da atitude de Mafalda – que acredita que o mundo esteja doente –, o leitor interpreta mais do que um comentário construído a partir de uma figura de linguagem, reveladora da visão que a menina tem do mundo em que vive. O leitor observa uma crítica à sociedade, seus valores, crenças e ideologias que causam conflitos, guerras, revoluções e desigualdades.

Para compreender o texto em sua totalidade, a ACD busca compreender o momento sócio-histórico em que o texto foi produzido. Para tanto, passamos a tratar como surgiu a personagem Mafalda e como era a sociedade argentina na época.

A personagem surgiu a partir de um projeto publicitário em que Quino deveria criar uma peça publicitária para uma empresa de eletrodomésticos chamados Mansfield. A agência acabou não fazendo a campanha, mas Quino deu vida à personagem e começou a trabalhar nas primeiras historinhas de Mafalda, que foram publicadas inicialmente em um suplemento denominado "Gregório", que integrava a *Revista Leoplán*. A partir de novembro de 1964, as tirinhas de Mafalda passam a ser regularmente publicadas no semanário *Primera Plan* até o início do ano de 1965, quando, em março, passa a ser publicada no jornal *El Mundo*. Um ano depois, o editor Jorge Álvarez reuniu as primeiras tirinhas em ordem cronológica e publicou o primeiro livro de Mafalda.

Para compreender o contexto social em que as histórias de Mafalda foram criadas, é importante destacar que, na década de 1960, a Argentina passava por diversos problemas de ordem política. Em 1966 o presidente foi deposto pelos militares e toda manifestação política passou a ser proibida nesse período. O general Juan Carlos Organia assumiu o poder e passou a ocorrer uma severa repressão nas universidades e nos meios culturais argentinos. Em dezembro de 1967, o jornal *El Mundo* foi fechado e as tirinhas pararam de ser publicadas.

Nesse momento, o editor Jorge Álvarez resolveu publicar o segundo livro da personagem Mafalda, que recebeu o título *Así es la cosa, Mafalda*. Tempos depois, em junho de 1968, as tirinhas de Mafalda voltaram a ser publicadas diariamente. Em 1969, o mesmo editor publicou o terceiro livro, intitulado *Mafalda 5*. Nesse mesmo ano, a primeira edição do livro de Mafalda foi publicada fora da Argentina. Na Itália, foi publicado o primeiro livro, intitulado *Mafalda La Contestaria*, com apresentação de Umberto Eco, diretor da coleção. Depois começaram a surgir publicações na Espanha e em Portugal. Em junho de 1973, Quino decidiu parar de desenhar as tirinhas de Mafalda, mas seus livros passaram a ser publicados em vários países, entre eles: México, França, Alemanha, Estados Unidos e Brasil.

As histórias de Mafalda são repletas de suas preocupações com a política nacional e internacional, com o progresso científico que afligia o coraçãozinho da pequena personagem, revelando conflitos cotidianos que as pessoas enfrentavam com a mudança de costumes e a chegada de novas tecnologias. A partir do diálogo entre Mafalda, seus amiguinhos e seus pais, Quino deixa transbordar um humor ácido e, muitas vezes, cínico em relação a temas como: pobreza, condição humana, desigualdade social etc. Por fim, cabe destacar que, ainda que as histórias tenham sido elaboradas nas décadas de 1960 e 1970, na Argentina, em um momento político bastante crítico, elas continuam atuais e conquistam leitores de todas as idades.

Na tirinha em foco, verificamos que com base em uma perspectiva crítica o autor procura transmitir ao leitor, pela voz da personagem Mafalda, sua avaliação sobre o estado físico do mundo naquele momento: "está doente". Essa revelação "metafórica" busca transmitir a ideologia, a crença que a menina tem em relação aos fatos ocorridos na sociedade em que ela vive, criando na voz infantil um efeito de sentido de humor.

Considerações finais

A relação entre discurso e sociedade tem suscitado nos últimos anos abordagens que se destacam por proporcionarem a interface entre as Ciências Sociais e os Estudos da Linguagem e por identificarem entre a prática discursiva e a prática social uma relação dialética biunívoca (CHOULIARAKI; FAIRCLOUGH, 1999). Essas abordagens inserem-se de modo significativo na agenda dos Estudos da Linguagem contemporâneos por meio de postulados que, conforme Melo (2012, p. 95), "ajudam a repensar os objetivos dessa ciência e a destacar o papel da linguagem na formação, manutenção e transformação da história do comportamento e das relações humanas".

Buscamos, nesse sentido, apresentar uma síntese das diversas correntes da ACD, pretendendo refletir como essa proposta teórico-metodológica tem-se destacado por ser uma perspectiva interdisciplinar, que busca implicar o pesquisador naquilo que investiga. O objeto em foco do estudioso é problematizado a fim encontrar pontos de união entre as disciplinas, possibilitando novos caminhos para os estudos discursivos na sociedade contemporânea e levando em consideração o papel político, crítico e aplicado do linguista diante das demandas sociopolíticas da atualidade.

Referências

BAKHTIN, M. (1929). *Marxismo e filosofia da linguagem*. São Paulo: Hucitec, 2002.

_____. (1979) *Estética da criação verbal*. São Paulo: Martins Fontes, 2011.

CHOULIARAKI, L.; FAIRCLOUGH, N. *Discourse in Late Modernity*. Rethinking critical discourse analysis. Edimburgo: Edinburg University Press, 1999.

EAGLETON, T. *Ideologia*: uma introdução. São Paulo: Edunesp; Boitempo, 1997.

FAIRCLOUGH, N. *Language and Power*. Londres: Longman, 1989.

_____. *Critical Discourse Analysis*: papers in the critical study of language. Londres: Longman, 1997.

_____. *Discurso e mudança social*. Tradução de Izabel Magalhães. Brasília: Editora da Universidade de Brasília, 2001.

_____. *Analysing discourse*: textual analysis for social research. Londres: Routledge, 2003.

FOUCAULT, M. (1975). *Vigiar e punir*: história da violência nas prisões. Petrópolis: Vozes, 1977.

_____. (1971). *A ordem do discurso*. São Paulo: Loyola, 2003.

MAGALHÃES, M. I. Introdução: a análise de discurso crítica. *Delta*, v. 21, n. especial, p. 1-9, 2005.

MARTIN-ROJO, L. El orden de los discursos. *Discurso: teoria y análisis*, 21/22, p. 1-37, 1997.

MELO, I. F. de. Por uma Análise Crítica do Discurso. In: MELO, I. F. de (Org.). *Introdução aos Estudos Críticos do Discurso*: teoria e prática. Campinas: Pontes, 2012. p. 53-98.

PEDRO, E. R. Análise crítica do discurso: aspectos teóricos, metodológicos e analíticos. In: _____ (Org.). *Análise Crítica do Discurso*: uma perspectiva sociopolítica e funcional. Lisboa: Caminho, 1997. p. 19-46.

RAJAGOPALAN, K. Linguagem e cognição do ponto de vista da linguística crítica. *Veredas*: revista de estudos linguísticos, Juiz de Fora, UFJF, v, 6, n. 1, p. 91-104, jan./jun., 2002.

RAMALHO, V. C. V. Sebba. Constituição da Análise de Discurso Crítica: um percurso teórico-metodológico. *Signótica*, v. 17, n. 2, p. 275-298, jul./dez. 2005.

VAN DIJK, T. A. Discurso, poder y cognición social. *Cuadernos*, n. 2, 1994. Disponível em: <http://www.discursos.org/oldarticles/Discurso,%20poder%20y%20cognici%F3n%20social.pdf>. Acesso em: 6 jun. 2017.

_____. Semântica do discurso. In: PEDRO, E. R. (Org.). *Análise Crítica do Discurso:* uma perspectiva sociopolítica e funcional. Lisboa: Caminho, 1997. p. 105-68.

_____. El análisis crítico del discurso. *Anthropos*. Barcelona, 186, p. 23-36, sep.-oct. 1999.

_____. *Discurso e poder*. São Paulo: Contexto, 2008.

_____. *Discurso e contexto*. São Paulo: Contexto, 2012.

VAN LEEUWEN, T. A representação dos atores sociais. In: PEDRO, E. R. (Org.). *Análise Crítica do Discurso*: uma perspectiva sociopolítica e funcional. Lisboa: Caminho, 1997. p. 169-222.

_____. *New tools for Critical Discourse Analysis*. Nova York: Oxford University Press, 2008.

WODAK, R. De qué trata el análisis del discurso (ACD). Reumen de su historia, sus conceptos fundamentales y su desarrolos. In: WODAK, R.;

MEYER, M. (Eds.). *Método de análisis del discurso*. Barcelona: Gedisa, 2003a. p. 17-34. (tradução brasileira: Do que trata a ACD: um resumo de sua história, conceitos importantes e seus desenvolvimentos. *Linguagem em (Dis)curso*, Tubarão, v. 4, n. especial, p. 223-243, 2004).

_____. El enfoque histórico del discurso. In: _____; MEYER, M. (Eds.). *Método de análisis del discurso*. Barcelona: Gedisa, 2003b. p. 101-142.

Websites

www.clubcultura.com/humor/quino
www.quino.com.ar
www.epoca.com.br
www.mafalda.net/pt/zeicher.php
www.tvsinopse.kinghost.net/art/q/quino1.htm

9

Linguística Textual e Análise da Conversação: o tópico discursivo e seus processos de expansão[1]

Paulo de Tarso Galembeck

Os processos de construção do texto falado são múltiplos e variados e constituem diferentes aspectos a partir dos quais a referida modalidade de realização linguística pode ser estudada: fenômenos característicos da fala (pausas, hesitações, truncamentos de palavras ou frases, marcadores conversacionais); unidades características da língua falada (unidades discursivas); processos de reconstrução do texto (paráfrase, repetição, correção); o tópico ou assunto e seus processos de expansão; formas de ruptura tópica (parênteses e digressões).

Entre os processos mencionados, tem particular importância o tópico discursivo, pois ele é o elemento mais abrangente do texto e para a sua construção convergem as ações dos interlocutores para o estabelecimento de um quadro de relevância tópica. A coparticipação dos interlocutores, aliás, bem caracteriza o dinamismo tópico: no texto falado espontâneo não existe uma agenda prévia de assuntos, mas eles devem relacionar-se (direta ou indiretamente) com o tópico em andamento. Nesse caso, o tópico assume uma feição unificadora e integradora, pois cabe a ele unir as diferentes partes do texto e é a partir dele que se estabelece a coerência textual.

---

[1] Nota dos organizadores: este capítulo é uma versão ampliada da que foi publicada em Galembeck e Mena (2004) e Galembeck (2008).

Dadas essas características, o tópico discursivo constitui a maior categoria operacionalizável da língua falada e é a partir dele que se definem as unidades do texto. O próprio texto define-se a partir da existência de um tópico identificável e – reitere-se – é para a sua construção que convergem as ações dos participantes do ato interacional.

Este trabalho trata do tópico discursivo e dos procedimentos de construção e expansão do tópico. O trabalho compõe-se de três partes: na primeira, conceitua-se o tópico discursivo e definem-se as suas propriedades. As seções seguintes tratam, respectivamente, das formas de continuidade tópica e dos processos de expansão do tópico.

O *corpus* do trabalho é constituído pelos inquéritos nº 269 (NURC/RJ, publicado em CALLOU; LOPES, 1994) e nº 062, 333, 343, 360 (NURC/SP, publicados em CASTILHO; PRETI, 1987). Trata-se de inquéritos do tipo D_2 (diálogos entre dois informantes) e eles foram escolhidos, pois, devido à coparticipação dos interlocutores, neles se acentua o dinamismo do tópico conversacional.

Conceito de tópico discursivo

O tópico discursivo é definido por Brown e Yule (1983) como "aquilo de que se está falando". Essa definição é simples em sua formulação, porém deve ser considerada dentro do quadro geral dos processos interacionais. Com efeito, verifica-se que na interação falada (sobretudo no diálogo simétrico) o tópico é construído cooperativamente, pois os participantes procuram manter a conversa em torno de objetos de discurso inseridos no contexto comum partilhado pelos próprios interlocutores.

Ora, os interlocutores estão cientes de que a sua participação ativa requer que eles estejam centrados em um ponto comum, representado por objetos de discurso (ou referentes textuais) claramente identificáveis ou inferíveis a partir do cotexto ou do contexto cognitivo partilhado. A construção do tópico é, pois, dinâmica e coparticipativa e envolve os interlocutores no movimento dinâmico de construção da estrutura conversacional e do estabelecimento do intercâmbio verbal.

A construção do tópico define-se com um processo de *interação centrada* (GOFFMAN, 1976), pois os interlocutores têm a atenção voltada para a construção do tópico, que acaba por constituir o fio condutor da organização textual e do estabelecimento e manutenção da interação entre os participantes do ato conversacional.

A respeito da relevância do tópico, cabe lembrar as palavras de Marcuschi (1986, p. 77) que, ao discutir a organização do tópico, afirma que "só se estabelece e se mantém uma conversação se existe algo sobre o que falar, nem que seja sobre futilidades ou sobre o tempo, e se isto é conversado". A formulação de Marcuschi coincide com a noção de interação centrada de Goffman, noção que é partilhada também por Brait (1993, p. 209), para quem o tópico discursivo é "parte constitutiva do texto na medida em que os interlocutores só podem se relacionar a partir da presença desse aspecto".

Jubran et al. (1993, p. 360), por sua vez, enfatizam o movimento dinâmico da conversação, na qual o tópico discursivo acaba por constituir um elemento decisivo na constituição do texto oral, por isso a estruturação tópica serve como um fio condutor da organização discursiva.

Acrescente-se que o tópico discursivo não se confunde com o tópico frasal ou sentencial; este se limita ao âmbito da frase ou enunciado, é representado por um dado elemento localizável e isolável dentro da estrutura do enunciado e, além disso, faz parte de uma estrutura bimembre (a estrutura tópico--comentário ou articulação tema-rema). Já o tópico discursivo abrange todo o texto e não pode ser localizado numa dada parte dele e, também, não fez parte de uma estrutura bimembre.

Propriedades do tópico

A atenção que os interlocutores dedicam ao assunto proeminente do texto ou de uma parte dele conduz à primeira propriedade do tópico, a *centração* ou *focalização*. Essa propriedade é manifestada, na conversação, por meio de uma série de enunciados nos quais existem referentes (objetos de discurso) que são concernentes entre si e apresentam relevância num determinado trecho do discurso.

Jubran (2015, p. 87) enumera três traços que constituem a centração ou focalização:

a) *Concernência*: relação de interdependência entre os elementos textuais, realizada por meio de processos coesivos (referenciação e sequenciação). Esses elementos estão integrados num conjunto específico de referentes explícitos ou inferíveis que constituem o alvo último da interação.
b) *Relevância*: refere-se à proeminência de elementos textuais que, na constituição desse conjunto referencial, recebem a devida saliência e são projetados como elementos focais.
c) *Pontualização*: decorre das duas anteriores e diz respeito à localização desse conjunto referencial em determinado momento do texto falado.

Esses três traços da centração ou focalização constituem critérios para reconhecer o estatuto tópico de um dado segmento textual.

A segunda propriedade do tópico é a *organicidade*, que se manifesta por relações de interdependência entre tópicos mais ou menos abrangentes. Essas relações são estabelecidas simultaneamente em dois planos:

a) no plano hierárquico ou vertical entre a centração mais abrangente e superordenada (supertópico) e as focalizações mais particulares e localizadas (tópicos e subtópicos);
b) no plano linear ou horizontal, de acordo com a articulação entre tópicos e subtópicos sucessivos e a interposição de tópicos.

Das duas propriedades citadas flui a terceira delas, a segmentabilidade, que consiste na delimitação de vários segmentos ou porções tópicas ou subtópicas, intuitivamente identificadas pelos falantes. Os segmentos sucessivos correspondem: a) às centrações sucessivas ou a particularizações delas, as quais pontuam trechos localizados da interação falada; e b) à articulação entre essas porções tópicas, verificada, sobretudo, no plano horizontal ou linear.

As propriedades do tópico serão explicitadas por meio do trecho a seguir, extraído do diálogo 269 entre dois informantes (D_2), do *corpus* do Projeto NURC/RJ.

(01)

    D   é o trânsito desta cidade?
    L2 ah... isso então é uma maravilha... ((ricos))
    D   ( )
    L1 não... honestamente... eu... lá lá na minha casa... quase todos são motorizados... eu... há bem pouco tempo... também era... enquanto trabalhei na Ilha... ainda tinha necessidade de carro... mas eu acho que é um negócio assim... que é um conforto que o carioca podia se privar... sabe... usar menos porque eu acho que é... é o congestionamento assim na hora de... da vinda do trabalho...
    L2 é...
    L1 da ida pra casa... é justamente... todo mundo é muito egoísta... quer muito seu conforto... então... se eu que tenho aquele ônibus... que é muito mais barato pagar quatro cruzeiros pra ir para casa eu podia me servir dele e deixar o meu carro na garagem pro fim de semana... se todos assim tivessem esse pensamento... eu acho que... o centro da cidade não estaria tão congestionado assim... mas todo mundo preza muito o conforto pessoal... né?
    L2 [
        [Exato... você tem razão...]
    L1 então eu vejo... às vezes aquele ônibus... agora que eu tenho oportunidade de andar de ônibus posso prestar atenção no que se passa em volta... né? quando a gente dirige não pode...
    L2 é... porque dirigindo você não vê nada mesmo...
    L1 então eu sinto... às vezes vem o maior galax ( )
    L2 [
        ( )
    L1 aqueles MAvericks enormes... opala... pelo menos se botasse um fusquinha ( ) era fusca... né ( ) são aqueles carros enormes... quer dizer...

ali na... na rua Jardim Botânico eu vejo isso diariamente... o trânsito interrompido... aquele negócio... se fossem menos carros ali no centro da cidade... o negócio seria bem melhor... né? porque é uma cidade... que cresce assim assustadoramente... e as vias de comunicação continuam na mesma... se faz assim um túnel Rebouças não tem escoamento lá... nem desse lado também não tem muito...

L2 não tem ( )
L1 então... não adianta... é... é... preci/ precisaria que o povo fosse educado nesse sentido... né?
L2 mas pra isso também seria necessário que tivesse ali mais condução... pra atender a esse pessoal... né?
L1 [
  mais condução... é verdade... é esse pessoal todo...
L2 porque realmente... a gente não vem de carro... deixa o carro lá...
L1 [
  Agora...
L2 na hora de ir embora você tem já agora esse ônibus ( )...
L1 é ( )...
L2 ( ) o seu bairro...
L1 ( )
L2 eu por exemplo... né? hoje eu estou sem carro... meu carro está na oficina... então... à noite... eu vou ter que ficar na Presidente Wilson... esperando um Laranjeiras...
L1 um Laranjeiras...
L2 pra mim só serve Laranjeiras e só serve ( )
L1 [
  que não é fácil.. só passam superlotados...
L2 então o Laranjeiras vem da Penha... quando ele chega aqui... ele vem que não entra nem pensamento...
L1 é...
L2 né? então a gente vai ali ou então espera até sete e meia da noite... que é a hora então que a coisa já ta: ma:is suave um pouco.
L1 [
  É mais...

L2 pra conseguir entrar...
L1 é tempo perdido...
L2 realmente é um problema sério esse... você tem razão... né? que...
L1 agora tenho sentido que essa questão de dar ô/ ônibus mais caros assim... mas mais confortáveis... já tem de certa maneira aliviado um pouco...
L2 já tem resolvido... eu... que eu conheço várias pessoas...
L1 é... eu conheço eh... pessoas que moram ali... vizinhos meus
L2 [
ônibus
L1 que andavam de... de carro e agora por quês/ questão de economia... comodidade... já vem no ônibus comigo...
(NURC/RJ, 269, l. 886-967)

O supertópico em curso é "vida urbana" e o tópico do trecho é "trânsito e transportes", introduzido de forma explícita pela documentadora. Esse tópico desdobra-se nos subtópicos a seguir:

SbT 1:   introdução do tópico (l. 886).
SbT 2:   opinião de L2 (l. 887).
SbT 3:   situação da família de L1 (todos são motorizados) (l. 889-892).
SbT 4:   necessidade de deixar o carro em casa para diminuir os congestionamentos (892-907; 926-927).
Digressão: possibilidade de prestar atenção ao que a rodeia (907-911).
SbT 5:   espaço ocupado pelos carros (912-920).
SbT 6:   necessidade de mais condução (928-933).
SbT 7:   volta para casa de L2 (935-944).
SbT 8:   dificuldades enfrentadas por L2 para voltar para casa (945-958).
SbT 9:   ônibus diferenciados como opção de transporte.

O tópico é introduzido pela documentadora de forma explícita e direta. Ressalte-se que ela fala apenas em trânsito, porém os transportes coletivos surgem de considerações de L1 a respeito do tema sugerido, o que evidencia o dinamismo do processo da construção do tópico discursivo.

O mesmo dinamismo também pode ser observado pelo fato de os interlocutores terem a atenção voltada para a expansão do assunto proposto pela documentadora, do qual só se afastam por meio de uma breve digressão.

Os traços da centração são explicitados a seguir:

a) A *concernência* é assinalada por meio da construção de um conjunto referencial referente ao trânsito e aos meios de transporte e pela coesão que se estabelece entre eles: "carro", "congestionamento", "motorizado", "ônibus", "mavericks", "opala", "rua", "túnel". Esses itens lexicais são também responsáveis pela criação do espaço comum partilhado pelos interlocutores.

b) A *relevância*, por sua vez, decorre da posição focal assumida pelos referentes tópicos e é verificada pela observação dos temas e remas sentenciais.

Vejam-se alguns exemplos, nos quais os interlocutores:

(b1) tratam do trânsito:
- isso (o trânsito) é uma maravilha;
- lá lá na minha casa... quase todos são motorizados;
- enquanto trabalhei na ilha... ainda tinha necessidade de carro;
- na rua Jardim Botânico eu vejo diariamente... o trânsito interrompido;
- a gente não vem de carro... deixa o carro lá;
- eu vou ter de ficar na Presidente Wilson... esperando um Laranjeiras...
- é tempo perdido.

(b2) emitem opiniões e juízos:
- isso então é uma maravilha;
- todo mundo é muito egoísta;
- eu acho que... o centro da cidade não estaria tão congestionado assim;
- realmente [esse] é um problema sério.

A concernência e a relevância do trecho (01) são evidenciadas pela rede de elementos lexicais e pelos enunciados e possibilitam a criação de uma unidade tópico coesa e coerente.

c) a *pontualização* pode ser verificada em dois planos: no plano do segmento tópico, que constitui uma unidade tópica localizada em uma parte do diálogo; no plano dos subtópicos, que correspondem a trechos localizados dentro do segmento em questão.

A segunda propriedade do tópico, a organicidade, pode ser verificada, no fragmento em questão, nos dois planos em que ela se desdobra. No plano vertical, observa-se a relação hierárquica entre o supertópico "vida urbana" e o tópico "o trânsito no Rio de Janeiro", assim como entre este último e os subtópicos já explicitados anteriormente. Já no plano horizontal, verifica-se a continuidade entre os subtópicos, que correspondem a aspectos mais particulares ou específicos do tópico em desenvolvimento.

A terceira propriedade, a *segmentabilidade*, já foi explicitada no trecho em que se expôs a sequência dos subtópicos, e cabe aqui assinalar que não existe uma linearidade absoluta na sequência dos subtópicos, pois o mesmo subtópico pode reaparecer em trechos diferentes. É o caso do SbT4, que corresponde a dois segmentos do diálogo (l. 892-907; l. 926-927). A esse respeito, cabe considerar a presença do fragmento digressivo (l. 907-911), que também constitui um elemento perturbador da sequencialidade.

Continuidade e Expansão do Tópico

Formas de continuidade tópica

Keenan e Schieffelin (1976) definem duas formas de continuidade tópica: a colaborativa e a incorporativa. No primeiro caso, a continuidade é estabelecida de forma estrita, ou seja, mantém-se rigorosamente o mesmo tópico discursivo em dois enunciados sucessivos ou numa sequência de enunciados:

(02)

Doc. Você falou em:: carreira... boa para a mulher né?
L2   ahn ahn

Doc. que tipo de carreira... fora essa... seriam digamos conveniente...
L2 *Olha ah o ti/o ti/ ah o especificamente o tipo de carreira ah eu acho que isso seria qual/qualquer uma ( ) quer dizer:: o o::lado... o lado de ciências mais humana/ah de o lado humano o ou de::... ciências exatas como chamava-se no MEU tem::po (...)*
(NURC/SP, 360, l. 646-654)

No exemplo anterior, a informante L2 responde à documentadora com a retomada precisa do subtópico introduzido por esta última ("carreiras boas para a mulher").

Já na continuidade incorporativa, a sequência de tópicos é estabelecida de forma menos rigorosa, porque se baseia em pressupostos e inferências, não na retomada estrita do tópico:

(03)
(A informante discorre acerca da produção cinematográfica nacional)

L1 mas agora estão dizendo que estão passando aí um filme muito bom O Predileto não é?.... você ouviu falar?
L2 é ( )
L1 diz que é um filme também nesta linha brasileira... até achei graça uma amiga minha disse... "eu gostei muito do filme... porque ele tem sobretudo... uma cafonice bem brasileira ((rindo))...
L2 ah
L1 retratando determinado mundo "...eu acho que é muito bom... que o Brasil em literatura pelos seus escritores há bastante tempo... já deixou de ter o seu cordão umbilical... preso à Europa... e:: e todo o::... toda a América Latina já se desprendeu... desse cordão umbilical fazendo uma literatura muito... da terra muito do homem... nativo (...)
(NURC/SP, 33, l. 653-668)

A informante está tratando da produção cinematográfica nacional e, no trecho transcrito, menciona o filme *O Predileto*. A seguir, ela afirma que o Brasil e a América Latina já alcançaram autonomia no plano cultural, e justifica essa afirmativa com base na literatura. Esse fato significa que existe continuidade entre os dois assuntos, mas ela só se estabelece em termos bem abrangentes, a partir do conhecimento de mundo das interlocutoras, pois ambos os assuntos relacionam-se com o tópico genérico *produção cultural*.

Procedimentos discursivos de expansão do tópico

Os informantes utilizam procedimentos variados para a expansão do tópico. Esses procedimentos correspondem a diferentes formas de atuação e participação dos interlocutores e são realizados com dupla finalidade: reforçar a focalização do tópico em andamento, por meio do fornecimento de informações complementares ou adicionais, e proporcionar pistas de contextualização que venham a situar os assuntos tratados no universo cognitivo-conceitual dos interlocutores.

Os procedimentos de expansão do tópico mais frequentes são citados a seguir:

Explicitação do tópico

Trata-se do procedimento de expansão ou desenvolvimento do tópico mediante o fornecimento de informações complementares ou esclarecimentos. A explicitação pode assumir feições distintas:

- explicitação do fato:

(04)
(A informante trata da sua rotina de atividades domésticas)

    L2   (...) a gente vive de motorista o dia inTEIRO mas o dia inTEIRO... uma corrida BÁRbara e leva na escola ( ) e vais buscar... os dois estão na escola de manhã – porque eu trabalho de manhã -... então eu os levo para a escola... e vou trabalhar... depois saio na hora de buscá-los... aí

depois tem natação segunda quarta e sexta... os dois... das duas às três... tem que... saio meio-dia da escola (então) tem que vir correndo... almoçar depressa para dar tempo de digestão para poder entrar na escola às duas horas (...)
(NURC/SP, 360, l. 93-102)

A informante cita o fato de ser ela a motorista da família e tratar da rotina diária, como forma de assinalar que é esse realmente o papel a ela atribuído na divisão de trabalho do lar.

- explicitação de conceitos:

(05)

Doc. e como vocês veem a evolução da TV?
L1 *a evolução da TV... estou vendo a evolução da TV muito presa a singularidade brasileiras... e não se pode mesmo... analisá-lo fora do contexto brasileiro... então quando se pede à TV... a altura o nível... de uma televisão eu/europeia... meu Deus mas porque só a televisão tem que ter esta altura... quando as outras... os outros setores estão ainda claudicando... sob diversos aspectos?*
(NURC/SP, 333, l. 301-309)

No exemplo anterior, a informante discute o conceito "evolução da TV" e, ao mesmo tempo, emite a sua opinião acerca do nível da TV brasileira.

A explicitação do tópico, em suas diversas modalidades, tem uma nítida feição contextualizadora, à medida que contribui para a criação de uma base de conhecimentos partilhados entre os interlocutores. Aliás, os diversos procedimentos de expansão do tópico exercem essa função contextualizadora, já que todos eles, de qualquer forma, contribuem para explicitar ou esclarecer o tópico.

Os procedimentos de explicitação fluem diretamente do tópico em andamento e, assim, geralmente não são introduzidos por marcadores conversacionais. Em apenas 14% das ocorrências verifica-se a presença de marcadores (*acontece que, você vê que, veja você, diz que*) que, na maioria dos casos, exercem outra função (sobretudo o envolvimento dos ouvintes), além de assinalar a expansão do tópico.

Exemplo e analogia

Esse segundo procedimento consiste na alusão a casos particulares, representativos de uma dada situação. Veja-se o exemplo a seguir:

(06)
(Os informantes discutem os problemas advindos do crescimento, e a possibilidade de elas ficarem paralisadas)

    L1   (...) me parece que não não deve paralisar porque não tem... caso análogo (na história)... *você tem por exemplo (Tóquio) para fazer você conforme... o azar tem você fica quatro horas paralisado num trânsito... (la:: qualquer).*
    L2   mas nem por isso deixa de ir ( ).
    L1   [mas isso é relativo né? você não pode ter:: não é global isso né? *então sei lá digamos uma regiãozinha ali::...; os que não estão acostumados com a cidade pum se mete no trânsito e se se se (ficam)... talvez até:: em São Paulo... eu nunca pego o trânsito... correto?*
(NURC/SP, 343, l. 460-471)

A exemplificação torna o tópico em andamento mais concreto e acessível ao interlocutor por meio da referência a um caso particular. No trecho citado, esse procedimento tem um valor argumentativo, já que o locutor contrapõe o seu ponto de vista (que as cidades não vão ficar paralisadas) ao de sua interlocutora. Essa função concretizadora confere aos exemplos um nítido caráter contextualizador, pois, por meio deles, o locutor dá à sua opinião maiores possibilidades de ser aceita pelo interlocutor. Com isso, verifica-se que o exemplo tem um nítido caráter interacional, pois se volta para o interlocutor.

Esse mesmo caráter interacional também se manifesta nos casos em que a exemplificação assume a feição de alusão a autores e obras:

(07)

L2 que que você vê esse pessoal de teatro... para mim é:: é a classe mais sofrida que tem... entende? para mim ele esses daí... se dedicam entende? EU acho esse é o meu ponto de vista eles... investimento deles... é como você jogar na Bolsa talvez pior até entende?... o:: *rapaz aí o Altair Lima que montou Hair ele levantou uma nota... ele... agora... você pergunta assim o artista ou você perguntaria o produtor?*
Doc. não mas... em geral tudo... então se você quisesse falar se você faz uma distinção você pode falar dos dois (no caso)...
L2 *Você vê o:: o:: o Altair Lima ele é... arriscou está certo... ele arriscou ele... pôs tudo:: segundo declaração dele não sei se são demagógicas ou não ele pois... tudo que ele tinha na na montagem da peça Hair... poderia chegar aqui... não vai mon/não vão... a censura não deixa montar e está acabado... que ele aplicou ele vai para o... saiu muito bem... dizem que nessa que ele montou agora já não está... tendo a mesma aceitação que que teve o Hair... Jesus Cristo Superstar entende?... então que o que que você vê? O indivíduo joga arrisca* [... você vê é é mais fácil fechar teatro que abrir... hoje em dia fecha mais teatro do que abre...][2]
(NURC/SP, 061, l. 1279-1301)

A alusão ao espetáculo *Hair* e ao produtor Altair Lima, além da função argumentativa e contextualizadora, permite ao informante indicar, de modo explícito, que ele faz afirmações bem embasadas, com o devido conhecimento do assunto em andamento. Com efeito, por meio da alusão a *Hair*, o locutor justifica a afirmação anterior (o investimento em teatro é de alto risco) de modo consistente, pois o referido espetáculo teve, na época em que foi exibido, uma

---

2 O trecho entre colchetes não faz parte da alusão, e constitui um caso de expressão por acréscimo de informações adicionais.

ampla repercussão. Esse é, pois, um procedimento que permite ao interlocutor construir uma imagem bastante positiva de si mesmo e, assim, obter uma reação favorável das partes do seu interlocutor.

Acrescente-se que, entre os casos de exemplificação ou alusão, predominam largamente as ocorrências introduzidas por marcadores conversacionais: em 81% dos casos verifica-se a presença de marcadores ("por exemplo", "um exemplo é", "você tem por exemplo", "você vê a assemelhados").

Justificativa ou relações causais

De forma genérica, todos os procedimentos de expansão justificam as afirmações do locutor, particularmente quando se trata de temas polêmicos. Em alguns casos, porém, o locutor sente a necessidade de justificar, de forma explícita, uma afirmação ou de indicar a causa/consequência de um fato. É o que se verifica no exemplo a seguir, no qual o informante explica por que o método "braçal" foi substituído pelo computador no cálculo de estruturas:

(08)

L1 acontece o seguinte... quando eu estudei éh... tive que... éh:: aprender uma série de métodos de... cálculo dimensionamento de pontes.
L2 ahn
L1 agora vários desses... vários desses métodos não não não são mais necessários... não se aprende *porque:: eles estão suplantados né? você não precisa mais calcular ocompu/ o computador calcula... e cada vez mais o computador adquire... uma:: capacidade de calcular as coisas... não é que ELE adquire ( ) já lançaram... computadores mais perfeiçoados certo?*
L2 ahn ahn
L1 então eu peguei uma fase em que estava mais ou menos bom:: sei lá eu achei bom:: sei lá eu achei bom::... que eu aprendi bastan::te... como fazer eu mesmo... e depois aprendi como fazer pelo computador... *então eu sabia dos dois jeitos né? como eu teria que fazer...*

L2   ahn ahn
L1   *Utilizando a matemática e... como eu teria que fazer utilizando o computador*
(NURC/SP, 343, l. 838-875)

Na primeira ocorrência, o locutor justifica por que já não se utilizam os métodos de cálculo pela matemática. No segundo enunciado sublinhado, ficam explícitas as consequências de ele (o informante) ter aprendido dos dois modos. Finalmente, no terceiro trecho, ficam claras as consequências da existência desses dois métodos. Veja o exemplo a seguir:

(09)

L1   Muitas pessoas têm viajado ultimamente – ultimamente eu não tenho viajado -... tem dito por exemplo quem em va/ diversos países da Europa a televisão está muito ruim... *porque a televisão sendo estatal ela é muito uniformiZAda... não há::* espetáculos diversificados o telespectador... o::: fica sempre... preso... a filmes ou a conferências...
(NURC/SP, 333, l. 211-315)

A locutora justifica o fato de a televisão europeia não ter qualidade de programação com a alusão à falta de opções oferecidas ao telespectador.

A expansão por justificativa ou relações causais tem, como os processos já focalizados, um papel interacional, já que contribui para a criança de um contexto comum, partilhado entre os interlocutores. Além disso, esse procedimento contribui para a construção de uma imagem positiva do locutor: ao embasar suas afirmações em dados concretos, que se tornam mutuamente acessíveis, ele busca ser reconhecido como alguém que domina o assunto em pauta e não faz afirmações sem fundamento. Essa característica aproxima a expansão por justificativa da exemplificação e, do mesmo modo, verifica-se que ambos os procedimentos exercem um nítido papel argumentativo.

Outra semelhança entre os procedimentos citados no parágrafo anterior é o fato de, em ambos, predominarem largamente as ocorrências introduzidas por marcadores conversacionais. No caso da justificativa, em 87% das ocorrências verifica-se a presença de marcadores de valor coesivo ou textual ("então", "daí", "porque é que", entre outros).

Opinião pessoal ou avaliação

Nesse caso, a expansão do tópico ocorre por meio de um juízo ou opinião pessoal, os quais, com frequência, representam uma avaliação do assunto em pauta:

(10)
(A informante fala do seu relacionamento inicial com a televisão)

> L1 (...) houve uma época na minha vida que a literatura:: me fazia prestar muita atenção... e eu queria era uma fuga... então a minha fuga... era me deitar na cama... ligar o:: receptor e ficar vendo... ficar vendo... e:: aí eu comecei a prestar atenção naquela tela pequena... vi... *não só que já se fazia muita coisa boa e também muita coisa ruim é claro... mas:: vi também todas as possibilidades... que aquele veículo... ensejava e que estavam ali laTENtes para serem aproveitados...*
> (NURC/SP, 333, l. 13-21)

No exemplo anterior, ocorre um deslocamento parcial do tópico, uma forma de continuidade menos estrita, pois o enfoque deixa de ser a televisão em si e recai na opinião da informante acerca das potencialidades desse veículo. Existe, pois, uma cisão (parcial) do foco, o qual passa a incidir, a um só tempo, sobre o assunto em si (a televisão) e sobre o locutor.

Fica claro, porém, que não há ruptura tópica, mas uma manifestação da subjetividade da própria informante. Apesar desse caráter subjetivo, verifica-se que a opinião pessoal possui também um caráter contextualizador e evidencia a relevância do assunto em questão: ao tratar das potencialidades da TV, a informante ressalta a importância desse veículo.

Os juízos e opiniões vêm sempre introduzidos por certos marcadores, denominados prefaciadores de opinião. O prefaciador de opinião mais frequente e prototípico é "(eu) acho que", mas outros podem ser citados: "eu vejo", "eu creio", "eu penso" etc.

Os prefaciadores de opinião são normalmente representados por verbos na primeira pessoa, com os quais se introduz mais diretamente a subjetividade no discurso e se assinala que o foco passa a incidir não só sobre o tópico, mas também sobre o próprio locutor.

Cabe lembrar que "(eu) acho que" nem sempre tem por fundação prefaciar opiniões ou introduzir juízos ou avaliações. Em exemplos semelhantes ao próximo, a função mais evidente do referido marcador é a de atenuador:

(11)

Doc. e quando vocês quiserem... escolher uma carreira... o que as levou a escolher a carreira?
L2 a minha *eu acho*... eu não tenho certeza para julgar mas *eu acho* que foi discutida... meu pai... foi o um:: era militar:: mas avocação dele era ter sido... advogado então ele vivia dizendo isso... eu eu não tenho a impressão eu não posso dizer porque é difícil (...)
(NURC/SP, 360, l. 1511-1517)

As duas ocorrências de "eu acho" não introduzem propriamente uma opinião, mas indicam, de forma explícita, a falta de convicção da locutora que, por meio delas, sinaliza que não assume responsabilidade plena por aquilo que vai ser dito.

Objeção ou ressalva

Incluem-se neste item os casos em que um dos interlocutores dá continuidade ao tópico em andamento por meio da manifestação de um juízo ou ponto de vista contrário ao do seu interlocutor:

(12)
(Os informantes discutem questões referentes a emprego e trabalho)

L1 então o desen/ o desenvolvimento é bom porque ele dá chance de emprego para mais gente...
L2 mas você está pegando uma coisinh::nhá assim sabe? Um cara que esteja desempregado também eu posso... usar o mesmo exemplo num num sentido do contrário... o cara que está desempregado porque não consegue se empregar né? na verdade não quer... ou um outro que:: assim... muito bem empregado executivo chefe da empresa e tal mas cheio das neuroses dele... eu não sei qual está melhor...
L1 então você tem que abstrair desse aspecto porque você pode ter ambos os ca::sos você tem que pegar na média esquecendo esse aspecto particular...
L2 é mais aí:: é o tal negócio eu não me preocupo muito com a média... pra mim interessa:o:: indivíduo né?... salvação individual então eu pensar... como é que está essa média como é que está aquela... como é que está a ou/... ( ) realmente me faltam dados né? de eu não procurar esses dados de eu não me tocar muito... e ver::...
L1 é eu às vezes me preocupo com... digamos com a média pelo seguinte... eu me preocupo com o que que eu estou contribuindo com o bem da média ou não... porque eu pego e calculo uma coisa que chegou a mim... e de mim vai para outros
    (NURC/SP, 343, l. 155-580)

L1 afirma que o desenvolvimento é bom, porque assegura emprego para as pessoas, mas L2 refuta essa colocação, e fala que nem sempre a pessoa empregada é feliz. L1 contradiz essa colocação e afirma que é preciso preocupar-se com a média, mas L2, sendo psicóloga, afirma que é preciso preocupar-se com o indivíduo.

Verifica-se, assim, que não há continuidade estrita entre as falas, pois a objeção ou a ressalva implicam uma mudança parcial de enfoque. Existe, por certo, a continuidade, mas ela ocorre em termos abrangentes (nesse caso, em referência ao tópico emprego).

Noventa e oito por cento (98%) dos casos de objeção ou ressalva são introduzidos por um marcador conversacional de valor argumentativo. Mas constitui o marcador prototípico dessa modalidade de continuidade tópica, no entanto outros também aparecem ("porém", "ser bem que" etc.).

Comentários acerca dos procedimentos de expansão do tópico

Os procedimentos de expansão dividem-se em dois grupos, quando associados às formas de continuidade tópica. Incluem-se no primeiro grupo a explicitação (em suas diversas formas), a exemplificação ou analogia, e as relações causais, procedimentos nos quais ocorre a retomada do tópico em sentido estrito (continuidade colaborativa). Já nos dois outros procedimentos de expansão estudados (opiniões e juízos, objeções e ressalvas) ocorre a retomada do tópico em termos amplos (continuidade incorporativa). Com efeito, verifica-se que, nesses dois procedimentos, o enfoque se desloca do assunto em si para a esfera da subjetividade, manifestada pelo modo de ver ou sentir do locutor ou, ainda, por um ponto de vista divergente.

A continuidade do assunto em termos estritos constitui a forma de expansão mais nítida e evidente, pois nela ocorre o desdobramento do tópico. Com esse desdobramento, o locutor procura evidenciar a pertinência do tópico e do enfoque por ele atribuído e, do mesmo modo, busca inserir o assunto tratado no universo cognitivo e conceitual dos demais interlocutores. Essas formas de continuidade possibilitam o enquadramento do tópico e, por isso, é a mais frequente, como será discutido no próximo item desta exposição.

Nas formas de continuidade incorporativa não há propriamente um desdobramento do assunto, mas a exposição da opinião ou do ponto de vista do locutor. Por isso mesmo, essas formas são menos frequentes, e correspondem a momentos específicos do desenvolvimento da interação, nos quais aflora, de forma mais direta, a subjetividade dos interlocutores. O tópico não se expande de dentro para fora, de modo que o papel contextualizador dos procedimentos que manifestam a continuidade incorporativa é menos nítido.

Distribuição dos procedimentos de expansão

O quadro a seguir expõe os percentuais referentes às diversas formas de expansão do tópico:

MODALIDADE	%
Explicitação	58
Exemplificação	16
Relações causais	12
Objeção ou ressalva	06
Opinião	08

Quadro 1 Modalidade de expansão do tópico (dados percentuais)

A modalidade de expansão mais frequente é representada pelas diversas formas de explicitação. Esse predomínio é devido ao fato de ser ela a que permite – de forma mais direta – a criação de um espaço comum partilhado pelos interlocutores. Usando-se uma imagem concreta, pode-se admitir que a explicitação corresponde ao desembrulhar de um pacote, e isso permite colocar em evidência as características de um ser, os desdobramentos de um conceito ou as particularidades de um fato. Essa evidenciação ilumina o tópico e permite inseri-lo no conhecimento prévio de cada interlocutor e no contexto partilhado que se cria no momento da interação verbal.

Esse mesmo papel interacional pode ser encontrado no fato de a expansão reforçar o enquadramento estabelecido pelos interlocutores em relação ao tópico em andamento. Aliás, dentro da dinâmica do texto conversacional, esse enquadramento é sempre necessário, como forma de mostrar que o enfoque é pertinente e o tópico não está esgotado.

O papel de contextualização e enquadramento também pertence à exemplificação e às relações causais. Na primeira, esse papel é exercido pela alusão a um caso particular; já nas relações causais, é a explicitação da causa e da consequência que permite a inserção do tópico no universo cognitivo dos interlocutores.

Esse papel contextualizador faz com que a explicitação, as relações causais e a menção de exemplos correspondam a efeitos contextuais, conceito discutido por Sperber e Wilson (1986: 109 e ss.). Segundo os citados autores, os efeitos contextuais permitem a interação entre informações velhas e novas, de modo que entre ambas se cria uma implicação. Ainda de acordo com os citados autores, existem duas espécies de efeitos contextuais: a primeira são aqueles procedimentos que fornecem informações adicionais e, assim, reforçam o já mencionado; a outra espécie é representada pelos efeitos contrários ao que foi dito.

As modalidades de expansão ligadas à continuidade incorporativa (opiniões, objeções ou ressalvas) correspondem ao segundo tipo de efeitos contextuais, pois com eles o locutor busca redirecionar o que foi dito. No caso da objeção, esse redirecionamento é bastante nítido, mas também há mudança de rumo na manifestação de opiniões, na qual os locutores deixam de tratar do assunto em si para dizerem o que pensam do tópico em si.

Considerações finais

O estudo do tópico discursivo evidencia a relevância que ele (o tópico) possui na construção do texto falado e no estabelecimento e manutenção do texto falado. A asserção anterior justifica-se com base em dois argumentos.

O primeiro argumento é o fato de que o tópico constitui o motivo principal para a reiteração de dois ou mais sujeitos: embora seja um truísmo, cabe sempre lembrar que dois ou mais interlocutores só interagem se tiverem algo para dizer, nem que sejam futilidades ou apenas busquem preencher o silêncio. Além disso, o esgotamento do tópico conduz ao fim da interação, e esta só terá continuidade se for introduzido um novo tópico, correspondente a uma nova centração. Em outros termos, o tópico se mantém apenas enquanto os participantes do ato interacional tiverem a atenção centrada no mesmo foco, identificado por um conjunto de referentes textuais explícitos ou inferíveis.

O segundo argumento diz respeito ao dinamismo na construção do tópico e à coparticipação dos interlocutores nessa tarefa. Com efeito, os participantes atuam decisivamente na construção do tópico, por meio de procedimentos de expansão e continuidade variados, mas eles (os participantes) sempre buscam manter a mesma centração. Mesmo nas interações assimétricas (em aulas, por exemplo), o locutor não pode deixar de levar em conta as reações dos interlocutores.

O estudo do tópico discursivo oferece um leque de possibilidades, além da que foi efetuada neste trabalho: os procedimentos de introdução e encerramento de tópicos; o desenvolvimento do tópico em diferentes gêneros textuais falados e escritos; pontos convergentes da expansão do tópico na fala e na escrita; entre outros.

Referências

BRAIT, B. O processo interacional. In: PRETI, D. (Org.). *Análise de textos orais*. São Paulo: Humanitas, 1993. p. 189-214.

BROWN, G.; YULE, G. *Discourse Analysis*. Londres: Oxford Press, 1983.

CALLOU, D.; LOPES, C. R. *A linguagem falada culta na cidade do Rio de Janeiro*. Diálogos entre dois informantes. Rio de Janeiro: UFRJ; Capes, 1994. v. 3.

CASTILHO, A. T. de; PRETI, D. (Org.). *A linguagem falada culta na cidade de São Paulo*. Diálogos entre dois informantes. São Paulo: T. A. Queiroz; Fapesp, 1987. v. 2.

GALEMBECK, P. T. O tópico discursivo: procedimentos de expansão. In: PRETI, D. (Org.). *Diálogos na fala e na escrita*. 2. ed. São Paulo: Humanitas, 2008. p. 277-297.

_____; MENA, F.. Procedimentos de expansão do tópico em diálogos simétricos. *Signum*: estudos da linguagem, v. 7, n. 2, p. 69-89, 2004. Disponível em: <http://www.uel.br/revistas/uel/index.php/signum/article/view/3905>. Acesso em: 25 jul. 2017.

GOFFMAN, E. Replies and Responses. *Language in Society*, v. 5, n. 4, p. 257-313, 1976.

JUBRAN, C. C. S. et al. Organização tópica da conversação. In: ILARI, R. (Org.). *Gramática do português falado*. Níveis de análise linguística. Campinas: Unicamp; Fapesp, 1993. v. 2, p. 357-397.

_____. Inserção: um fenômeno de descontinuidade na organização tópica. In: CASTILHO, A. T. de (Org.). *Gramática do português falado*. As abordagens. Campinas: Unicamp; Fapesp, 1994. v. III, p. 61-74.

_____. Tópico discursivo. In: ILARI, R. (Org.) *A construção do texto falado*. São Paulo: Fapesp/Contexto, 2015. p. 85-125.

KEENAN, E. O.; SCHIEFFELIN, B. B. Topic as a discourse notion: a study of topic in the conversations of children and adults. In: LI, C. N. (Ed.) *Subject and Topic*. Nova York: Academic Press, 1976. p. 337-384.

MARCUSCHI, L. A. *Análise da conversação*. São Paulo: Ática, 1986.

SPERBER, D.; WILSON, D. Relevance. *Communication and cognition*. Cambridge, Massachusets: Harvard University Press, 1986.

10

Linguística Textual e as heterogeneidades enunciativas

Mônica Magalhães Cavalcante
Mariza Angélica Paiva Brito

Introdução

Neste capítulo, relacionamos dois aportes teóricos: a Linguística da Enunciação defendida por Authier-Revuz (1990; 2004) e os processos referenciais definidos nos estudos da Linguística Textual desenvolvida no Brasil por Marcuschi (1998), Koch (2004), Jubran (1992), Fávero (1983), Cavalcante (2011), Cavalcante, Custódio Filho e Brito (2014), entre vários outros. Nosso objetivo geral é mostrar como os processos referenciais podem colaborar para a marcação de heterogeneidades enunciativas, descritas originalmente por Authier-Revuz.

Inúmeros estudos em Linguística Textual e em análises de discurso têm comprovado a importância das escolhas lexicais para os propósitos argumentativos dos locutores. Koch, por exemplo, em pesquisas sobre referenciação (ver, entre outros, KOCH e ELIAS, 2006), tem advogado em favor da ideia de que os processos referenciais funcionam como uma espinha dorsal do texto, que permite ao leitor/ouvinte construir, com base na maneira como se encadeiam e remetem umas às outras, um roteiro que o orienta em leituras possíveis projetadas a partir do cotexto.

Também Marcuschi (1998, e em vários outros estudos), sempre negando a neutralidade de qualquer texto, assumia o pressuposto de que apresentar o pensamento de um dado autor não é apenas uma oferta de informações, mas também, e principalmente, uma tomada de posição ante o que se menciona. Como afirma Brait (1999, p. 200), "um ato de linguagem é uma interação pelo fato de fundar-se no olhar avaliativo dos parceiros, isto é, daqueles que participam desse ato com a atenção profundamente voltada para todos os aspectos que, de alguma forma, interferem nesse evento".

As escolhas, tanto lexicais, quanto referenciais, quanto organizacionais, não são, portanto, apenas estilísticas, mas especialmente interpretativas e avaliativas. Sobre o aspecto organizacional, como afirma Silveira (2007, p. 57), desde a retórica aristotélica, atenta-se para a estrutura do discurso, para o modo como os elementos do texto são arranjados a fim de colaborar para a persuasão. A *dispositio* "é o modo como as diferentes partes de um discurso, a saber, exórdio, proposição, partição, narração/descrição, argumentação (confirmação ou refutação) e peroração, são dispostas"[1] no texto.

No presente estudo, demonstramos como a escolha dos processos referenciais e dos modos como eles se manifestam podem marcar as heterogeneidades enunciativas. Esse relacionamento teórico pode ser bastante frutífero para a Linguística Textual, como se vê na tese de Brito (2010), que analisa a emergência de referentes em jogos polifônicos engatilhados pelas marcas de heterogeneidade enunciativa.

Dividimos este capítulo em dois itens: o primeiro é destinado à definição dos tipos de heterogeneidade enunciativa; o segundo é voltado para a caracterização dos processos referenciais e para a explicação de como a referenciação pode assinalar a presença de diferentes vozes enunciativas no texto.

As heterogeneidades enunciativas

Segundo Authier-Revuz (1998, 2004), o dizer dispõe de inúmeras possibilidades de manifestação lexical para nomear um único elemento da maneira

---

[1] Entenda-se *discurso*, nesta citação, como gênero discurso oral, praticado por oradores na Grécia Antiga.

mais adequada possível. Mas essa adequação perfeita da forma de expressão ao dizer é, na verdade, inalcançável, como defende a autora. Como diz Settineri (2001, p. 35), essa representação de homogeneidade do discurso é fantasmática, para que o sujeito se coloque na posição de supostamente deter um domínio sobre seu próprio discurso.

Authier-Revuz reivindica que todo dizer é, na verdade, constitutivamente heterogêneo e que essa não coincidência de vozes pode, às vezes, ser flagrada na materialidade textual e ser, portanto, mostrada. As heterogeneidades mostradas que a autora mais descreveu foram as não coincidências do dizer, as quais ela resume em quatro tipos:

a) entre os interlocutores, nas situações de mal-entendido, quando se pretende evitar conotações negativas, reprováveis;
b) do discurso com outros discursos, que constitutivamente o atravessam em já-ditos intermináveis;
c) entre as palavras e as coisas (diremos, em vez disso: entre as palavras e os referentes a que eles remetem), "entre a língua, como sistema finito de oposições distintivas, e a experiência do real, inscrita na singularidade, no contínuo, no não finito" (AUTHIER-REVUZ, 2004, p. 86);
d) da língua com ela mesma, pois a materialidade significante em que o sistema se realiza é de uma equivocidade generalizada.

As duas primeiras se aproximam do dialogismo bakhtiniano; as duas últimas advêm da realidade da língua, do sistema de signo e do corpo da equivocidade. A heterogeneidade constitutiva do dizer é atravessada permanentemente pelo outro a quem se dirige e aos já-ditos de outros textos; é uma heterogeneidade não localizável, irrepresentável. A heterogeneidade mostrada é intencional e contingente, comporta expressões como "conforme você diz", "para falar como você", "não para mim", e muitas outras. A autora só considera como "mostração" da heterogeneidade um conjunto de marcas explícitas, às quais denomina de heterogeneidade mostrada "marcada"; e um conjunto de marcas "implícitas" (entenda-se: sem assinalações de tipografia e sem verbos *dicendi*, por exemplo). Estamos propondo que existem outras formas de marcar a heterogeneidade mostrada, e uma delas é a ancoragem de processos referenciais.

Situar-se no campo da Linguística da Enunciação é tratar o sujeito como a representação que a enunciação faz erigir em relação a ele; é por intermédio do sujeito que diz que alcançamos o dizer e, por conseguinte, a enunciação.

Os exteriores teóricos convocados para a definição de heterogeneidade

Em seu artigo de 1990, Authier-Revuz elabora as duas maneiras pelas quais pode ser apresentada a alteridade no discurso: a heterogeneidade mostrada e a heterogeneidade constitutiva. As heterogeneidades mostradas são linguisticamente descritíveis, afirma a autora; são elas: discurso indireto, aspas, glosas etc. Elas contestam a homogeneidade do discurso, mostrando o outro em sua linearidade. Diferentemente, a heterogeneidade constitutiva, não marcada em sua superfície, é um princípio que fundamenta a própria natureza da linguagem, ou seja, é constitutivo da língua e, como um princípio da linguagem, não é abordado diretamente, pois não há materialidade em sua existência abstrata.

Para dar sustentação à ideia de heterogeneidade constitutiva do sujeito e de seu discurso, Authier-Revuz (1990) lança mão de uma ancoragem exterior à linguística. Apoia-se em duas abordagens "fora" do campo da linguística: o dialogismo bakhtiniano e a psicanálise lacaniana. Assim explica a autora: "sem se perder ou se diluir, mantendo-se em seu terreno, parece-me que a linguística deve levar em conta, efetivamente, esses pontos de vista exteriores e os deslocamentos que eles operam no seu próprio campo" (1990, p.100).

O dialogismo bakhtiniano faz da interação com o discurso do outro o princípio constitutivo de qualquer discurso. Authier-Revuz toma esse princípio em duas diferentes concepções: a do diálogo entre interlocutores e a do diálogo entre discursos, referidos, sob a ótica da autora, com os termos "interação e discursividade" (1990, p. 140).

No primeiro modo, o dialogismo não se reduz ao diálogo face a face, pois o que Bakhtin propõe é uma teoria da dialogização interna do discurso.

Na concepção do autor, a comunicação é muito mais que a transmissão de mensagens. O discurso não é nunca individual, pois, em cada enunciado, em cada palavra, ressoam duas vozes, a do eu e a do outro. Isto é, o dialogismo traz a ideia de que o discurso não se constrói a não ser pelo atravessamento de uma variedade de discursos, as palavras sendo já "habitadas" por outras e assim *ad infinitum*. Para Bakhtin (2000, p. 89), não há palavras neutras, todas as palavras estão fatalmente carregadas, atravessadas pela alteridade. Todo discurso se encontra diretamente determinado por uma resposta antecipada: "Ao se construir na atmosfera do já-dito, ele se orienta tanto para o espaço interdiscursivo como para o discurso-resposta que ainda não foi dito, mas foi solicitado a surgir, sendo já esperado".

Esse outro a que Bakhtin se refere não é nem o duplo de uma interação face a face, nem o diferente, mas é aquele outro que *atravessa constitutivamente o um*, aquele que representa uma voz identificada a ideologias. O outro de Bakhtin é eminentemente oposto ao outro postulado pela psicanálise freud-lacaniana. A psicanálise é trazida para o escopo teórico de Authier-Revuz pela dupla concepção que apresenta de uma fala fundamentalmente heterogênea e de um sujeito dividido em sua estrutura. Conforme Teixeira (2005), a palavra, supostamente capaz de carregar em si uma intenção consciente que possibilita a comunicação efetiva, frequentemente erra o alvo, tropeçando, falhando, de modo a quebrar a continuidade lógica do pensamento e dos comportamentos da vida cotidiana. Essas falhas, geralmente atribuídas ao acaso, estabelecem rupturas no discurso, levando o falante a interromper o fluxo normal da conversa para pedir desculpas, tentar reformular, apagar ou diluir seus efeitos.

Esses desvios, nomeados por Freud (1993a [1905] e 1993b [1909]) de *atos falhos*, que se apresentam sob a forma de lapsos, falsa leitura, falsa audição, perda, equívoco etc., ainda podem ser detectados através de certos fenômenos psíquicos, como nos sonhos, nos sintomas neuróticos e nos chistes.[2] Isso, de modo particular, mobilizou a atenção de Authier-Revuz, na medida em que a psicanálise mostra que, atrás da linearidade da emissão por uma única voz, faz-se ouvir uma pluralidade de vozes – a descontinuidade, o discurso

---

2   Freud dedicou dois livros inteiros aos tropeços de linguagem: *Psicopatologia da vida cotidiana*, de 190e, e *Os chistes e sua relação com o inconsciente,* de 1909.

sendo constitutivamente atravessado pelo discurso do outro. Esses tropeços assinalam a revelação de um desejo inconsciente, ao mesmo tempo que são o atestado de um inconsciente estruturado como uma linguagem.

O ponto nodal desse fenômeno para Authier-Revuz (1982) é a constatação de que *sempre nas palavras outras palavras são ditas* e é a própria estrutura material da língua que permite a escuta dessas ressonâncias – não intencionais, saliente-se – que rompem a suposta homogeneidade do discurso. Dessa forma, a linguagem é duplicada em uma outra cena pela própria linguagem, e isso se deixa surpreender na linearidade, através de rupturas, choques e desvios. O discurso deixa de ser apenas explícito e passa a ter o peso de um outro, que ignoramos, ou recusamos, aquele cuja presença permanente emerge sob a forma de uma falha.

A conotação autonímica: a menção e o uso

Como vimos, Authier-Revuz (1982) elege dois tipos de heterogeneidades, denominadas de *constitutiva* e *mostrada*, para designar o fenômeno de linguagem em que o distanciamento entre as enunciações, a divisão das vozes discursivas e a clivagem do sujeito-enunciador aparecem como fatos marcantes no uso da linguagem verbal.

No texto de 1998, Authier-Revuz já planeja suas primeiras rupturas com o *discurso citado*. Para Teixeira (2005), a autora entende o discurso citado como um relato de atos de enunciação e não simplesmente de palavras. Authier-Revuz comprova as variações morfossintáticas do fenômeno mais amplo do discurso citado com o discurso direto (DD) e com o discurso indireto (DI), representando-os assim: "Dizer {: "..." para o DD; Dizer {: que... para o DI".

Authier-Revuz observa que o "que", no DI, atesta uma operação de tradução, ou seja, uma reutilização pelo locutor das palavras de um outro ato de enunciação, cujas palavras originais foram irremediavelmente perdidas. Teixeira (2005) comenta que essa análise tem muito de inovadora com relação à visão tradicional da gramática.[3]

---

3 Para a gramática tradicional o "que" é um mero marcador da variação morfossintática que ocorre na passagem do DD ao DI.

Já em seu texto "Palavras mantidas a distância",[4] Authier-Revuz (2004) aborda também outra importante forma de indicação do discurso do outro: as aspas. Primeiramente, ela apresenta as aspas como um sinal de distanciamento que o locutor pode impor ao que é dito. Tomando por base Rey-Debove (1978), Authier-Revuz aponta dois valores possíveis para o uso das aspas: a autonímia e a conotação autonímica. Como diz a semioticista: "tome um signo, fale dele e você terá uma autonímia" (REY-DEBOVE, 1978, p. 144). E é também dessa autora que Authier-Revuz se vale em suas teorizações para definir o seu objeto de estudo privilegiado, a *modalização autonímica*, em que se inserem as não coincidências do dizer.

A autonímia é um fenômeno de automenção. Por exemplo, em uma frase do tipo "A palavra 'boneca' tem três sílabas", a palavra "boneca" é vista como tendo sido *mencionada* pelo locutor e não *usada* por ele, o que configura um caso de autodesignação do signo, exatamente o que caracteriza a autonímia. No entanto, Authier-Revuz não reduz esse fenômeno a um emprego *especial* de *menção* em oposição ao seu emprego normal, ou seja, *em uso*. Para ela, o signo autonímico é um outro, que não o signo em uso e também não o signo em menção. Na passagem do signo comum ao signo autonímico, uma transformação ocorre: de um signo de semiótica simples a um signo de semiótica complexa, nasce um novo signo, homônimo do primeiro.

Em outros termos, o signo autonímico é um outro signo, mas que apresenta os mesmos significantes do signo normal – em uso –, aquele que tem significante e significado, assim como o de Saussure. Assim ilustra Authier--Revuz (1998) o seu raciocínio:

a) Compor é difícil.
b) "Compor" é uma palavra ambígua.
c) É um "marginal", como dizemos hoje em dia.

Em (a), podemos encontrar a situação normal de uso do signo. Isso porque *compor* é um signo simples, cujo significante é /kõp'or/ e cujo significado é <compor>. No exemplo (b), é como se o signo "compor" tivesse dois

---
4   *Paroles tênues à distance*, 1981.

andares.⁵ Temos aí um signo autonímico cujo significante é /kõpʼor/ e cujo significado, equivalente à palavra *compor*, é formado pela própria união do significante /kõpʼor/ com o significado <compor>. É pelo fato de o significante ser parte integrante do significado do signo autonímico que lhe é atribuído um estatuto semiótico complexo. Do ponto de vista da referenciação, dizemos que "Compor", aspeado, introduz um referente que aponta para o próprio lexema, tal como convencionado na língua, com sua forma e conteúdo.

Note-se, desde já, que as explicações de Authier-Revuz (1998), no que tange à distinção entre *uso*, *menção* e *autonímia*, recorrem à definição de signo do estruturalismo clássico, que descreve o signo como composto de duas metades: significante e significado; o referente só é contemplado indiretamente. Essa não é a abordagem que adotamos em nosso estudo, pois estamos lidando com uma noção de signo que inclui, necessariamente, o referente, mas – ressalve-se – não um referente que corresponde às coisas do mundo em si mesmas e, sim, uma representação interacional e discursiva delas.

As aspas em (b), para Authier-Revuz, representam um corpo estranho, um objeto mostrado ao receptor que quebra a expectativa do uso simples, ao passar a ser autonímico. Algo diferente ocorre com as aspas do exemplo (c), que, ao mesmo tempo em que laçam o termo "marginal", fazendo refletir sobre ele num processo autonímico, dão-lhe uma conotação diferente: "é um marginal". Além disso, o enunciado acrescenta, com uma pausa sintática, a expressão "como dizemos hoje em dia", que marca a voz desse dizer, modalizando-o. Desse modo, constrói-se uma referência⁶ a um indivíduo que se encontra à margem da sociedade para fazer, com isso, a palavra "marginal" ganhar voz. Assim, estamos diante de um caso em que:

> A palavra torna-se objeto do dizer ao mesmo tempo que é utilizada: fala-se da "coisa" e simultaneamente da palavra pela qual se fala da "coisa", acumulando-se dois empregos: o uso e a menção. (...) Relativamente à semiótica denotativa que fala do "mundo" (...) e à

---

5   Cf. Authier-Revuz (1995, p. 30).
6   Observe-se que Authier-Revuz se vale da noção de referente dentro do signo para propor a complexidade do significado autonímico e da conotação autonímica.

semiótica metalinguística que fala do signo via autonímico (...), a conotação autonímica aparece como uma estrutura em que se acumulam as duas semióticas, constituindo um modo bastardo em que se emprega e se cita o signo ao mesmo tempo (...). (TEIXEIRA, 2005, p. 142)

A *conotação autonímica* consiste, portanto, nesse fenômeno cumulativo de uso e menção, assim como a autonímia, mas, diferentemente desta, a conotação autonímica promove uma ressignificação. Se olharmos para essa situação de conotação autonímica do ponto de vista da referenciação, diremos que as aspas podem marcar o aparecimento conjunto de dois referentes que apontam para duas vozes distintas: uma delas, a do locutor, imprime um sentido e um referente particulares ao termo aspeado, como neste exemplo possível:

(1) Enxugue suas "lágrimas"!

Podemos pensar, para essa situação hipotética, que o locutor faz emergirem daí dois referentes: um que corresponde às lágrimas convencionalmente aceitas como resultantes de algum tipo de sofrimento; outro que corresponde a lágrimas não verdadeiras, ou não sinceras, não advindas de um sofrimento. As aspas assinalam, pois, na conotação autonímica, essa ambiguidade proposital, de sentidos e de referências, assim como marcam a voz de dois enunciadores: um que manda enxugar as lágrimas socialmente convencionadas como tais e outro que acusa de falsas as lágrimas derramadas.

Outra situação é aquela exemplificada por Authier-Revuz em (c): "é um 'marginal', como dizemos hoje em dia", em que, além da conotação autonímica, faz-se uma modalização autonímica. Nesse caso, temos um referente recebendo a designação de "marginal" pelo locutor, o qual atribui essa denominação a uma voz coletiva, dividindo, assim, a responsabilidade de seu dizer. O referente é considerado um marginal, como são marginais muitos outros referentes semelhantes a ele e com os quais ele se associa.

Authier-Revuz (2004) distribui as aspas de conotação autonímica em cinco possibilidades (essa descrição constituiu o alicerce para o que, em estudos posteriores, a autora chamaria de *não coincidências do dizer*): as aspas de diferenciação; as aspas de condescendência; as aspas de proteção; as aspas de questionamento ofensivo; e as aspas de ênfase.

a) **Aspas de diferenciação** – são usadas em estrangeirismos, neologismos, palavras técnicas e familiares, para assinalar a distância entre as palavras do locutor e as dos outros:[7]

    (2) O "sit-in" dos estudantes defronte da embaixada...
    (3) A "giscardização" acelerada da administração superior.

b) **Aspas de condescendência** – são usadas quando o locutor, assumindo uma posição paternalista, utiliza uma palavra apropriada ao universo do receptor, mas, como que a preservar a própria imagem, marca com aspas seu distanciamento em relação a esse universo:

    (4) Ora, muitas vezes, essa atividade da célula se torna lenta. A pele, especialmente se for seca ou fina, "estica" e "se marca" por qualquer coisa.

Cremos que esse uso assinala, metadiscursivamente, uma atenuação, uma suavização do dizer, para que o locutor se proteja do julgamento do interlocutor. Quando esse tipo de aspas incide sobre uma expressão referencial, emergem dois referentes associados a vozes distintas na enunciação. É interessante destacar que a maioria dos usos das aspas está ligada a uma espécie de defesa do enunciador, numa tentativa de preservação de faces. Brown e Levinson (1987)[8] consideram a polidez linguística como um sistema complexo de estratégias que auxiliam no distanciamento de atos ameaçadores de face, que são geradores potenciais de conflito na interação. Pensamos que esse uso de condescendência tenha exatamente essa função.

---

7   Os exemplos foram retirados de Authier-Revuz (2004, p. 131).
8   Para saber mais sobre a teoria da polidez, ver: BROWN, P. & LEVINSON, S. *Politeness: some universals in language usage*, Cambrige, University Press, 1987.

c) **Aspas de proteção** – usadas quando o locutor é levado a empregar palavras que julga carregadas de um saber que não considera ter ou relacionadas a uma situação social que julga não ser a sua; como forma de proteção, opta, então, pelo aspeamento:

(5) A publicação por La Croix da entrevista de M. Beullac teve o efeito de uma "bomba".

É como se o locutor pusesse em cena, a nosso ver, dois referentes: uma bomba tomada convencionalmente e outra com uma nuança diferente, que não é exatamente uma bomba, mas um espanto metaforizado. As aspas pedem licença ao interlocutor para usar de uma conotação diferente. Esse emprego é, na verdade, muito próximo das aspas de condescendência. Acreditamos que haja uma espécie de gradação de aproximações e distanciamentos do locutor em relação ao dizer, revelando quanto ele consegue, a cada uso, assumir a responsabilidade pelo que diz.

d) **Aspas de questionamento ofensivo** – usadas quando o locutor é obrigado a se expressar por meio de palavras que percebe como impostas pelo exterior, tomando suas próprias palavras como interditadas; o uso das aspas é utilizado como forma de defesa e demonstra "uma reação ofensiva em uma situação dominada" (AUTHIER-REVUZ, 2004, p. 132):

(6) Toda criança que vem ao mundo por "acidente" pode muito bem ser, de fato, inconscientemente desejada.

A marcação das aspas indica o reconhecimento ilusório, para o locutor, de uma outra voz, não apropriada, vinda de outro lugar. Por outro lado, segundo Teixeira (2005), as aspas atestam uma imperfeição constitutiva, pois, se a palavra com aspas está na margem de um discurso, não é no sentido de que possa ser desprezada, pois se trata de uma margem que delimita e constitui o discurso.

e) **Aspas de ênfase** – usadas como forma de ressaltar aquilo que realmente se quer dizer; funcionam como uma resposta à suspensão de responsabilidade própria a qualquer colocação de aspas; esse último tipo pode ser substituído por itálico ou negrito, conforme a autora:

(7) [...] LA CROIX lhe traz as informações, as precisões, os números graças aos quais você formará uma opinião ("sua" opinião) e graças aos quais você não se deixará enganar com facilidade.

Esse emprego, diferentemente dos três anteriores, assinala uma reafirmação do dizer, uma enfatização do que se deseja expressar.

Conforme Authier-Revuz (2004, p. 219, grifo nosso): "as aspas estão presentes em uma fala sob **vigilância**, sob controle". Entendemos que esse tipo de ocorrência constitui uma estratégia argumentativa com efeito persuasivo.[9] Reconsideramos a classificação das aspas de Authier-Revuz, agrupando os aspeamentos que compartilham uma mesma função no texto, como, por exemplo, as aspas de proteção e as aspas de condescendência. Esses dois tipos de aspas são usados, a nosso ver, como uma espécie de preservação de face do locutor em relação a seu interlocutor. Tanto as aspas de proteção como as de condescendência têm o propósito de manter a polidez entre os falantes. Estamos propondo, neste trabalho, a seguinte associação de funções para quatro tipos de aspas:

---

9   Não é nosso objetivo, neste capítulo, refletir mais aprofundadamente sobre o uso argumentativo das aspas. Para saber mais sobre esse estudo, ver a pesquisa de BRITO, M. A. P.; CABRAL, A.; SILVA, J. E. *O uso argumentativo das aspas*. Fortaleza, 2016. (no prelo).

Tipos de aspas	Função das aspas
Aspas de diferenciação	Diferenciar as palavras usadas em estrangeirismos, neologismos, palavras técnicas e familiares.
Aspas de proteção e Aspas de condescendência	Preservar a face para manter a polidez; as aspas são usadas em posição paternalista em relação ao interlocutor.
Aspas de questionamento ofensivo	Demonstrar ironia, irritação ou desacordo com o locutor; as aspas são usadas quando o locutor é obrigado a se expressar por meio de palavras que percebe como impostas pelo exterior, tomando suas próprias palavras como interditadas.
Aspas de ênfase	Dar ênfase a uma palavra; as aspas são usadas como forma de ressaltar aquilo que realmente se quer dizer.

Quadro 1 Quadro elaborado por Brito (2016)

As aspas de ênfase estão na contramão dos demais tipos de aspas, na medida em que, em vez de distanciar o locutor do seu dizer, aproxima-o do seu interlocutor, ressaltando a palavra, chamando a atenção para ela. Authier-Revuz afirma que as aspas de ênfase funcionam como uma resposta à suspensão de responsabilidade própria a qualquer colocação de aspas; elas podem ser substituídas por itálico ou por negrito quando em função equivalente.

O modo pelo qual se manifesta a negociação do sujeito falante com a heterogeneidade é estudado por Authier-Revuz como um caso de "modalização autonímica",[10] que é a propriedade de reflexibilidade da linguagem, a capacidade que ela tem de ser sua própria metalinguagem. A autora mostra que as formas da modalidade autonímica dividem a enunciação em dois territórios:

1. O do emprego *standard* das palavras, o território da coincidência;
2. O da inquietude crítica, que sente um problema e em função disso não pode deixar a palavra funcionar sozinha, o território da não coincidência.

---

10 Para aprofundar mais esse tema, ver a tese completa de Authier-Revuz (1990).

Para Teixeira (2005), essas formas remetem à negociação obrigatória dos enunciadores com as não coincidências ou as heterogeneidades que, constitutivamente, atravessam o dizer, representando, então, um ponto de "não um", um ponto problemático na produção do sentido. Chegamos, assim, ao estudo de Authier-Revuz (1990), que trata das não coincidências do dizer no fio discursivo.

A inquietude crítica das não coincidências do dizer

As não coincidências do dizer aparecem porque existe no discurso mais de uma intenção além da de comunicar. Lacan (1999) afirma que a segunda intenção do discurso como discurso, do discurso que se interroga, que interroga as coisas em relação a si mesmo, em relação a sua situação no discurso que não é mais exclamação, interpelação, grito, é uma necessidade de nomeação. É daí o corte repentino na ordem linear do discurso para a inserção de uma não coincidência do dizer, uma necessidade de expressão.

Podemos dizer que as não coincidências do dizer são um tipo especial de heterogeneidade enunciativa construída a partir da modalização autonímica. As não coincidências realizam, na linearidade enunciativa, um movimento de laçada reflexiva, na qual o enunciado torna-se objeto da própria enunciação, cujo resultado primeiro é a opacificação enunciativa.[11]

As modalizações autonímicas são descritas como fatos de não coincidência e representam, a nosso ver, uma das maneiras de essa heterogeneidade se materializar. Como anunciamos no início deste capítulo, são quatro as não coincidências postuladas pela autora:

A) **Não coincidência interlocutiva** entre enunciador e destinatário, em glosas que, com estratégias bastante diversas, representam o fato de que uma palavra, uma maneira de dizer, ou um sentido não são imediatamente, ou de modo algum, partilhados – no sentido de

---

11 Opacificação enunciativa é um dos efeitos provocados pela modalização autonímica e consiste em uma demonstração de que o sentido da enunciação em curso não é óbvio, isto é, não é transparente a(o) sujeito(s)-enunciador(es). Quando se laça uma palavra para refletir sobre ela, metadiscursivamente, tem-se uma opacificação.

comum a – pelos dois protagonistas da enunciação. Por exemplo, *digamos X; X, passe-me a expressão; X, compreenda...; X, se você quer; X, se você vê o que quero dizer*; etc., expressões utilizadas pelo enunciador, na tentativa de reinstaurar a unidade de coenunciação, no ponto em que se sente ameaçado. Pode, ao contrário disso, assumir o ponto de não coincidência: *X, assim como você ousa dizer; X, sei que você não gosta da palavra; X, como você não diz*; etc.

B) **Não coincidência do discurso com ele mesmo**, em glosas que assinalam no discurso a presença estranha de palavras marcadas como pertencentes a outro discurso e que, através de um leque completo de relações com o outro, desenham no discurso o traçado que depende de uma "interdiscursividade mostrada", de uma fronteira interior/exterior. Por exemplo, quando se diz: *X, como diz fulano; para retomar as palavras de X; X, no sentido que fulano emprega; X, no sentido de tal discurso*; etc.

C) **Não coincidência entre as palavras e as coisas**, posta em jogo em glosas que representam as buscas, hesitações, fracassos, êxitos na produção da "palavra certa", plenamente adequada à coisa. Por exemplo, em: *X, por assim dizer; X, maneira de dizer; como eu diria? X; X, melhor dizendo, Y; X, não, mas eu não encontro palavra; X, é essa a palavra; não há palavra; X, não existe outra palavra*; etc.

D) **Não coincidência das palavras com elas mesmas**, em glosas que designam, como uma recusa (por especificação de um sentido), ou ao contrário da aceitação (por sua integração ao sentido) dos fatos de polissemia, de homonímia, de trocadilho etc., como em: *X, em sentido próprio, figurado; X, não no sentido...; X, nos dois sentidos; X em todos os sentidos do termo; X, é o caso de dizê-lo, se ouso dizer*; etc.

Como podemos constatar, a classificação da autora se volta inteiramente para as marcas descritíveis proferidas por um sujeito que pensa ser dono de seu dizer. Em outras palavras, o sujeito, ao se deparar com a não coincidência de seu dizer, volta-se para ele e faz um ato de *reflexão metaenunciativa*. Para Authier-Revuz, as marcas só podem ser identificadas porque o sujeito tem plena consciência de seu ato enunciativo: ele para, olha, reflete e se distancia do seu dito.

Consoante Authier-Revuz (2004), a utilização dessas formas metaenunciativas é como uma costura aparente no tecido do dizer, visando obturar a falha constitutiva do sujeito. A autora privilegia as formas marcadas, diretamente observáveis no fio do discurso: discurso relatado, retomadas, reformulações no espaço de uma intertextualidade.

Cabe, aqui, esclarecer que, para Authier-Revuz, *marca* é sempre uma marca de um outro que vem dobrar o mesmo, e não pode ser tomada como evidente, pois existe um processo de negociação em curso. Essas marcas não têm o mesmo estatuto, segundo a autora, mas estão situadas numa escala que varia de um grau maior a um grau menor de explicitação no fio discursivo.

É nesse aspecto de marcação que divergimos um pouco do pensamento de Authier-Revuz, pois consideramos que as heterogeneidades mostradas são sempre marcadas, mesmo quando aparentemente implícitas. Diremos que as marcações podem ser de outra natureza e que a ancoragem dos processos referenciais pode representar um tipo de assinalação do dizer outro.

Os processos referenciais

Como dizemos em Cavalcante, Custódio Filho e Brito (2014), a referenciação implica um conjunto de operações dinâmicas efetuadas pelos sujeitos, à medida que o texto se desenvolve, com o intuito de construir, compartilhadamente, os objetos de discurso que garantirão a construção de sentidos.

Foi Mondada (1997) quem postulou a ideia de que o processo de "referenciação" é uma operação pela qual denominamos e representamos, por meio de palavras, as coisas do mundo: os objetos, os seres e os sentimentos. Mais do que nos referirmos aos objetos, construímos representações durante nossa interação com o ambiente em que vivemos. Por isso Mondada e Dubois (1995) propõem a denominação de *objeto de discurso* para o referente, para salientar que não se está tratando de objetos do mundo dado e, sim, de objetos de discurso, ou seja, de uma construção discursiva elaborada em coparticipação, na dinamicidade das relações sociocognitivo-discursivas. Daí a designação de processo de "referenciação":

Falaremos de referenciação, (...) mais que de uma ontologia dada. (...) o problema não é mais, então, de se perguntar como a informação é transmitida ou como os estados do mundo são representados de modo adequado, mas de se buscar como atividades humanas, cognitivas e linguísticas, estruturam e dão um sentido ao mundo. (MONDADA; DUBOIS, 1995, p. 20)

Dessa forma, as autoras entendem os referentes como "objetos de discurso", privilegiando a dimensão intersubjetiva das atividades linguísticas e cognitivas, responsáveis pela mera ilusão de um mundo objetivo, "pronto" para ser apreendido pelos indivíduos racionais que nele se encontram. O termo referenciação vem sendo utilizado para designar essa moderna concepção de referência que, conforme se apresenta, impõe um alargamento da perspectiva clássica, restrita a uma concepção representacionalista da língua, na qual não há lugar para o papel do sujeito nem para o contexto da enunciação. Ademais, essa abordagem volta-se para a investigação de "como as atividades humanas, cognitivas e linguísticas, estruturam e dão um sentido ao mundo" (MONDADA; DUBOIS, 1995, p. 276).

Essa posição é também compartilhada por Koch (2004), que toma a referenciação como uma construção e reconstrução de objetos de discurso, tal como pensam Apothéloz e Reichler-Béguelin (1995), que assumem uma concepção "construtivista" da referência. Estamos imersos num mundo construído por meio das representações das coisas, durante nossas interações com o outro. Em outras palavras, vivemos num mundo simbólico, mediatizado pela linguagem: não se pode encarar o sol diretamente, nem tratar as palavras como coisas. É o que também reitera Cavalcante (2004, p. 3) quando diz que "o referente não está no mundo, nem no texto, nem se encontra isolado e preestabelecido na mente dos interlocutores; ele é uma imagem que se fabrica durante o discurso, no contexto de comunicação, e é por ele também influenciado".

Se a referenciação é inerentemente social, não podemos desconsiderar que a atividade é também cognitiva, visto que a interação linguística só ocorre porque os sujeitos são capazes de processar intelectivamente os textos que produzem e compreendem. O processamento referencial é estratégico, no sentido de que os interlocutores selecionam formas de atuar dentro da dinâmica textual-discursiva, utilizando para tanto o conhecimento (em algum nível) proveniente de sua "bagagem" mental, mas renegociado na interação, sempre condicionada ao contexto cultural em que está inserida.

Ciulla (2008) pondera, a partir da noção de semelhança de família de Wittgenstein (1975), que são os falantes, em sua atividade interativa e social, os responsáveis pelas categorizações nos jogos de linguagem.

Podemos identificar os referentes não somente pela manifestação de expressões referenciais (nomes próprios, expressões nominais definidas, pronomes substantivos), mas também por diversas pistas na superfície do texto que, mesmo não representando o referente, conseguem evocá-lo. Quando o referente é apresentado ao texto pela primeira vez, dizemos que se dá uma introdução referencial; quando ele é retomado, direta ou indiretamente, dizemos que se dá uma anáfora. Vejamos um caso de introdução referencial:

(8) Se um homem bate na mesa e grita, está impondo controle. Se uma mulher faz o mesmo, está perdendo o controle. (CAVALCANTE, 2003, p. 87)

Nesse exemplo, vemos que "um homem" e "na mesa" não estão atrelados a nenhum elemento anteriormente mencionado no cotexto, ou no contexto discursivo; eles apresentam dois referentes novos no texto, por isso são introduções referenciais.

Já as anáforas ocorrem em situações de retomada desses referentes que já foram introduzidos no texto, por isso são casos de continuidade referencial. Havendo retomada do mesmo referente, temos o que a literatura sobre o assunto sempre chamou de anáfora direta ou correferencial, como no exemplo seguinte:

(9) Na embarcação desconfortável, tosca, apenas quatro passageiros. Uma lanterna nos iluminava com sua luz vacilante: um velho, uma mulher com uma criança e eu. O velho, um bêbado esfarrapado, deitara-se de comprido no banco, dirigira palavras amenas a um vizinho invisível e agora dormia. (CAVALCANTE, 2003, p. 98, grifo do autor)

Todavia, continuidade referencial não significa apenas a manutenção de um mesmo referente, uma vez que é possível remeter a um outro que se associa, de algum modo, ao que foi introduzido, mas que não é idêntico a ele. Quando isso acontece, estamos diante de anáforas indiretas, que não são correferenciais, mas que são inferíveis a partir de outros referentes e de outras âncoras contextuais. As expressões referenciais grifadas abaixo representam ocorrências de anáforas indiretas associadas ao *frame* de quarto de hospital:

>(10) Nos últimos dias de agosto [...] a menina Rita Seidel acorda num minúsculo quarto de hospital [...] A enfermeira chega até a cama [...](CAVALCANTE, 2003, p. 113, grifo nosso)

Cavalcante (2014) afirma que, sinteticamente, basta classificar os processos referenciais em anáfora com retomada do mesmo referente e anáfora que remete a referentes que se associam uns com os outros. Por vezes, o processo referencial resume proposições inteiras expressando o referente de forma encapsulada. Isso pode se dar em introduções referenciais encapsuladoras ou em anáforas encapsuladoras. Além desses, existem ainda os processos dêiticos, a par dos anafóricos, mas deles não trataremos no presente trabalho.

Podemos tratar como introduções referenciais encapsuladoras situações em que uma expressão referencial, por exemplo, anuncia cataforicamente, pelo título de uma notícia, um conteúdo que será detalhado logo em seguida, como no exemplo abaixo:

>(11) Acordo de Paris entrará em vigor: agora precisamos do dinheiro Agustín Carstens Patricia Espinosa Especial para o UOL, 18/10/2016 06h00
>
>Quando se tornar lei, em 4 de novembro, o Acordo de Paris – um tratado global para manter o aumento da temperatura mundial abaixo de 2°C – se consolidará como uma grande conquista e como uma vitória real para o multilateralismo. Porém, ele também leva ao passo seguinte: como esse acordo será implementado em todo o mundo? (...)

(Disponível em: https://noticias.uol.com.br/opiniao/coluna/ 2016/10/18/acordo-de-paris-entrara-em-vigor-agora-precisamos-do-dinheiro.htm. Acesso em: 17 jul. 2017.)

Vale perceber que todo o texto tratará do Acordo de Paris, de modo que o referente encapsulado no título já introduz essa paráfrase resumidora da notícia. A situação mais recorrente, porém, é quando os encapsulamentos configuram verdadeiras retomadas correferenciais de um referente que já vinha sendo gestado no texto e foi retomado por uma forma resumidora, como neste exemplo:

(12) Retomaremos ainda essa discussão acerca das noções que julgamos importante precisar nesta etapa da análise.

Vê-se que a expressão anafórica "essa discussão" certamente retoma um referente que vinha sendo explanado em trechos inteiros anteriores a essa afirmação. A expressão em grifo apenas resume e homologa esse referente difuso, nomeando-o generalizadamente como "essa discussão". Textos do discurso acadêmico estão povoados de exemplos dessa natureza.

As heterogeneidades e a sobremarcação das expressões referenciais

A proposta de Authier-Revuz incide, principalmente, sobre os fenômenos metaenunciativos da modalidade autonímica. Uma atitude *metaenunciativa* é um modo de dizer complexo que se desdobra sobre o próprio dizer. Quando se enuncia uma expressão dentro de um enunciado qualquer e se reflete sobre o que se diz ao proferir tal expressão, acrescentando-se um comentário sobre esse uso, tem-se, como mostramos, um caso de modalização autonímica. Alguns dos exemplos da autora são os seguintes, em que o termo negritado compõe a expressão laçada, pinçada para reflexão, e a construção italicizada constitui o comentário reflexivo, a glosa, sobre esse uso:

(13) "Estava em um **albergue**, *se se pode chamar aquilo de um albergue, enfim um local.*" (2004, p. 178)

(14) "Ah, não, trocar bebês toda manhã, eu acho isso uma **merda**... *no sentido próprio, aliás, enfim, próprio* [risos], *se se pode dizer* [Ouvido em um trem de periferia, moças falando do trabalho de puericultura, out., 84]." (2004, p. 178)

Como se vê, o enunciado é como que interrompido no ponto em que a locutora utiliza a expressão "uma merda", em (14). Após laçar essa expressão, a locutora reflete sobre como a utilizou no enunciado e faz uma glosa sobre o uso: "no sentido próprio, aliás, enfim, próprio, se se pode dizer". A metaenunciação opera, assim, uma retomada autonímica (um ato de o nome referir-se a si mesmo). Dá-se, com isso, um uso em que a expressão menciona a si mesma, reflexivamente, isto é, a expressão que, em vez de manifestar seu significado linguístico convencional, ligado a uma denotação esperável, volta-se para o próprio significante. Por isso, Authier-Revuz chama essa retomada autonímica de "opacificação", pois, num movimento metalinguístico, o significante deixa de expressar seu significado de modo transparente e passa a se voltar para a expressão linguística e para o que ela poderia significar.

A opacificação, mais do que uma relação entre significantes e significados, é também, do ponto de vista da referenciação, um processo referencial. Trata-se, na verdade, de uma relação anafórica indireta, em que um objeto que já vinha sendo anteriormente referido no texto dá lugar, por associação, a um referente que representa o próprio significante e seus possíveis significados. No exemplo em apreço, ao empregar a expressão "uma merda", a locutora instituiu o referente "situação difícil, ruim", pelo que tal substantivo pode convencionalmente conotar, mas, no momento da laçada reflexiva da locutora sobre a própria palavra "merda", um outro referente se associa a esse já introduzido e se impõe como "o sentido da palavra merda".

Mostramos que determinados usos são como uma espécie de "corpo estranho" presente num determinado gênero, quer esse estranhamento se dê pela escolha lexical, pela forma de construção sintática, pelos efeitos semânticos pretendidos ou alcançados, quer pelo estilo que não é característico do gênero, do objeto da enunciação ou da temática abordada; é nesse momento que surgem as não coincidências, pois elas servem para, além de indicar a subjetividade/expressividade de um enunciador, "remendar" os furos que vão acontecendo ao longo da enunciação pelos motivos mais diversos. Pode ser por um "furo no sistema", que não possui o signo apropriado para designar o referente; pode ser por uma "abertura no discurso", incompatível com a memória discursiva; pode ser ainda por uma "fenda no sujeito", que não está ou não se considera apto para realizar a enunciação.

A falha do sistema é o que constitui o não um, a possibilidade de equívoco de sentido, de falta de significação e, estruturalmente, da ausência, da brecha que a palavra provoca no interior dos discursos, que deve ser preenchida em nome da regularidade das significações e da memória discursiva, da interdiscursividade.

Authier-Revuz se recusa a analisar as formas de heterogeneidades por qualquer outro viés que não seja o estritamente linguístico. A análise das não coincidências do dizer é uma análise discursiva de feição formal e estritamente linguística, na medida em que é balizada teoricamente na exterioridade da disciplina. É formal porque, como estratégia de compreensão de sentido empreendida por linguista, busca as formas da língua que marcam o discurso desdobrado na perspectiva metaenunciativa, bem como considera aspectos sintáticos, tipográficos e entonacionais.

Considerações finais

Propusemos neste estudo que os processos referenciais constituem também uma marcação de não coincidências do dizer. É possível analisar as marcas linguísticas do atravessamento do Outro no fio discursivo tomando como base os pressupostos da Linguística Textual, especificamente, os processos referenciais: as introduções referências e as anáforas diretas e correferenciais. Repensamos o esquema proposto por Authier-Revuz, com vistas a reconsiderar a discretização das modalidades de heterogeneidade constitutiva, a saber, a constitutiva, em oposição à mostrada. Incluímos em nossa interpretação fenômenos de natureza não estritamente formais entre os fatos de linguagem para estabelecermos uma relação entre as heterogeneidades enunciativas e os processos referenciais. Advogamos em favor do uso persuasivo dessas marcas, uma vez que desempenham o papel de eficientes marcadores discursivos, sem que, para tanto, precisem vir acompanhados de indicadores formais (como propõe AUTHIER-REVUZ, 1990), que assinalem convencionalmente essa marcação.

Referências

APOTHÉLOZ, D.; REICHLER-BÉGUELIN, M. J. Construction de la référence et strategies de designation. In: BERRENDONER; REICHLER-BÉGUELIN, M-J. (Eds.) *Du syntagme nominal aux objets-de-discours.* Neuchâtsh: Université de Neuchâtsh, 1995. p. 227-271.

AUTHIER-REVUZ, J. Hétérogénéité montrée et hétérogénéité constitutive: des éléments pour une approche de l'autre dans le discours. *DRLAV*, Paris, n. 26, 1982.

_____. Heterogeneidade(s) enunciativa(s). *Cadernos de Estudos Linguísticos*, Campinas, n. 19, p. 25-42, 1990.

_____. *Palavras incertas*: as não coincidências do dizer. Campinas: Unicamp, 1998.

_____. *Entre a transparência e a opacidade*: um estudo enunciativo do sentido. Porto Alegre: EDIPUCRS, 2004.

BAKHTIN, M. *Estética da criação verbal.* 3. ed. São Paulo: Martins Fontes, 2000.

BENVENISTE, E. *Problemas de linguística geral II.* 2. ed. Campinas: Pontes, 1988.

BRAIT, B. *A personagem.* 7. ed. São Paulo: Ática, 1999.

BRITO, M. A. P. *Marcas linguísticas da interpretação psicanalítica*: heterogeneidades enunciativas e construção da referência. 2010. 213 f. Tese (Doutorado em Linguística) – Universidade Federal do Ceará, Fortaleza, 2010.

BROWN, P.; LEVINSON, S. *Politeness:* some universals in language usage. Cambrige: Cambrige University Press, 1987.

CAVALCANTE, M. M. Processos referenciais e relações discursivas. In: JORNADA NACIONAL DE ESTUDOS LINGUÍSTICOS, 22., 2004, Maceió. *Anais...* Maceió, 2004.

_____. *Referenciação*: sobre coisas ditas e não ditas. Fortaleza: Edições UFC, 2011.

_____. Expressões referenciais – uma proposta classificatória. *Caderno de Estudos Linguísticos*, Campinas, n. 44, p. 105-118, jan./jun. 2013.

_____; CUSTÓDIO FILHO, V.; BRITO, M. A. P. *Coerência, referenciação e ensino*. São Paulo: Cortez, 2014.

CIULLA, A. *Os processos de referência e suas funções discursivas – o universo literário dos contos*. 2008, 203 f. Tese. (Doutorado em Linguística) – Universidade Federal do Ceará, Fortaleza, 2008.

FÁVERO, L. L.; KOCH, I. G. V. *Linguística Textual*: Introdução. São Paulo: Cortez, 1983.

FONSECA, C. M. V. *Uma abordagem retórico-argumentativa para as não coincidências do dizer*. 2011. 193 f. Tese (Doutorado em Linguística) – Universidade Federal do Ceará, Fortaleza, 2011.

FREUD, S. (1905). Psicopatologia da vida cotidiana, v. 6. In: *Obras completas*. Rio de Janeiro: Imago, 1993.

_____. (1909). Os chistes e sua relação com o inconsciente, v. 8. In: *Obras completas*. Rio de Janeiro: Imago, 1993.

JUBRAN, C. C. A. S. et al. Organização tópica da conversação. In: ILARI, R. (Org.). *Gramática do português falado*. Campinas: Ed. Unicamp; São Paulo: Fapesp, 1992. v. II, p. 357-440.

KOCH, I. G. V. *Introdução à Linguística Textual*: trajetória e grandes temas. São Paulo: Martins Fontes, 2004.

_____; ELIAS, V. M. *Ler e compreender*: os sentidos do texto. São Paulo: Contexto, 2006.

LACAN, J. *O seminário, livro 5*: As formações do inconsciente. Rio de Janeiro: Jorge Zahar, 1999.

MARCUSCHI, L. A. Aspectos da progressão referencial na fala e na escrita no português brasileiro. In: COLÓQUIO INTERNACIONAL – A INVESTIGAÇÃO SOBRE O PORTUGUÊS EM ÁFRICA, ÁSIA, AMÉRICA E EUROPA: BALANÇO E PERSPECTIVAS, 1998, Berlim. *Anais...* Berlim: 1998.

MONDADA, L. Processus de catégorisation et construction discursive de catégories. In: DUBOIS, D. (Org.). *Categorisation et cognition*: de la perception au discours. Paris: Éditions Kimé, 1997. p. 291-313.

MONDADA, L.; DUBOIS, D. Construction des objets de discours et catégorisation: une approche des processus de référenciation. *TRANEL*, 23, p. 273-302, 1995.

REY-DEBOVE, J. *Le métalangage*. Paris: Le Robert, 1978.

SETTINERI, F. F. *Quando falar é tratar*: o funcionamento da linguagem nas intervenções do psicanalista. 2001. 136 f. Tese (Doutorado em Letras) – Programa de Pós-Graduação em Letras, Universidade Federal do Rio Grande do Sul, Porto Alegre, 2001.

SILVEIRA, M. *O discurso da teologia da prosperidade em igrejas evangélicas pentecostais* – estudo da retórica e da argumentação no culto religioso. 2007. 221 f. Tese (Doutorado em Letras) – Universidade de São Paulo, São Paulo, 2007.

TEIXEIRA, M. *Análise de discurso e psicanálise*: elementos para uma abordagem do sentido no discurso. Porto Alegre: EDPURCS, 2005.

WITGENSTEIN, L. *Investigações filosóficas*. 2. ed. Tradução de Marcos G. Montagnoli. Petrópolis: Vozes, 1996.

11

Linguística Textual e Teoria da Argumentação na Língua: texto e língua em diálogo

Ana Lúcia Tinoco Cabral

Este capítulo busca refletir sobre os diálogos possíveis entre os estudos do texto e a Teoria da Argumentação na Língua, proposta por Ducrot, também conhecida como Semântica Argumentativa, o que nos conduz necessariamente à relação entre texto e argumentação. Temos claro que o fenômeno da argumentação é um campo de estudos muito vasto, que abarca muitas teorias, e diante dessa multiplicidade de possibilidades teóricas, embora não desconsiderando as demais teorias que tratam da argumentação, entendemos que o estudo da argumentação deve pôr em diálogo questões relativas à textualidade e aquelas concernentes à língua. Tal postura nos remete necessariamente à Linguística Textual e nos encaminha para a Teoria da Argumentação na Língua proposta por Ducrot.

Assumimos como pressuposto teórico, em confluência com Ducrot (1980), a centralidade da argumentação; consideramos, com esse estudioso, que a argumentação está presente na língua e que esta tanto lhe confere os meios como lhe impõe os limites para a sua realização. Assumimos igualmente que os usos linguísticos constituem escolhas de um sujeito em função de um querer dizer, atuando em determinada situação de interação (KOCH, 2004), numa relação intersubjetiva e inserido em um quadro enunciativo; trata-se, portanto, das escolhas de um produtor de textos. Com base nessas considerações, justifica-se a reflexão em torno das interfaces entre a Linguística Textual de abordagem sociointeracional cognitiva e a Teoria da Argumentação na Língua.

Vários são os conceitos que orientam os estudos do texto e muitos são os pontos de intersecção entre esses estudos e a Teoria da Argumentação na Língua; os limites de um capítulo nos obrigam a delimitar. Para dar conta da perspectiva da Linguística Textual, elegemos o conceito de intencionalidade e de organização textual, neste caso, especificamente os conceitos de plano de texto, sequências textuais e sequências argumentativas (ADAM, 2011) e, para marcar o diálogo com a Teoria da Argumentação na Língua, analisaremos as escolhas linguísticas inseridas nessa organização. Tendo como objetivo refletir sobre as interfaces entre os fenômenos de texto com os fenômenos de língua, procuramos observar como a realização de um texto com função argumentativa se apoia na organização textual em diálogo com as escolhas linguísticas.

Duas perguntas orientam nossas reflexões:

1. Como se estrutura e se organiza um texto com função argumentativa?
2. Como os fenômenos de língua corroboram a organização textual argumentativa?

Com este capítulo, procuramos responder a essas perguntas, tendo claro, no entanto, que essa é uma tarefa complexa, que não se esgota em um capítulo apenas. É, ao contrário, um questionamento que nos acompanha sempre, e parece ora indicar respostas, ora nos afastar delas. Para tentar responder, pelo menos em parte, tais questões, analisamos, a título de ilustração, uma crônica de Lima Barreto, intitulada País Rico.

O capítulo apresenta quatro partes, além desta Introdução e da Conclusão: na primeira, expomos a postura teórica da Teoria da Argumentação na Língua, destacando alguns conceitos da Teoria que nos servirão na análise do texto; na segunda, procuramos situar teoricamente o texto com função argumentativa, articulando ao conceito de intencionalidade e apresentando a perspectiva da organização da textualidade; na terceira procuramos articular o diálogo entre Linguística Textual e a Teoria da Argumentação na Língua; na quarta, analisamos um texto, a título de ilustração dos conceitos abordados.

A Teoria da Argumentação na Língua

A Teoria da argumentação na Língua, tal como a postularam Ducrot, na década de 1980, Anscombre e Ducrot, posteriormente na década de 1990, e a desenvolvem atualmente Ducrot e Carel (1999), toma a palavra argumentação num sentido restrito à argumentação linguística, diferente da argumentação retórica, conforme explica Ducrot (2004). Ao introduzir os fundamentos teóricos que norteiam a Teoria da Argumentação na Língua, Anscombre e Ducrot (1997) defendem a existência de determinadas expressões cuja utilização sofre restrições impossíveis de serem deduzidas de seu valor informativo, impondo limitações em relação ao tipo de conclusões em favor das quais elas podem ser utilizadas. Anscombre e Ducrot (1997) ensinam, conforme expusemos, em trabalho anterior Cabral (2010, p. 16), que "os encadeamentos argumentativos possíveis no discurso estão ligados à estrutura linguística dos enunciados e não apenas às informações que eles veiculam".

Em estudos mais recentes, junto com Carel, Ducrot (2004) defende a existência de um conhecimento metalinguístico que permite aos sujeitos falantes de uma língua produzir e compreender determinados encadeamentos argumentativos já presentes, a título de representações estereotipadas, na significação das palavras do léxico. Tais encadeamentos constituem a argumentação linguística. Segundo Ducrot (2004), enquanto a argumentação retórica, que, lembramos, tem a ver com organização textual, constitui um esforço verbal para fazer crer alguma coisa a alguém, a argumentação linguística pode ser um meio verbal direto.

É preciso observar, entretanto, que uso persuasivo da argumentação linguística implica escolhas e tomadas de decisões por parte do produtor em função de um querer dizer. Essa perspectiva evidencia o papel da argumentação linguística na organização retórica da argumentação, ou, como explica Ducrot (2004), o uso persuasivo da argumentação linguística; afinal, para Ducrot (1984), a função primordial da língua é oferecer aos interlocutores um conjunto de modos de ações estereotipadas que lhes permitam representar e se impor mutuamente papéis; para Ducrot, a argumentação está marcada na língua. Anscombre e Ducrot (1997) ensinam que, se o locutor produz um enunciado, é porque ele procura produzir com ele algum efeito sobre seus interlocutores; observam que é possível atribuir ao enunciado uma multiplicidade de valores semânticos, mas não quaisquer sentidos. Na mesma direção, Kerbrat-Orecchioni (1998 [1990]) defende, igualmente, que o uso da linguagem implica uma troca de propósitos.

Podemos afirmar, por conseguinte, que os estudos de Ducrot, na Teoria da Argumentação na Língua, dedicam-se às palavras da língua, investigando a orientação argumentativa contida nelas; o pressuposto teórico dessa investigação é que a argumentação está inscrita na língua, pois Ducrot centra seus estudos nos fenômenos internos à língua; a Teoria da Argumentação na Língua interessa-se, assim, pelas possibilidades que a língua oferece para o uso e os limites que ela impõe; a perspectiva é de que "há, por assim dizer, uma argumentação latente nas palavras da língua" (CABRAL, 2014, p. 57). É importante ressaltar, no entanto, que, embora contemplando fenômenos de língua, as análises pautadas nos conceitos postulados pela Teoria da Argumentação na Língua, conforme esclarecem Ducrot et al. (1980), verificam o valor das palavras não em frases isoladas, mas em usos; Anscombre e Ducrot (1997) defendem que o sentido do enunciado conduz a uma direção, ou seja, está argumentativamente marcado.

A Teoria da Argumentação, ao observar os encadeamentos possíveis na língua, dedica-se, de acordo com Ducrot (1980), a palavras que não estão destinadas a trazer informações, mas a marcar uma relação entre o locutor e a situação, ou que orientam a direção argumentativa dos enunciados. Por esse motivo, a Teoria da Argumentação na Língua interessa-se especialmente pelos conectores.

Apenas a título de exemplificação, podemos destacar, dentre as palavras às quais Ducrot dedicou seus estudos, o "até" (*même* em Francês), cuja qualidade argumentativa Anscombre e Ducrot (1997) destacam. Ao propor o conceito de escalas argumentativas, Ducrot (1980b) apontou a possibilidade de estabelecer uma ordem hierárquica entre argumentos, o que implica marcar argumentos mais fortes ou mais fracos. De acordo com Ducrot (1980), na língua há palavras que marcam essa hierarquia, e o advérbio "até" constitui um elemento que permite marcar o argumento mais forte (KOCH, 2006). Segundo Anscombre e Ducrot (1997), quando o locutor procura convencer seu interlocutor, ele invoca certo número de argumentos e põe em evidência, com a ajuda de "até", aquele que ele considera ter mais força que os outros, o que permite afirmar, segundo os autores, que "até" tem fundamentalmente um valor argumentativo.

Ducrot et al. (1980) analisam também diferentes possibilidades de emprego do conector "mas", explorando a natureza de relações ou de encadeamentos que o conector introduz. Propõem uma classificação que se baseia na ideia de que "mas" como conector coordenativo articula um segmento de texto que vem antes (P) e outro que vem depois (Q). Além disso, conforme já expusemos em trabalho anterior, segundo esses autores, relativamente às peculiaridades do seu emprego, ele "sempre conduz a argumentação para a conclusão a que conduz o segundo segmento enunciado" (CABRAL, 2010, p. 17).

Além de dedicar-se ao estudo de palavras, os estudiosos da Teoria da Argumentação na Língua também se voltaram para determinadas construções e seus efeitos argumentativos. Assim, por exemplo, Anscombre e Ducrot (1997) dedicam um capítulo de sua obra ao estudo da interrogação, articulando-a à argumentação e, em outro capítulo da mesma obra, tratam da negação. Relativamente à negação, Ducrot (1981) ensina que os enunciados negativos são portadores de um julgamento, pois uma enunciação negativa geralmente se emprega como a "refutação de um enunciado positivo correspondente" (DUCROT, 1981, p. 98). A negação marca, portanto, uma tomada de posição do locutor frente a seu interlocutor, ao que este diz ou ao que ele poderia dizer.

A argumentação numa perspectiva textual: intencionalidade, plano de texto e sequência argumentativa

Argumentar tem a ver com um desejo de fazer crer ou de fazer agir o interlocutor. Tal desejo se realiza por meio de textos, falados ou escritos. De fato, se produzimos um texto, é porque temos com ele alguma intenção; os textos são motivados por uma intencionalidade, conforme postulado por Beaugrande (1997). Relativamente aos princípios de textualidade, especificamente no que diz respeito à intencionalidade, Sandig (2009, p. 57), atribuindo importância central à função textual, observa que "os textos, sendo geralmente unidades complexas, são usados em situações (situacionalidade) para resolver problemas na sociedade (intencionalidade/função textual)". Com base no postulado de Sandig, podemos afirmar que há uma intrínseca relação entre argumentação e intencionalidade. O texto argumentativo é aquele produzido com a intenção/função de fazer crer, fazer alguma coisa ao outro.

Com respeito à escrita argumentativa especificamente, Fayol, Foulin, Maggio e Lété (2012) ensinam que ela envolve a (re)organização de conceitos em função do objetivo argumentativo. De fato, os textos de visada argumentativa apresentam um plano geral, composto de diversas sequências, no sentido postulado por Adam (2011), cujo plano geral é estruturado de forma a atender ao propósito argumentativo; vale lembrar que, conforme já defendemos em trabalhos anteriores (CABRAL, 2013a, 2016), o plano de texto explicita a estrutura global do texto e, ao fazê-lo, permite extrair a intencionalidade que guiou sua organização. Essa mesma ideia é defendida por Van Dijk (1983), quando esse autor afirma que as estruturas textuais são utilizadas pelos indivíduos para elaborar seus propósitos, o que quer dizer que os produtores de textos recorrem à organização textual e a escolhas linguísticas para atingir seus objetivos. Por isso é que Adam (2011, p. 256) defende que "o reconhecimento do texto como um todo passa pela percepção de um plano de texto". Os textos apresentam uma forma de organização composicional de sua estrutura, na qual ocorrem diversas tipologias de sequências, entre as quais destacamos a argumentativa.

O plano de texto conforme já defendemos (CABRAL, 2013a, p. 244), explicita "a estrutura global do texto, a forma como os parágrafos se organizam, a ordem em que as palavras se apresentam no texto". Sendo assim, ele orienta tanto a escrita como a leitura, por corresponder à organização global do texto. É por isso que Adam (2011, p. 258) afirma que "os planos de textos estão, junto com os gêneros, disponíveis no sistema de conhecimento dos grupos sociais". O autor afirma a importância do plano de texto, por ele ser "o principal unificador da estrutura composicional" (ADAM, op. cit.), uma vez que os textos se estruturam de maneira flexível, e os enunciados nem sempre, ao se agruparem, formam sequências completas.

Podemos, portanto, afirmar que plano de texto auxilia o estabelecimento da coerência do texto, na medida em que ele expõe um plano de ação que se

encontra na base da organização global do texto e explicita as relações lógico-
-argumentativas que se estabelecem entre as partes do texto, justificando a
presença de cada parte no conjunto do tecido textual. Afirmamos assim, que
o plano constitui "um princípio organizador que permite atender e materializar as intenções de produção e distribuir a informação no desenvolvimento
da textualidade" (CABRAL, 2013a, p. 246.), na medida em que nos fornece
acesso à sua estrutura global.

Diz respeito igualmente à estrutura o conceito de sequências textuais,
definidas por Adam (2011, p. 205) como "unidades textuais complexas, compostas de um número limitado de conjunto de proposições-enunciados"; esses enunciados são organizados hierarquicamente. Adam (2011) postula a
existência de cinco tipos de sequências: narrativa, descritiva, argumentativa,
explicativa e dialogal. Defendemos que os textos apresentam um plano geral
em cuja estrutura encontram-se diversas sequências textuais. Relativamente
aos textos com função argumentativa, acreditamos que seu plano geral é
argumentativamente estruturado; ele pode compor-se de diversas sequências
textuais, que se organizam harmonicamente no sentido de realizar o projeto
argumentativo visado pelo produtor. Desse ponto de vista, podemos afirmar
que uma relação sequencial argumentativa organiza o plano textual, o qual,
por sua vez, pode apresentar diversas outras sequências.

Com base na proposta de Toulmin (2001 [1958]) e nos postulados de
Apothéloz e Miéville (1989), a sequência argumentativa é definida por Adam
(2001 [1997], 2011) como uma situação em que um segmento de texto aparece como um argumento a favor da enunciação de outro segmento do mesmo
texto. As sequências argumentativas são expressas em termos da relação *Dados
(fatos)* → *Conclusão* e podem ser assim representadas:

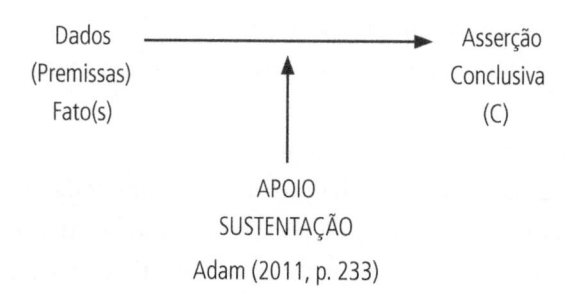

Dados   —————————→   Asserção
(Premissas)   ↑   Conclusiva
Fato(s)   (C)

APOIO
SUSTENTAÇÃO
Adam (2011, p. 233)

O esquema básico da sequência argumentativa diz respeito a um movimento discursivo que consiste em apresentar elementos para demonstrar ou justificar determinada tese que se defende. Adam (2011), citando Ducrot (1980), lembra, no entanto, que a argumentação diz respeito a um outro movimento que consiste em "refutar uma tese ou certos argumentos de uma tese adversa" (ADAM, 2011, p. 233). O autor observa que, "nos dois casos, o movimento é o mesmo, pois se trata de partir de premissas (dados, fatos) que não poderiam ser admitidas sem se admitir também a esta ou aquela conclusão-asserção" (ADAM, op. cit.), conforme está apresentado no esquema anterior.

Vale, entretanto, lembrar, com Adam (2001[1997]), apoiado em Moeschler (1985), que o discurso argumentativo se apresenta sempre em relação a um contradiscurso, efetivo ou virtual. De fato, a argumentação acontece quando imaginamos haver necessidade de convencer, isto é, quando pensamos que o outro pode não concordar com as teses que apresentamos a seu julgamento. Sparano et al. (2012, p. 64) destacam que "defender um ponto de vista, uma tese, é sempre defender contra outras conclusões, ou outras teses":

Tese Anterior	+	Dados Fatos (F)	logo provavelmente	Conclusão (C)
		Sustentação (princípios base)	A menos que Restrição (R)	

(Adam, 2011, p. 234)

De acordo com Adam, a sequência pode restringir-se a um segmento textual ou estender-se por todo o texto. O autor defende ainda que todo texto apresenta certa dominância de uma sequência, isto é, "pelo maior número de sequências de um certo tipo que aparecem no texto" (ADAM, 2011, p. 276); assim, o texto de visada argumentativa seria predominantemente argumentativo.

Pensamos de forma um pouco diversa; defendemos que a função do texto, que tem a ver com os objetivos do produtor, orienta a organização global do texto, da qual participam vários tipos de sequências, todas elas concorrendo para o mesmo fim. Desse ponto de vista, não se trata de maior incidência de determinada sequência, mas antes de uma intencionalidade que se impõe à estrutura textual, um plano de texto, este composto de sequências, que podem ser de tipos variados, organizadas de forma a atender a função do texto. Assim, o plano argumentativo global engloba o texto todo, mas pode ser detalhado em sequências menores, nem todas elas de tipologia argumentativa.

Linguística Textual e Teoria da Argumentação: um diálogo necessário

Considerando o princípio de intencionalidade presente na produção de um texto, acreditamos ser necessário pensar as possibilidades que a língua oferece para que o produtor de um texto cumpra com seus objetivos, isto é, para que atinja determinado objetivo argumentativo, provoque uma mudança de pensamento do interlocutor, ou o leve a agir de determinada maneira, convença-o, enfim. Temos claro que essa é uma ação que se realiza com textos, por meio do discurso oral ou escrito e, portanto, por meio do uso da língua.

Com respeito às influências que um interlocutor exerce sobre o outro, na relação intersubjetiva, e apelando ao conceito de intersubjetividade, conforme ensinado por Benveniste (1997a [1966]), como um fenômeno marcado no interior da língua, Ducrot (1977, p. 12) defende que há uma "grande variedade de relações inter-humanas, para as quais a língua oferece não apenas a ocasião e o meio, mas também o quadro institucional, a regra". O postulado de Ducrot nos remete de volta a Benveniste (1997b [1974]), que situou seus interesses nos usos individuais do código comum; a língua é assim encarada como um instrumento por meio do qual o sujeito se manifesta individualmente, e isso se faz por meio de textos.

Os ensinamentos de Ducrot (1977) nos colocam diante do processo de escolhas envolvido na produção de discursos e do papel crucial da língua nesse processo; inserem-se nesse processo questões pertinentes ao texto, à língua e à argumentação, que, acreditamos, representam um forte elo entre a Linguística Textual e Teoria da Argumentação na Língua. Quando Ducrot (1984) distingue significado de sentido, afirmando que o sentido está ligado ao enunciado, e o significado à frase, faz referência ao produto realizado pelo locutor e, portanto, à língua como possibilidade e ao texto como o uso efetivo, ou, como afirma Barbisan (2012) à "entidade empírica que pode ser observada", que é o texto.

Fica claro que, embora Ducrot dedique seus estudos aos fenômenos internos à língua, os conceitos desenvolvidos pela Teoria são fundamentais para o estudo e a compreensão de textos. "Afinal, o discurso se constrói por meio da linguagem verbal" (CABRAL, 2013b, p. 184). O próprio Ducrot (1980) assume que os estudos linguísticos servem à análise de textos. O que subjaz aos estudos de Ducrot é a ideia de que, conforme já afirmamos anteriormente (CABRAL, 2010), há palavras na gramática da língua responsáveis pela orientação argumentativa. Ducrot dedica-se especialmente ao estudo de palavras da língua cujos empregos não implicam informar, mas argumentar. Os estudos linguísticos, na perspectiva de Ducrot, têm a ver com a argumentação na língua; entretanto, é fundamental que, ao elaborar nossos textos, tenhamos consciência das possibilidades que a língua oferece para marcar uma tomada de posição, para que possamos utilizar essas marcas de forma adequada e eficaz.

Reforçam a ligação entre a Teoria da Argumentação na Língua e os estudos do texto as afirmações de Barbisan (2012, p. 138), estudiosa da Teoria da Argumentação na Língua, para quem "a teoria que Ducrot construiu parte do princípio de que o sentido é produzido pelas relações que se estabelecem no discurso". Com efeito, de acordo com Ducrot (1980), a única razão pela qual atribuímos um significado a uma frase é que isso ajuda a compreender porque seus enunciados assumem, em determinada situação de emprego, ou em outra, certo sentido. Assim, compreende-se que a descrição de uma frase ou de um fenômeno linguístico fornece, àqueles que interpretam o enunciado, instruções para procurar, de acordo com dada situação de discurso e, portanto, textual, a conclusão que busca o seu locutor. Para Ducrot (1980, p. 8), os dados relativos aos fenômenos da língua nos permitem atribuir uma significação a uma frase e, a partir dela, prever os sentidos que seu enunciado pode ter em uma situação ou em outra. Segundo o estudioso, a descrição linguística nos permite calcular, relativamente a uma situação de discurso particular, os sentidos que podemos atribuir ao enunciado daquela frase naquela situação, ou seja, as possibilidades que a língua oferece e as restrições que ela determina;

são fenômenos aos quais recorremos para elaborar um texto cuja função seja argumentar, isto é, para a organização do texto.

A ideia que subjaz à Teoria da Argumentação na Língua proposta por Ducrot é que, na composição de um texto, a escolha de cada palavra tem efeitos sobre as demais. Isso quer dizer que nada pode ser aleatório no texto, todos os elementos que compõem a textualidade concorrem juntos para a construção de sentidos orientando argumentativamente em determinada direção. Apesar de Ducrot centrar seus interesses nos fenômenos da língua, não podemos negar que os resultados de seus estudos contribuem muito para a compreensão dos textos, conforme verificaremos a seguir.

Plano de texto, sequências, marcas linguísticas para a argumentação

Analisamos neste item uma crônica de Lima Barreto, intitulada "País Rico". O texto apresenta, em seu desenvolvimento, um plano global que se organiza pela proposta inicial da questão em discussão, com a apresentação da contra tese, que é, em seguida, combatida com dados que apoiam a tese contrária. Esses dados se organizam em quatro blocos com movimentos semelhantes: apresentação de um problema que demanda solução governamental, seguida da negativa de solução por parte do governo, com justificativa pela falta de dinheiro, conforme podemos observar a seguir.

INTRODUÇÃO

> **Apresentação da temática da argumentação – contra tese que motiva a argumentação** – Não há dúvida alguma que o Brasil é um país muito rico.
>
> **Apresentação da tese:** o supomos muito pobre.

Apresentação de dados a favor da tese – em quatro blocos com elementos de fechamento/passagem a cada um deles.

BLOCO 1

> **DADO 1** – **constatação de problema social** – vadios nas ruas
> – **falta de solução** – governo não dá destino
> – **justificativa que reforça a tese** – porque não tem verba

> **FECHAMENTO/PASSAGEM** – **reapresentação da contra tese** – é o Brasil rico.

BLOCO 2

> **DADO 2** – **constatação de problema** – **saúde** – epidemias – falta de hospitais
> – **falta de solução** – governo não constrói hospitais
> – **justificativa que reforça a tese** – porque não tem verba

> **FECHAMENTO/PASSAGEM** – **reapresentação da contra tese** – E o Brasil é um país rico.

BLOCO 3

> **DADO 3** – **constatação de problema** – **educação** – moças desejam estudar
> – **falta de solução** – governo não aumenta o número de escolas
> – **justificativa que reforça a tese** – porque não tem verba, não tem dinheiro.

> **FECHAMENTO/PASSAGEM** – **reapresentação da contra tese** – E o Brasil é um país rico, muito rico.

BLOCO 4

> **DADO 4** – **constatação de problema** – **segurança** – não há quartéis
> – **falta de solução** – governo não constrói quartéis.
> – **justificativa que reforça a tese** – o governo não tem dinheiro.

BLOCO DE CONCLUSÃO

> **PASSAGEM – reapresentação da contra tese** – E o Brasil é um país rico
>
> Apresentação de raciocínio consecutivo que encaminha para novo dado
> – e tão rico ele é que
> DADO EM FAVOR DA CONTRA TESE – vai dar trezentos contos para alguns latagões irem ao estrangeiro divertir-se com jogos de bola.
>
> **Comparação que desqualifica o dado por raciocínio inferencial** – como se fossem crianças de calças curtas a brincar nos recreios dos colégios (inferência – falta seriedade)
>
> **Reafirmação da contra tese – ironia – que reforça a tese** – o Brasil é um país rico (equivale a "o Brasil é um país pobre").

Verificando os blocos de desenvolvimento, podemos observar que, ao final da exposição de cada dado que apoia a tese defendida, num movimento que fecha o raciocínio ligado àquele bloco e simultaneamente encaminha para o próximo dado, fazendo a passagem, a contra tese é repetida, como uma ladainha inútil diante do dado concreto que acabou de ser apresentado, negando a validade da contra tese. A conclusão do texto se dá pela apresentação de um novo dado que argumenta em favor da contra tese; esse novo dado é, no entanto, desqualificado pelo locutor do texto, que o utiliza para ironizar a posição do governo e reforçar a tese defendida. Dessa forma, com base no percurso argumentativo representado nos blocos de desenvolvimento do plano do texto, podemos afirmar que o esquema argumentativo global do texto corresponde a uma estrutura sequencial que se enquadra na tipologia argumentativa, conforme representado a seguir:

TESE POSTA EM QUESTÃO	Nós que nele vivemos, não nos percebemos bem disso, e até, ao contrário,		TESE CONTRÁRIA
Não há dúvida alguma que o Brasil é um país muito rico	→ ←		o supomos muito pobre
	DADOS FATOS	**APOIO**	**CONFIRMAÇÃO DA TESE**
	o governo não tem verba para: – construir asilos – construir colégio profissional – hospitais mais bem situados – construir escolas normalizadas – construir quartéis – comprar cavalos	Quem alega não ter dinheiro é pobre → LOGO	O Brasil é um país pobre
	NOVOS DADOS		TESE POSTA EM QUESTÃO, CONTRÁRIA À CONFIRMADA
	vai dar trezentos contos para alguns latagões irem ao estrangeiro divertir-se com os jogos de bola como se fossem crianças de calças curtas a brincar nos recreios dos colégios		O Brasil é um país rico, tão rico... (Ironia) = o Brasil é um país pobre **CONFIRMAÇÃO DA TESE**

A tabela apresentada nos permite visualizar a organização sequencial argumentativa do texto de Lima Barreto. Conforme já observamos, o texto defende a tese de que o *Brasil é um país pobre*; para obter a adesão do leitor, apresenta dados e fatos que confirmam essa tese. A tese defendida pelo enunciador da crônica, no entanto, vai de encontro ao título *País Rico*, este ligado à contra tese, apresentada na abertura do texto. A contra tese, que retoma o título, se repete ao longo do texto, como elemento de fechamento de cada dado apresentado e apertura de um novo, marcando o tom irônico que se concretiza pela afirmação da contra tese mesmo após a apresentação de dados que a contradizem e apoiam uma tese contrária, sustentada por esses dados. Temos assim, no plano textual geral, uma estrutura sequencial argumentativa típica composta de contra tese, dados que a combatem, conduzindo a uma tese efetivamente defendida.

Tese	Dados		
Anterior +	Fatos (F)	——————————	Conclusão (C)
O Brasil é	exemplos		O Brasil é
um país rico	de não ações		um país pobre
	do governo por		
	falta de verbas		

Ainda relativamente às sequências textuais, é importante destacar a presença de outras sequências que corroboram o plano argumentativo global explicitado na estrutura sequencial apresentada. Assim, a título de exemplo, destacamos a ocorrência de sequências textuais narrativas, descritivas, dialogais e mesmo argumentativas, cuja função é reforçar a construção argumentativa global.

Narra-se que "surgem epidemias pasmosas a matar e a enfermar milhares de pessoas". Podemos assim afirmar que "epidemias pasmosas" constitui o elemento causador do nó "a matar e a enfermar milhares de pessoas"; o conflito pede uma resolução, conforme já defendemos (CABRAL, 2015); essa resolução, entretanto, não acontece porque o governo não tem dinheiro. Além de dados da ordem da narração, elementos descritivos reforçam os dados. Cumpre destacar ainda a presença de estruturas dialogais marcadas pelo emprego de travessões, e por meio das quais o locutor dá voz a personagens que representam respectivamente o povo (Brás Bocó) e o governo (doutor Xisto Beldroegas). A designação de cada um desses personagens nos indica um ponto de vista a partir do qual povo e governo são encarados: o povo é Bocó, o governo, doutor Beldroegas, isto é, arrogante, sentindo-se superior sem o ser.

Com respeito à utilização dos diálogos, podemos ainda afirmar, com Ducrot (1984), que eles constituem uma estratégia para mostrar uma tomada de posição de ambas as partes, povo e governo, mas, sobretudo, apresentar um subentendido, pois dando voz a personagens atribui a enunciação a outrem que não ele próprio (locutor narrador), não tomando para si a responsabilidade de seu dizer. Assim ele elege o dizer do outro para questionar o governo sobre suas responsabilidades.

Podemos afirmar, com base na análise das sequências textuais, que Lima Barreto enumerou argumentos adequados à sua tese e organizou a sequencialidade da crônica para que ela cumpra sua função argumentativa. Essa ação, entretanto, não se dá sem as escolhas linguísticas adequadas, inclusive aquelas que permitam colocar a tese rebatida em questão. Substantivos, adjetivos, advérbios conectores estrategicamente escolhidos de acordo com as possibilidades que a língua oferece e as restrições que ela impõe; eles articulam os enunciados no texto, reforçam os argumentos, cumprindo uma função argumentativa, sustentando a estruturação sequencial apresentada. Apresentamos a seguir alguns exemplos dessas escolhas.

O texto se inicia com a expressão de certeza "não há dúvida" relativamente à tese que será combatida: o Brasil é um país rico. Essa expressão de valor categórico permite inferir inicialmente que a argumentação tomará essa direção. Entretanto, o locutor, assumindo a enunciação por meio de "nós", corrige a direção: "Nós que nele vivemos, não nos percebemos bem disso, e até, ao contrário, o supomos muito pobre". Destacamos o emprego de "até" nesse segmento de texto, chamando a atenção do leitor para o segmento considerado mais importante: "até [...] o supomos muito pobre". Vale observar que o locutor opõe "rico" a "muito pobre"; o Brasil não apenas não é rico, é muito pobre.

No parágrafo seguinte, outra ocorrência de "até" chama a atenção: "Nas ruas da cidade, nas mais centrais até, andam pequenos vadios". As ruas centrais são mais importantes que as demais ruas da cidade; encontrar vadios nela constitui argumento mais forte do que encontrar vadios nas demais ruas. Fica assim implícito que nessas ruas não se deveriam encontrar vadios; e se até nelas se encontram, é que a pobreza é maior do que se pode imaginar. Ora, se nós o supomos muito pobre, pobreza maior ainda quer dizer extremamente pobre. A argumentação vai no sentido de que, para tal pobreza, o governo deveria dar uma solução, dando um destino aos vadios, oferecendo-lhes uma saída, o que não ocorre "porque não tem verba". Não ter verba equivale a não ser rico, ou a ser pobre.

O parágrafo que vem a seguir relata fatos problemáticos (epidemias) que denotam problemas (falta de hospitais na cidade; má localização dos existentes) para os quais há necessidade de soluções por parte do governo. Este, por sua vez, "não pode fazer porque não tem verba". A argumentação segue assim o mesmo curso, no qual não ter verba equivale a ser pobre. Assim, o texto apresenta novos fatos que representam outros problemas pelos quais passa a sociedade, e pelos quais o governo responde nada poder fazer por falta de verba.

Destacam-se, ao longo do texto, problemas sociais (vadios nas ruas), na saúde (epidemias, falta de hospitais), na educação (mocinhas procuram uma escola), na segurança (não há quartéis); para nenhum deles o governo tem uma solução porque não tem verba. E, nesse contexto, reafirma-se várias vezes, após a apresentação de cada problema que fica sem solução, a ladainha: E o Brasil é um país rico.

Vale observar também a recorrência de negações. A negação recai sobre as ações que se espera sejam realizadas pelo governo, que "não faz isto ou não faz aquilo por falta de verbas". O governo "não dá destino" aos vadios; o governo "não pode fazer" novos hospitais mais bem localizados; "o governo não aumenta o número de escolas"; "não constrói quartéis". Com base no postulado de Ducrot (1981) de que a negação faz alusão a uma afirmação, podemos inferir que tais negações deixam implícito que essas ações negadas deveriam ser executadas pelo governo, que não as faz porque "o governo não tem dinheiro". Se o governo não tem dinheiro, a conclusão é que o Brasil é um país pobre.

O último parágrafo apresenta um dado, isto é, um novo fato no qual se indica que o governo concedeu verba para jogadores de futebol irem jogar no estrangeiro "como se fossem crianças de calças curtas a brincar nos recreios do colégio". A comparação com brincadeira de criança, reforçada pela vestimenta dos jogadores (calças curtas), evidencia que o locutor encara o jogo como algo nada sério, contrariamente aos problemas enumerados nos parágrafos anteriores. E, com base no financiamento de uma ação pouco séria, afirma, ironicamente, que o Brasil é um país rico. Um raciocínio inferencial permite conduzir a essa conclusão e faz a passagem entre o fato e a conclusão: quem se permite despender dinheiro com brincadeiras é porque tem dinheiro de sobra e é, portanto, rico.

O mesmo raciocínio inferencial às avessas foi construindo a argumentação nos parágrafos anteriores: o governo de um país que não pode realizar ações importantes porque não tem verba é o governo de um país pobre; se esse governo de país pobre financia eventos poucos sérios, ele não é um governo sério. Considerando a quantidade de dados apresentados a favor dessa argumentação em comparação a um dado apenas para apoiar a tese oposta, prevalece a tese de que "o Brasil é um país pobre". Entretanto, o locutor repete reiteradas vezes ao longo do texto exatamente o contrário; a reiteração da afirmação negada pelos dados apresentados a cada parágrafo nos indica que o locutor se vale de uma ironia para desqualificar a atitude do governo, afirmando: o Brasil é um país rico.

A breve análise apresentada nos permite observar a extensão dos conceitos abordados anteriormente; relativamente ao plano de texto, podemos afirmar que a elaboração do plano nos permite inferir o raciocínio que subjaz à estruturação do texto, a escolha dos argumentos, sua ordem, sua organização hierárquica; com respeito à sequência tipológica argumentativa, podemos verificar como, na linearidade textual, ela acontece tanto de forma global como de forma localizada. Sequências argumentativas, narrativas, dialogais, explicativas, em conjunto, cumprem a função argumentativa do texto, expressa de forma global na estrutura argumentativa mostrada no quadro, que nos permite construir o percurso argumentativo da crônica de Lima Barreto; tal percurso se concretiza por meio de escolhas linguísticas pertinentes, o que nos permite evidenciar o alcance dos fenômenos de língua na compreensão dos fenômenos textuais.

Considerações finais

No início deste capítulo, apresentamos duas perguntas que orientaram nossa escrita no sentido de cumprir o objetivo de refletir sobre as possibilidades de interfaces entre a Linguística Textual e a Teoria da Argumentação na

Língua: nossas perguntas abarcavam, de um lado, a organização da linearidade textual e, de outro, os fenômenos de língua envolvidos no tecido textual. Desde o início tínhamos claro e reafirmamos essa clareza de que este capítulo apresenta apenas um recorte das possibilidades desse diálogo; muitas outras permanecem com motivação para a busca sempre presente em nossas pesquisas.

Neste capítulo, como procedimento metodológico, visando dar conta do objetivo proposto, priorizamos o texto como objeto de um arranjo estruturado; delimitamos o estudo nas questões da textura verificando alguns fenômenos linguísticos aí envolvidos. O tecido textual, acreditamos, constitui um dado concreto que nos permite chegar a outros conceitos igualmente importantes para os estudos do texto e da língua como fenômeno estratégico para se compreender a interação, a enunciação, os aspectos sociais e cognitivos que envolvem a participação dos seres humanos no mundo, seres produtores de textos.

Ao final deste capítulo, podemos afirmar que os construtos teóricos da Teoria da Argumentação na Língua constituem instrumentos pertinentes para se compreenderem textos argumentativos, pois eles intervêm na construção da estruturação textual.

Referências

ADAM, J-M. (1997). *Les textes*: types et prototypes, récit, description, argumentation, explication, et dialogue. Paris: Nathan, 2001.

_____. *A Linguística Textual*: introdução à análise textual dos discursos. Tradução de Maria das Graças Soares Rodrigues, João Gomes da Silva Neto, Luis Passeggi e Eulália Vera Lúcia Fraga Leurquin. São Paulo: Cortez, 2011.

ANSCOMBRE, J-C.; DUCROT, O. *L'argumentation dans la langue*. Liège: Mardaga, 1997.

APOTHELOZ, D.; MIÉVILLE, D. Matériaux pour une étude des relations argumentatives. In: Rubattel, C. (Éd.) *Modèles du discours*. Recherches actuelles en Suisse roamande. Berne: Peter Lang, 1989.

BARBISAN, L. B. O sentido no discurso: o olhar da Teoria da Argumentação na língua. In: FANTI, M. G.; BARBISAN, L. B. *Enunciação e discurso*: tramas de sentidos. São Paulo: Contexto, 2012. p. 133-151.

BEAUGRANDE, R. de. *New foundations for a science of text and discourse*: cognition, communication and freedom of access to knowledge and society. Norwood, New Jersey: Ablex Publishing Corporation, 1997.

BENVENISTE, E. (1966). *Problèmes de linguistique générale II*. Paris: Gallimard, 1997a.

_____. (1974). *Problèmes de linguistique générale II*. Paris: Gallimard, 1997b.

CABRAL, A. L. T. *A força das palavras* – dizer e argumentar. São Paulo: Contexto, 2010.

_____. Plano de texto: estratégia para o planejamento da produção escrita. *Revista Linha D' Água*, USP, São Paulo, v. 2, n. 26, p. 241-259, 2013a. Disponível em: <http://www.revistas.usp.br/linhadagua/article/view/64266>. Acesso em: 12 jul. 2017.

_____. Ducrot. In: OLIVEIRA, L. A. (Org.). *Estudos do discurso* – perspectivas teóricas. São Paulo: Parábola, 2013b. p. 183-208.

_____. Enunciação e Argumentação no Discurso Jurídico: léxico, significação e sentido. In: OLIVEIRA, E. G. de; SILVA, S. (Org.). *Semântica e estilística*: dimensões atuais do significado e do estilo. Homenagem a Nilce Sant'Anna Martins. Campinas: Pontes, 2014. p. 57-73.

_____. Ensino de Língua Portuguesa para a Formação Profissional na Universidade: as Sequências Narrativas e Argumentativas no Gênero Petição Inicial. *Revista Linha d'Água*, v. 28, n. 2, Programa de Pós-Graduação em Filologia e Língua Portuguesa, Faculdade de Filosofia, Letras e Ciências Humana, Universidade de São Paulo, p. 122-136, 2015. Disponível em: <http://www.revistas.usp.br/linhadagua/article/view/106526/106256>. Acesso em: 28 jul. 2017.

_____. Argumentação na língua e argumentação no texto. *Intersecções* – Revista de Estudos sobre Práticas Discursivas e Textuais, Centro Universitário Padre Anchieta, Graduação e Pós-Graduação em Letras, Jundiaí, SP, p. 26-40, 2016. Disponível em: <http://www.portal.anchieta.br/revistas-e-livros/interseccoes/pdf/interseccoes-ano-9-numero-1.pdf>. Acesso em: 19 jul. 2017.

DUCROT, O. *Princípios de semântica linguística*. São Paulo: Cultrix, 1977.

_____ et al. *Les mots du discours*. Paris: Minuit, 1980.

_____. *Provar e dizer*: linguagem e lógica. São Paulo: Global, 1981.

_____. *Le dire et le dit*. Paris: Minuit, 1984.

_____. Argumentation rhétorique et argumentation linguistique. In: DOURY, M.;

MOIRAND, S. (Org.). *L'argumentation aujourd'hui. Positions théoriques en confrontation*. Paris: Presses Sorbonne Nouvelle, 2004. p. 17-34.

_____; CAREL, M. Les propriétés linguistiques du paradoxe: paradoxe et négation. In: GALATANU, O.; GOUVARD J.-M. (Org.). *Langue Française 123. Sémantique du stéréotype*. Paris: Larousse, 1999. p. 27-40.

FAYOL, M. et al. Towards a Dynamic Approach of How Children and Adults Manage Text Production. In: GRIGORENKO, E. L.; MAMBRINO, E.; PREISS, D. D. (Eds.). *Writing a mosaico of new perspectives*. Nova York: Psychology Press; Londres: Taylor & Francis Group, 2012. p. 141-158.

KERBRAT-ORECCHIONI, C. (1980). *L'énonciation*. Paris: Armand Colin, 1997.

_____. (1990). *Les interactions verbales 1*. Paris: Armand Colin 1998.

KOCH, I. V. *Introdução à Linguística Textual*. São Paulo: Martins Fontes, 2004.

_____. *Argumentação e linguagem*. 10. ed. São Paulo: Contexto, 2006.

MOESCHLER, J. *Argumentation et conversation*. Paris: Hatier, 1985.

SANDIG, B. O texto como conceito prototípico. In: WEISER, H. P.; KOCH, I. B. V. *Linguística Textual*: perspectivas alemãs. Rio de Janeiro: Nova Fronteira, 2009. p. 47-72.

SPARANO, M. et al. *Gêneros Textuais* – construindo sentidos e planejando a escrita. São Paulo: Terracota, 2012.

TOULMIN, S. (1958). *Os usos do argumento*. Tradução de Reinaldo Guarany. São Paulo: Martins Fontes, 2001.

VAN DIJK, T. A. *La ciencia del texto*. Barcelona; Buenos Aires: Paidós Comunicación, 1983.

Anexo

País Rico

Lima Barreto

Não há dúvida alguma que o Brasil é um país muito rico. Nós que nele vivemos, não nos percebemos bem disso, e até, ao contrário, o supomos muito pobre, pois a toda hora e a todo instante, estamos vendo o governo lamentar-se que não faz isto ou não faz aquilo por falta de verba.
Nas ruas da cidade, nas mais centrais até, andam pequenos vadios, a cursar a perigosa universidade da calariça das sarjetas, aos quais o governo não dá destino, ou os mete num asilo, num colégio profissional qualquer, porque não tem verba, não tem dinheiro. É o Brasil rico...
Surgem epidemias pasmosas, a matar e a enfermar milhares de pessoas, que vêm mostrar a falta de hospitais na cidade, a má localização dos existentes. Pede-se a construção de outros bem situados; e o governo responde que não pode fazer porque não tem verba, não tem dinheiro. E o Brasil é um país rico.
Anualmente cerca de duas mil mocinhas procuram uma escola anormal ou anormalizada, para aprender disciplinas úteis. Todos observam o caso e perguntam:

– Se há tantas moças que desejam estudar, por que o governo não aumenta o número de escolas a elas destinadas?
O governo responde:
– Não aumento porque não tenho verba, não tenho dinheiro.
E o Brasil é um país rico, muito rico...
As notícias que chegam das nossas guarnições fronteiriças, são desoladoras. Não há quarteis; os regimentos de cavalaria não têm cavalos, etc, etc.
– Mas que faz o governo, raciocina Brás Bocó, que não constrói quarteis e não compra cavalhadas?
O doutor Xisto Beldroegas, funcionário respeitável do governo acode logo:
– Não há verba; o governo não tem dinheiro.
– E o Brasil é um país rico; e tão rico ele é, que apesar de não cuidar dessas coisas que vim enumerando, vai dar trezentos contos para alguns latagões irem ao estrangeiro divertir-se com os jogos de bola como se fossem crianças de calças curtas a brincar nos recreios dos colégios.

O Brasil é um país rico.
Marginália, 8/5/1920.
Disponível em: <http://www.dominiopublico.gov.br/download/texto/bi000173.pdf>; acesso em: 15 fev. 2016.

12

Linguística Textual e Argumentação

Rosalice Pinto

A argumentação vem assumindo há milênios, a partir dos estudos precursores aristotélicos, um grande protagonismo. De um lado, enquanto uma forma de raciocínio silogístico (constituído por premissas remetendo à conclusão); por outro, relacionada a aspectos retóricos relativos à persuasão do auditório. Contudo, o objetivo aqui não é traçar um percurso histórico sobre a noção que, por ser de natureza interdisciplinar e transdisciplinar, foi abordada por diversos estudiosos que, segundo abordagens teóricas distintas, procuraram defini-la[1] e caracterizá-la.

Este capítulo procura, fundamentalmente, mostrar as relações que podem vir a ser estabelecidas entre a Argumentação e os estudos relativos à Linguística Textual. De forma a cumprir o objetivo desta exposição, o capítulo será dividido em três momentos. Inicialmente, far-se-á um percurso sobre os estudos precursores sobre a Linguística Textual (LT), até os estudos desenvolvidos por Adam (1990, 2005, 2008), que definem com clareza esta abordagem teórica. Poder-se-á, com isso, perceber a evolução conceitual atribuída à noção de texto. Em seguida, passar-se-á aos diversos estudos

---

1   Para um estudo mais aprofundado sobre a historicidade da noção e as definições atribuídas pelas diversas abordagens teóricas, ver Pinto (2010).

sobre a argumentação seguindo a LT para que finalmente se possa definir essa relação, numa acepção mais restrita ou ampla. Por fim, apresentar-se-á um estudo de caso, correspondente à análise de um texto, em que se pode observar de que forma a argumentação é construída em textos.

Texto – das Análises Transfrásticas às Teorias do Texto

Antes de realmente passarmos a estabelecer as possíveis correlações que podem vir a ser estabelecidas entre a LT e a argumentação, vale a pena estabelecer um breve panorama a respeito do estudos precursores sobre a aquela.

Conte (1989), de forma a esclarecer ao público italiano o panorama complexo já existente acerca dos estudos sobre as "linguísticas textuais", que tiveram a Holanda e Alemanha como origem, nos finais dos anos de 1960, aponta a existência de três momentos importantes relacionados à Linguística Textual. Como afirma a autora: "[...] a minha distinção de três momentos da linguística textual não é cronológica, mas tipológica. Esses são três tipos de um desenvolvimento teórico, e não necessariamente etapas de uma sucessão temporal" (CONTE, 1989, p. 14). Os três tipos de LT apontados pela autora são: as Análises Transfrásticas, as Gramáticas Textuais e as Teorias do Texto.

As primeiras visam identificar possíveis regularidades que podem ser observadas além do limite da frase. Nesse contexto, o texto é considerado como uma sequência coerente de enunciados/frases, o que trouxe para a teoria da LT pontos negativos e positivos. Por um lado, as análises transfrásticas assumiam que a frase e o texto só se diferenciavam do ponto de vista quantitativo e não qualitativo – o que provocava problemas em termos analíticos tanto para pesquisadores estruturalistas (como Weinrich) ou gerativistas (como Isenberg). Por outro lado, como aponta Isenberg (1989), por ter levantado algumas questões como a correferência, a pronominalização, a seleção de artigos, contribuiu para o desenvolvimento da própria teoria.

As segundas, de base gerativista, marcaram realmente no início dos anos 1970 o verdadeiro primeiro passo para o desenvolvimento da Linguística do Texto como perspectiva teórica. Para as Gramáticas Textuais, que teve como um dos precursores Van Dijk (1983), o texto correspondia a uma unidade qualitativamente maior do que a frase. Elas tinham como objetivo elaborar um modelo gramatical que pudesse descrever as regularidades estruturais dos textos. Conte (1989, p. 18-9) aponta, inclusive, alguns objetivos relevantes dessa teoria. São eles: determinar os princípios de constituição dos textos (o que faz com que um texto seja um texto); estabelecer critérios para a demarcação de um texto; e distinguir os vários tipos dos textos. Alguns aspectos positivos dessas gramáticas merecem ser relevados: o desenvolvimento da noção de coerência textual[2] e também a importância concedida à tipologia textual (aspecto que marcará os estudos sobre a argumentação ao nível textual, como será estudado). Contudo, o texto é concebido como um *objeto formal abstrato*, o que implica um fechamento do estudo da Linguística, uma vez que ainda são utilizadas as metodologias ao nível da frase. Inclusive, nos antigos trabalhos de Van Dijk (1983) e nos de Slakta (1975) em que se preconiza o projeto das Gramáticas Textuais (realmente a primeira fase da Linguística Textual), é ratificado o parâmetro da *abstração* relativo ao texto. Esse será, inclusive, o conceito de texto retomado por Adam, em publicação de 1990 (Éléments de linguistique textuelle). Nesta, Adam (1990, p. 23, tradução nossa) retoma a fórmula defendida por Slakta (1975):

DISCURSO = Texto + Condições de produção
TEXTO = Discurso − Condições de produção

Esse conceito de texto se perpetuou por outros autores, até ao final dos anos 1990. Um deles afirma: "[...] O texto é um objeto construído pela análise como estrutura abstrata do discurso cujas superestruturas tipológicas são por assim dizer a 'macro-sintaxe'" (BRASSART, 1998, p. 88).

Em relação às Teorias do Texto (o caráter pluralizado advém da própria abertura interdisciplinar a que estão interligadas), há uma atualização do próprio projeto das Gramáticas Textuais. Na verdade, a gramática tradicional não é abandonada, mas releva-se também a importância do contexto pragmático. Dentro desse contexto o *texto deve ser analisado em situação*, representando assim uma unidade de comunicação. Existe uma ampliação do conceito de texto, como afirma Schmidt (1978 [1973], p. 25, tradução nossa):

---

2   Em contexto brasileiro, ressalta-se o trabalho de Koch e Travaglia (1989), no desenvolvimento dessa noção.

A linguagem não existe como fenômeno em elementos isolados (sons, palavras, etc.), mas em complexos integrados e plurais, que cumprem uma função comunicativa (...); precisamente isto deve chamar por conseguinte, embora não de uma forma definitiva, "texto".

E, ainda, uma abertura para a interdisciplinaridade ou transdisciplinaridade, aliando-se aos estudos textuais, encontrando apoio em Sociologia, Psicologia e na Teoria da Comunicação, como afirma Schmidt (1978, p. 173).

Essa perspectiva interdisciplinar é ratificada por Van Dijk, que em publicação de 1978 salienta a importância de uma "Ciência do Texto", sendo o texto o objeto de análise de diversas disciplinas, definido como "forma de uso da língua". Contudo, segundo o autor, o interesse dessa ciência é a exploração de algumas questões presentes nos textos utilizados nessas disciplinas. Como afirma Van Dijk (1983 [1978], p. 28):

> [...] a função da ciência do texto não pode consistir em formular ou inclusive em solucionar os problemas particulares de quase todas as ciências filosóficas ou sociais. Do que realmente se trata é de isolar determinados aspectos destas disciplinas científicas, ou seja, das estruturas e do uso de formas de comunicação textual, e de sua análise dentro de um marco integrado e interdisciplinar.

Nessa publicação, Van Dijk salienta que o texto, enquanto objeto empírico, deve ser analisado a partir de três dimensões. A primeira é relativa aos elementos linguísticos ou semióticos. A segunda diz respeito ao aspecto cognitivo ou psíquico da construção. A terceira refere-se a questões sócio-históricas relativas ao funcionamento dos textos. Dessa forma, o texto é considerado um objeto psicossociossemiótico, atestando a impossibilidade de uma análise puramente linguística dos textos e evidenciando o grau de complexidade[3] implicado no estudo dele(s).

---

3   Ponto de vista ressaltado por Miranda (2010) que, inclusive, a partir de Bernárdez (1995) salienta que a complexidade advém não apenas de cada dimensão isoladamente, mas da interação estabelecida entre elas.

Texto na linguística textual propriamente dita

Em 1999, Adam reformula a noção previamente adotada para texto (enquanto objeto abstrato descontextualizado), salientando a sua inserção no universo discursivo. Como aponta o autor:

[...] não é uma fórmula de adição e de subtração do contexto. Esta fórmula não deve operar a descontextualização que eu operava até então. Trata-se de uma fórmula de inclusão do texto em um campo mais vasto de práticas discursivas que devem elas-mesmas serem pensadas na diversidade dos gêneros que elas autorizam e em sua historicidade. (ADAM, 1999, p. 39)

Contudo, nessa publicação, Adam ainda mantém os termos *texto*, colocando-o como objeto do estudo da Linguística Textual, e *textos*, definidos como "objetos concretos, materiais, empíricos", representando "o resultado sempre singular de um ato de enunciação", enquanto objetos da Análise Textual.
Em publicação posterior, de 2005, já se observa uma modificação em sua terminologia. Nesta, Adam pontua que o texto enquanto objeto abstrato deve ser estudado no campo da "gramática transfrástica". Já os textos são realmente objeto de estudo de uma Linguística Textual.[4] Com isso, Adam afirma: "Os textos são objetos concretos, materiais, empíricos. A LT é uma teoria de produção co(n)textual de sentido que é necessário de se fundamentar em uma análise de textos concretos (tarefa da análise textual)" (ADAM, 2005, p. 28-29).
Dessa forma, pode-se afirmar que é a partir da obra de 1999 e, mais particularmente, a de 2005 (publicação de 2008, no Brasil), que Adam assume que a Linguística Textual é um subdomínio da Análise do Discurso. A separação entre as duas advém de programas de pesquisa diferenciados: uns privilegiando questões textuais e, outras, discursivas. Na verdade, o esquema a seguir demonstra a *separação* e a *complementariedade* dos dois campos de estudo:

---

4   Merece destaque em contexto brasileiro o trabalho pioneiro de Marcuschi (1983), seguindo essa perspectiva teórica.

Análise dos discursos

```
                                      ┌─────────────────────────────────┐
                                      │     DESCONTINUIDADE             │
                GÊNEROS               │   OPERAÇÕES DE SEGMENTAÇÃO      │
                   &           ┌──→ Plano de │ Períodos                 │
  INTER-       LÍNGUA(S)  PERITEXTO   texto  │  e/ou   │ Proposições│ Palavras
  DISCURSO      em uma    ───────→           │sequências                │
               INTERAÇÃO                     ↓         ↓        ↓       │
                                      │    OPERAÇÕES DE LIGAÇÃO         │
  Formações                           │       CONTINUIDADE              │
  sociodis-                           │     LINGUÍSTICA TEXTUAL         │
  cursivas                            └─────────────────────────────────┘
```

Esquema 1   Reproduzido de Adam (2008, p. 43)

A partir desse esquema, evidencia-se a existência de dois movimentos bem claros: um da esquerda para a direita: o outro da direita para a esquerda. Pelo primeiro (objeto de análise da Análise do Discurso), aspectos relativos aos gêneros, às línguas, ao interdiscurso, às formações sociodiscursivas impõem coerções ao nível dos enunciados; por outro (objeto de análise da Linguística Textual), existem determinações ascendentes que determinam os encadeamentos das proposições. Partindo dessa acepção, essa Linguística Textual inserida em discursos mostra-se já bastante complexa. Com isso, Adam delineia o que denomina *Análise Textual dos Discursos* (ATD), que como afirma o autor tem "como ambição delinear uma alternativa para a explicação do texto tradicional e a análise estilística" (ADAM, 2008, p. 26).

A partir desse desenvolvimento atribuído ao que se denomina Linguística Textual, de que forma o conceito de argumentação veio a ser abordado e como é que aqui será considerado?

Argumentação da LT à ATD

É já de conhecimento de todos que foram os trabalhos de Anscombre e Ducrot (1988 [1983]) que transpuseram o estudo da argumentação para o nível do enunciado, o que trouxe várias limitações quando se passava à análise dos textos.[5]

---

5   Seguindo o desenvolvimento dos estudos sobre a argumentação, a partir dessa abordagem, é de ser ressaltado o trabalho precursor em contexto brasileiro de Koch (1984).

Foram, entretanto, os trabalhos de Van Dijk que, ao reverem a noção de certas estruturas globais relativas aos formatos de textos, trouxeram à tona a existência de certas *estruturas globais que caracterizam um tipo de texto por ele denominados superestruturas* (VAN DIJK, 1983, p. 142). Dentre estas, a argumentativa seria uma das mais estabilizadas (assim como a narrativa), baseada em trabalhos precursores de alguns autores sobre teorias da argumentação, como Toulmin (1958) e Perelman e Olbrechts-Tyteca (1988).

Contudo, foram os trabalhos de Adam que trouxeram, efetivamente, os estudos da argumentação[6] para o universo linguístico-textual. Esse autor, "respeitando a complexidade e a heterogeneidade do texto, enquanto objeto de análise, saiu do lugar comum das tipologias textuais vigentes até então" (PINTO, 2010, p. 86). Inicialmente, em publicação de 1990, considera-a como uma das várias formatações de *sequências prototípicas*, junto com a descritiva, a narrativa, a expositiva e a dialogal. Essas sequências correspondem a espécies de esquemas de representações de ordem cognitiva de que o indivíduo dispõe, apresentando certa regularidade composicional.

No que tange em especial à sequência argumentativa, Adam caracteriza-a como uma relação estabelecida entre argumento(s) – dado(s) e conclusão, sendo que o enunciado pode assumir qualquer um desses papéis. Ademais, reitera a relevância de "uma lei de passagem" dos argumentos para a conclusão, realizada por mecanismos inferenciais. Como aponta Pinto (2010, p. 89) inclusive, o modelo de sequência argumentativa proposto por Adam baseia-se nas teorias da lógica formal desenvolvidas por Grize (1982) e de Toulmin (1958), que desenvolveu um esquema similar para o estudo do discurso jurídico. A seguir, apresentam-se os esquemas propostos por Adam para uma sequência argumentativa e uma contra-argumentativa.

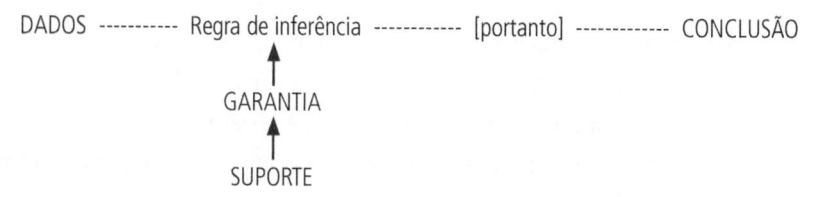

```
DADOS ---------- Regra de inferência ------------ [portanto] ------------- CONCLUSÃO
                          ↑
                      GARANTIA
                          ↑
                       SUPORTE
```

Adaptado a partir de Adam (2001, p. 106)

Esquema 2 Sequência argumentativa prototípica

---

6   Para uma análise detalhada sobre as sequências, inclusive a argumentativa, ver Pinto (2010).

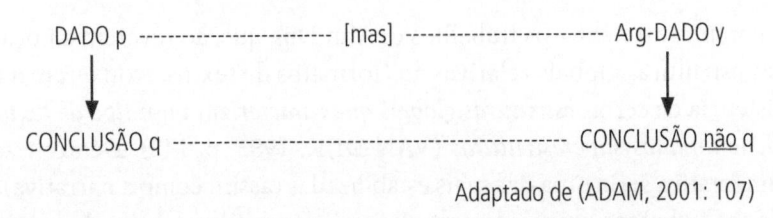

```
DADO p ------------------------- [mas] ------------------------- Arg-DADO y
    ↓                                                                 ↓
CONCLUSÃO q --------------------------------------------------- CONCLUSÃO não q
```
Adaptado de (ADAM, 2001: 107)

Esquema 3 Sequência contra-argumentativa prototípica

Em publicação posterior, de 1997, a argumentação para o autor passa a ter, também, uma outra dimensão. Na obra *L'Argumentation Publicitaire – rhétorique de l'éloge et de la persuasion* em coautoria com Bonhomme, no intuito de trabalhar a publicidade, Adam e Bonhomme fazem uma distinção clara entre os termos sequência prototípica argumentativa e argumentação, como se observa abaixo:

> Não se deve confundir a unidade que entra na composição dos textos e o que se designa pelo termo sequência argumentativa com a argumentação em geral. Pelo discurso, o locutor faz alusão a um "mundo" (real ou fictício, apresentado como tal ou não), ele constrói uma representação: é a função descritiva da língua. Mas falar é procurar fazer com que um interlocutor partilhe opiniões e representações relativas a um tema dado, é querer provocar ou aumentar a adesão de um ouvinte ou de um auditório mais vasto às teses apresentadas. (ADAM; BONHOMME, 1997, p. 109)

Inclusive, nessa mesma publicação, considerando o conceito ampliado ao termo argumentação, é enfatizado que o sistema verbal pode vir a estar associado ao icônico em alguns gêneros textuais que apresentam uma dimensão semiológica mista. Além de, evidentemente, poder vir a ser traduzida por uma sequência (não apenas a argumentativa).

Essa duplicidade de sentido atribuída ao termo "argumentação" continuará a percorrer os trabalhos de Adam, tanto no âmbito da LT quanto da ATD.

Em publicação de 1999, nomeadamente no livro organizado por Ruth Amossy, Adam integra a questão da argumentação às noções de *ethos* e *pathos*.

Ao analisar os discursos políticos de De Gaulle e Pétain, o teórico ressalta de que forma algumas escolhas linguísticas podem intervir na construção das imagens desses estadistas junto ao auditório. Inclusive, em 2002, as noções de *ethos* e *pathos* são definidas como componentes do gênero.[7] Com isso, Adam evidencia os dois aspectos importantes na argumentação: o linguístico e o retórico.

A partir desse percurso teórico, enfatiza-se que, de forma a demonstrar a complementaridade das duas acepções apresentadas para o termo "argumentação", mostrar-se-á a análise de um estudo de caso, seguindo os pressupostos da LT e, também, da ATD.

Estudo de caso

O texto relativo ao estudo de caso está vinculado a bolsas de "amenidades" distribuídas a passageiros de uma empresa de aviação portuguesa. Esse texto apresenta como logo "agir eco act" – que já desencadeia inferencialmente o tema a ser desenvolvido nele. É o aspecto ecológico que será ressaltado. Esse logotipo é acompanhado do seguinte texto entre aspas:

> "Descubra uma bolsa mais eco.
> O ambiente é uma das prioridades da TAP. Por isso desenvolvemos uma bolsa mais eco onde o conteúdo é fabricado com matérias naturais ou a partir de matérias recicláveis.
> Em nome da TAP e do Ambiente, muito obrigada."

Como foi atestado anteriormente, a argumentação dentro da acepção da LT apresenta dois níveis: o mais restrito (ao nível da sequência argumentativa) e um mais global (mais relacionado à ATD) em que outras sequências – não apenas a argumentativa – e questões retóricas podem vir a estar presentes para atender ao objetivo persuasivo do texto.

---

7   Aqui não será desenvolvida a noção de gênero discursivo/textual. Para mais detalhes, ver Pinto (2010).

No primeiro nível, pode-se pensar na argumentação a partir do Esquema 2 da sequência argumentativa, apresentado anteriormente, em que os diversos enunciados que compõem o texto podem vir detalhados da seguinte forma:

DADO – "O ambiente é uma das prioridades da TAP".
GARANTIA – [Empresas preocupadas com o ambiente desenvolvem estratégias de comercialização adequadas a uma atitude ecológica].
CONCLUSÃO – "Por isso desenvolvemos uma bolsa mais eco onde o conteúdo é fabricado com matérias naturais ou a partir de matérias recicláveis".

Contudo, como se observa, tal perspectiva sobre a argumentação "não dá conta" de uma visão mais ampla sobre o real objetivo desse folheto: mostrar que a empresa tem uma atitude ecológica, preocupada com o ambiente, indo ao encontro das preocupações atuais do mundo globalizado. Por conseguinte, é uma empresa credível, moderna, em que o passageiro pode confiar. Dessa forma, essa atitude *politicamente correta* da empresa tem o objetivo de persuadir o cliente a comprar o produto vendido: passagens aéreas.

Com isso, passa-se, agora, a uma análise mais ampla do texto, tentando evidenciar o sentido mais amplo atribuído ao termo "argumentação", dentro da perspectiva proposta por Adam.

Evidentemente, a sequência argumentativa anteriormente apontada é uma estratégia relevante para que a finalidade do folheto seja atingida, mas não o único aspecto importante.

Vejamos outros aspectos que podem vir também a contribuir para estabelecer o objetivo e a orientação argumentativa do próprio texto. Primeiramente, no canto superior esquerdo, é colocada uma mancha verde (formato de uma folha) em que são apresentados verbos de ação: "agir"/"act", acompanhados pela unidade lexical "ECO", em vermelho, estabelecendo um paralelo com a cor da própria empresa. Tal estratégia introduz o tema do folheto que será desenvolvido ao longo do texto: questões ambientais.

O nome no canto direito inferior da empresa acompanhado de uma unidade textual em inglês "An Environmental Commitment from" atesta a origem do discurso relatado acima, apresentado entre aspas. É a própria empresa – preocupada com o meio ambiente – que se responsabiliza pelo que é dito. Tal responsabilidade enunciativa é reforçada pela relevância dada ao nome da empresa no último enunciado tanto em português quanto em inglês: "em nome da TAP"/"A big thank from TAP". É um papel *politicamente correto* da empresa que é ressaltado pelo emprego de vários outros recursos linguísticos, sendo que muitos deles refletem ecos intertextuais:

- uso de expressões quantificadoras – "bolsa *mais* eco" (duas incidências). No caso, existe uma comparação implícita com bolsas oferecidas por outras companhias aéreas ou por modelos anteriores oferecidos pela própria companhia. "uma bolsa mais eco [do que as oferecidas por outras companhias]".
- uso de expressões com valor axiológico positivo (relacionado a questões ambientais) – "matérias *naturais*"; "matérias *recicláveis*".
- expressões que demarcam a individualidade do foco da empresa na questão ambiental: "O ambiente é *uma das* prioridades da TAP [evidentemente existem outras prioridades, essa é uma delas]".

A topicalização da expressão nominal "o ambiente" realça o valor atribuído pela empresa a esse aspecto.

Além desses elementos outros merecem ser destacados:

1. A presença de um enunciado com um verbo no imperativo "descubra", com valor diretivo, suscitando no texto uma orientação argumentativa clara: vale a pena o passageiro aderir ao serviço proposto por uma empresa com responsabilidade ambiental.
2. A existência de uma sequência prototípica descritiva[8] "incompleta", mas que atua a serviço da argumentação geral do texto.

---

8 Para detalhes sobre o esquema prototípico da descrição, ver Adam (2001, p. 84).

Vejamos esquematicamente como essa sequência se apresenta:

a) *Operação de ancoragem* é estabelecida pelo termo "bolsa", que funciona como o tema-título do texto.
b) *Operação de aspectualização* em que várias propriedades da bolsa são salientadas com expressões quantificadoras e axiologicamente positivas, como já foi ressaltado.
c) *Operação de estabelecimento de relação* em que é ressaltada a individualização do produto quando comparado "implicitamente" a outros: "Por isso, desenvolvemos uma bolsa mais eco". Aqui, é de ser ressaltado o emprego do *conector com valor conclusivo*: "por isso".

Todas essas estratégias linguísticas de caráter argumentativo e persuasivo são utilizadas para ressaltar os valores ético (comprometimento com o meio ambiente) e *pragmático* (existe um compromisso também com estatutos estabelecidos pela comunidade europeia). Na verdade, o comprador do produto (no caso, uma viagem) será convencido a fazê-lo também em função da adesão ao seu papel como participante dessa preocupação global. É um *ethos* empresarial comprometido com o meio ambiente, fiável e moderno, que é construído pela empresa no intuito de atingir o seu objetivo comercial. Atende, exatamente, o cliente consciente e responsável com questões ambientais. É um *pathos* comprometido e engajado que a empresa quer atingir.

Considerações finais

Com esta contribuição, tencionou-se mostrar de que forma a argumentação pode vir a ser analisada, seguindo a Linguística Textual numa visão mais ampla e alargada. Evidentemente, as análises efetuadas comprovam a necessidade de se trabalhar com uma visão ampliada do conceito relativo à argumentação, contudo esta ainda não nos parece suficiente. Defende-se que o teor persuasivo/argumentativo de um texto poderá ser percebido através das diversas relações (de forma dinâmica) estabelecidas entre todos os níveis de análise apontados por Adam (2008, p. 61).

Na verdade, a dinamicidade está presente em todos os níveis, sendo que um pode vir a intervir no outro em função dos textos/discursos/gêneros. Advoga-se que, ao se pensar na acepção da argumentação no discurso (AMOSSY, 2012) ou na argumentação no gênero (PINTO, 2010, 2015), poder-se-á dar conta da complexidade que é o estudo de textos empíricos em que a persuasão se faz presente.

Referências

ADAM, J.-M. Éléments de linguistique textuelle. Bruxelas; Liège: Mardaga, 1990.

_____. Linguistique textuelle: des genres de discours aux textes. Paris: Nathan, 1999.

_____. Les textes types et prototypes. Récit, description, argumentation, explication et dialogue. 4. ed. Paris: Nathan, 2001.

_____. La linguistique textuelle. Introduction à l'analyse textuelle des discours. Paris: Armand Colin, 2005.

_____ A linguística: introdução à análise textual dos discursos. Tradução de Maria das G. S. Rodrigues, João Gomes da S. Neto, Luis Passeggi, Eulália Vera Lúcia F. Leurquin. São Paulo: Cortez, 2008.

_____; BONHOMME, M. L'argumentation publicitaire. Rhétorique de l'éloge et de la persuasion. Paris: Nathan, 1997.

AMOSSY, R. L'Argumentation dans le discours. Paris: Armand Colin, 2012.

ANSCOMBRE, J.-C.; DUCROT, O. L'argumentation dans la langue. 2. ed. Liège; Bruxelas: Mardaga, 1988.

BERNARDEZ, E. Teoría y epistemologia de texto. Madrid: Cátedra, 1995.

BRASSART, D. G. Un constat, qu'y a-t-il à l'intérieur d'un constat? Qu'est-ce qu'on y voit lorsqu'il est ouvert? In: GROSSMAN, F. Pratiques langagières et didactiques de l'écrit. Hommage à Michel Dabène. Grenoble: IVEL--LIDLEM, 1998. p. 85-95.

CONTE, M. E. La linguistica testuale. 2. ed. Milão: Campi del Sapere; Feltrinelli, 1989.

COUTINHO, M. A. Texto(s) e competência textual. Lisboa: Fundação Calouste Gulbenkian, 2003.

GRIZE, J.-B. *De la logique à l'argumentation*. Genebra; Paris: Droz, 1982.

ISENBERG, H. Reflessioni sulla teoria del testo. In: CONTE, M.-E. *La linguistica testuale*. 2. ed. Milão: Campi del Sapere; Feltrinelli, 1989. p. 66-85.

KOCH, I. G. V. *Argumentação e linguagem*. São Paulo: Cortez, 1984.

_____; TRAVAGLIA, L. C. *Texto e coerência*. São Paulo: Cortez, 1989.

MARCUSCHI, L. A. *Linguística de Texto*: o que é e como se faz. Recife: Universidade Federal de Pernambuco, 1983.

MIRANDA, F. *Textos e Gêneros em Diálogo*. Uma abordagem linguística da intertextualização. Lisboa: Fundação Calouste Gulbenkian, 2010.

PERELMAN, C.; OLBRECHTS-TYTECA, L. *Traité de l'argumentation*: la nouvelle rhétorique. 5. ed. Bruxelas: Université de Bruxelles, 1988.

PINTO, R. *Como argumentar e persuadir*. Práticas política, jurídica, jornalística. Lisboa: Quid Juris, 2010.

_____. Argumentação e persuasão em gêneros textuais. *EID&A - Revista Eletrônica de Estudos Integrados em Discurso e Argumentação*, Ilhéus, n. 9, p. 102-114, dez. 2015.

SCHMIDT, S. J. *Linguística e Teoria do Texto*. 2. ed. São Paulo: Livraria Pioneira Editora, 1978.

SLAKTA, D. L'ordre du texte. In. Études *de linguistique appliquée*, 19, p. 30-42, 1975.

TOULMIN, S. *The Uses of Arguments*. Cambridge: Cambridge University Press, 1958.

VAN DIJK, T. A. *La ciência del texto*. 2. ed. Barcelona: Paidós, 1983.

Anexo 1

"Descubra uma bolsa mais eco.

O ambiente é uma das prioridades da TAP. Por isso desenvolvemos uma bolsa mais eco onde o conteúdo é fabricado com materiais naturais ou a partir de matérias recicláveis.

Em nome da TAP e do Ambiente, muito obrigado."

"Discover a more environmentally friendly amenity kit.

Protecting the environment is one of TAP's main priorities. We have, therefore, developed a more environmentally friendly kit, which contains products made from natural or recyclable materials.

A big thank you from TAP and the environment."

An **Environmental Commitment** from **TAP**
TAP PORTUGAL
de braços abertos

Agir Eco Act – Tap (2011)

13

Linguística Textual e Análise Textual dos Discursos: sequências descritivas e progressão textual em foco

Sueli Cristina Marquesi

Neste capítulo, tenho por objetivo trazer à discussão procedimentos teórico-analíticos de uma das abordagens da Linguística Textual: a Análise Textual dos Discursos (ATD). O estudo centra-se em um de seus níveis de análise – o da estrutura composicional (ADAM, 2011), mais especificamente, aquele que diz respeito a sequências textuais, em articulação com um dos dispositivos, já há muito discutido no interior da Linguística Textual, a progressão textual.

Considerando com Adam (2011, p. 23) que a ATD constitui "um procedimento dentro da Linguística Textual que analisa a produção contextual de sentidos em textos concretos" e tomando por base estudos desenvolvidos por Koch (2004, 2006), Marcuschi (2008), Schnotz (2009), por Adam (1992, 2011) e Marquesi (2004, 2007, 2013), analiso e discuto o descritivo em diálogo com a progressão textual no plano de um texto do gênero anúncio veiculado na imprensa.

Seguindo esses procedimentos teórico-metodológicos, organizo o capítulo em duas seções, além desta introdução e das considerações finais. Na primeira, apresento o quadro teórico, abordando o lugar da Linguística Textual na Análise de Discursos e a ATD, bem como os conceitos de sequências textuais, com destaque a sequências textuais descritivas e progressão textual. Na segunda, procedo à análise e à discussão de sequências descritivas e destas em relação à progressão textual no texto escolhido como exemplificação.

Quadro Teórico

O lugar da Linguística Textual na Análise de Discursos e a ATD: texto, contexto e sentido

Postulando ao mesmo tempo uma separação e uma complementariedade das tarefas e dos objetos da Linguística textual e da Análise do discurso, Adam (2011) define a Linguística textual como um subdomínio do campo mais vasto da análise das práticas discursivas, evidenciando a articulação entre uma "linguística textual desvencilhada da gramática de textos e uma análise de discurso emancipada da análise de discurso francesa (ADF)" (p. 43).

Essa definição de Linguística Textual permite-nos, certamente, entender a ATD, tal como proposta por Adam, como um procedimento da Linguística Textual, que analisa a produção co(n)textual de sentidos, em textos concretos, conforme já destacado na introdução deste capítulo, e o texto como objeto empírico complexo, a requerer uma teoria desse objeto e de suas relações com o domínio mais vasto do discurso em geral.

Em suas considerações, há que se destacar que o autor assume, como pressuposto, que todo texto constrói de forma mais ou menos explícita seu contexto de enunciação. Dessa perspectiva, o contexto não é um dado situacional exterior aos sujeitos, mas, sim, uma realidade ao mesmo tempo histórica e cognitiva. Em outras palavras, na base da compreensão do contexto encontram-se os conhecimentos enciclopédicos dos sujeitos, os seus pré-construídos culturais e os lugares comuns argumentativos.

De acordo com essa posição por ele defendida, o contexto entra na construção do sentido de enunciados breves ou complexos, de um ponto de vista linguístico. Essa operação de contextualização consiste em imaginar uma situação de enunciação que torne possível o enunciado, considerando o contexto verbal e/ou o contexto situacional de interação e salientando que "não temos acesso ao contexto como dado extralinguístico objetivo, mas somente a (re)construções pelos sujeitos falantes e/ou por analistas" (ADAM, 2011, p. 52).

Pode-se, assim, dizer que, no interior da análise de discursos, tal como propõe Adam, a Linguística Textual tem destacadas funções, como teorizar e descrever os encadeamentos de enunciados elementares constitutivos do texto, bem como detalhar as relações de interdependência que fazem de um texto uma rede de determinações.

Em decorrência dessas funções, a ATD compreende os seguintes níveis ou planos da análise textual: *textura* (proposições enunciadas e períodos); *estrutura composicional* (sequências e planos do texto); *semântica* (representação discursiva); *enunciação* (responsabilidade enunciativa e coesão polifônica); e *atos de discurso* (ilocucionários e orientação argumentativa).

Graficamente, esses níveis ou planos de análise textual encontram-se assim representados no âmbito maior dos estudos do discurso:

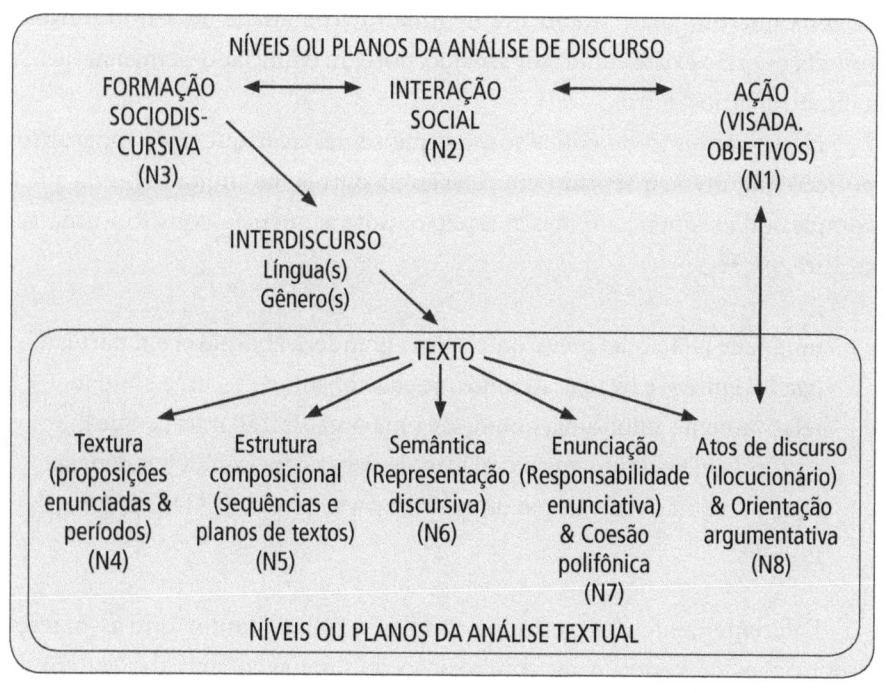

```
NÍVEIS OU PLANOS DA ANÁLISE DE DISCURSO

FORMAÇÃO            INTERAÇÃO              AÇÃO
SOCIODIS-            SOCIAL              (VISADA.
CURSIVA              (N2)                OBJETIVOS)
(N3)                                       (N1)

         INTERDISCURSO
         Língua(s)
         Gênero(s)

                  TEXTO

Textura      Estrutura     Semântica    Enunciação       Atos de discurso
(proposições composicional (Representação (Responsabilidade (ilocucionário)
enunciadas & (sequências e  discursiva)   enunciativa)    & Orientação
períodos)    planos de textos) (N6)       & Coesão        argumentativa
(N4)         (N5)                         polifônica       (N8)
                                          (N7)

NÍVEIS OU PLANOS DA ANÁLISE TEXTUAL
```

(Fonte: Adam, 2011, p. 61)

Esquema 1

Sequências textuais

Considerando o meu objetivo neste capítulo de relacionar sequências descritivas a formas de progressão, focalizarei, dentro da ATD, o nível 5 de análise (N 5), que diz respeito a sequências e planos de textos.

Sobre períodos/*sequências textuais*, Adam as concebe como unidades textuais complexas, compostas de um número limitado de conjuntos de *proposições-enunciados*: as macroproposições, estas definidas como uma espécie de período que tem por propriedade principal ser uma unidade ligada a outras macroproposições, ocupando, pois, posições precisas dentro do todo ordenado de uma sequência textual.

Em se tratando das proposições-enunciados, o autor as concebe como microunidades enunciativas textuais, sendo, assim, produtos de um ato de enunciação, o que o leva a defender que cada proposição-enunciado se trata de uma microunidade sintática e de uma microunidade de sentido. Adam ressalta que não existe enunciado isolado, pois um enunciado elementar liga-se a um ou a vários outros.

Nesse conjunto de conceitos, há que se destacar que cada macroproposição adquire seu sentido em relação às outras, na unidade hierárquica complexa da sequência e, nesse aspecto, uma sequência constitui uma estrutura, ou seja,

> uma rede relacional hierárquica: uma grandeza analisável em partes ligadas entre si e ligadas ao todo que elas constituem; – uma entidade relativamente autônoma, dotada de uma organização interna que lhe é própria e, portanto, numa relação de dependência-independência com o conjunto mais amplo do qual faz parte (o texto) (ADAM, 2011, p. 2004).

Diferentemente dos períodos simples, explica o autor que as macroproposições que entram na composição de uma sequência dependem de combinações pré-formatadas de proposições. Essas diferentes combinações, denominadas *narrativa, argumentativa, explicativa, dialogal* e *descritiva*, conforme destaca o autor, correspondem a cinco tipos de relações macrossemânticas memorizadas culturalmente (pela leitura, escuta e produção de textos), sendo, assim, transformadas em esquema de reconhecimento e de estruturação da informação textual.

Sequências descritivas: reconhecimento e estruturação da informação textual

Em seus primeiros estudos, Adam (1992) propõe situar a tipologia de sequências em um conjunto mais amplo e complexo dos planos de organização da textualidade. Concebendo o texto como uma estrutura sequencial heterogênea, o autor afirma ser possível observar a diversidade e a heterogeneidade do texto, bem como definir linguisticamente alguns aspectos dessa complexidade.

Em seu trabalho de 2011 [2005], Adam aprofunda sua abordagem sobre as sequências descritivas, destacando que "a descrição, inerente ao exercício da fala, é de início identificável no nível dos enunciados mínimos" (p. 217).

O autor destaca que a atribuição mínima de um predicado a um sujeito constitui a base de um conteúdo proposicional, revelando essa atribuição sempre à posição do sujeito enunciador e, nesse caso, qualquer conteúdo descritivo revela a atitude subjetiva de seu enunciador.

Para Adam, um procedimento descritivo é, pois, inseparável de uma visada do discurso, o que decorre da indissociabilidade entre um conteúdo descritivo e uma posição enunciativa que orienta argumentativamente todo enunciado.

Ao enfocar o nível da composição textual, o autor propõe, para quaisquer descrições, independentemente de sua extensão, a aplicação de um repertório de operações de base para a geração de proposições descritivas que, ordenadas por um plano de texto, se agrupam em períodos de extensão variável. São quatro macro-operações que agrupam nove operações descritivas que geram uma dezena de tipos de operações descritivas de base, como retomo a seguir:

Operações de tematização: pré-tematização; pós-tematização; retematização.
Operações de aspectualização: fragmentação; qualificação.
Operações de relação: relação de contiguidade – situação temporal e espacial; relação de analogia – forma de assimilação comparativa ou metafórica.

No processo descritivo, como um todo, podemos ter subtematizações sucessivas, uma vez que a expansão descritiva é potencialmente infinita, segundo Adam (2011).

O descritivo foi também tratado por Marquesi (2004 [1996]), da perspectiva da tipologia de textos, como uma organização definida por três categorias: *designação, definição* e *individuação*.

Segundo o referido estudo, a categoria da *designação* implica *dar nome a, nomear, indicar, dar a conhecer*, portanto, *condensar* em um recorte lexical um conjunto sêmico; a categoria da *definição* compreende *determinar a extensão ou os limites de*, bem como *enunciar os atributos essenciais e específicos (de uma coisa), de modo que a torne inconfundível com outra*; e a categoria da *individuação* é descrita em relação à função de *especificar, distinguir*, ou seja, *especializar, particularizar, tornar individual*, indicadora do que faz com que um ser possua não apenas um tipo específico, mas uma existência singular, determinada no tempo e no espaço.

No quadro de organização do descritivo concebido por Marquesi (2004), há que se destacar que o fio condutor do texto garante sua linha de coerência e orienta as escolhas do autor para a progressão textual e que, dependendo do gênero em que o descritivo esteja presente, pode haver uma expansão maior ou menor em cada uma das categorias.

Comparando os estudos sobre o descritivo desenvolvidos por Marquesi (2004) e Adam (2011), é possível estabelecer um diálogo entre eles, uma vez que o produtor de um texto orienta sua progressão, em consonância com a orientação argumentativa, manifestada pelas escolhas lexicais e sintáticas, para qualificar, localizar, situar o ser/objeto, em função de um querer dizer. Isso ocorre desde o momento em que designa, tematiza ou nomeia o referido ser/objeto.

Sequências textuais descritivas e progressão textual

De acordo com a perspectiva aqui adotada, há que se destacar que todo enunciador encontra-se confrontado, a cada vez, com a questão do tema a escolher, como base do enunciado seguinte. Isso acontece porque, como explica

Adam, parte de uma frase, de um sintagma nominal ou de um sintagma verbal pode receber uma focalização ou valor informativo diferente.

Em função do lugar que ocupa na dinâmica da frase e de sua "visada comunicativa", uma unidade pode ser considerada temática ou remática. Será temática se a informação for dada como já presente no co(n)texto e, portanto, de alguma forma já conhecida (o tema); e remática, se for vista como novo aporte ou foco da informação. (KOCH, 2004, 2006; MARCUSCHI, 2008; SCHNOTZ, 2009).

Assim, da perspectiva enunciativa, de um lado, o tema é o ponto de partida do enunciado, tratando-se, pois, de um grupo caracterizado por menor grau de informatividade devido a sua inscrição no cotexto de uma retomada, razão pela qual se torna base de coesão textual; de outro lado, uma sequência de enunciados pode ser definida como uma sequência de temas.

Nesse sentido, todo texto é entendido em uma tensão entre progressão e coesão – que se encontra ligada à estrutura temática, à conexão e à concatenação dos temas sucessivos.

De acordo com estudos desenvolvidos sobre o tema, que embasam este capítulo, há diferentes tipos de progressão temática. Adam (2011) especifica dois grandes tipos de progressão temática de base que asseguram os encadeamentos de enunciados mínimos: *a progressão com tema constante* e a *progressão por tematização linear*, ressaltando que esses modelos de base podem ser misturados ou combinados. No primeiro grande tipo, os movimentos descritivos dividem um hipertema (objeto da descrição) em subtemas (suas partes). No segundo, o rema de uma primeira frase torna-se o tema da segunda cujo rema fornece por sua vez o tema da seguinte.

Pode-se considerar que os remas sucessivos trazem as informações pertinentes mais importantes, novas ou que constituem o foco ou centro de informação. Trata-se de conceitos percebidos na dinâmica textual, uma descrição dos movimentos textuais de focalização, retomada e progressão de enunciados, em outras palavras, uma descrição da dinâmica textual do sentido intra e transfrasal.

É possível considerar, assim, que todo texto possui, de um lado, elementos referenciais conhecidos pelo co(n)texto que asseguram a coesão do conjunto e, de outro, elementos postos como novos portadores da expansão e da dinâmica da progressão informativa. Destaca-se, assim, a função coesiva de diferentes tipos de retomadas temáticas, bem como o papel do elemento focalizado geralmente remático na dinâmica do sentido e da progressão de enunciados.

Sequências descritivas e progressão textual no gênero anúncio: uma exemplificação

O texto selecionado: aspectos contextualizadores

Tendo em vista o meu objetivo neste trabalho de relacionar sequências descritivas com a progressão textual no plano de texto, sob a perspectiva teórica da Linguística Textual no âmbito da Análise Textual dos Discursos, foi selecionado, a título de exemplificação, um anúncio da Ambev, extraído da revista *Veja*, com a data de circulação de 5 de abril de 2017, que também circulou em uma página inteira dos principais jornais brasileiros e se encontra em audiovisual para acesso na internet via endereço http://www.meioemensagem.com.br/home/marketing/2017/04/03/boatos-deixam-marcas-de-alimentos--e-bebidas-em-alerta.html (acesso em: 20 jul. 2017).

O texto é o seguinte:

Hoje é o dia da mentira

Hoje é dia 1º de abril, dia da mentira. E a mentira que tem perna curta tem como símbolo um pombo, que não é o pombo da paz que nós amamos. Esse pombo é o símbolo da mentira que anda por aí, espalhando boatos nas redes sociais. Num vídeo que circulou alguns dias atrás, vemos pombos sendo triturados por máquinas, no que seria uma das cervejarias da Ambev.
Nesses tempos de notícias falsas, ele pousou nos ombros da Ambev, uma das três empresas de maior reputação do Brasil, com 164 anos de história e de qualidade. Foi comprovado que essa notícia era

> totalmente falsa, por mais de 100 matérias que atribuíram esta história a uma fábrica de pães fora do Brasil. Informações falsas têm aparecido constantemente nas redes sociais no mundo inteiro. E muitas vezes as pessoas acabam curtindo e repassando essas mentiras que, aliás, já podem estar pousando na sua casa, na sua família. Portanto, hoje, dia da mentira, a Ambev está aqui para estabelecer a verdade e acabar de uma vez por todas com o desrespeito à nossa qualidade, controlada em mais de 1.300 etapas, de ponta a ponta.
>
> Ambev. Qualidade do campo ao copo.

Fonte: Revista *Veja*, edição 2524, ano 50, n. 14, 5 de abril de 2017.

O anúncio tem como propósito desmentir os boatos que circularam nas redes sociais sobre a Ambev, uma empresa de grande porte do ramo de bebidas nascida em 1999, quando a Cervejaria Brahma e a Companhia Antarctica anunciaram a decisão de juntar esforços.

O título "Hoje é o dia da mentira" solicita aos leitores uma contextualização com base no conhecimento enciclopédico. Esse dia assim é rotulado porque, segundo nos contam, em 1564, o rei da França, Carlos IX, transferiu a comemoração do ano novo, antes comemorado entre 25 de março e 1º de abril, início da primavera, para 1º de janeiro. No entanto, algumas pessoas resistentes à mudança do calendário continuaram a comemorar o início do ano no dia 1º de abril e, por essa razão, passaram a ser alvo de diversas brincadeiras, fato que tornou esse dia conhecido como o dia da mentira em muitos lugares do mundo.

O texto elaborado e veiculado com a intenção de chamar a atenção da opinião pública para falsas histórias que circulam nas redes sociais nos permite refletir sobre as funções das sequências descritivas e de como elas se relacionam com a progressão do texto.

Procedimentos de análise

A análise e discussão das sequências descritivas e da progressão textual no texto selecionado serão feitas em duas etapas, com base nos procedimentos descritos a seguir:

Etapa 1

> a) Levantamento de sequências descritivas do texto.
> b) Análise de:
> – Designações, por nomeações ou tematizações.
> – Definições e individuações, por qualificações, fragmentações, relações temporais, relações espaciais, comparações ou metáforas.

Etapa 2

> a) Relação entre os movimentos descritivos e a análise da progressão textual.
> b) Análise do(s) tipo(s) de progressão textual.

Análise e discussão

Levantamento das sequências descritivas do texto

As sequências descritivas podem ser agrupadas em quatro blocos, considerando o tópico sobre o qual versam, os referentes sobre os quais recaem a descrição e as predicações a eles atribuídas.

Bloco 1 – Dia da mentira

> Hoje é dia 1º de abril, dia da mentira.
> E a mentira que tem perna curta tem como símbolo um pombo.
> Portanto, hoje, dia da mentira.

Em se tratando da sequência descritiva que compõe o **Bloco 1**, observa-se a seguinte organização:

- *dia 1º de abril* – tematização por localização temporal;
- (dia 1º de abril é) *dia da mentira* – definição por qualificação.
- *E a mentira que tem perna curta tem como símbolo um pombo* – individuação por qualificação.

Bloco 2 – Pombo da mentira

(um pombo) que não é o pombo da paz que nós amamos. Esse pombo é o símbolo da mentira que anda por aí, espalhando boatos nas redes sociais. Num vídeo que circulou alguns dias atrás, vemos pombos sendo triturados por máquinas, no que seria uma das cervejarias da Ambev.
Nesses tempos de notícias falsas, ele pousou nos ombros da Ambev.

Quanto à sequência descritiva constitutiva do **Bloco 2**, registra-se do ponto de vista organizacional:

- (*um pombo*) – designação por nomeação;
- *que não é o pombo da paz que nós amamos* – individuação por comparação.
- *Esse pombo é o símbolo da mentira* – individuação por metáfora;
- *que anda por aí, espalhando boatos nas redes sociais* – individuação por qualificação.
- *Nesses tempos de notícias falsas* – individuação por relações temporais;
- *ele pousou nos ombros da Ambev* – individuação por relações espaciais.

Bloco 3 – Ambev

> uma das três empresas de maior reputação do Brasil, com 164 anos de história e de qualidade.
> a Ambev está aqui para estabelecer a verdade e acabar de uma vez por todas com o desrespeito à nossa qualidade, controlada em mais de 1.300 etapas, de ponta a ponta.
> Ambev. Qualidade do campo ao copo.

No tocante à sequência descritiva que compõe o **Bloco 3**, a organização assim ocorre:

- *Ambev* – designação por nomeação;
- *uma das três empresas de maior reputação do Brasil, com 164 anos de história e de qualidade* – definição por qualificação e por quantificação;
- *está aqui para estabelecer a verdade e acabar de uma vez por todas com o desrespeito à nossa qualidade* – individuação por qualificação;
- *controlada em mais de 1.300 etapas, de ponta a ponta* – individuação por qualificação.
- *Qualidade do campo ao copo* – individuação por qualificação.

Bloco 4 – Notícias falsas

> Foi comprovado que essa notícia era totalmente falsa, por mais de 100 matérias que atribuíram esta história a uma fábrica de pães fora do Brasil. Informações falsas têm aparecido constantemente nas redes sociais no mundo inteiro. E muitas vezes as pessoas acabam curtindo e repassando essas mentiras que, aliás, já podem estar pousando na sua casa, na sua família.

Em relação às sequências descritivas do **Bloco 4**, pode-se notar, do ponto de vista organizacional:

- *Foi comprovado que essa notícia era totalmente falsa* – individuação por qualificação
- *por mais de 100 matérias que atribuíram esta história a uma fábrica de pães fora do Brasil* – individuação por quantificação
- *Informações falsas têm aparecido constantemente nas redes sociais no mundo inteiro* – individuação por relações espaciais
- *E muitas vezes as pessoas acabam curtindo e repassando essas mentiras que, aliás, já podem estar pousando na sua casa, na sua família* – individuação por metáfora

Relação entre os movimentos descritivos e a progressão textual

Na sequência descritiva (Bloco 1):

Hoje é dia 1º de abril, dia da mentira
E a mentira que tem perna curta tem como símbolo um pombo
Portanto, hoje, dia da mentira

ocorre o seguinte movimento de progressão textual:

Tema	Rema
Hoje é dia 1º de abril	dia da mentira
E a mentira	que tem perna curta tem como símbolo um pombo

Na sequência descritiva (Bloco 2):

> (um pombo) que não é o pombo da paz que nós amamos. Esse pombo é o símbolo da mentira que anda por aí, espalhando boatos nas redes sociais. Num vídeo que circulou alguns dias atrás, vemos pombos sendo triturados por máquinas, no que seria uma das cervejarias da Ambev.
> Nesses tempos de notícias falsas, ele pousou nos ombros da Ambev.

encontra-se assim configurada a progressão textual:

Tema	Rema
um pombo	que não é o pombo da paz que nós amamos
Esse pombo	é o símbolo da mentira que anda por aí, espalhando boatos nas redes sociais.
Num vídeo que circulou alguns dias atrás	vemos pombos sendo triturados por máquinas, no que seria uma das cervejarias da Ambev.
Ele	pousou nos ombros da Ambev

Na sequência descritiva (Bloco 3):

> uma das três empresas de maior reputação do Brasil, com 164 anos de história e de qualidade.
> a Ambev está aqui para estabelecer a verdade e acabar de uma vez por todas com o desrespeito à nossa qualidade, controlada em mais de 1.300 etapas, de ponta a ponta.
> Ambev. Qualidade do campo ao copo.

pode-se representar o movimento da progressão textual da seguinte forma:

Tema	Rema
Ambev	uma das três empresas de maior reputação do Brasil, com 164 anos de história e de qualidade
Ambev	está aqui para estabelecer a verdade e acabar de uma vez por todas com o desrespeito à nossa qualidade, controlada em mais de 1.300 etapas, de ponta a ponta.
Ambev	Qualidade do campo ao copo.

Na sequência descritiva (Bloco 4):

Foi comprovado que essa notícia era totalmente falsa, por mais de 100 matérias que atribuíram esta história a uma fábrica de pães fora do Brasil. Informações falsas têm aparecido constantemente nas redes sociais no mundo inteiro. E muitas vezes as pessoas acabam curtindo e repassando essas mentiras que, aliás, já podem estar pousando na sua casa, na sua família.

o movimento da progressão textual pode ser assim representado:

Tema	Rema
Foi comprovado que essa notícia	era totalmente falsa, por mais de 100 matérias que atribuíram esta história a uma fábrica de pães fora do Brasil.
Informações falsas	têm aparecido constantemente nas redes sociais no mundo inteiro
E muitas vezes as pessoas	acabam curtindo e repassando essas mentiras que, aliás, já podem estar pousando na sua casa, na sua família.

Estabelecendo a relação entre os dois momentos de análise, observa-se que:

1. Em destaque na sequência descritiva do **Bloco 1**, o referente *à mentira* foi introduzido como informação nova (plano remático), mas passa, logo em seguida, para o plano temático. Além de promover a coesão, esse movimento linear de progressão textual na constituição da sequência possibilita que o referente permaneça em evidência na memória do leitor e, assim, contribua para a seguinte orientação argumentativa: o que circulou nas redes sociais sobre a Ambev não merece crédito: é mentira!
2. Em destaque na sequência descritiva do **Bloco 2**, o referente **um pombo** – que se mantém ativado na memória do leitor por meio das estratégias de repetição do nome núcleo do sintagma e de pronominalização – situa-se destacadamente no plano temático, após ser introduzido no fim da sequência descritiva do Bloco 1. Estabelecendo a coesão entre esses dois blocos, a estratégia de tematização na organização do texto chama a atenção para o boato sobre a empresa envolvendo pombos – o símbolo da mentira.
3. Em destaque na sequência descritiva do **Bloco 3**, o referente **Ambev** encontra-se situado destacadamente no plano temático, após ser introduzido no fim da sequência descritiva do Bloco 2. Estabelecendo a coesão entre esses dois blocos, a estratégia põe em evidência, pela repetição, o alvo do boato, solicitando do leitor atenção ao que se constitui como informação nova – as qualificações atribuídas à empresa. A estratégia contribui para reiterar o objetivo do texto e a orientação argumentativa pretendida: por todas as predicações da empresa, o que circulou nas redes sociais é boato, é mentira!
4. Diferentemente do que vinha acontecendo na organização global do texto, no **Bloco 4** há uma interrupção do movimento linear de progressão textual observado entre os três primeiros blocos de sequências descritivas. O que no Bloco 4 se coloca na tematização e na rematização vem reforçar a ideia contida nas sequências descritivas anteriores: é mentira o que foi veiculado sobre a empresa.

Os resultados das análises indicam que as sequências textuais descritivas revelam um olhar particular sobre o objeto tematizado, conduzem a orientação argumentativa no texto e contribuem para a progressão textual, corroborando, assim, seu importante papel na organização textual, independentemente do gênero textual em que figurem, visto que, ao designar ou tematizar um objeto, o escritor determina suas escolhas (lexicais e sintáticas) para qualificar, localizar, situar esse objeto, em função dos objetivos pretendidos.

Nesse sentido, os resultados também vêm ratificar conclusões de trabalhos anteriores (MARQUESI, 2010, 2014, 2016; MARQUESI et al., 2017), a saber: as sequências descritivas são essenciais para a orientação argumentativa, bem como para a progressão textual.

Considerações finais

Uma constatação possível de ser destacada a partir da análise realizada é de que a relação entre sequências textuais descritivas e progressão temática evidencia que os procedimentos analíticos da ATD, no campo da Linguística Textual, orientam-se pela relação imprescindível entre texto e contexto, na produção de sentidos, corroborando que a análise de sequências textuais não é uma análise de enunciados isolados, mas ligada aos movimentos da progressão textual, em consonância com a finalidade do texto.

Ao concluir este capítulo, considero que foi possível atingir o objetivo principal de, ao propor e aplicar procedimentos para a análise do descritivo e da progressão textual, estabelecer um diálogo entre dispositivos teóricos que evidenciam o campo de abrangência da ATD como um procedimento dentro da Linguística Textual que analisa a produção contextual de sentidos em textos concretos.

Dessa forma, acredito que o estudo tenha trazido a possibilidade de contribuir para o entendimento do escopo da ATD no campo da Linguística Textual, cujo método nos oferece uma multiplicidade de perspectivas, o que é facilmente compreensível, já que entendida em sua perspectiva maior, que é sociocognitiva-interacional.

Referências

ADAM, J. M. *Les textes: types et prototypes*. Récit, description, argumentation, explication et dialogue. 3. ed. Paris: Nathan, 1992.

_____. (2005). *A linguística textual*: introdução à análise textual dos discursos. Tradução de M. G. S. Rodrigues, L. Passeggi, J. G. Silva Neto, E. V. F. Leurquin. São Paulo: Cortez, 2011.

KOCH, I. G. V. *Introdução à Linguística Textual*: trajetória e grandes temas. São Paulo: Martins Fontes, 2004.

_____. Tematização e rematização. In: JUBRAN, C. C. A. S.; KOCH, I. G. V. (Org.). *Gramática do português culto falado no Brasil*. Campinas: Editora da Unicamp, 2006.

MARCUSCHI, L. A. *Produção textual, análise de gêneros e compreensão*. São Paulo: Parábola Editorial, 2008.

MARQUESI, S. C. (1996). *A organização do texto descritivo em Língua Portuguesa*. Rio de Janerio: Lucerna, 2004.

_____. Referenciação no texto descritivo. *Investigações: Linguística e Teoria Literária*, Recife, v. 20, n. 2, p. 47-59, jul. 2007.

_____. Sequências Textuais Descritivas, gramática e ensino de Língua Portuguesa: reflexões teóricas e analíticas para o ensino de Língua Portuguesa. In: CONGRESSO INTERNACIONAL DE ANÁLISE TEXTUAL DOS DISCURSOS. *Anais*. Natal, 2010.

_____. Contribuições da Análise Textual dos Discursos para o Ensino em Ambientes Virtuais. *Revista Linha D'Água*, São Paulo, n. 26, p. 185-201, 2013.

_____. Planos e sequências textuais em sentenças judiciais de processo-crime. In: DIOS, A. M. (Ed.). *La Lengua Portuguesa*. Salamanca (Espanha): Ediciones Universidad de Salamanca, 2014. v. 1, p. 109-128.

_____. Sequências textuais descritivas e suas funções nas sentenças judiciais. In: PINTO, R.; CABRAL, A. L. T; RODRIGUES, M. G. S. (Org.). *Linguagem e Direito* – perspectivas teóricas e práticas. São Paulo: Contexto, 2016. p. 113-128.

_____; ELIAS, V. M.; CABRAL, A. L. T. Planos de texto, sequências textuais e orientação argumentativa. In: MARQUESI, S. C.; PAULIUKONIS, A. L.;

ELIAS, V. M. (Org.). *Linguística Textual e ensino*. São Paulo: Contexto, 2017. p. 13-32.

SCHNOTZ, W. O que acontece na mente do leitor? Os processos de construção mentais durante a compreensão textual do ponto de vista da psicologia e da linguística cognitiva. In: WIESER, H. P.; KOCH, I. G. V. (Org.). *Linguística Textual* – perspectivas alemãs. Rio de Janeiro: Nova Fronteira, 2009. p. 166-185.

14

Linguística Textual e responsabilidade enunciativa

Maria das Graças Soares Rodrigues

Propomo-nos a discutir alguns dispositivos enunciativos de grande relevância para a Linguística Textual (ou Linguística do Texto, doravante LT), entre eles, o ponto de vista, as posturas enunciativas e a (não) assunção da responsabilidade enunciativa (evidencialidade e mediatividade). Embora esses dispositivos enunciativos tenham sido objeto de alguns trabalhos do século XX – entre eles, remetemos a Adam (1990), Guentchéva (1990, 1994), Rabatel (1997) –, continuam constituindo o objeto de estudos contemporâneos, desses autores citados e de outros, em trabalhos que destacamos a seguir: Adam (2011), Guentchéva (2011, 2014), Rabatel (2008a, 2009, 2015a, 2015b, 2016) e de muitos outros, como, por exemplo, Rodrigues, Passeggi e Silva Neto (2010), Rodrigues e Passeggi (2015, 2016), Rodrigues (2016a, 2016b). Nessa direção, reconhecemos que há ainda muito a ser explorado, sobretudo, com a ampliação do quadro teórico que vem subsidiando as pesquisas no âmbito da LT, em que as fronteiras entre Análise do Discurso e Linguística do Texto se esmaeceram. É, pois, na perspectiva dos que desenvolvem investigações cuja unidade de análise é o texto, que circula socialmente, que circunscrevemos este capítulo.

A responsabilidade enunciativa organiza linguisticamente os gêneros discursivos/textuais disponíveis na memória discursiva dos usuários das diferentes línguas, desde os gêneros mais simples do cotidiano, como, por exemplo, a conversa em família, entre amigos, em situações informais no ambiente de trabalho, até os gêneros mais elaborados dos vários domínios: acadêmico, midiático, político, jurídico, religioso, entre outros. A relevância desse fenômeno é tamanha que ele permite ao interlocutor compreender se o locutor e/ou enunciador é/são responsável(eis) ou não pelo conteúdo proposicional do enunciado veiculado. Divergências e convergências de visões teóricas existem, acerca do PDV, das posturas enunciativas, da responsabilidade enunciativa e da mediatividade. Ressaltamos que, para tratar dos dispositivos enunciativos considerados, os conceitos de locutor e enunciador[1] são decisivos, apesar das divergências teóricas.

A organização do capítulo seguirá um movimento de explicação teórica do dispositivo enunciativo, seguida de exemplos transcritos de textos que circulam socialmente, ou seja, não estaremos construindo exemplos, mas evidenciando a responsabilidade enunciativa em depoimento de testemunhas em processo-crime.

O ponto de vista – PDV

Os estudos acerca do ponto de vista (PDV) centravam-se na focalização da narratologia, tanto interna como externa (LINTVELT, 1981), ou a interna, a externa e a zero (GENETTE, 1983). Vários romances foram objetos de estudo, como, por exemplo, *O Estrangeiro*, de Camus, e *Germinal*, de Zola; porém, análises acerca de um mesmo romance apresentavam dissonâncias. Nessa direção, evocamos trabalhos no campo da Semiótica, de Jaap Lintvelt (1981) e Gérard Genette (1983), que, ao analisarem *O Estrangeiro*, chegaram a conclusões diferentes, no que concerne à focalização.

Por seu turno, Rabatel (1997, 2008a, 2015a, 2015b, 2016) realizou estudos sobre o ponto de vista (PDV) em uma perspectiva linguística. Esses trabalhos nos interessam, pois focalizam o PDV a partir da gestão do processo de referenciação e dos enunciados que constituem um texto. Assim, para cumprirmos nosso propósito de estudar alguns dispositivos enunciativos, en-

---

1   Rabatel (2015a); Guentchéva (2014).

tre eles, a assunção da responsabilidade enunciativa, o PDV é basilar, tendo em vista que estudar a responsabilidade enunciativa implica, inicialmente, partir do PDV, o qual Rabatel (2016, p. 71) explica, conforme se segue:

> [...] analisar um ponto de vista é recuperar, de uma parte, os contornos de seu conteúdo proposicional e, de outra, sua fonte enunciativa, inclusive quando esta é implícita, a partir de atribuição dos referentes e dos agenciamentos das frases em um texto. Em uma tal abordagem, enunciação e referenciação pertencem a uma problemática comum, considerada de dois pontos de partida opostos, mas que se juntam no discurso: a enunciação parte dos traços do sujeito enunciador para ir até englobar as escolhas de construção dos referentes, enquanto a referenciação liga-se à construção dos objetos de discurso, e recupera aí escolhas que remetem a um enunciador determinado, ou a vários.

Na posição de interlocutores, para compreendermos o conteúdo proposicional de um enunciado conforme postulado na citação que ora fazemos de Rabatel (2016), lembramos quão relevantes são os enunciados que nos permitem interpretar com legitimidade um fazer ver e um fazer saber a fim de atribuirmos um PDV a uma fonte enunciativa. Para tanto, as noções de locutor e enunciador são consideradas, apesar das divergências dos constructos teóricos.

Em geral, considera-se locutor enunciador primeiro (L1/E1) aquele que está na fonte do enunciado, que fala, que é responsável pelo conteúdo proposicional do seu dizer. Em relação a essa visão que tem suas raízes em Ducrot et al. (1980), Ducrot (1984, 2001), há divergências na literatura. Encontramos em Rabatel (2009) a noção de "quase assunção da responsabilidade enunciativa" para os casos em que o (L1/E1) está na fonte, mas não fala, porém imputa a um enunciador segundo (e2) um conteúdo proposicional. Nessa perspectiva, Rabatel (2009) se distancia de Ducrot (2001) e reconhece os PDV imputados: de desacordo, de neutralidade e de acordo.

Assim, o locutor, que é o aparelho físico responsável pela enunciação de um enunciado, poderá coincidir ou não com aquele que é o enunciador, que é aquele que está na fonte do enunciado, que assume a responsabilidade enunciativa pelo conteúdo proposicional do seu dizer. Quando há coincidência do locutor com o enunciador, diz-se que há sincretismo entre o locutor e o enunciador primeiro. Mas são inúmeras as possibilidades de construção dos textos, tendo em vista um locutor poder convocar para seus enunciados a voz de enunciadores outros e até mesmo de outros locutores. Nessa direção, lembramos que há locutores enunciadores segundos (l2/e2), que há locutores segundos (l2) e que há enunciadores segundos (e2).

As divergências não se limitam a essa discordância entre o entendimento de Ducrot e Rabatel. Guentchéva (1996) postula que enunciou é enunciador, independentemente de estar na fonte, de ser responsável pelo conteúdo proposicional do seu dizer. Para tanto, essa autora parte do quadro mediativo da língua búlgara. Ela explica que

> [...] o locutor búlgaro usa para indicar que os fatos que ele reporta lhe chegaram de forma mediada porque: a) relevam de conhecimentos geralmente admitidos ou transmitidos pela tradição; b) chegaram ao seu conhecimento por uma terceira pessoa ou por fofocas ou c) são inferidos por ele a partir de índices observados, ou resultam de um raciocínio. Sinalizando no enunciado que é por meio da via mediada que ele teve conhecimento do fato que ele reporta, o enunciador tem a possibilidade de adotar um certo número de atitudes e de manifestar diversos graus de distância em relação ao que ele enuncia. A distância marcada em relação ao conteúdo informacional pode traduzir uma simples não assunção da responsabilidade enunciativa, reservas ou mesmo uma apreciação (dúvida, ironia, contestação, indignação, recusa...). (GUENTCHÉVA, 1996, p. 47)

Podemos observar que a autora considera que ser enunciador não implica estar na fonte, tendo em vista que o enunciador pode "manifestar diversos graus de distância em relação ao que ele enuncia", ou seja, não necessariamente haverá engajamento do enunciador em relação ao conteúdo proposicional do seu dizer.

Esclarecidas essas noções divergentes acerca do locutor e do enunciador, tão caras ao entendimento do PDV, esclarecemos que, quando estivermos tratando do PDV, seguiremos Rabatel, e quando estivermos focalizando o quadro mediativo, que é a presença de marca gramatical na forma verbal, isto é, de morfema que aponte quem é o responsável pela informação, ou a mediatividade, que é a reconstituição do responsável pela informação independentemente de morfema na forma verbal, acompanharemos Guentchéva. Agora, passaremos a ilustrar o PDV com *corpora* transcritos de textos autênticos de nossa base de dados no âmbito do Grupo de Pesquisa em Análise Textual dos Discursos.

Os exemplos que nos propomos a analisar neste capítulo foram extraídos de um gênero discursivo particular: o processo verbal (em sua versão impressa), que apresenta a transcrição dos dizeres de uma testemunha, redigido por um escrivão por ocasião das oitivas de um processo-crime, sendo que a transcrição do processo verbal foi assinada, ao mesmo tempo, pela testemunha e pelo escrivão. Para analisar a particularidade desses exemplos, propomos introduzir a categoria do Locutor-Testemunha. Assim, quando fizermos referência à testemunha, usaremos o termo Locutor-Testemunha, enquanto designaremos o escrivão pelo termo Enunciador, uma vez que este último atribui explicitamente os dizeres transcritos ao Locutor-Testemunha sem, no entanto, se engajar com o conteúdo proposicional dos dizeres dele. Em outros termos, o Enunciador não se pronuncia nem sobre a verdade, nem sobre a falsidade desse conteúdo proposicional, mas se engaja por ter transcrito os dizeres do Locutor-Testemunha, tais como ele havia enunciado. Podemos apresentar essa enunciação assertiva direta pela fórmula:

EU-DIGO (é-verdadeiro ([(L-T DIZ (λ)) & [L-T # EU])[2]

---

2   Essa fórmula tem sua origem em Guentchéva (2011, p. 124). Fizemos as adaptações necessárias ao raciocínio que estamos desenvolvendo e estamos criando a categoria do Locutor-Testemunha, em função da singularidade do gênero discursivo, objeto de nossas análises, neste capítulo. Nessa direção, agradecemos aos professores Zlatka Guentchéva (2017) e Jean-Pierre Desclés (2017) pelas valiosas discussões e contribuições para que eu conseguisse criar a categoria do Locutor-Testemunha.

Exemplo 1[3]

[...] A testemunha compromissada na forma da lei prometeu dizer a verdade do que soubesse e lhe fosse perguntado sobre o fato constante da portaria que lhe foi lida e disse que: sabe, de ciência própria que o doutor Juiz de direito da comarca do Acari requisitou o preso Francisco Pereira para responder júri naquela cidade, tendo o doutor Juvenal Lamartine, de acordo com o doutor Abílio Cavalcante, delegado auxiliar e encarregado do expediente da Chefia de policia, naquele tempo, ordenado ao tenente Joaquim Teixeira de Moura, comandante da escolta que conduzia o preso para o Acari, que matasse o referido preso e simulasse um desastre do automóvel, o que tudo aconteceu, sabendo que o referido preso foi morto pela escolta, no dia e lugar referidos, pela portaria. [...]

O exemplo 1 evidencia a construção de um PDV em que a testemunha, que é o L-T, inicia seu depoimento, distanciando-se do conteúdo proposicional do seu dizer, imputando-o a outros enunciadores segundos (e2), conforme destacamos no quadro 1, a seguir:

Enunciadores segundos (e2)	Cargos
Juvenal Lamartine	Governador do Rio Grande do Norte (1928-1939)
Abílio Cavalcante	Delegado auxiliar e encarregado do expediente da Chefia de Polícia
Joaquim Teixeira de Moura	Comandante da escolta que conduzia o preso para o Acari (RN)

Quadro 1 Síntese de enunciadores segundos e cargos

---

3 Os exemplos foram transcritos do depoimento de duas testemunhas de um homicídio ocorrido no dia 28 de outubro de 1928.

Linguística Textual e responsabilidade enunciativa

Compreendemos que se trata de um PDV em que L-T atribui o conteúdo proposicional do seu dizer "que matasse o referido preso e simulasse um desastre do automóvel, o que tudo aconteceu, sabendo que o referido preso foi morto pela escolta, no dia e lugar referidos, pela portaria" a outras fontes. Essa atitude cria condições que o L-T certamente considera fundamentais para construir seu PDV consoante a informação veiculada em seu depoimento. Esse movimento de um PDV distanciado, ou seja, sem engajamento do L-T, vai mudar, de acordo com o exemplo 2, a seguir:

Exemplo 2

[...] Disse ainda, por lhe ser perguntado pela autoridade, que viu o cadáver de Chico Pereira, na cadeia pública desta cidade no corpo da guarda, notando que o mesmo não podia ter sido morto por um desastre casual de automóvel, porque o cadáver só apresentava ferimentos feitos por arma contundente, pois não tinha raladuras e nem suas vestes apresentavam ruínas de que foram arrastadas pelo chão e que os referidos eram somente pelo rosto e crânio, supondo ele, testemunha, que foram produzidos por coice de fuzis.

O PDV do L-T segue uma visada argumentativa completamente diferente no exemplo 2. Agora, ele já não mais remete a outras fontes, mas baseia seu PDV no que viu: "o cadáver de Chico Pereira, na cadeia pública desta cidade no corpo da guarda", inclusive, "notando que o mesmo não podia ter sido morto por um desastre casual de automóvel, porque o cadáver só apresentava ferimentos feitos por arma contundente [...]". Temos o uso do pretérito perfeito do verbo ver e do gerúndio do verbo notar, produzindo efeito de sentido perceptivo do L-T. Ressaltamos o processo argumentativo que ancora o raciocínio dos enunciados de L-T em prol da conclusão de que não tinha sido uma morte provocada por acidente, mas "produzida por coice de fuzis", conclusão essa antecipada quando L-T disse: "o cadáver só apresentava ferimentos feitos por arma contundente". Vejamos a intensificação do conteúdo proposicional dos enunciados argumentativos:

1. o cadáver só apresentava ferimentos feitos por arma contundente, pois não tinha raladuras;

2. e nem suas vestes apresentavam ruínas de que foram arrastadas pelo chão;
3. e que os referidos eram somente pelo rosto e crânio;
4. supondo ele, testemunha, que foram produzidos por coice de fuzis.

O enunciado 1 veicula a informação decorrente da observação do que fora visto, ou seja, ferimentos desferidos por arma contundente e a ausência de escoriações no corpo. O enunciado 2 segue essa mesma linha de raciocínio, corroborando, assim, o efeito de sentido anterior, uma vez que mostra o estado da roupa, que não estava estragada, a exemplo de como deveria ficar se o corpo houvesse sido arrastado pelo chão, em consequência de um acidente de carro. O enunciado 3 mostra a localização dos ferimentos, no rosto e crânio. O enunciado 4 revela a inferência do L-T, possivelmente autorizada pelas observações que ele fez do cadáver, isto é, que se tratava de um assassinato e não de uma morte provocada por um acidente automobilístico.

Na seção a seguir, trataremos das posturas enunciativas, uma vez que, nas situações de interação, o PDV pode seguir diferentes visadas argumentativas, como acordo, desacordo e neutralidade, podendo ainda ser refutado.

Posturas enunciativas decorrentes do PDV

Em uma situação de comunicação, seja face a face, seja na modalidade escrita, o conteúdo proposicional dos enunciados frequentemente aponta para os interlocutores a existência de outros enunciadores, ainda que nenhum deles seja o próprio locutor ou que este se encontre em situação de sincretismo com o enunciador primeiro, ou seja, quando o locutor e o enunciador coincidem. A língua nos oferece possibilidades para compreendermos as posturas enunciativas, a partir dos PDV. Nessa direção, Rabatel (2015a, p. 126) explica que "[...] "há graus de acordo (assim como na expressão do desacordo e da neutralidade): antes de refutar um PDV, pode-se modificá-lo sobrenunciando-o ou subenunciando-o" (RABATEL, 2015a). As posturas permitem refinar a compreensão dessas gradações".

Ressaltamos que o autor discute três posturas enunciativas: (1) coenunciação, que é a coprodução de um PDV comum e partilhado por L1/E1 e um E2; (2) sobrenunciação, que é coprodução de um PDV que é modificado por L1/E1 e (3) subenunciação, que é a coprodução de um PDV dominado, em que L1/E1 se distancia.

Em função da particularidade do gênero discursivo que estamos analisando, adaptaremos a proposta de Rabatel (2015a), conforme síntese no quadro a seguir.

Rabatel (2015b)	Rodrigues (2017)
Coenunciação PDV partilhado por L1/E1 e por um e2	Coenunciação PDV partilhado pelo L-T e por um e2
Sobrenunciação coprodução de um PDV que é modificado por L1/E1	Sobrenunciação coprodução de um PDV que é modificado pelo L-T
Subenunciação coprodução de um PDV dominado, em que L1/E1 se distancia	Subenunciação coprodução de um PDV dominado, em que L-T se distancia

Quadro 2 Adaptação das posturas enunciativas de Rabatel (2015a) à proposta de Locutor-Testemunha de Rodrigues (2017)[4]

Consideraremos que o estudo das posturas nos permite identificar as várias vozes que constituem os enunciados do L-T e a relação que se estabelece entre ele e esses PDV dos e2. Naturalmente, o propósito comunicativo e o interlocutor exercem influência para que essas posturas do L-T se manifestem em relação ao PDV dos e2. Assim, as forças centrípetas e as forças centrífugas (Cf. ADAM, 2011) do gênero discursivo orientarão a visada argumentativa das posturas enunciativas, uma vez que há gêneros discursivos bastante formais, porém há outros mais informais. Igualmente, a modalidade da língua também contribuirá na expressão das posturas enunciativas do L-T.

---

4   Rodrigues (2017) é o presente capítulo.

Em nossos dados, podemos ilustrar as três posturas enunciativas, conforme segue:

Exemplo 3

[...] prometeu dizer a verdade do que soubesse e lhe fosse perguntado sobre o fato constante da portaria que lhe foi lida e disse que: sabe, de ciência própria que o doutor Juiz de direito da comarca do Acari requisitou o preso Francisco Pereira para responder júri naquela cidade, tendo o doutor Juvenal Lamartine, de acordo com o doutor Abílio Cavalcante, delegado auxiliar e encarregado do expediente da Chefia de policia, naquele tempo, ordenado ao tenente Joaquim Teixeira de Moura, comandante da escolta que conduzia o preso para o Acari, que matasse o referido preso e simulasse um desastre do automóvel, o que tudo aconteceu, sabendo que o referido preso foi morto pela escolta, no dia e lugar referidos, pela portaria.

Temos a testemunha, o L-T, que exprime um PDV em coprodução com um PDV de e2, isto é, um PDV comum, tendo em vista que objeto da portaria relata o fato e que foi lido para L-T confirmar ou refutar o conteúdo proposicional. L-T confirma, iniciando seu testemunho com o enunciado:

[...] sabe, de ciência própria que o doutor Juiz de direito da comarca do Acari requisitou o preso Francisco Pereira para responder júri naquela cidade [...] que matasse o referido preso e simulasse um desastre do automóvel, o que tudo aconteceu, sabendo que o referido preso foi morto pela escolta, no dia e lugar referidos, pela portaria.

Além de ser um PDV comum aos envolvidos naquela cena enunciativa, é também partilhado pelo L-T.

A sobrenunciação consiste em modificação que o L-T faz acerca do PDV de um e2. O bloco de enunciados a seguir ilustra essa postura do L-T em relação à portaria que fora lida, a qual afirmava que se tratara de um desastre de automóvel:

Tendo esta delegacia recebido ordens de instaurar novo inquérito policial *sobre o desastre de automóveis no quilômetro 176* da estrada de rodagem que vai desta cidade para Natal, no lugar denominado Maniçoba, deste município do qual resultou a morte do preso de justiça Francisco Pereira em 28 de outubro de 1928.

A essa afirmação, o L-T reage ressaltando "o mesmo [Francisco Pereira] não podia ter sido morto por um desastre casual de automóvel", de acordo com o exemplo 4:

Exemplo 4
[...] ao ser perguntado pela autoridade, que viu o cadáver de Chico Pereira, na cadeia pública desta cidade no corpo da guarda, notando que o mesmo não podia ter sido morto por um desastre casual de automóvel, porque o cadáver só apresentava ferimentos feitos por arma contundente, pois não tinha raladuras e nem suas vestes apresentavam ruínas de que foram arrastadas pelo chão e que os referidos eram somente pelo rosto e crânio, supondo ele, testemunha, que foram produzidos por coice de fuzis.

Há um ponto de interseção entre o conteúdo proposicional da portaria e o da testemunha, o qual constitui a coprodução do PDV "morte de Francisco Pereira", no entanto, o PDV do L-T segue uma visada argumentativa diferente do e2, uma vez que o L-T entende que não se trata de uma morte provocada por acidente automobilístico, visto que o "cadáver só apresentava ferimentos feitos por arma contundente". Esse enunciado aponta a modificação do PDV de L-T em relação ao PDV do e2.

A postura de subenunciação se caracteriza por uma coprodução em que há um distanciamento do L-T em relação ao PDV do e2. Observemos o exemplo 5, em que a testemunha se distancia do conteúdo proposicional do enunciado ao fazer uso do enunciado: "não sabe se o tenente tinha ferimentos". Em outras palavras, esse enunciado traduz um distanciamento de L-T em relação ao PDV de e2.

Exemplo 5
[...] Disse mais, por ele haver sido perguntado que não sabe se o tenente tinha ferimentos, [...]

Na seção a seguir, focalizaremos a assunção da responsabilidade enunciativa (RE), uma vez que já construímos nosso entendimento sobre o PDV e as posturas enunciativas, condição basilar para interpretação da assunção da RE.

A (não) assunção da responsabilidade enunciativa: evidencialidade e mediatividade

A assunção da responsabilidade enunciativa tem uma estreita relação com a definição de evidencialidade. Esta última diz respeito ao conhecimento direto, não mediatizado, ou seja, quando o L1/E1 está na fonte do conteúdo proposicional. Esse conhecimento direto pode ser visual ou não visual. Destacamos que há entendimentos diferentes acerca do que é a evidencialidade. Em 2012, a revista *Langue Française* consagrou o número 173 à temática modalidade e evidencialidade. Entre os autores, Vetters (2012) trata da questão nivelando evidencialidade e mediatividade; ao passo que Guentchéva (2014) publica artigo no número 105 da revista *Cahiers de lexicologie* em que explica o equívoco do uso do termo evidencialidade por linguistas e mostra a diferença entre evidencialidade e mediatividade.

Para Guentchéva (2014, p. 64), as definições de evidencialidade que têm por base a evidência [...] "remetem à atitude do enunciador em relação à informação transmitida, o que implica quase automaticamente distinções conceituais concernentes à confiabilidade da informação e, portanto, as modalidades epistêmicas (possível, provável)". Observamos, assim, que a evidencialidade está relacionada à assunção da responsabilidade enunciativa, uma vez que o enunciador se posiciona no que concerne ao conteúdo proposicional do enunciado. Para ilustrar a categoria da evidencialidade, retomaremos o exemplo 2, abaixo identificado como exemplo 6.

Exemplo 6
> Disse ainda, por lhe ser perguntado pela autoridade, que viu o cadáver de Chico Pereira, na cadeia pública desta cidade no corpo da guarda, notando que o mesmo não podia ter sido morto por um desastre casual de automóvel, porque o cadáver só apresentava ferimentos feitos por arma contundente, pois não tinha raladuras e nem suas vestes apresentavam ruínas de que foram arrastadas pelo chão e que os referidos eram somente pelo rosto e crânio, supondo ele, testemunha, que foram produzidos por coice de fuzis.

O Enunciador, em nossos exemplos, é o escrivão, que transcreveu os dizeres do L-T. Malgrado essa operação linguageira, na passagem da fala para escrita, compreendemos que subjaz à transcrição do tabelião o engajamento dele acerca do conteúdo proposicional dos dizeres do L-T, tendo assumido, assim, a responsabilidade enunciativa pelos dizeres do L-T, representados pelas fórmulas:

EU DIGO (nem verdadeiro, nem falso) o que L-T disse
EU DIGO (é verdadeiro o que é dito) por L-T

EU TRANSCREVO (é verdadeiro o que foi dito) por L-T

O Enunciador (o escrivão) transcreve os enunciados de L-T, viabilizando ao interlocutor a interpretação do PDV do L-T acerca do que lhe fora perguntado, ou seja, se havia visto o cadáver de Chico Pereira. Portanto, em decorrência das observações concernentes à evidencialidade "visual" dos fatos, procede que:

1. o cadáver só apresentava ferimentos feitos por arma contundente, pois não tinha raladuras;
2. e nem suas vestes apresentavam ruínas de que foram arrastadas pelo chão;
3. e que os referidos eram somente pelo rosto e crânio.

As formas verbais "apresentava" e "apresentavam", no contexto linguístico em que se encontram, evocam exposição à vista. Ademais, têm o sentido intensificado por complementos constituídos por lexemas que veiculam a noção de algo concreto, que podia ser comprovado. L-T parece usar esses argumentos para reiterar o propósito comunicativo do conteúdo proposicional desses enunciados, inclusive deixando claro que ele estava na fonte da informação transmitida, e por isso pôde observar, pôde ver, pôde notar. No que diz respeito ao uso da forma verbal "eram", temos a circulação do sentido concernente à localização dos ferimentos, os quais se situavam "somente pelo rosto e crânio", noção que também comprova que o testemunho que ele dá decorre do que ele observara, vira e notara.

No que concerne à mediatividade, Guentchéva (2014, p. 71) esclarece que "seria o resultado de um ato de enunciação complexo, cuja função principal seria indicar certo desengajamento do enunciador em relação ao conteúdo proposicional". Em trabalhos anteriores, como, por exemplo, Guentchéva (2011, p. 117), encontramos a explicação de que "a noção de mediatividade é concebida como a expressão da não assunção da responsabilidade enunciativa do conteúdo proposicional de um enunciado pelo enunciador". Trata-se do desengajamento do L-T em relação ao conteúdo proposicional dos enunciados que ele enuncia, conforme o exemplo a seguir.

Exemplo 7

Disse ainda, por lhe haver perguntado o delegado, que o tenente Joaquim de Moura era bastante capaz de praticar atos desta natureza, pois <u>tem ouvido dizer</u> que o mesmo tem por hábito, no exercício de suas funções, matar, por qualquer motivo, mesmo a sangue frio.

Nesse exemplo, a postura de L-T muda completamente, tendo em vista ele atribuir o conteúdo proposicional dos enunciados a outrem, inclusive não identificado, conforme deixa claro o uso de "tem ouvido dizer"; ou seja, trata-se de informação recebida. Temos até a possibilidade de estabelecer, como hipótese de leitura, que essa informação anônima, que apaga a fonte da informação, pode ter decorrido de boato, mas o que importa é que L-T não é responsável pelo conteúdo proposicional e se distancia do que está enunciando. Isso, possivelmente, poderia permitir aos interlocutores mais imediatos, no caso, o delegado e o escrivão, assim como a outros interlocutores, aos quais o depoimento será encaminhado, através dos autos, questionar o depoimento de L-T.

Considerações finais

Por uma questão teórico-metodológica, defendemos que o estudo da responsabilidade enunciativa depende da identificação e da interpretação do(s) PDV do L1/E1, assim como do(s) PDV do(s) e2. Feita essa consideração, devemos nos centrar nas posturas enunciativas que decorrem desses PDV. Isso posto, dispomos de uma cartografia dos PDV e das posturas enunciativas, que constituem instrumentos para trabalharmos a RE em seus dois grandes pilares: a assunção e a não assunção. Na sequência, em conformidade com a configuração instaurada, o pesquisador terá condições de concluir se se trata de evidencialidade ou de mediatividade. O Esquema 1 sintetiza o que acabamos de discutir:

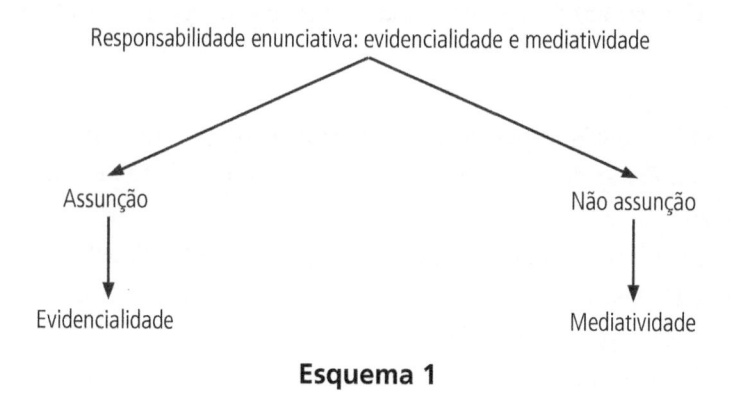

```
        Responsabilidade enunciativa: evidencialidade e mediatividade
                            /                       \
                           /                         \
                     Assunção                    Não assunção
                        |                             |
                        ↓                             ↓
                 Evidencialidade                 Mediatividade
```

Esquema 1

Por seu turno, Adam (2011) avança, na análise da responsabilidade enunciativa, porém não encontramos em sua proposta uma associação da assunção da RE com a evidencialidade, nem da não assunção da RE com a mediatividade. O autor propõe oito categorias para análise da RE, a saber: (1) os índices de pessoas; (2) os dêiticos espaciais e temporais; (3) os tempos verbais; (4) as modalidades; (5) os diferentes tipos de representação da fala; (6) as indicações de quadros mediadores; (7) os fenômenos de modalização autonímica; e (8) as indicações de um suporte de percepções e de pensamentos relatados. Essas categorias permitem a construção da mediatividade. Os nomes dados às categorias evocam de forma muito clara o que cada uma focaliza, permitindo ao pesquisador comprovar as marcas da RE. (Cf. PASSEGGI et al., 2010).

Referências

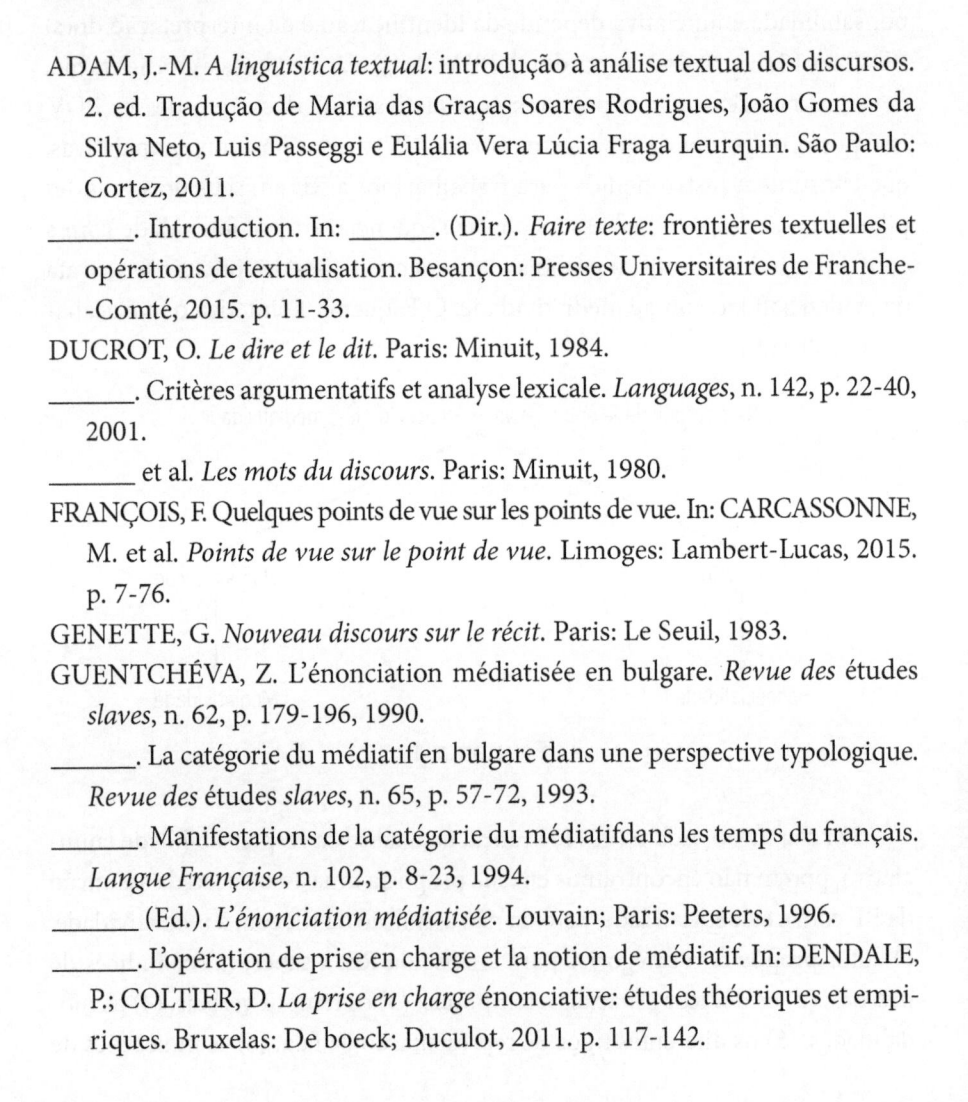

ADAM, J.-M. *A linguística textual*: introdução à análise textual dos discursos. 2. ed. Tradução de Maria das Graças Soares Rodrigues, João Gomes da Silva Neto, Luis Passeggi e Eulália Vera Lúcia Fraga Leurquin. São Paulo: Cortez, 2011.

_____. Introduction. In: _____. (Dir.). *Faire texte*: frontières textuelles et opérations de textualisation. Besançon: Presses Universitaires de Franche-Comté, 2015. p. 11-33.

DUCROT, O. *Le dire et le dit*. Paris: Minuit, 1984.

_____. Critères argumentatifs et analyse lexicale. *Languages*, n. 142, p. 22-40, 2001.

_____ et al. *Les mots du discours*. Paris: Minuit, 1980.

FRANÇOIS, F. Quelques points de vue sur les points de vue. In: CARCASSONNE, M. et al. *Points de vue sur le point de vue*. Limoges: Lambert-Lucas, 2015. p. 7-76.

GENETTE, G. *Nouveau discours sur le récit*. Paris: Le Seuil, 1983.

GUENTCHÉVA, Z. L'énonciation médiatisée en bulgare. *Revue des études slaves*, n. 62, p. 179-196, 1990.

_____. La catégorie du médiatif en bulgare dans une perspective typologique. *Revue des études slaves*, n. 65, p. 57-72, 1993.

_____. Manifestations de la catégorie du médiatif dans les temps du français. *Langue Française*, n. 102, p. 8-23, 1994.

_____ (Ed.). *L'énonciation médiatisée*. Louvain; Paris: Peeters, 1996.

_____. L'opération de prise en charge et la notion de médiatif. In: DENDALE, P.; COLTIER, D. *La prise en charge* énonciative: études théoriques et empiriques. Bruxelas: De boeck; Duculot, 2011. p. 117-142.

_____. Aperçu des notions d'évidentialité et de médiativité. *Cahiers de lexicologie*, v. 2, n. 105, p. 57-77, 2014.

LINTVELT, J. *Essai de typologie narrative*. Paris: J. Corti, 1981.

LOURENÇO, M. das V. N. S. *Análise textual dos discursos*: responsabilidade enunciativa no texto jurídico. Curitiba: CRV, 2015.

_____; RODRIGUES, M. das G. S. *Considerações sobre o quadro mediativo e petições iniciais*. Linha d'Água, n. 26, v. 2, p. 71-86, 2013.

PASSEGGI, L. et al. A análise textual dos discursos: por uma teoria da produção co(n)textual de sentido. In: BENTES, A. C.; LEITE, M. Q. (Org.). *Linguística de texto e análise da conversação*: panorama das pesquisas no Brasil. São Paulo: Cortez, 2010. p. 262-312.

RABATEL, A. *Une histoire du point de vue*. Paris: Klincksieck, 1997.

_____. *Homo narrans*: pour une analyse énonciative et interactionnelle du récit. Le point de vue et la logique de la narration. Limoges: Lambert-Lucas, 2008a. Tomo 1.

_____. *Homo narrans*: pour une analyse énonciative et interactionnelle du récit. Dialogisme e polyphonie dans le récit. Limoges: Lambert-Lucas, 2008b. Tomo 2.

_____. Prise en charge et imputation, ou la prise en charge à la responsabilité limitée, *Langue Française*, n. 162, p. 71-87, 2009.

_____. Retour sur un parcours en énonciation. In: CARCASSONNE, M. et al. *Points de vue sur le point de vue*. Limoges: Lambert-Lucas, 2015a. p. 327-355.

_____. Postures énonciatives, variable générique et stratégies de positionnement. In: ANGERMULLER, J.; PHILIPPE, G. *Analyse du discours et dispositifs d'*énonciation: autour des travaux de Dominique Maingueneau. Limoges: Lambert-Lucas, 2015b. p. 125-135.

_____. *Homo narrans*. Por uma abordagem enunciativa e interacionista da narrativa. Ponto de vista e lógica da narração – teoria e análise. Tradução de Maria das Graças Soares Rodrigues, Luis Passeggi e João Gomes da Silva Neto. São Paulo: Cortez, 2016.

RODRIGUES, M. das G. S. Sentenças condenatórias: plano de texto e responsabilidade enunciativa. In: PINTO, R.; CABRAL, A. L. T.; RODRIGUES, M. das G. S. (Org.). *Linguagem e Direito: perspectovas teóricas e práticas*. São Paulo: Contexto, 2016a. p. 129-144.

_____. Sentenças judiciais - instâncias enunciativas constitutivas e responsabilidade enunciativa. In: TOMAZI, M. M.; ROCHA, L. H. P. da; POMPEU, J. C. (Org.). *Estudos discursivos em diferentes perspectivas*: mídia, sociedade e direito. São Paulo: Terracota, 2016b. p. 203-215.

_____; PASSEGGI, L. "Tentam colocar medo no povo": vozes, emoções e representações num texto jornalístico. In: BASTOS, N. B. (Org.). *Língua portuguesa e lusofonia*: história, cultura e sociedade. São Paulo: EDUC, 2016. p. 259-272.

_____ et al. A carta-testamento de Getúlio Vargas (1882-1954): genericidade e organização textual no discurso político. *Filologia e linguística portuguesa*, n. 14, v. 2, p. 285-307, 2012.

_____; PASSEGGI, L. Émotions, argumentation et points de vue dans l'affaire Nafissatou Diallo contre Dominique Strauss-Kahn. Une analyse textuelle et discursive de chroniques de la *Folha de São Paulo*. In. RABATEL, A.; MONTE, M.; RODRIGUES, M. das G. S. (Dirs.). *Comment les médias parlent des* émotions: l'affaire Nafissatou Diallo contre Dominique Strauss--Kahn. Limoges: Lambert-Lucas, 2015. p. 291-305.

_____; _____; SILVA NETO, J. G. Planos de texto e representações discursivas: a seção de abertura em processos-crime. In: BASTOS, N. B. (Org.). *Língua portuguesa e lusofonia*. São Paulo: EDUC, 2014. p. 241-255.

_____; _____; _____. La lettre-testament du président Getúlio Vargas: généricité, structure compositionnelle et représentations. In: MONTE, M.; PHILIPPE, G. (Dirs.). *Genres & textes*: déterminations, évolutions, confrontations. Lyon: PUL, 2014a. p. 253-267.

_____; _____; _____. "Voltarei. O povo me absolverá...": a construção de um discurso de renúncia. In: _____; _____; _____. (Org.). *Análises textuais e discursivas* – metodologia e aplicações. São Paulo: Cortez, 2010. p. 150-195.

VETTERS, C. Modalité et évidentialité dans *pouvoir* et *devoir*: typologies et discussions. *Langue Française*, n. 173, p. 31-47, 2012.

15

Linguística Textual e estudos do hipertexto: focalizando o contexto e a coerência

Vanda Maria Elias
Mônica Magalhães Cavalcante

Desde os anos 1990, linguistas de texto na Alemanha vêm providenciando conceitos e métodos para a análise de textos cada vez mais complexos (BLÜHDORN; ANDRADE, 2009). Também a partir dessa década, no Brasil, Marcuschi e Koch realizaram os primeiros estudos sobre o hipertexto e inseriram o tema na agenda de estudos da Linguística Textual (LT).

De lá para cá, pesquisas sobre o hipertexto vêm focalizando aspectos como traços característicos desse modo de produção e leitura, suporte, imbricação fala/escrita, emergência de novas práticas comunicativas e convergência de linguagens e mídias, exigindo de linguistas de texto o desenvolvimento de modelos teórico-analíticos para o tratamento de arranjos textuais que, constituídos sob o princípio da colaboração de usuários no contexto de interação *on-line*, requerem a (re)elaboração de conceitos e a descoberta de procedimentos capazes de dar conta dos muitos aspectos envolvidos nos processos de produção e compreensão de textos. (ELIAS, 2012, 2015)

Neste capítulo, sob o prisma da sociocognição, propomos uma discussão sobre o hipertexto situada em torno das seguintes questões:

1. Em que sentido a concepção de hipertexto constituída no quadro da LT brasileira pode ser atualizada para levar em conta novas formas de interação *on-line*?

2. Como a concepção de contexto de base sociocognitiva pode contribuir para a compreensão do hipertexto?
3. Que sentidos os usuários constroem para os textos que produzem na interação *on-line* em redes sociais?

Em nossa reflexão, assumimos os seguintes pressupostos:
1. a concepção de hipertexto, em decorrência das constantes inovações tecnológicas, precisa ser atualizada para dar conta de novos arranjos textuais resultantes principalmente da participação colaborativa de usuários em um processo de interação *on-line*;
2. o hipertexto constituído de forma colaborativa na interação *on-line* demanda reflexão sobre o modo como os usuários produzem sentidos e o papel do contexto nesse processo de construção de coerência;
3. o hipertexto constituído sob o princípio da participação e colaboração de usuários tal como acontece nas redes sociais possibilita conhecer como os sujeitos envolvidos nesse processo constroem e revelam naquilo que produzem o que foi topicalizado, focalizado e posto em relevância; o que os textos mostram em sua superfície e o que escondem em suas dobraduras e como tudo isso faz sentido no curso mesmo da interação marcada por um intenso fluxo. Trata-se, portanto, de um espaço privilegiado para a reflexão sobre textos e contexto, bem como sobre o que os usuários revelam quanto aos sentidos que produzem.

A fim de alcançar os objetivos de revisitar a concepção de hipertexto na LT brasileira e de discutir as concepções de contexto e coerência delineadas sociocognitivamente, selecionamos dois exemplares de hipertextos que foram capturados no Facebook da *Folha de S.Paulo*.

Organizamos o capítulo em três seções. Na primeira, tratamos da concepção de hipertexto na LT brasileira, de como foi constituída e em que precisa ser atualizada em decorrência, principalmente, da efetiva participação dos usuários em interação *on-line*; na segunda, voltamos a nossa atenção para o contexto e o seu papel na produção de sentidos de hipertextos; na terceira e última, discutimos a coerência pensada na relação estabelecida entre textos e usuários (sujeitos produtores e leitores) no espaço de interação *on-line*.

Concepção de hipertexto na LT

No contexto brasileiro, em meados dos anos 1990, linguistas de texto elegeram como objeto de investigação o hipertexto e constituíram as primeiras reflexões sobre esse modo de configuração textual com foco na sua definição e caracterização. No conjunto dos primeiros estudiosos que introduziram o hipertexto na agenda da Linguística Textual (LT), destacam-se Marcuschi e Koch, como afirmado anteriormente.

Situando-se na abordagem sociocognitiva e interacional, Marcuschi (1999, 2007) concebe o hipertexto como um evento textual-interativo em cuja constituição destacam-se os *links* (elementos de conexão) e os nós (blocos informacionais). Em relação ao suporte e modo de produção, Marcuschi (2002) argumenta que o hipertexto representa desafios para os leitores em razão dos traços que lhe são característicos como desterritorialização, virtualização, fragmentação, multilinearização e multissemioticidade, além de um certo hibridismo que desafia as relações entre oralidade e escrita.

Alinhada a essa posição, Koch (2002, 2007) enfatiza que a questão central se volta para o fato de que se trata sempre de textos. Assim, ressaltando as características próprias desse modo de escrita, a autora concebe o hipertexto como um "texto múltiplo" (KOCH, 2007, p. 163) ou um texto elástico que se estende reticularmente, conforme as escolhas feitas pelo leitor (2007, p. 166).

Por sua vez, Xavier (2002, 2009) concebe o hipertexto do ponto de vista do modo de enunciação digital que se realiza na tela do computador ou de outros dispositivos e promove a fusão de diversas linguagens sem que uma exerça supremacia sobre as demais.

Considerando os muitos desafios que o hipertexto traz aos linguistas de texto, Koch (2002) ressalta a necessidade de se investigar como os leitores operam com textos múltiplos, tendo em vista a construção da coerência. Para a autora, é preciso analisar como *estudos de textos linearmente organizados* podem ser úteis à compreensão de hipertextos: o que pode ser pressuposto ou adaptado; onde é necessário recorrer a novas explicações e estratégias (KOCH, 2007, p. 29).

Partindo desses estudos situados na LT, Elias (1999, 2000, 2005) considera o hipertexto como um texto sem fronteiras delimitadas que se expande pela atuação do leitor, na atividade de seguir ou atualizar *links* em uma dada sessão.

Nessa perspectiva processual com foco na atividade do leitor, a autora destaca a conexão múltipla entre blocos de significado como um elemento dominante na constituição do hipertexto, porque, de acordo com Bolter (2001), a tecnologia de programação característica da máquina torna o princípio de conectividade natural, desimpedido, imediato, sem problemas de tempo e distância, e essa "naturalização" assume um significado estrutural.

No universo digital, a conectividade possibilita ao leitor "saltar" do ponto em que se encontra para outros pontos do universo hipertextual, bastando tão somente ativar os *links,* elementos que possibilitam o acesso a textos em várias linguagens e mídias, promovendo novos modelos de produção e consumo de texto, fenômeno que Jenkins (2009) denomina de *cultura da convergência.*

Elias (2012, 2014, 2015) chama a atenção para o fato de que os *links,* além da conectividade entre textos, sugerem a conectividade entre mídias. Esses recursos convidam o leitor a atuar em mídias distintas e, consequentemente, a operar com as diferentes linguagens dessas mídias.

Nesse sentido, argumenta a autora que, na cultura digital em que estamos imersos, somos constantemente solicitados a transitar entre as mídias impressas (*off-line*) e digitais (*on-line*), numa perspectiva de complementariedade que não cede espaço a uma visão dicotômica em relação a esses contextos. Compartilha, assim, a autora do pensamento de Barton e Lee (2015), para quem muitas práticas sociais contemporâneas entrelaçam perfeitamente atividades *on-line* e *off-line* que não podem ser separadas.

Se, como afirmado anteriormente, os estudos primeiros sobre o hipertexto inscritos no campo da LT brasileira enfatizaram a definição e a caracterização do hipertexto – em um momento em que a internet ganhava repercussão em nossa vida como uma "tecnologia da mente e da experiência" (CHATFIELD, 2012) e em que os termos *web* e *on-line* passaram a ser compreendidos no amplo domínio no qual a comunicação *on-line* ocorre, de lá para cá houve alterações devido ao impacto das constantes inovações tecnológicas no modo como comunicamos, interagimos e atuamos no mundo.

Na atualidade, deparamo-nos com produções que resultam da interação e colaboração dos usuários em espaços *on-line,* como os das mídias sociais digitais (*Facebook, Twitter, blogs* etc.). Esses ambientes de intensa interação e colaboração são possibilitados pela tecnologia constitutiva da *Web* 2.0 que, segundo Barton e Lee (2015), é caracterizada por:

a) possibilitar a constituição de uma escrita que ocorre em fluxo e pressupõe participação colaborativa;
b) apresentar características particulares de design dos *sites*, tais como conteúdo autogerado e interatividade;
c) permitir aos usuários criar e publicar seus próprios textos compartilhando com os outros;
d) proporcionar a participação, colaboração e interação das pessoas por escrito, imagens e vídeos;
e) ter como uma das principais características o sistema de comentários.

Pensando nas formas de comunicação e interação propiciadas por inovações tecnológicas cujo uso põe em relevo a participação e colaboração de usuários, pressupondo a efetiva participação não apenas no processo de leitura e compreensão de textos, mas também no processo de produção textual em espaços concebidos na arquitetura da rede, entendemos, de forma ampliada, o hipertexto como um construto caracterizado pelos traços da conexão múltipla entre textos; não linearidade; não delimitação; fluidez; variedade de temas, de gêneros textuais e de linguagens, resultante da participação e do trabalho realizado colaborativamente por usuários em interação *on-line*.

A essa concepção de hipertexto subjaz a compreensão de que a textualidade é um modo de processamento (MARCUSCHI, 2007) ou uma qualidade de todos os textos, mas também "um empreendimento humano quando o texto é textualizado" (BEAUGRANDE, 1997, p. 30). Desse modo, a noção recobre modelos "não canônicos" de textos como os produzidos nas mídias sociais nesses tempos de cultura digital (KOCH; ELIAS, 2016).

No interior da concepção de textualidade com foco no processo, ganham relevância as múltiplas conexões entre textos que compõem o hipertexto, bem como as conexões dentro de um texto e entre o texto e os contextos humanos nos quais ele ocorre, de modo a determinar que conexões são relevantes (BEAUGRANDE, 1997), e a demonstrar quão ricamente cada texto é conectado ao nosso conhecimento do mundo e da sociedade.

Para exemplificar o que acabamos de defender, apresentamos o seguinte arranjo textual composto hipertextualmente:

Exemplo 1

[Imagem: publicação do Facebook da Folha de S.Paulo com a manchete "Piloto reclama de Trump, de Hillary e de divórcio e assusta passageiros" e comentários de usuários.]

No exemplo 1, observamos a multiplicidade de textos que lhe é constitutiva: a chamada e a manchete que compõem o *link* de acesso à matéria; os comentários produzidos em movimentos que podem ser dirigidos à matéria ou a um outro comentário (cf. ELIAS, 2014), além dos aspectos visuais que entram na constituição dos gêneros textuais. Todos esses elementos assumem importante papel de sinalizadores do lugar que pode ser ocupado pelos usuários e de suas ações.

Paralelamente à conectividade sugerida entre textos por meio de *links* explicitamente marcados, destacamos a conectividade propiciada pela intertextualidade temática pressuposta nos comentários que são produzidos em relação à notícia em um movimento envolvendo gêneros textuais distintos (poligenericidade).

É, pois, a conectividade estabelecida entre textos, gêneros textuais, usuários e o que sabemos sobre o que acontece no mundo (no caso do exemplo, uma das principais e mais polêmicas promessas de campanha do Presidente

Trump, dos EUA, foi a construção de um muro na fronteira do México) que pode explicar:

1. o comentário e a sofisticada ironia nele contida

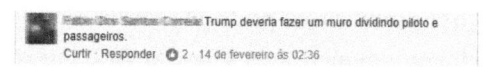

2. e a reação ao comentário

relacionados à matéria

Podemos dizer, então, que, independentemente de sua extensão ou suporte, cada texto se conecta a conhecimentos diversos (de língua, de textos, de interação, do mundo).

Em se tratando do exemplo em discussão, a conectividade estabelecida entre textos e entre textos e conhecimentos de mundo dos usuários, no espaço de interação *on-line* da rede social, pressupõe-se a existência de um modelo sobre o modo de atuação no ambiente que diz respeito a como participar de uma discussão em rede social; quais recursos estão à disposição dos usuários; a quem dirigir a mensagem considerando o número indeterminado de usuários em interação na rede; como identificar retorno ao que foi publicado; que repercussão e implicações a publicação pode ganhar na rede.

O conjunto desses elementos remete-nos à noção de contexto de base sociocognitiva, compreendido, portanto, na inter-relação das dimensões pessoal e social. É disso que tratamos no tópico a seguir.

Hipertexto e contexto

Nos estudos do texto de abordagem sociocognitiva, a noção de contexto envolve uma conjunção de elementos de ordem linguística, cognitiva e social (KOCH, 2002; KOCH; ELIAS, 2006, 2009, 2015). Entre os autores que vêm teorizando sobre o contexto nessa perspectiva encontra-se Van Dijk (2012, p. 87), para quem "os contextos não são um tipo de situação social objetiva, e sim construtos dos participantes, subjetivos, embora socialmente fundamentados, a respeito das propriedades que para eles são relevantes em tal situação, isto é, modelos mentais".

Inspirado em estudos realizados nos campos da Linguística, da Sociolinguística e da Psicologia Cognitiva, Van Dijk realiza uma pesquisa de caráter exploratório inteiramente dedicada à noção de contexto, guiado pelos seguintes pressupostos:

a) os modelos de contexto controlam muitos aspectos da produção e compreensão de textos;
b) esse processo está relacionado com outros processos de interação;
c) situações comunicativas sociais representam intenções, propósitos, objetivos, conhecimentos e outras propriedades mentais, além de opiniões e emoções;
d) as experiências acumuladas com as situações do dia a dia propiciam a construção de esquemas de modelos abstratos nos quais, por exemplo, os Ambientes (Tempo, Lugar), os Participantes (em vários

papéis e relações), bem como as Ações são categorias mais ou menos estáveis;

e) os modelos de contexto representam aquilo que é relevante para os participantes numa dada situação comunicativa, ou seja, estabelecem que o que é comunicativamente relevante nas situações sociais é o tipo de informação que se ajusta ao modelo de contexto e suas categorias social e culturalmente compartilhadas.

A concepção de Van Dijk sobre contexto como uma interpretação da situação de comunicação, do tempo e do lugar especificados, participantes e modo de distribuição dos papéis, bem como da definição de ações e objetivos, envolvendo, portanto, elementos de ordem linguística, cognitiva e interacional, é o que ancora muitos dos estudos na LT sobre o processamento textual.

Nessa compreensão de contexto, defende o autor que os modelos explicam por que os textos podem ser incompletos, vagos ou cheios de ideias implícitas, sem prejudicar a compreensão, enfatizando em sua concepção de contexto o vínculo necessário entre a dimensão pessoal e social da compreensão no plano interacional.

Assim concebido, o contexto pode assumir muitas funções. No quadro da multifuncionalidade do contexto, Koch e Elias (2006, 2009) apontam as seguintes funções:

a) avaliar o que é adequado ou não adequado do ponto de vista dos modelos interacionais construídos culturalmente;
b) pôr em saliência o tópico discursivo e o que é esperado em termos da continuidade temática e progressão textual;
c) preencher lacunas por meio da produção de inferências;
d) explicar ou justificar o que foi dito ou o que não deve ser dito;
e) ancorar o texto numa situação comunicativa e contribuir, assim, para o estabelecimento da coerência, com base em elementos como data, local, assinatura, elementos gráficos, suporte, denominados de "fatores de contextualização". (MARCUSCHI, 1983; KOCH; TRAVAGLIA, 1989, 1990)

Especialmente em se tratando da interação *on-line*, o hipertexto solicita a compreensão de traços que lhe são característicos, o que implica considerar não apenas um texto e toda a complexidade dos aspectos que lhe são constitutivos, mas, sim, textos, vários textos ou arranjos textuais envolvendo uma diversidade de gêneros textuais e de autores que atuam colaborativamente no espaço de redes sociais.

A noção de contexto – ancorada em modelos ou tipos de conhecimento que encontram na interação a base de sua constituição e que, no próprio movimento da interação, são constantemente atualizados – é uma indispensável categoria teórica para o processamento de hipertextos, como exemplificamos a seguir.

Exemplo 2

Contexto: foco na situação comunicativa

Do ponto de vista do modelo de situação de comunicação, podem ser destacados, no recorte hipertextual, os seguintes aspectos:

a) a proposta de curtir, compartilhar ou comentar uma notícia veiculada na página do *Facebook* do jornal;
b) a indicação do texto e o tema da discussão para a produção de comentários;
c) a manutenção desse tema na memória dos usuários para a constituição dos comentários;
d) a possibilidade de os comentários se constituírem também em resposta a outros comentários;
e) uma movimentação em espaços virtuais que aponta para o lugar a ser ocupado pelos usuários e ações previstas;
f) a possibilidade de participação imediata de um indefinido número de usuários, aspecto que promove atualizações constantes no quadro interacional e do produto dele resultante;
g) indicação de *links* e possibilidade da constituição de novos *links* que podem remeter a textos, de forma a alterar constantemente o hipertexto.

Contexto: foco na interação

No que se refere à dinâmica da interação no espaço da rede, cada participação do usuário contribui para a alteração do contexto, especialmente em se tratando dos comentários, pois estes se inserem no conjunto dos textos que compõem o hipertexto e indicam a colaboração de cada usuário e o que cada um elege como foco em sua produção.

No hipertexto selecionado para exemplificação 3, aspectos sobre o contexto, compreendido no plano da interpretação da situação comunicativa e tipos de conhecimento que nela estão envolvidos, podem ser observados no movimento entre os gêneros textuais notícia-comentários, bem como no movimento entre comentários.

> No movimento entre os gêneros textuais notícia - comentário, situa-se o comentário a seguir:

Exemplo 3

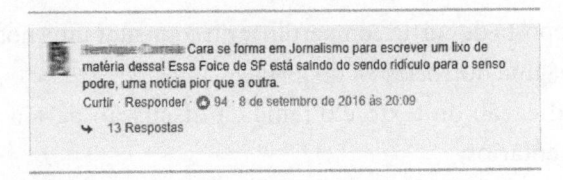

> Cara se forma em Jornalismo para escrever um lixo de matéria dessa! Essa Foice de SP está saindo do sendo ridículo para o senso podre, uma notícia pior que a outra.
> Curtir · Responder · 94 · 8 de setembro de 2016 às 20:09
> 13 Respostas

No comentário, a conectividade com o texto-fonte (notícia) é proposta por meio do uso das expressões nominais que, discursivamente, se constituem em referentes (cf.: MONDADA; DUBOIS, 2003; KOCH, 2004; MARCUSCHI, 2005; CAVALCANTE, 2011, 2012), a saber: "um lixo de matéria dessa e essa Foice de SP".

No comentário produzido, subjaz uma interpretação que o usuário faz não apenas do texto, mas também do jornal e do que é esperado que seja publicado em termos de relevância para o leitor; dos textos que se remetem compondo uma intrincada rede; e dos espaços e papeis destinados aos participantes na plataforma da rede.

O comentário é um texto que, produzido no espaço da rede social, se insere numa relação com outros textos produzidos por outros usuários, cuja compreensão demanda que se leve em conta o espaço mesmo da rede e de sua forma de funcionamento, que pressupõe conexões múltiplas entre textos.

> No movimento constituído de comentário para comentário, para observações quanto ao contexto, selecionamos o arranjo textual a seguir:

Exemplo 4

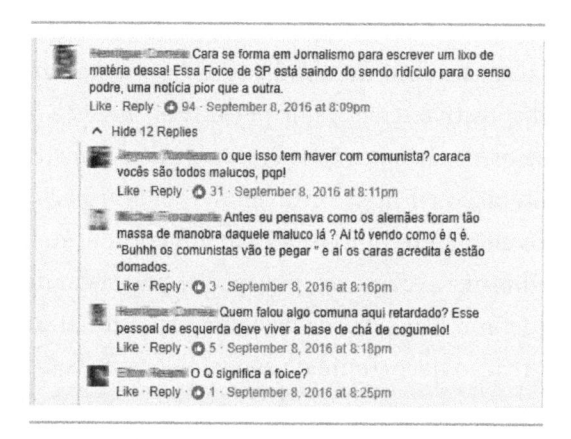

> ▓▓▓▓▓ Cara se forma em Jornalismo para escrever um lixo de matéria dessa! Essa Foice de SP está saindo do sendo ridículo para o senso podre, uma notícia pior que a outra.
> Like · Reply · 94 · September 8, 2016 at 8:09pm
> ∧ Hide 12 Replies
>> ▓▓▓▓▓ o que isso tem haver com comunista? caraca vocês são todos malucos, pqp!
>> Like · Reply · 31 · September 8, 2016 at 8:11pm
>> ▓▓▓▓▓ Antes eu pensava como os alemães foram tão massa de manobra daquele maluco lá ? Aí tô vendo como é q é. "Buhhh os comunistas vão te pegar " e aí os caras acredita e estão domados.
>> Like · Reply · 3 · September 8, 2016 at 8:16pm
>> ▓▓▓▓▓ Quem falou algo comuna aqui retardado? Esse pessoal de esquerda deve viver a base de chá de cogumelo!
>> Like · Reply · 5 · September 8, 2016 at 8:18pm
>> ▓▓▓▓▓ O Q significa a foice?
>> Like · Reply · 1 · September 8, 2016 at 8:25pm

Contextualmente, além dos aspectos já citados quanto ao modo de funcionamento da rede e do modo de atuação dos sujeitos, no arranjo textual composto por comentários gerados a partir de outro, observamos que, na conectividade entre os comentários, destaca-se a expressão nominal "Essa foice de SP", que, discursivamente, se constitui em referente, como antes mencionado.

Assim constituído, o referente solicita, por meio de um processo intertextual na literatura denominado de *détournement* (GRÉSILLON; MAINGUENEAU, 1984; KOCH; BENTES; CAVALCANTE, 2007), a conectividade entre texto-comentário – texto-fonte e meio de veiculação (*Folha de S.Paulo* – Foice de SP).

O referente funciona, portanto, no arranjo textual como um gatilho para a emergência, em comentários posteriores, dos referentes "comunista", "comunas", "alemães", "esse pessoal de esquerda", cuja compreensão demanda a conectividade entre os textos em questão no hipertexto e entre estes e aspectos históricos, culturais e sociais suscitados na dinâmica da interação.

Os dados apontam, portanto, para o contexto como interpretação subjetiva feita da situação de comunicação em termos de ambiente, participantes, evento ou ação comunicativa, sendo também indicadores de como cada participante, ao tomar a palavra, representa o que é seu entorno no momento, a situação em que está pensando e agindo, suas intenções, objetivos, crenças e conhecimentos sociais e interacionais, dentro de uma estrutura comunicativa cujos papeis comunicativos são marcados simetricamente.

Na ampla acepção aqui assumida com base em Van Dijk (2012), o contexto é um dispositivo teórico que permite ao analista observar e explicar sentidos que os usuários constroem ou podem construir em seus comentários na interação *on-line*, envolvendo outros usuários, outros textos e todos os outros elementos que compõem uma produção hipertextual. Se, nesta seção, focalizamos o contexto, pois não se pode falar de texto ou hipertexto sem considerar o contexto, na próxima seção enfatizamos a coerência como uma construção decorrente de aspectos cognitivos, sociais, textuais e interacionais.

Hipertexto e coerência

De acordo com o que vem sendo postulado nos estudos do texto de base sociocognitiva e interacional, a coerência não é uma propriedade textual que pode ser localizada ou apontada no texto, mas, sim, fruto de uma atividade de processamento cognitivo altamente complexo e colaborativamente construído, como afirma Marcuschi (2007). Trata-se de "algo dinâmico que se encontra mais na mente que no texto" e, sendo assim, "mais do que analisar o sentido que um texto pode fazer para seus usuários, trata-se de observar o sentido que os usuários constroem ou podem construir para suas falas" (ou escritas) (MARCUSCHI, 2007, p. 13).

Ainda segundo o autor, as significações emergem nas interações e envolvem conexões que derivam de uma atividade global e não apenas localizada (MARCUSCHI, 2007). Trata-se de uma construção centrada na resposta às perguntas: o que entendemos com isso agora? O que implica ter como base um modelo de interpretação com foco em fenômenos sociais e interativos?

O sentido, portanto, resulta da interação. Com base nesse raciocínio, Morato (2005) argumenta que a interação – e tudo o que é afeito a ela – produz sentido e que o outro é necessário para sabermos e para construirmos o sentido daquilo que estamos a dizer.

Ainda ressalta a autora que, nos trabalhos de tradição pluridisciplinar sobre interação, o que se destaca é a ideia de ação conjunta (seja conflituosa, seja cooperativa) que coloca em cena dois ou mais indivíduos, sob certas circunstâncias que em muito explicam seu próprio decurso.

Na defesa dessa ideia, Koch e Cunha-Lima (2005) afirmam que compreender a linguagem é entender como os falantes se coordenam para fazer alguma coisa juntos, com uma finalidade comum e papeis definidos, como quando acontece na participação de usuários em redes sociais digitais.

Desse modo, ressaltam as autoras que produzir sentidos não é uma atividade que acontece dentro da mente do falante, mas uma atividade conjunta que emerge na interação e pressupõe e implica negociação em todas as suas fases. Nessa atividade, ganham espaço, pela relevância no processo de interação e produção de sentido, as pistas de contextualização, que podem se constituir por diferentes linguagens e aludir a vários aspectos, como o próprio espaço em que se dá a interação (certas coisas são mais prováveis em redes sociais do que em outros espaços de interação, por exemplo).

Pistas de contextualização guardam intrínseca relação com conhecimentos compartilhados socioculturalmente. Nesse sentido, os textos são muito incompletos ou contêm muitos implícitos e exigem dos sujeitos envolvidos no processo de escrita e leitura o uso de várias estratégias cognitivas: pressupor conhecimentos compartilhados; construir modelos mentais dos eventos que entram na constituição do texto; ativar partes relevantes desse conhecimento; preencher o modelo com a informação que está implicada ou pressuposta no texto (VAN DIJK, 2012); produzir inferências, entendidas na perspectiva de produção de significações (MARCUSCHI, 2007).

Se conseguimos imaginar de que trata o texto (coisas, pessoas, atos, eventos ou estados de coisas a que o texto se refere), então podemos dizer que o texto é coerente. Assim, compreendida no âmbito dos atuais estudos do texto e do contexto de base sociocognitiva e interacional, a noção de coerência vem sendo aplicada para a observação e explicação de sentidos que são ou podem ser produzidos em relação a um texto ou a um conjunto de textos.

Diante de um hipertexto em constante reconfiguração devido à colaboração de usuários em interação *on-line*, se conseguimos estabelecer uma relação entre os textos; se podemos identificar uma orientação temática e referentes implicados; se conseguimos conectar os textos aos contextos humanos em que ocorrem, com toda a sorte de conhecimentos envolvidos nesse empreendimento; se conseguimos construir para o arranjo textual uma dada moldura que nos permite encerrá-lo momentaneamente num quadro interpretativo, então podemos estender a arranjos textuais produzidos na interação em redes sociais digitais a noção de coerência, como concebida na LT.

Para exemplificar, recorremos ao arranjo textual composto por comentários de usuários em resposta a um comentário anteriormente produzido, relacionado à matéria:

Exemplo 5

Linguística Textual e estudos do hipertexto

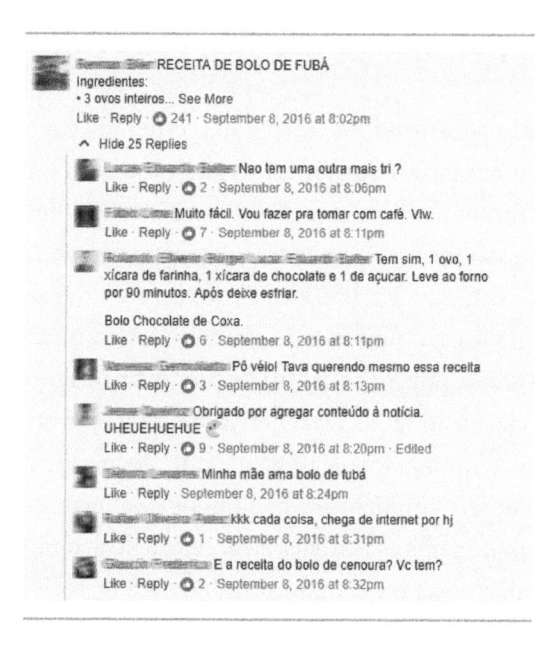

> RECEITA DE BOLO DE FUBÁ
> Ingredientes:
> • 3 ovos inteiros... See More
> Like · Reply · 241 · September 8, 2016 at 8:02pm
> ∧ Hide 25 Replies
>
> Nao tem uma outra mais tri ?
> Like · Reply · 2 · September 8, 2016 at 8:06pm
>
> Muito fácil. Vou fazer pra tomar com café. Vlw.
> Like · Reply · 7 · September 8, 2016 at 8:11pm
>
> Tem sim, 1 ovo, 1 xícara de farinha, 1 xícara de chocolate e 1 de açucar. Leve ao forno por 90 minutos. Após deixe esfriar.
>
> Bolo Chocolate de Coxa.
> Like · Reply · 6 · September 8, 2016 at 8:11pm
>
> Pô véio! Tava querendo mesmo essa receita
> Like · Reply · 3 · September 8, 2016 at 8:13pm
>
> Obrigado por agregar conteúdo à notícia. UHEUEHUEHUE
> Like · Reply · 9 · September 8, 2016 at 8:20pm · Edited
>
> Minha mãe ama bolo de fubá
> Like · Reply · September 8, 2016 at 8:24pm
>
> kkk cada coisa, chega de internet por hj
> Like · Reply · 1 · September 8, 2016 at 8:31pm
>
> E a receita do bolo de cenoura? Vc tem?
> Like · Reply · 2 · September 8, 2016 at 8:32pm

O comentário relacionado à matéria

> RECEITA DE BOLO DE FUBÁ
> Ingredientes:
> • 3 ovos inteiros... Ver mais
> Curtir · Responder · 241 · 8 de setembro de 2016 às 20:02
> ↳ 26 Respostas

obtém como retorno vários outros comentários que mantêm a focalização no referente "receita de bolo de fubá", que encabeça o comentário em destaque direta ou indiretamente.

Configurado na forma de receita, o comentário causa estranheza, porque promove uma ruptura: i) do que se tinha como representação do contexto, delineado pela proposta de discussão da matéria como pressuposto em termos de funcionamento da rede e das formas de interação previstas nesse espaço; ii) uma ruptura do modelo que temos do que venha a ser comentário e como é esperado que ele se configure, textualmente falando. Ou seja, no processo de construção da coerência do que se produz no espaço de interação na rede (e em qualquer um outro espaço), os usuários recorrem a modelos armazenados na memória resultantes das muitas interações de que participam e que orientam as suas ações, o que dizer, para quem e de que modo fazê-lo.

O comentário constituído de forma não esperada e o efeito estranheza que produz apontam para a existência desses modelos contextuais e da relevância que assumem na construção de sentidos. Se houve a quebra de expectativa, é o caso mesmo de ancorar a construção da coerência em um outro modelo de situação. Na literatura voltada para o uso da língua numa perspectiva pragmática, o fenômeno estaria violando uma das máximas de Grice, a de relevância, pois se constitui de modo a não ser (à primeira vista) pertinente em relação ao tema, ao objetivo da interação em curso.

Mas, se consideramos que a língua é uma forma de ação, que todo e qualquer texto contém implícitos e que temos conhecimento sobre modos de funcionamento de gêneros textuais, a coerência do arranjo textual pode ser construída pela não observância mesma à máxima de relevância.

Ainda, se consideramos que o comentário sobre a receita se constitui em um caso de intergenericidade, estamos diante de uma estratégia usada nas mais diversas situações de interação. No caso do exemplo, a estratégia foi usada na constituição de uma crítica à matéria posta em discussão: trata-se de uma matéria cujo conteúdo sem importância não merece atenção e, nesse caso, o melhor a fazer é mudar de assunto. Fora do espaço das redes, não são poucas as vezes que recorremos ao mesmo expediente, por várias razões, uma delas encontra justificativa na polidez, na preservação da face.

Isso apenas vem corroborar a tese de que o contexto, compreendido como uma interpretação subjetiva, aponta para a indissociabilidade das dimensões pessoal-social e, portanto, para a compreensão do processo de produção de sentidos, de construção da coerência que "surge da percepção de uma unidade negociada de sentido que depende da intenção argumentativa do locutor, da coparticipação do interlocutor, das indicações marcadas na superfície do texto e de um vasto conjunto de conhecimentos compartilhados" (CAVALCANTE; CUSTÓDIO FILHO; BRITO, 2014, p. 21).

Considerações finais

No quadro atual dos modos de comunicação e interação propiciados pelas inovações tecnológicas, especialmente a partir da web 2.0, concebemos o hipertexto como um construto que envolve, na forma de arranjos textuais em constante mutabilidade, uma multiplicidade de textos, gêneros textuais, linguagens e autores, resultante da efetiva produção de usuários em um processo de colaboração e interação *on-line*.

Essa concepção de hipertexto põe em evidência não apenas as múltiplas conexões que podem ser feitas dentro de um texto, mas também, e principalmente, entre textos, gêneros textuais e contextos, num movimento de intensa participação e colaboração de usuários em espaços como o propiciado pelas mídias sociais. Conexões estabelecidas ou a ser estabelecidas no interior de um texto e entre textos e gêneros textuais remetem-nos à indissociável relação entre aspectos linguísticos, cognitivos, sociais e interacionais, chamando-nos a atenção para uma estreita relação entre a Linguística Textual e as ciências cognitivas.

Então, compreender textos depende sempre de uma grande parcela de conhecimentos compartilhados, depende sempre de contextos. Nas interações *on-line*, ativamos modelos de situação e criamos expectativas sobre o tema em curso, sujeitos e recursos envolvidos. Também levamos em conta a instantaneidade e o imediatismo próprios do ambiente de rede e tudo o que nele está envolvido em termos de conhecimentos, aspectos que nos guiam na produção de textos e de sentidos. Num movimento contínuo de aproximação e de afastamento constituído na relação entre textos e gêneros textuais, envolvendo sujeitos e seus conhecimentos na interação em rede, muitos sentidos emergem, convidando-nos a observá-los, no curso mesmo do processo interacional, sob a lente da sociocognição.

Referências

BARTON, D.; LEE, C. *Linguagem online*: textos e práticas digitais. São Paulo: Parábola Editorial, 2015.

BEAUGRANDE, R. de. *New foundations for a science of text and discourse*: cognition, communication, and freedom of access to knowledge and society. Norwood; New Jersey: Ablex, 1997.

BLÜHDORN, H; ANDRADE, M. L. C. V. O. Tendências recentes da linguística textual na Alemanha e no Brasil. In: WIESER, H. P.; KOCH, I. G. V. (Org.) *Linguística textual*: perspectivas alemãs. Rio de Janeiro: Nova Fronteira, 2009. p. 17-46.

BOLTER, J. D. *Writing Space*. The computer, hypertext and the history of writing. New Jersey, 1991.

CAVALCANTE, M. M. *Referenciação*: sobre coisas ditas e não ditas. Fortaleza: Edições UFC, 2011.

_____. *Os sentidos do texto*. São Paulo: Contexto, 2012.

_____; CUSTÓDIO FILHO, V.; BRITO, M. A. P. *Coerência, referenciação e ensino*. São Paulo: Cortez, 2014.

CHATFIELD, T. *Como viver na era digital*. Rio de Janeiro: Objetiva, 2012.

ELIAS, V. M. Escrita, hipertextualização e oralidade. *Revista Unicsul*, São Paulo, n. 5, p. 107-112, abr. 1999.

_____. *Do hipertexto ao texto*: uma metodologia para o ensino de língua portuguesa a distância. 2000. Tese (Doutorado em Língua Portuguesa) – Pontifícia Universidade Católica de São Paulo, São Paulo, 2000.

_____. Hipertexto, leitura e sentido. *Calidoscópio*, São Leopoldo, Unisinos, v. 3, n. 1, p. 13-20, jan./abr. 2005.

_____. Texto e hipertexto: questões para a pesquisa e o ensino. In: MENDES, E.; CUNHA, J. C. (Org.). *Práticas em sala de aula de línguas*: diálogos necessários entre teoria(s) e ações situadas. Campinas: Pontes Editores, 2012. p. 81-98.

_____. Quadrinhos e leitura na mídia social digital: porque comentar é preciso. In: LINS, M. da P. P.; CAPISTRANO JR., R. (Org.). *Quadrinhos sob diferentes olhares teóricos*. Vitória: PPGEL-UFES, 2014. p. 45-64.

_____. Hipertexto e leitura: como o leitor constrói a coerência? In: CABRAL, A. L. T.; LUC-MINEL, J.; MARQUESI, S. C. (Org.). *Leitura, escrita e tecnologias da informação*. São Paulo: Terracota Ed., 2015. p. 53-74.

GRÉSILLON, A.; MAINGUENEAU, D. Polyphonie, proverbe et détournement. *Langages*, v. 19, n. 73, p. 112-125, 1984.

JENKINS, H. *Cultura da convergência*. São Paulo: Aleph, 2009.
KOCH, I. V. *Desvendando os segredos do texto*. São Paulo: Cortez, 2002.
_____. *Introdução à Linguística Textual*. São Paulo: Martins Fontes, 2004.
_____. Hipertexto e construção do sentido. *Alfa*, São Paulo, v. 51, n. 1, p. 23-38, 2007.
_____; BENTES, A. C.; CAVALCANTE, M. M. *Intertextualidade*: diálogos possíveis. São Paulo: Cortez, 2007.
_____; CUNHA-LIMA, M. L. Do cognitivismo ao sociocognitivismo. In: MUSSALIM, F.; BENTES, A. C. (Org.). *Introdução à Linguística*: fundamentos epistemológicos. São Paulo: Cortez, 2005. v. 3, p. 251-300.
_____; ELIAS, V. M. *Ler e compreender*: os sentidos do texto. São Paulo: Contexto, 2006.
_____; _____. *Ler e escrever*: estratégias de produção textual. São Paulo: Contexto, 2009.
_____; _____. O texto na linguística textual. In: BATISTA, R. de O. (Org.). *O texto e seus conceitos*. São Paulo: Parábola Editorial, 2016. p. 31-44.
_____; TRAVAGLIA, L. C. *Texto e coerência*. São Paulo: Cortez, 1989.
_____; _____. *A coerência textual*. São Paulo: Contexto, 1990.
MARCUSCHI, L. A. *Linguística do texto*: o que é e como se faz. Recife: UFPE, 1983. (Série Debates 1).
_____. Linearização, cognição e referência: o desafio do hipertexto. *Língua e instrumentos linguísticos*. Campinas: Pontes, 1999. p. 21-46.
_____. Gêneros textuais: definição e funcionalidade. In: DIONÍSIO, A. P.; MACHADO, A. R.; BEZERRA, M. A. (Org.). *Gêneros textuais & ensino*. Rio de Janeiro: Lucerna, 2002. p. 19-36.
_____. Anáfora indireta: o barco textual e suas âncoras. In: KOCH, I. G. V.; MORATO, E. M. M.; BENTES, A. C. (Org.). *Referenciação e discurso*. São Paulo: Contexto, 2005. p. 53-101.
_____. Do código para a cognição: o processo referencial como atividade criativa. In: _____. *Cognição, linguagem e práticas interacionais*. Rio de Janeiro: Lucerna, 2007. p. 61-81.
MONDADA, L.; DUBOIS, D. Construção dos objetos do discurso e categorização: uma abordagem dos processos de referenciação. In: CAVALCANTE,

M. M.; RODRIGUES, B. B.; CIULLA, A. (Org.). *Referenciação*. São Paulo: Contexto, 2003. p. 17-52.

MORATO, E. M. O interacionismo no campo linguístico. In: MUSSALIM, F.; BENTES, A. C. (Org.). *Introdução à linguística*: fundamentos epistemológicos. São Paulo: Cortez, 2005. v. 3.

VAN DIJK, T. A. *Cognição, discurso e interação*. São Paulo: Contexto, 1992.

_____. *Discurso e contexto*: uma abordagem sociocognitiva. São Paulo: Contexto, 2012.

XAVIER, A. C. *O hipertexto na sociedade de informação*: a constituição do modo de enunciação digital. 2002. Tese (Doutorado em Linguística) – Instituto de Estudos da Linguagem, Universidade Estadual de Campinas, Campinas, 2002.

_____. *A era do hipertexto*: linguagem e tecnologia. Recife: Ed. Universitária da UFPE, 2009.

16

Linguística Textual e gêneros dos textos

Regina L. P. Dell'Isola

A Linguística Textual (LT) ultrapassou os estudos linguísticos que se ocupavam das relações interfrasais e transfrasais e os que se dedicavam à gramática do texto para enfocar os fatores de produção, recepção e interpretação de texto. As conhecidas vertentes da LT apontadas por Conte (1977) evidenciam um amadurecimento dos estudos linguísticos que, em etapas cronológicas, são direcionados para o texto como fonte de investigação. A primeira vertente pautava-se na noção de texto circunscrito a uma sequência de enunciados relacionados por meio de elementos de correferência que, hoje, identificamos como atinentes à coesão textual. Essa perspectiva de texto foi questionada por Isenberg (1970), que postulou a existência de procedimentos de textualização, chamando a atenção para as possibilidades de relações semânticas entre enunciados não expressas por marcas linguísticas de superfície. Para Isenberg, esses procedimentos regulariam as relações possíveis entre os enunciados e permitiriam aos falantes gerar e reconhecer estruturas textuais subjacentes. Assim, o interesse em explicar fenômenos do âmbito da frase levou a Linguística a perceber a necessidade de ultrapassar esses limites. Tornou-se evidente a existência de regras sintáticas que extrapolam a frase, e os estudos voltaram-se para as relações entre enunciados e o texto passou a ser visto como objeto de análise holística.

A segunda vertente caracterizava-se pela noção de texto restrita a uma unidade lógico-semântica cuja significação resulta de operações – lógicas, semânticas e pragmáticas – que promovem a integração entre os significados dos enunciados que o compõem. O conceito chomskyano de competência linguística é ampliado para o de competência textual, entendida como o conjunto de capacidades dos falantes para produzir, interpretar e reconhecer textos coerentes, para perceber a completude ou incompletude de um texto, entre outras habilidades. O interesse voltava-se para a construção de gramáticas do texto cuja finalidade era descrever e explicar a competência textual, estabelecendo os princípios constitutivos do texto, explicitando os critérios de sua delimitação e completude. Destacam-se os estudos de Van Dijk e os de Petöfi, entre outros.

Van Dijk (1973) inaugura a ideia de coerência textual determinada pela macroestrutura semântica e aponta a conexão entre os enunciados manifestos na microestrutura superficial. Para o autor, os significados locais de cada enunciado dependeriam do significado global articulado na macroestrutura semântica e a representação semântica de um enunciado seria determinada pelo princípio global, subjacente, que persiste para todos os enunciados do texto. O texto é definido como um todo estruturado cuja significação e coerência ocorrem no plano global e não na sequência ou na soma dos significados localizados.

Petöfi (1973) define texto como uma sequência de elementos linguísticos escritos ou falados organizada como um todo, com base em algum critério qualquer (geralmente extralinguístico). A introdução da ideia de critério extralinguístico conduz à necessidade de os linguistas do texto irem além da abordagem sintático-semântica, como já havia sido inaugurado por Van Dijk.

A terceira vertente pauta-se na dimensão sociocomunicativa do texto, privilegiando seus aspectos pragmáticos. Em termos de interesses epistemológicos, houve uma nova reconversão da noção de competência linguística para a competência textual como sistema de regras suscetíveis de derivarem qualquer texto, numa determinada língua natural, seguida da competência comunicativa pelo fato de o texto associar-se a uma ou mais funções e ser produzido em situações comunicativas. Essa perspectiva volta-se para uma teoria do texto em que se busca explicar a competência comunicativa que diz respeito à capacidade de atuar com eficiência em situações sociais de comunicação.

Entre os teóricos que procuraram delinear conceito para o termo, destacam-se Canale e Swain (1980) e Canale (1983) por apresentarem um modelo de competência comunicativa pautado em quatro componentes: competência gramatical, estratégica, sociolinguística e discursiva, conforme esquema apresentado no Quadro 1, a seguir.

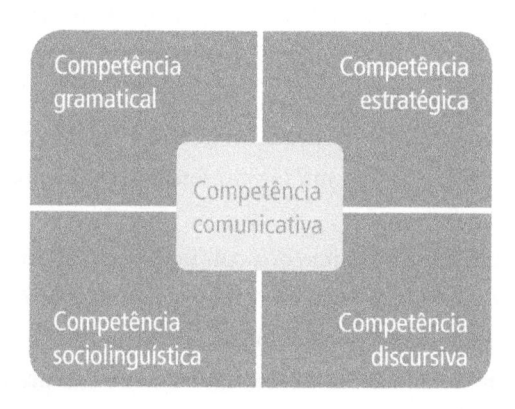

Quadro 1   Modelo de competência comunicativa proposto por Canale (1983)

Em linhas gerais, nesse modelo, a competência comunicativa é o resultado da confluência de quatro dimensões: a dimensão gramatical, que engloba o conhecimento de aspectos fonológicos, sintáticos, morfológicos e lexicais de um idioma; a dimensão estratégica, que lança luz sobre as formas de comunicar a que o usuário da língua recorre para resolver barreiras a serem superadas ao longo da interação; a dimensão sociolinguística, que está relacionada às regras socioculturais de comunicação; e a dimensão discursiva, voltada para elementos do discurso que regem o uso de uma língua.

A noção de texto que inaugura essa concepção é de Schmidt (1978), para quem texto é qualquer expressão de um conjunto linguístico num ato de comunicação (no âmbito de um jogo de ação comunicativo), sendo tematicamente orientado e preenchendo uma função comunicativa reconhecível, ou seja, realizando um potencial ilocutivo reconhecível. Para esse autor, a textualidade resulta tanto de aspectos linguísticos (sintático e semântico) quanto de aspectos sociais, tendo estes aspectos primazia sobre aqueles. Para Schmidt (1978, p. 163-71), ela é todo componente verbalmente enunciado de um ato de comunicação pertinente a um jogo de atuação comunicativa, caracterizado por uma orientação temática e cumprindo uma função comunicativa identificável, isto é, realizando um potencial ilocutório determinado. É somente na medida em que o locutor realiza intencionalmente uma função ilocutória (sociocomunicativa) identificável por parte dos parceiros de comunicação envolvidos, que o conjunto dos enunciados linguísticos vem constituir um processo textual coerente, de funcionamento sociocomunicativo eficaz e normalizado conforme as regras constitutivas (= uma manifestação da *textualidade*).

Sem abandonar a importância dos componentes sintáticos do texto, relativos à sua coesão, nem a relevância dos aspectos da coerência, passou-se a considerar o funcionamento sociocomunicativo e pragmático do texto. Nessa fase, associa-se o texto à manifestação linguística do discurso. O texto, entendido como produto da atividade discursiva oral ou escrita, constitui um todo significativo, resultante de uma sequência verbal constituída por um conjunto de relações que se estabelecem a partir da coesão e da coerência, condicionado aos usos sociais, comunicativos e pragmáticos da linguagem.

Na perspectiva de Beaugrande (1997, p. 10), o texto passa a ser reconhecido como "um evento comunicativo em que ações linguísticas, cognitivas e sociais convergem, e não apenas uma sequência de palavras". Desde então, sugere-se que o texto seja a base do "ensino de língua" e defende-se que o aprendizado não se dá em unidades isoladas e, sim, nos eventos discursivos ou entidades enunciativas em que acontecem os processos de interação localizados em um contexto sociocultural. Assim, entendido como um acontecimento comunicativo, uma atividade sociointeracional, o texto deixa de ser considerado um artefato ou produto e passa a ser percebido como unidade linguística concreta, em situação de interação comunicativa, com funções específicas no cotidiano das sociedades. Ele resulta de um processo de interação entre autores/locutores e leitores/ouvintes e tem seu sentido condicionado pelo material veiculado (oral ou escrito). A atenção e a análise dos processos de compreensão recaem nas atividades, nas habilidades e nos modos de produção de sentido, bem como na ideação, organização textual.

Val (2000, p. 13) assevera que o texto pode ser definido hoje "como qualquer produção linguística, falada ou escrita, de qualquer tamanho, que possa fazer sentido numa situação de comunicação humana, isto é, numa situação de interlocução". A autora enfatiza a função pragmática do texto, em detrimento de aspectos semânticos e formais. Um texto é altamente dinâmico e suas possibilidades de significação ultrapassam as condições de produção. Como afirma Cafiero (2002, p. 31), o texto "é um produto de um ato discursivo, isto é, está sempre marcado pelas condições em que foi produzido e pelas condições de sua recepção".

Ao comparar conceitos de texto propostos por estudiosos da LT, Coscarelli (2006, p. 68) conclui que "a característica que se repete em todas as definições não diz respeito a aspectos formais do texto, mas ao caráter de mecanismo de interação ou produto de uma situação de comunicação". Os efeitos de sentido produzidos pelo texto ou as compreensões dele decorrentes são fruto do trabalho conjunto entre produtores e receptores (coenunciadores) em situações reais de uso. O texto tem estreita interação com seu contexto de produção pela mediação dos próprios atores sociais (escritor ou falante e leitor ou ouvinte) que operam com ele. Nesse caso, o texto apresenta um alto grau de instabilidade e indeterminação por ser um sistema muito complexo e com muitas relações que se completam na situação de uso.

O texto, o gênero textual e o discurso

Texto e discurso são complementares na atividade enunciativa. Há articulação entre o plano discursivo em que ocorre a enunciação (as relações entre o enunciado e os elementos do quadro enunciativo) e o plano textual em que se dá a configuração (a estruturação) do texto. Entre o texto e o discurso, o gênero textual configura-se como aquele que condiciona a atividade enunciativa.

Segundo Coutinho (2004, p. 32), o discurso é "prática linguística codificada, associada a uma prática social (socioinstitucional) historicamente situada", e o texto é uma esquematização que conduz a uma configuração observável independentemente de sua extensão (de uma palavra a um romance inteiro). Para a autora, o texto é, a rigor, o fenômeno linguístico empírico que apresenta todos os elementos configuracionais que dão acesso aos demais aspectos da análise. Entre o discurso e o texto está o gênero, conforme representado no Esquema 1, a seguir.

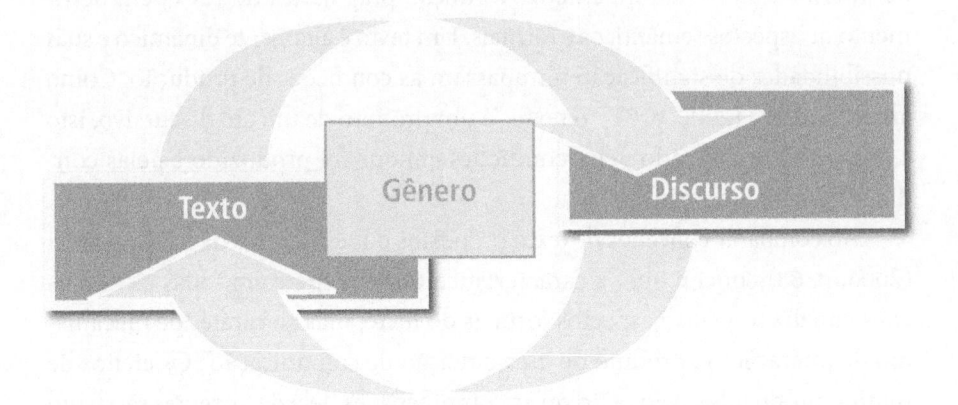

Esquema 1 Diagrama dos elementos da Linguística do Texto/dos Gêneros Textuais

Nesse diagrama apresenta-se a configuração das relações entre três elementos que se complementam: os gêneros textuais operam como a ponte entre o discurso – uma atividade mais universal – e o texto, como a peça empírica particularizada e configurada numa determinada composição observável. É importante compreender a inter-relação dos elementos desse tripé conceitual que pode instaurar uma nova vertente da Linguística do Texto centrada nos gêneros textuais.

O gênero textual, entendido como diversidade socioculturalmente regulada das práticas discursivas humanas, manifesta-se por meio de um texto, que é o objeto concreto, material e empírico resultante de um ato de enunciação. Como afirma Maingueneau (1996, p. 82), "ao falarmos de *discurso* articulamos o enunciado sobre uma situação de enunciação singular; ao falar de *texto*, colocamos o acento sobre aquilo que lhe confere uma unidade, que o torna uma totalidade e não um simples conjunto de frases". Em outros termos, os dois pontos de vista são complementares. A articulação do discursivo com o textual dilui a distinção entre ambos.

A Linguística do Texto, tal como assume Jean-Michel Adam (1999), envolve o tratamento dos gêneros textuais como elementos tipicamente discursivos. Nas palavras do autor: "não diremos jamais que um texto ou um discurso é composto de frases. A própria existência de frases tipográficas – como os parágrafos, os períodos, as sequências e os textos – resulta de escolhas instrucionais␣pluridetermiandas". (ADAM, 1999, p. 39). Assim, o texto – e o gênero textual em que se inscreve – é concebido como unidade de comunicação linguística, um sistema complexo, dinâmico e aberto que envolve subsistemas em interação que variam com o tempo e cuja dinâmica altera-se pela influência do ambiente, como postula Bernárdez (1995, 2003).

Bernárdez (1995, p. 142-43) descreve a interação nos seguintes termos:

> Um produtor P deseja transmitir a um receptor R uma mensagem M dentro de um contexto C; para tal, emite elementos linguísticos: um texto T. O receptor R, por seu lado, percebe T e por meio de T tenta ter acesso à mensagem M.

Para esse autor, os subsistemas seriam os processos desenvolvidos pelas instâncias agentivas P e R – produção e compreensão – tanto e também contexto C em que tais processos têm lugar. A produção textual é, nessa perspectiva, um dos subsistemas da comunicação e, por ser aberto, depende de fatores internos e externos. Entre os fatores internos, o autor postula o conhecimento do mundo de P, o conhecimento de estratégias comunicativas de P, o conhecimento linguístico de P, a intenção de P e o conteúdo que P deseja transmitir. Entre os fatores externos, Bernárdez (1995) aponta as influências que exercem o sistema-contexto e o sistema-receptor sobre a produção do texto. O conhecimento de mundo de R, seu conhecimento de estratégias comunicativas, seu conhecimento linguístico, as possíveis distorções da mensagem de P pelo contexto, a capacidade de R para corrigir essas distorções são, entre outros, fatores externos que participam da interação entre P e R, mediada por C.

Há que se considerar que o sentido do texto é construído conjuntamente com os participantes e que as configurações dos gêneros textuais (sua forma, seu conteúdo temático e sua função) contribuem para a construção do sentido. Conforme a metáfora de Brandt (2003), o texto é uma construção sinfônica (de um conjunto de câmara) em que existe uma série de indivíduos que atua conjuntamente a impulsos de uma partitura e de um diretor que, a um só tempo, é o dirigente dessa "orquestra de câmara" e um dos instrumentistas.

Um ato de comunicação não está restrito a uma simples transmissão de mensagens entre dois interlocutores idealizados. Tal como defende Rastier (1989, p. 39), "o uso de uma língua é por excelência uma atividade social e toda a situação de comunicação é determinada por uma prática que a instaura e a restringe".

O ato comunicativo envolve uma instância particular de uma prática social e situa-se em uma instância específica do discurso. Inegavelmente, conforme aponta Silveira (2009, p. 179),

> o discurso é uma interação social, decorrente de uma prática sociocognitiva e ligada a convenções sociais; já o texto é sua expressão verbal que traz, representado em língua, as representações mentais, vistas como formas de conhecimento do mundo e modificadas pelas intenções do enunciador.

Rastier (1989) considera que qualquer situação de comunicação é determinada por uma prática social que está associada a um conjunto de usos linguísticos denominado discurso. Nesse quadro, insere-se a noção de gênero textual a ser vista, conforme aponta Coutinho (2003, p. 103, grifo do autor), num entrelaçar de relações próximas assim enumeradas pela autora:

- a de *situação de comunicação* – enquanto circunstância de uso da língua determinada por uma prática social;
- a de *tipo de discurso* – enquanto prática linguística codificada, associada a um determinado tipo de prática social (por exemplo, o discurso político, jurídico ou médico);
- a de *gênero* – como conjunto de prescrições que regulam diferentes possibilidades para um mesmo tipo de discurso, correspondendo à diferenciação de práticas que pode ocorrer no quadro de uma prática

social (por exemplo, o resumo de observação, o artigo científico e a carta ao colega – no quadro do discurso médico);
- a de *texto* – enquanto sequência linguística inevitavelmente determinada em termos de produção ou de interpretação, por regulações de gênero, determinado por este, por sua vez, por um tipo de discurso.

Os discursos articulam-se em diversos gêneros textuais que correspondem a práticas sociais diferenciadas na constituição dos textos, sendo estes regulados pela sociedade, dado que se tratam de construções sociais partilhadas por uma dada comunidade sociodiscursiva (ADAM, 1997). Todo texto se inscreve em um gênero.

Bronckart (2005) defende que as práticas (ou produções) de linguagem devem ser consideradas, em primeiro lugar, na sua relação com a atividade humana geral, sendo que as atividades de linguagem estão associadas às atividades coletivas ou sociais. Um dos objetos de análise fundamental para o interacionismo sociodiscursivo (ISD) é constituído pelas "práticas de linguagem situadas", ou seja, pelas realizações concretas das práticas de linguagem. Isso porque, seguindo Saussure (2002), Bronckart (2009) assume que os signos linguísticos se organizam em textos e discursos. De modo que a realização das práticas de linguagem dá-se sob a forma de textos. Assim, para Bronckart (2005) os textos (no plural) são para o ISD os correspondentes empíricos e linguísticos das atividades de linguagem de um grupo e um texto singular é o correspondente empírico e linguístico de uma ação de linguagem. O texto é uma unidade de comunicação e depende da ação sociopsicológica que o gera. Na sequência dos trabalhos de Voloshinov e de Bakhtin, o ISD defende que todo texto se inscreve necessariamente num gênero de texto.

Linguística do Texto com foco nos Gêneros Textuais

Os textos, conforme assegura Coutinho (2003, p. 109), são "unidades diversas e empíricas de produção verbal oral ou escrita, situada, acabada e autossuficiente, que realizam uma função comunicativa" e "correspondem a 'ações de linguagem', a sua produção mobiliza a representação que o sujeito tem do contexto de ação e o seu conhecimento efetivo dos diferentes gêneros".

O gênero, tal como concebe Miranda (2010, p. 85), é um

dispositivo dinâmico de estabilização de parâmetros para diferentes planos de organização textual [...] não se trata de um "molde" estático, mas de uma configuração que se altera com o tempo. É também uma construção social que surge no quadro de uma prática sociodiscursiva.

Miranda (2010) propõe parâmetros que, em certa medida, participam da produção e da identificação de um gênero textual. Em seu estudo, a autora propõe a delimitação de aspectos situacionais da configuração dos gêneros de texto e aspectos relativos à organização semântico-temática. No plano dos aspectos situacionais, Miranda (2010, p. 158) propõe as condições de produção, as de circulação e as de recepção. No plano da organização semântico temática, a autora especifica seis subdimensões semiolinguísticas: 1) a temática (tema e léxico); 2) a enunciativa (*dêixis* temporal e formas referenciais subjetivas); 3) a composicional (plano do texto, tipos de discurso, sequências textuais, frases); 4) a estratégica-funcional (envolve objetivos, estratégias e processos discursivos); 5) a disposicional (segmentação e organização de seções, o suporte – formatação tipográfica, cromática); 6) e a interativa (relações entre diversos sistemas semióticos, complementaridade, síntese, intertextualidade).

Esses aspectos são elementos constitutivos no processo de produção do texto e elementos identificáveis no processo de leitura do texto, tal como assegura Moirand (2004) ao colocar em evidência o funcionamento do gênero em relação às atividades de produção e compreensão. Concordamos com Moirand, que defende a ideia de que os gêneros existem como uma instituição que atua como "horizonte de espera" para os leitores, e como "modelos de escrita" para os autores.

Assim como é impossível não se comunicar verbalmente por meio de um texto, é impossível não se comunicar verbalmente por algum gênero textual, constatado que toda a manifestação verbal se dá sempre através de textos realizados em algum gênero. De acordo com Marcuschi (2008), a comunicação verbal só é possível por algum gênero textual. Daí a centralidade da noção de *gênero textual* no trato sociointerativo da produção linguística.

Em consequência, estamos submetidos a tal variedade de gêneros textuais, que sua identificação chega ao ponto de parecer difusa e aberta, sendo eles inúmeros, tal como lembra muito bem Bakhtin (2010 [1992]), mas não infinitos.

Como afirmou Bronckart (1999, p. 103), "a apropriação dos gêneros é um mecanismo fundamental de socialização, de inserção prática nas atividades comunicativas humanas", o que permite dizer que os gêneros textuais operam, em certos contextos, como formas de legitimação discursiva, já que se situam numa relação sócio-histórica com fontes de produção que lhes dão sustentação além da justificativa individual. Os gêneros são atividades sociais e práticas textual-discursivas; são configurações – em número quase ilimitado – de textos que compartilham características comuns, embora heterogêneas, como, por exemplo, a visão geral da ação à qual o texto se articula, o tipo de suporte comunicativo, a extensão ou grau de literariedade, entre outros aspectos.

Gêneros são modelos correspondentes a formas sociais reconhecíveis nas situações de comunicação em que ocorrem. Sua estabilidade é relativa ao momento histórico-social em que surge e circula. Assim, muitas decisões de textualização (configuração textual com suas estruturas, ordenamento parágráfico etc.) devem-se à escolha do gênero. Desse modo, o gênero inscreve também formas textuais que se manifestam, no artefato linguístico, como lembra Marcuschi (2008). Por isso, surge uma nova possibilidade de estudo do texto pautada na análise de gêneros como formas culturais e cognitivas de ação social corporificadas na linguagem, que ultrapassam modelos ou estruturas rígidas, uma vez que são entidades dinâmicas.

Como é notório que os gêneros apresentam algumas regularidades estruturais, que são atividades sociais e que se constituem a partir de recursos multimodais, é possível identificar, pelo menos, três possibilidades de estudos linguísticos centralizados na análise dos gêneros textuais.

Linguística do Texto com foco em regularidades estruturais dos gêneros textuais

Considerando a linguagem como um sistema de significações que integra a existência humana e considerando o texto como instância de uso da linguagem que desempenha um determinado papel em um contexto situacional, Hasan (1994) discute o sistema de relações necessárias entre linguagem e seu contexto de uso e propõe a existência de uma *estrutura potencial do gênero* (Hasan, 1989). Na relação funcional entre linguagem e contexto, cada gênero corresponde a padrões textuais recorrentes e a contextos situacionais, ou seja, o texto vincula-se ao uso que se faz da linguagem para que certos objetivos sejam alcançados e à situação de experiência humana com a qual determinado registro de linguagem é associado.

Assim, a autora propõe a existência de uma configuração contextual necessária para a interação pela linguagem. Essa configuração compreende três variáveis: o campo do discurso, a natureza da relação entre os participantes e o modo do discurso. O campo do discurso envolve a natureza da prática social realizada pelo uso da linguagem, isto é, o tipo de ato executado e seus objetivos. A relação entre os participantes envolve papéis, grau de controle de um interlocutor sobre o outro, a relação de hierarquia e a distância social entre eles. O papel desempenhado pela linguagem, o compartilhamento monológico ou dialógico, o canal, o suporte, compreendem o modo do discurso. Todas essas variáveis determinam uma classe de situações e o gênero se configura na linguagem que desempenha um papel apropriado a cada classe de eventos sociais.

O que Hasan (1989) concebe é que traços específicos de um contexto norteiam a seleção de certos elementos textuais que conduzem a uma estrutura genérica. Essa estrutura não é um plano rígido e permite variações. Assim, exemplares de um mesmo gênero de texto podem variar no seu esboço, mas há limites. Esses limites são instituídos a partir do conhecimento tácito dos elementos obrigatoriamente presentes em determinado gênero, dos elementos opcionais, dos elementos iterativos – que podem ocorrer uma única vez ao longo do texto –, dos elementos que têm uma ordem fixa de ocorrência e dos que têm uma ordem variável. Em seu construto teórico, a autora estabelece que uma *estrutura potencial de gênero* compreende estágios em que há alguma sistematicidade na realização da atividade social e o caráter de obrigatoriedade (ou opcionalidade) e a ordem sequencial podem variar de acordo com a configuração contextual.

Hasan (1994) propõe como objetivo da *estrutura potencial de gênero* a configuração de um leque de opções de estruturas esquemáticas específicas potencialmente disponíveis aos textos de um mesmo gênero. A autora não prevê limites fixos entre os diversos estágios das estruturas e reconhece a possibilidade de mobilidade entre eles. O campo do discurso, a relação entre os participantes e o modo do discurso constituem a base da configuração contextual que fornece pistas para a compreensão do significado em função da *estrutura potencial de gênero* e vice-versa.

Analisando-se a proposta teórica de Hasan (1989, 1994), é possível perceber que o modelo oferece subsídios para a representação de gêneros, sobretudo os prototípicos, a partir dos quais emergem outros gêneros. Isso não significa que os gêneros sejam estruturas rígidas, modelos estanques, ao contrário, são entidades dinâmicas com identidades próprias reconhecíveis por algumas características estruturais mínimas ou que guardam alguma semelhança com um gênero agregado na linguagem de uma sociedade.

Para além da estrutura, o gênero se circunscreve como ação social. Por isso, um segundo enfoque da Linguística centrada nos gêneros textuais volta-se para as atividades discursivas estabilizadas em situações sociais recorrentes.

Linguística do Texto com foco nos gêneros textuais como atividades socialmente estabilizadas

Os gêneros textuais, atividades discursivas estabilizadas nas sociedades, ajustam-se a vários tipos de controle social e estruturam, organizam, regulam as interações sociais. Segundo Miller (1984), gêneros são formas culturais e cognitivas de ação social, corporificadas na linguagem. O gênero espelha a experiência de seus usuários.

A adequação de um texto a um contexto requer que se considere a atividade social e intelectual da qual o texto faz parte. As ações individuais e sociais realizam-se através da linguagem, materializadas em gêneros textuais-discursivos. Segundo Bazerman (1997, p. 14), gêneros são tipos de enunciados associados a situações retóricas e "estão associados com tipos e atividades que as pessoas dizem, fazem e pensam como partes dos enunciados [...] Desta forma, em algum momento, em uma interação, em um enunciado, muitas coisas são delimitadas em pacotes tipicamente reconhecíveis".

Além das regularidades observáveis nos textos de um mesmo gênero, das conexões contextuais entre gênero e situação comunicativa, dos papéis desempenhados pelos interlocutores, da ação social que age sobre o uso dos gêneros pelos membros de uma comunidade, é importante levar em consideração os propósitos comunicativos que motivam uma ação. Esses propósitos são entendidos como motivadores da existência dos textos e não podem ser apontados como critérios para conceituar os gêneros. Limita-se aqui a considerar esses propósitos como características inerentes aos gêneros, que, apesar de presentes, nem sempre são explicitados ou mesmo identificados em uma atividade discursiva.

Foi Swales (1990) quem inicialmente destacou o propósito comunicativo como a principal característica de que os eventos compartilham. Conforme esse teórico:

> Um gênero compreende uma classe de eventos comunicativos cujos exemplares compartilham os mesmos propósitos comunicativos. Esses propósitos são reconhecidos pelos membros mais experientes da comunidade discursiva original e constituem a razão do gênero. A razão subjacente dá o contorno da estrutura esquemática do discurso e influencia e restringe as escolhas de conteúdo e estilo. O propósito comunicativo é o critério que é privilegiado e que faz com que o escopo do gênero se mantenha enfocado estreitamente em determinada ação retórica compatível com o gênero. Além do propósito, os exemplares do gênero demonstram padrões semelhantes, mas com variações em termos de estrutura, estilo, conteúdo e público-alvo. Se forem realizadas todas as expectativas em relação àquilo que é altamente provável para o gênero, o exemplar será visto pela comunidade discursiva original como um protótipo. (SWALES, 1990, p. 58)

A presença de um propósito comunicativo, considerado o elemento motivador de uma ação, justifica-se pelo fato de os gêneros terem a função de realizar um ou mais objetivos. Mas esses objetivos podem ou não estar claramente manifestos, portanto, nem sempre os propósitos comunicativos são identificáveis. Posteriormente, Swales revê sua posição e com Askehave (2001) passa a defender que o propósito comunicativo não deve ser considerado característica predominante, mas um critério privilegiado na identificação do gênero, resultado de reanálises que consideram os entornos sociais, sendo exemplos o "repropósito" e a confirmação do propósito (cf. ASKEHAVE; SWALES, 2001).

Nessa abordagem, os gêneros se mantêm focalizados em determinadas ações retóricas graças a propósitos comunicativos, que podem não ser reconhecidos por alguns dos membros de uma comunidade, mas que, ainda assim, existem na constituição do texto. Na investigação dos gêneros é possível depreender certos propósitos comunicativos ou fazer conjecturas acerca desses propósitos.

Bazerman (1994), observando regularidades nas propriedades das situações recorrentes, focaliza as intenções sociais nelas reconhecidas. Essas situações originam recorrências na forma e no conteúdo da comunicação. Da forma como são percebidos e usados pelos indivíduos, os gêneros tornam-se parte de suas relações sociais padronizadas, de sua paisagem comunicativa e de sua organização cognitiva. Bazerman (2006, p. 23) sustenta que os "gêneros são os lugares familiares para onde nos dirigimos para criar ações comunicativas inteligíveis uns com os outros e são os modelos que utilizamos para explorar o não familiar". Ações comunicativas preveem a presença de intenções ou propósitos.

Além disso, é preciso considerar que a sociedade contemporânea constitui-se através de uma diversidade de modos comunicativos que envolvem inúmeros "recursos semióticos" que se combinam para produzir significados diversos, aos quais são atribuídos valores culturais. A noção de multimodalidade torna-se imprescindível para a análise das características organizacionais de cada gênero textual que circula socialmente.

Linguística do Texto com foco nas múltiplas fontes semióticas constitutivas dos gêneros textuais

Estudos teóricos recentes na área de Análise Crítica do Discurso e Semiótica Social voltam-se para o estudo dos diferentes sistemas de signos usados na construção do sentido e apontam para a questão da multimodalidade que abrange praticamente todos os gêneros textuais. Na perspectiva discursivo-semiótica, os gêneros são compostos de diversos recursos semióticos, os quais variam de acordo com o contexto da situação e com o propósito da comunicação.

Kress et al. (1997, p. 270) argumentam que "a linguagem sozinha não é mais suficiente como foco de atenção para aqueles interessados na construção e reconstrução social do significado". Para Kress (1989) a construção do sentido se dá simultaneamente em dois planos: o imediato e o amplo. No plano do contexto imediato desenvolvem-se os eventos sociais de determinada instituição: envolve relações sociais locais entre participantes, propósitos do evento social e a forma como esse se desenvolve na consecução desses propósitos. No plano do contexto mais amplo localizam-se os significados sociais expressos nos discursos que circulam em uma determinada cultura em um dado momento histórico. Para o autor, uma análise de gênero envolve três fatores: finalidade; lugares de fala; organização textual. Em sua concepção esses fatores constitutivos de gêneros são necessários, mas não suficientes, por isso devem estar associados à maneira pela qual o gênero contribui para a construção do sentido.

O quadro de referência teórico proposto por Kress mantém a ênfase na concepção da linguagem como uma prática de produção de significados e se aproxima das teorias de Fairclough (1989), Bazerman (1994, 1997) e Miller (1994), que assumem o gênero como uma prática social e se ocupam de questões relativas às condições de produção e recepção dos gêneros textuais e de questões relativas aos diferentes sistemas de significação que interagem com o texto verbal na constituição de um gênero.

Fairclough (1989) traz importante contribuição ao apresentar princípios teóricos gerais para a análise crítica do discurso, procurando especificar como os textos serão analisados, focalizando a maneira pela qual as características de texto são socialmente motivadas. Em sua abordagem teórica, Fairclough atribui grande relevância à compreensão da linguagem na condução da vida social no mundo atual. Para ele, o discurso é uma forma de prática social que se realiza total ou parcialmente por intermédio de gêneros textuais específicos; é uma prática social em dialética com estruturas sociais e tem poder constitutivo porque cria formas de crenças e de conhecimento, estabelece relações sociais e identidades; além disso, os textos contêm traços de rotinas sociais complexas, apesar de nem sempre os indivíduos perceberem esses traços ou pistas textuais. O autor defende que os textos são perpassados por relações de poder que devem ser investigadas.

Reconhece-se que não se podem isolar elementos não verbais que integram gêneros textuais orais e escritos. A profusão de imagens, nas práticas de escrita, abriu espaço para mudanças do discurso, colocando em evidência a linguagem visual. A utilização da modalidade visual nas práticas de escrita tem provocado efeitos nas formas e nas características dos textos, evidenciando os *textos multimodais*, ou seja, aqueles que se constituem de duas ou mais modalidades semióticas em sua composição (palavras e imagens, por exemplo), daí resultando a noção de multimodalidade.

Na atualidade, os textos compreendem múltiplas fontes de linguagem; é possível incorporar inúmeros recursos semióticos na construção de um gênero textual, sendo que tanto o verbal quanto o não verbal exercem função na construção do sentido. Assim, é preciso levar em conta a multimodalidade como traço constitutivo do texto. Dionísio (2005, p. 166) parte da premissa de que todos os gêneros textuais escritos e falados são multimodais, organizados em diferentes níveis, do mais ao menos padronizado. A autora exemplifica que uma palestra representaria um nível mais padronizado em relação a outros gêneros orais da interação face a face. Na palestra, os gestos, as expressões faciais, os movimentos corporais estariam mais próximos dos realizados em eventos como uma defesa de tese e mais distantes dos realizados durante um bate-papo com um grupo de amigos. Também em um texto escrito, o escritor pode, segundo afirma Dionísio (2006, p. 1), "*jogar* com uma variedade de formas em diferentes situações sociais e com diferentes objetivos". Inegavelmente, os avanços tecnológicos têm colaborado e muito para esse jogo de experimentação de arranjos no processamento textual escrito. Conforme aponta a autora, "podemos afirmar com segurança que a maior liberdade na manipulação dos gêneros textuais tem relação direta com a audiência e com o meio físico que transmite o gênero. Basta pensarmos, por exemplo, nas charges animadas, nos infográficos ou nos diagramas em movimento" (DIONÍSIO, 2006, p. 1). Ela ressalta que, apesar do caráter multimodal que o letramento assumiu devido ao surgimento de novas tecnologias, esse aspecto da escrita ainda necessita de maiores investigações.

Considerações finais

Neste artigo, procurou-se, a partir de uma breve retrospectiva histórica da Linguística Textual, propor uma reflexão sobre as possibilidades de uma nova perspectiva da Linguística voltada para os Gêneros de Texto. Os gêneros estão presentes em todas as circunstâncias da vida em que as ações humanas são mediadas pelo discurso. Na prática, os usuários da língua os empregam com desenvoltura e segurança porque conhecem a forma padrão de determinados gêneros, além da estrutura relativamente estável que os caracteriza. Isso porque os gêneros estão intimamente relacionados a situações sociais concretas, repetidas, típicas de uso efetivo da língua. Partindo desse pressuposto, entendemos que a Linguística Textual deve voltar-se para a atividade da língua em uso e concentrar-se nos modos de apropriação dos gêneros textuais. Esse procedimento permitirá a instauração de interessantes estudos pautados na grande variedade de textos que circulam socialmente, com as estruturas historicamente moldadas e com funções e propósitos comunicativos.

Referências

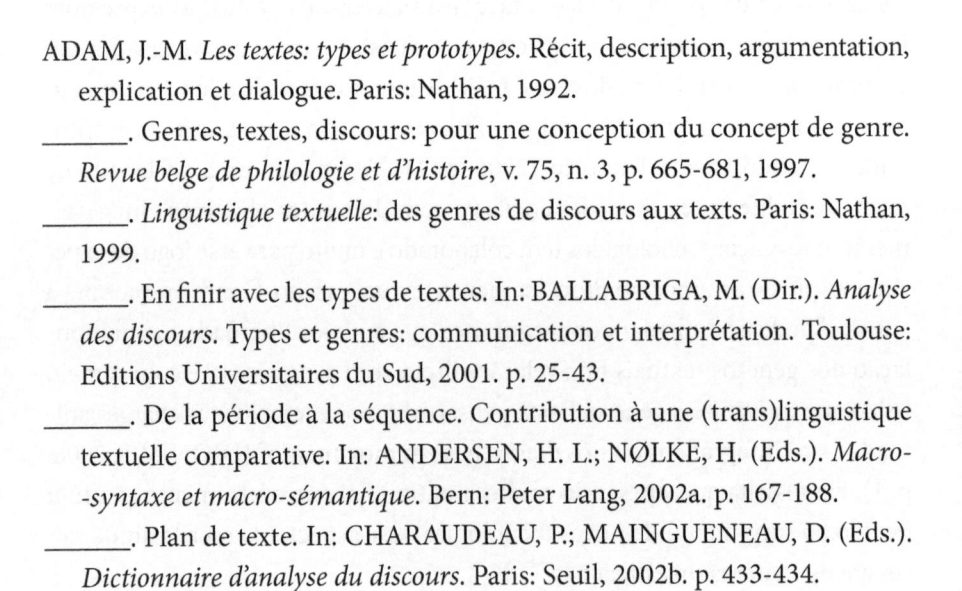

ADAM, J.-M. *Les textes: types et prototypes*. Récit, description, argumentation, explication et dialogue. Paris: Nathan, 1992.

_____. Genres, textes, discours: pour une conception du concept de genre. *Revue belge de philologie et d'histoire*, v. 75, n. 3, p. 665-681, 1997.

_____. *Linguistique textuelle*: des genres de discours aux texts. Paris: Nathan, 1999.

_____. En finir avec les types de textes. In: BALLABRIGA, M. (Dir.). *Analyse des discours*. Types et genres: communication et interprétation. Toulouse: Editions Universitaires du Sud, 2001. p. 25-43.

_____. De la période à la séquence. Contribution à une (trans)linguistique textuelle comparative. In: ANDERSEN, H. L.; NØLKE, H. (Eds.). *Macro--syntaxe et macro-sémantique*. Bern: Peter Lang, 2002a. p. 167-188.

_____. Plan de texte. In: CHARAUDEAU, P.; MAINGUENEAU, D. (Eds.). *Dictionnaire d'analyse du discours*. Paris: Seuil, 2002b. p. 433-434.

_____. *A linguística textual*: introdução à análise textual dos discursos. Tradução de Maria das Graças S. Rodrigues, João G. da S. Neto, Luis Passeggi, Eulália Vera Lúcia F. Leurquin. São Paulo: Cortez, 2008.
ASKEHAVE, I.; SWALES, J. M. Genre identification and communicative purpose: a problem and a possible solution. *Applied Linguistics*, v. 22, n. 2, p. 195-212, 2001.
BAKHTIN, M. (1992). *Estética da criação verbal*. São Paulo: Martins Fontes, 2010.
BAZERMAN, C. Systems of genre and the enactment of social intentions. In: FREEDMAN; M. *Rethinking genre*. Londres: Taylos & Fracis, 1994.
_____. The life of genre, the life in the classroom. In: BISCHOP, W.; OSTRON, H. (Ed.). *Genre and writing: issues, arguments, alternatives*. Portsmouth: Heinemann, 1997.
_____. *Gêneros textuais, tipificação e interação*. São Paulo: Cortez, 2005.
_____; HOFFNAGEL, J. C.; DIONÍSIO, A. P. (Org.). *Gêneros, agência e escrita*. São Paulo: Cortez, 2006.
BEAUGRANDE, R. de. *New foundations for a science of text and discourse*: cognition, communication and freedom of access to knowledge and society. Norwood, New Jersey: Ablex Publishing Corporation, 1997.
_____; DRESSLER, W. U. *Introduction to Text Linguistics*. Londres: Longman, 1981.
BERNÁRDEZ, E. La Lingüística como ciencia. In: *Teoría y epistemología del texto*. Madrid: Cátedra, 1995.
_____. El texto en el proceso comunicativo. *Revista de Investigación Lingüística*, v. 6, n. 2, p. 7-28, 2003.
BRANDT, P. A. *On the dialogical grounding of discourse coherence*. Conferência lida no Winter Symposium, Center for Semiotic Research, U. Aarhus (DK), 2003. Disponível em: <http://goo.gl/Igt2xt>. Acesso em: 16 jul. 2017.
BRONCKART, J.-P. *Activité langagière, textes et discours*. Pour un interactionisme sociodiscursif. Paris: Delachaux et Niestlé, 1997.
_____. *Atividade de linguagem, textos e discursos*: por um interacionismo sociodiscursivo. São Paulo: Educ, 1999.
_____. Os gêneros de texto e os tipos de discursos como formatos das interações de desenvolvimento. In. MENENDEZ, F. (Org.). *Análise do discurso*. Lisboa: Hugin, 2005. p. 39-79.

_____. Le langage au coeur du fonctionnement humain. Un essai d'integration des apports de Voloshinov, Vygotski et Saussure. *Estudos Linguísticos/ Linguistic Studies*, 3, Lisboa, Edições Colibri, CLUNL, p. 31-62, 2009.

CAFIERO, D. *A construção da continuidade temática por crianças e adultos*: compreensão de descrições definidas e de anáforas associativas. 2002. Tese (Doutorado em Estudos da Linguagem) - Instituto dos Estudos da Linguagem, Unicamp, Campinas, 2002.

CANALE, M. From communicative competence to communicative language pedagogy. In: RICHARDS, J. C.; SCHIMIDT, R. (Eds.). *Language Communication*. Londres; Nova York: Longman, 1983. p. 2-27.

_____; SWAIN, M. Theoretical bases of communicative approaches to second language teaching and testing. *Applied Linguistics*, n. 1, p. 1-47, 1980. Disponível em: <http://www.researchgate.net/publication/31260438_THEORETICAL_BASES_OF_COMMUNICATIVE_APPROACHES_TO_SECOND_LANGUAGE_TEACHING_AND_TESTING>. Acesso em: 16 jul. 2017.

CONTE, M.-E. (Org.). *La linguistica testuale*. Milão: Feltrinelli, 1977.

COSCARELLI, C. V. Entre textos e hipertextos. In: _____. *Novas tecnologias, novos textos, novas formas de pensar*. Belo Horizonte: Autêntica, 2006.

COUTINHO, M. A. *Texto(s) e competência textual*. Lisboa: FCG-FCT, 2003.

_____. *Schematisation* (discursive) et *disposition* (textuelle). In: ADAM, J.-M.; GRIZE, J.-B.; BOUACHA, M. A. (Eds.). *Texte et discours: catégories pour l'analyse*. Dijon: Editions Universitaires de Dijon, 2004. p. 29-42.

_____. *O texto como objeto empírico*: consequências e desafios para a linguística. *Veredas*, v. 10, n. 1-2, 2006.

DIONÍSIO, Â. Intertextualidade e Multimodalidade na escrita didática. 2006. Texto fornecido pela autora para consulta em jul. 2017.

_____. Gêneros multimodais e multiletramento. In: ACIR, M. et al. *Gêneros textuais*: reflexões e ensino. Palmas: Kaygangue, 2005.

_____; MACHADO, A. R.; BEZERRA, M. A. (Org.). *Gêneros textuais & ensino*. Rio de Janeiro: Lucerna, 2002.

FAIRCLOUGH, N. *Language and power*. Londres: Longman, 1989.

_____. Critical discourse analysis and the marketization of public discourse: the universities. *Discourse & Society*, n. 2, v. 4, 1993. p. 133-68.

_____. *Discourse and social change*. UK: Polity Press and Blackwell Publishers Ltd., 1994.

_____. *Discurso e mudança social*. Brasília: UnB, 2001.

HASAN, R. Part B. In: HALLIDAY, M. A. K.; _____. *Language, context, and text*: aspects of language in social-semiotic perspective. Oxford: Oxford University, 1989. p. 52-118.

_____. Situation and the definition of genres. In: GRIMSHSW, A. B. (Org.). *What's going on here?* Complementary studies of professional talk. Norwood: Ablex, 1994. v. 2, p. 127-72. (Multiple Analysis Project).

ISENBERG, H. *Der Begriff "Text" in der Sprachtheorie Deutsche*. Berlim: Akademie zur Wissenschaften zu Berlin, Arbeitsgruppe Strukturelle Grammatik, Bencht, 1970. n. 8.

_____. Ideological structures in discourse. In: VAN DIJK, T. A. (Ed.) *Handbook of discourse analysis*. Orlando: Academic Press Inc., 1985. p. 27-42.

KRESS, G. *Linguistic processes in sociocultural practices*. Oxford: OUP, 1989.

_____; LEITE-GARCIA, R.; VAN LEEUWEN, T. Discourse Semiotics. In: VAN DIJK, T. A. (Org.). Discourse as Structure and Process. EUA: Sage. 1997.

MAINGUENEAU, D. *Les termes clés de l'analyse du discours*. Paris: Seuil, 1996. (Tradução portuguesa: *Os termos-chave da Análise do Discurso*. Lisboa: Gradiva, 1997).

MARCUSCHI, L. A. *Linguística de Texto*: o que é e como se faz? Recife: Universidade Federal de Pernambuco, 1983. (Série Debates I).

_____. *Gêneros textuais*: o que são e como se constituem. Recife: UFPE, 2000. (Mimeo).

_____. *Da fala para a escrita*: processos de retextualização. São Paulo: Cortez, 2001.

_____. Gêneros textuais: definição e funcionalidade. In: DIONÍSIO, A. P. *Gêneros textuais e ensino*. Rio de Janeiro: Lucerna, 2002. p. 17-36.

_____. Gêneros textuais: configuração, dinamicidade e circulação. In: KARWOSKY et al. (Org.). *Gêneros Textuais*: reflexões e ensino. Palmas; União da Vitória, PR: Kaygangue, 2005.

_____. *Produção textual, análise de gêneros e compreensão*. São Paulo: Parábola, 2008.

MEURER, J. L.; BONINI, A.; MOTTA-ROTH, D. (Org.). *Gêneros*: teorias, métodos, debates. São Paulo: Parábola Editorial, 2005.

MILLER, C. R. Genre as social action. *Quarterly Journal of Speech*, 70, p. 151-67, 1984.

_____. Genre as social action. In: FREEDMAN, A.; MEDWAY, P. (Eds.). *Genre and new rethoric*. GB: Taylor & Francis, 1994. p. 23-42.

_____. *Gênero textual, agência e tecnologia*. São Paulo: Parábola, 2012.

MIRANDA, F. *Textos e géneros em diálogo*: uma abordagem linguística da intertextualização. Lisboa: Fundação Calouste Gulbenkian, Fundação para Ciência e Tecnologia, 2010.

MOIRAND, S. *Quelles catégories descriptives pour la mise au jour des genres du discours?*. HAL, abr. 2003. Disponível em: <https://hal-univ-paris3.archives-ouvertes.fr/hal-01507281/document>. Acesso em: 27 jul. 2017.

PETÖFI, J. Towards an empirically motivated grammatical theory of verbal texts. In: _____; RIESER, H. (Ed.) *Studies in Text Grammar*. Dordrecht: Reidel, 1973. p. 205-275.

RASTIER, F. *Semantique interpretative*. Paris: P.U.F., 1989.

_____. *Meaning and Textuality*. Toronto: University of Toronto Press Incorporated, 1997.

SAUSSURE, F. de. *Ècrits de linguistique générale*. Paris: Gallimard, 2002.

SCHMIDT, S. J. *Linguística e Teoria de Texto*. São Paulo: Pioneira, 1978.

SILVEIRA, R. C. P. da (Org.). *Português língua estrangeira* – perspectivas. São Paulo: Cortez, 1998.

_____. Formas de solicitação, afirmações e respostas dialógicas do português brasileiro. In: VIEIRA, J. A.; SILVEIRA, R. C. P. da et al. (Org.) *Olhares em análise de discurso crítica*. Brasília: CEPADIC, 2009. p. 177-190.

SWALES, J. M. *Genre analysis*: English in academic and research settings. Cambridge: Cambridge University Press, 1990.

_____. Re-thinking genre: another look at discourse community effects. In: *Rethinking Genre Colloquium*. Otawa: Carleton University, 1992.

_____. Genre and engagement. *Revue Belge de Philologie et d'histoire*, 1993.

VAL, M. da G. C. *Redação e textualidade*. São Paulo: Martins Fontes, 1991.

_____. Repensando a textualidade. In: AZEREDO, J. C. (Org.). *Língua Portuguesa em debate*: conhecimento e ensino. Petrópolis: Vozes, 2000. p. 34-51.

_____. Texto, textualidade e textualização. In: FERRARO, M. L. et al. *Experiência e prática de redação*. Florianópolis: Editora da UFSC, 2008. p. 63-85.

VAN DIJK, T. A. *Cognição, discurso e interação*. São Paulo: Contexto, 1996.

_____; KINTSCH, W. *Strategies in discourse comprehension*. Nova York: Academia Press, 1973.

17

Linguística Textual e estudos do humor

Ana Cristina Carmelino
Paulo Ramos

O Manuel vai visitar um velho navio de guerra. Em um dos compartimentos, tropeça numa placa de bronze, onde está escrito: "Aqui tombou o Almirante Barroso". E comenta:
– Não é de admiraire. Eu também quase caí aqui!

O texto de humor que abre este capítulo foi extraído de uma coletânea brasileira de piadas (SARRUMOR, 1998, p. 157). A história procura apresentar uma situação cômica, facilmente compreendida pelo leitor. O texto permite uma dupla leitura do trecho "Aqui tombou o Almirante Barroso": poderia ser tanto o local do velho navio de guerra em que o oficial da marinha havia perdido a vida (tombar = morrer) quanto o lugar onde ele efetivamente teria caído no chão (tombar = desabar, estatelar-se no chão). A graça estaria nessa segunda possibilidade de interpretação.

Em linhas gerais, essa explicação ajuda a desvendar o sentido proposto pelo texto. Há, no entanto, mais aspectos que poderiam ser explorados. A começar pelo protagonista, baseado na figura do português – identificado como Manuel, nome bastante comum no país europeu e muito utilizado em piadas no Brasil. Nas produções humorísticas, as pessoas daquela nacionalidade tendem a ser social e culturalmente rotuladas como de pouca inteligência.

Em estudo específico sobre o assunto, Carmelino (2014, 2016) observa que essa seria uma típica "piada de português". Não se trata de um texto de origem portuguesa (elaborado/feito pelo morador de Portugal), mas que versa sobre o cidadão português, estereotipando-o de forma negativa. No Brasil, as piadas feitas com os portugueses colocam estes cidadãos em circunstâncias em que fazem uso de uma lógica particular, extremamente linear, na qual as palavras são compreendidas num sentido estrito, ou seja, "ao pé da letra". Dado que o leva ao estereótipo de uma pessoa desprovida de inteligência (burra).

Tentando entender as razões de tais piadas, a autora encontra, nos estudos sobre o tema, pelo menos três teorias que as explicariam: a) o fato de os portugueses terem realmente uma maneira de pensar diferente ou estranha aos brasileiros; b) questões históricas, visto que, no ano de 1808, a corte se instalou no Brasil, trazendo consigo um grupo de imigrantes, notadamente integrantes da nobreza, com seus modos próprios e diferentes dos da colônia; c) o deboche seria um instrumento de resistência do colonizado diante do colonizador, numa forma de uso do humor popular com viés político.

Sem defender ou condenar tais explicações pelo fato de os brasileiros fazerem piadas com os portugueses, Carmelino (2016) ressalta que esse e outros textos de humor em geral constituem um material rico para estudar questões de representação (estereótipo/identidade), língua e produção de sentido – os dois últimos são de particular interesse para a área da Linguística Textual. Vê-se, portanto, que se podem extrair análises muito mais aprofundadas das piadas e das demais produções cômicas quando observadas pelo olhar linguístico.

Essa perspectiva recebeu substancial contribuição com os estudos de Raskin (1985) e da parceria dele com Attardo (1991). Os escritos deles procuraram fazer uma aproximação entre produções humorísticas e teorias da linguagem. Os trabalhos dos dois pesquisadores serão o ponto de partida deste capítulo. O percurso seguinte será demonstrar como tais modelos de análise de textos cômicos dialoga diretamente com a área da Linguística Textual, na forma como esse campo do conhecimento foi construído no Brasil. O ponto de chegada será a confirmação dessa máxima inicial.

Para percorrer esse trajeto, pretende-se ter em foco a piada lida há pouco. A proposta é mostrar como ela pode ser analisada nas diferentes perspectivas que serão aqui trabalhadas. Ela estará ladeada por outros exemplos humorísticos, que serão acionados à medida que a discussão demandar.

Modelos teóricos do humor

Os estudos de Raskin sobre humor foram sistematizados em um livro dele publicado em 1985, intitulado *"Semantic Mechanisms of Humor"* (Mecanismos Semânticos do Humor, em tradução nossa). A obra detalha algumas premissas que pautam a abordagem do autor sobre o tema. A primeira é que se tratava de uma análise linguística, área que ainda via de forma tímida a exploração do assunto. A segunda premissa é que o objeto de estudo seriam produções estritamente verbais, com destacado interesse para as piadas.

A proposta geral, segundo o autor, era formular uma teoria que pudesse explicar, em termos semânticos, o que torna um texto engraçado. Para isso, as piadas deveriam atender a duas exigências: 1) apresentar dois *scripts* compatíveis, seja de forma parcial ou não; 2) a dupla de *scripts* precisaria estabelecer uma relação de oposição entre si.

A noção de *script* começou a ser cunhada no final da década de 1970 nos campos da Inteligência Artificial e da Psicologia Cognitiva (CHARAUDEAU; MAINGUENEAU, 2004; MAINGUENEAU, 2006). Raskin (1985, p. 81, tradução nossa) se apropria do conceito e o define como "uma estrutura cognitiva internalizada pelo falante nativo e que representa o conhecimento do falante nativo de uma pequena parte do mundo".[1]

Dessa forma, seguindo o raciocínio do pesquisador, cada pessoa teria duas camadas de repertório: um mais amplo e atrelado ao senso comum, que revelaria como se portar diante de determinadas situações e rotinas (uma festa de aniversário, por exemplo); outro individual, que reuniria as experiências de cada um sobre a convivência com os demais falantes nativos de determinada comunidade (família, colegas de profissão etc.).

---

1 "The script is a cognitive structure internalized by the native speaker and it represents the native speaker's knowledge of a small part of the world."

O conceito é parte da chave para construir sua teoria semântica do humor baseada no script.² A narrativa da piada apresenta uma situação supostamente verossímil (ou confiável) para, depois, invertê-la e torná-la diferente do modo como vinha sendo mostrada (não confiável). É essa mudança brusca que provocaria a troca de *scripts* e que leva à comicidade.³

Segundo o modelo pensado pelo autor, o texto apresentaria, em determinado trecho,⁴ um elemento verbal que levaria à dupla leitura e distinguiria o que é humorístico e o que não é. A esse elemento, deu o nome de gatilho.⁵ Para Raskin, a mudança de *scripts* provocaria dois tipos de efeito na narrativa: ambiguidade em relação ao que vinha sendo relatado ou contradição com os dados da história apresentados até então.

O modelo teórico seguiria, então, cinco etapas, de acordo com o pesquisador:

1. mudança de um modo de comunicação confiável para outro, não confiável;
2. texto apresentar uma intenção de ser uma piada;
3. presença de dois *scripts* sobrepostos, compatíveis com a narrativa apresentada;
4. relação de oposição entre os dois *scripts*;
5. existência de um gatilho, explícito ou não, que evidencie a relação de oposição.⁶

Voltemos à piada que abre este capítulo e tentemos olhar o texto tendo em mente os cinco itens propostos por Raskin. Seguindo a mesma ordem, o humor da história poderia ser explicado desta forma:

---

2 "Script-based semantic theory of humor", no original.
3 Neste estudo, não estabeleceremos distinção entre as palavras humor e cômico.
4 Raskin se refere ao trecho como *punch line*.
5 *Trigger*, no original.
6 "(i) A switch from the bona-fide mode of communication to the non-bona-fide mode of joke telling (ii) The text of an intended joke (iii) Two (partially) overlapping scripts compatible with the text (iv) An oppositeness relation between the two scripts (v) A trigger, obvious or implied, realizing the oppositeness relation" (RASKIN, 1985, p. 140).

1. identificação do local onde havia tombado o Almirante Barroso seria o modo de comunicação confiável, falsamente verossímil; a leitura de que se tratava de uma queda do oficial da marinha levaria ao modo não confiável;
2. história integra coletânea de piadas; há, portanto, intenção tanto do autor quanto da editora de o livro "Mil Piadas do Brasil" trabalhar com essa forma de gênero humorístico;
3. haveria um *script* inicial, de morte no navio, depois sobreposto por outro, de queda naquela mesma embarcação;
4. há oposição entre os dois *scripts*, estabelecendo entre ambos uma relação tanto de ambiguidade quanto de contradição ao relatado anteriormente;
5. exerce função de gatilho a palavra "tombar", que pode ser lida tanto como sinônimo de "morte" quanto de "queda".

O autor defende que a teoria teria cumprido, dessa forma, a proposta de "formular as **condições necessárias e suficientes** para um texto ser engraçado, ou seja, uma piada"[7] (RASKIN, 1985, p. 147, grifo do autor). Em mais de um momento de sua obra, ele deixa registrado que o modelo deveria ser observado com duas ressalvas: funcionaria para pessoas que tivessem competência humorística e que fossem nativas daquela língua. O pesquisador pensa, portanto, em um usuário ideal.

Isso não impede, no entanto, que tais usuários fossem circundados por um conjunto de elementos que criariam as condições (ideais) para que as piadas pudessem ocorrer. Na leitura de Raskin, deveria haver: presença de falante(s) e ouvinte(s); experiência trazida pelas pessoas em relação a essa forma de produção e a familiaridade delas com textos como esses; repertório social de cada um; predisposição para o contato humorístico; um estímulo para que ocorra a criação humorística; situação em que ocorre o que chama de ato humorístico (alusão ao ato de fala do campo da Pragmática).

---

7 "[...] formulate the **necessary and sufficient conditions** for a text to be funny, i. e., a joke."

Embora o foco do autor fosse a teoria dos *scripts*, ele sinalizava também a existência desse entorno no modo como a piada é apropriada e utilizada por falante e ouvinte – isso se for pensada como texto oral. Para ele, o riso seria elemento próprio aos seres humanos. Estes teriam a característica de se surpreenderem com o desfecho inesperado da piada, elemento que levaria ao humor. Teriam, portanto, uma competência humorística.

Além disso, por se tratar de um olhar linguístico sobre o tema, o pesquisador entende que alguns dos conceitos desse campo teórico serviriam para explicar a obtenção do efeito humorístico, revelado no modo não confiável da piada. Um deles seria a ideia de implicatura. Trabalhado por Grice (1982), o termo sintetiza as informações que ficam implícitas em determinado enunciado, de forma explícita ou não. As pessoas seriam detentoras, também, de um saber enciclopédico ou de mundo, que trariam para as produções humorísticas.

O modelo da teoria semântica do humor baseada no *script* foi revisto e redimensionado seis anos depois, em artigo escrito por Raskin em parceria com Attardo (1991). Os dois propuseram um molde mais amplo, chamado por eles de teoria geral do humor verbal.[8] A proposta elencava seis parâmetros que, segundo os autores, estariam presentes, total ou parcialmente, em qualquer produção humorística de ordem verbal. Os itens seriam:

1. *língua*, cuja apropriação seria responsável por expressar e orientar o conteúdo cômico;
2. escolha de uma *estratégia narrativa*, manifestada na forma do gênero selecionado (piada, adivinha etc.);
3. indivíduo ou grupo de pessoas que seriam o *alvo* do texto humorístico; segundo os autores, dos seis parâmetros, seria o único opcional;
4. *situação*, que abarcaria a(s) cena(s) criada(s) pelo texto em si e os elementos de seu entorno, como os falantes e o objetivo;
5. presença de um *mecanismo lógico* que leve ao sentido humorístico;
6. *scripts* opostos.

---

8   "General Theory of Verbal Humor", no original.

De acordo com os autores, a diferença entre os dois modelos teóricos é que o primeiro, de certa forma, condensava na oposição dos *scripts* todos os demais parâmetros. Como a discriminação de cada um dos itens, os pesquisadores entendem ter construído uma proposta mais abrangente, que permitiria o diálogo com outros campos do saber, além do linguístico.

Uma vez mais trazendo para a discussão a piada inicial, ela poderia ser analisada desta forma pela teoria geral do humor verbal:

1. trata-se de uso da língua portuguesa para construção do texto de humor;
2. a narrativa é construída por meio de uma piada, que alterna as vozes do narrador com a do personagem central, Manuel;
3. a história tem o português como alvo; conforme comentado anteriormente, os moradores do país europeu são estereotipados como de pouca inteligência em piadas brasileiras;
4. o texto constrói uma situação verossímil (a visita a um velho navio de guerra), revelada, posteriormente, como um mal-entendido (a leitura de que o tombamento se referia a uma queda, e não à morte do almirante); a piada havia sido incluída em coletânea de histórias do gênero, publicação que objetivava a circulação dessa forma de conteúdo;
5. a piada apresenta a ambiguidade como mecanismo lógico que leva ao sentido de humor;
6. conforme já mencionado, exerce função de gatilho a palavra "tombar", que pode ser lida tanto como sinônimo de morte quanto de queda.

Distintas, porém próximas, as duas teorias trouxeram como ponto comum a inclusão de textos humorísticos no campo da Linguística. No primeiro modelo teórico desenvolvido por Raskin, o enfoque inicial era predominantemente semântico – predominantemente porque se percebe uma forte influência da Pragmática também. O novo ajuste ao molde, feito em parceria com Attardo, reitera o papel relevante da língua e de seus mecanismos para a produção do humor verbal e explicita o interesse de estabelecer contato com outras áreas do saber – os autores citam a Filosofia, a Psicologia, a Antropologia, a Matemática, entre outras.

No caso aqui discutido, interessa mapear especificamente quais seriam os possíveis diálogos dos dois modelos de análise de produções humorísticas com a área da Linguística Textual. É o próximo passo desta nossa trajetória.

Aproximações com as teorias do texto

Embora tivesse interesse em enquadrar sua teoria do humor baseada no *script* nos campos da Semântica (principalmente) e da Pragmática (tangencialmente), Raskin (1985) já trabalhava naquele momento com conceitos que seriam caros à Linguística Textual e que poderiam aproximar esta àquela.

A Linguística Textual passou por várias mudanças desde as décadas finais do século XX. Cada uma delas ajudou a construir e amadurecer o modo como esse campo teórico passou a ser estudado no Brasil. Na leitura de Koch (2015), a área passou por duas grandes viradas ao longo do tempo: uma de ordem pragmática, outra, cognitiva.

A primeira virada trazia um novo olhar sobre o modo como a área vinha sendo desenhada teoricamente até então. Das abordagens de itens externos à frase (análise transfrástica) e da construção de gramáticas do texto (em moldes semelhantes aos propostos pela perspectiva gerativista de Chomsky), passa-se a estudos que viam o texto inserido em um contexto comunicativo situado, ou seja, em uso, influência exercida pela Pragmática.

A essa abordagem, somou-se a segunda virada, de ordem cognitiva. Além da ação textual em si, ganharam interesse todos os movimentos de ordem mental feitos pelos usuários da língua. Tornou-se relevante mapear os conhecimentos prévios, enciclopédicos ou de mundo que falante/autor e ouvinte/leitor possuíam, o enquadre de ambos a determinada situação social.

Junto à virada cognitiva, exerceram forte influência também os estudos de Bakhtin (2000, 2002). O escritor russo defende que os enunciados devem ser observados em sua situação concreta de uso, em um contexto sociocomunicativo de interação ativa entre os usuários da língua. O contato seria intermediado, segundo o autor, por gêneros do discurso, formas de estabilidade relativa, identificadas e apropriadas pelos sujeitos.

Todas essas viradas geraram um modelo teórico que enxerga o texto como um processo da interação sociocognitiva entre as pessoas. O interesse da Linguística Textual estaria na descrição das estratégias envolvidas pelos usuários da língua no processo de construção do(s) sentido(s). Ou, como sintetiza Marcuschi (2008, p. 73), a área poderia ser definida "como o estudo das operações linguísticas, discursivas e cognitivas reguladoras e controladoras da produção, construção e processamento de textos escritos ou orais em contextos naturais de uso".

A premissa de revelar os processos de produção do sentido é uma das primeiras aproximações possíveis com o modelo inicial desenvolvido por Raskin. Este também procura demonstrar mecanismos linguísticos presentes nas piadas e que poderiam ajudar a desvendar a surpresa presente no enunciado, elemento que levaria ao humor. Um segundo ponto de contato é a explicitação de que a piada configuraria um texto.

Podem ser mencionados outros aspectos comuns. Embora o foco de Raskin fosse a descrição de etapas regulares a serem aplicadas a qualquer piada verbal, ele não negava a existência de condições situacionais de circulação dessa forma de produção, observadas pelo ângulo de visão dos usuários. Estes trariam um repertório social próprio no momento de verbalização da piada, algo que pode ser aproximado à ideia de interação.

Além das informações sociais, falante e ouvinte, para o autor, acionariam determinados conhecimentos de mundo que revelariam informações necessárias para o processo de inferência do sentido pretendido na piada. Esse aspecto cognitivo é fortemente trabalhado nas teorias ligadas ao texto, bem como o conceito de *script*, tão caro à teoria de Raskin.

Sob o viés da Linguística Textual, a piada que abre este capítulo poderia ser explicada de outra maneira. Primeiramente, interessaria identificar as condições reais de circulação daquela produção. Como mencionado anteriormente, o texto integrou coletânea de humor. Imagina-se que tanto autor (o livro é de Laerte Sarrumor) quanto leitor(es) compartilhariam da percepção de que se tratava de conteúdo humorístico, pertencente ao gênero piada.

O texto em questão exigiria de quem acompanhasse a história uma série de inferências, acionadas por conhecimentos prévios. A principal é a de que o português é rotulado como de pouca inteligência (contexto sociocognitivo).

Isso já poderia ser identificado durante o contato com o nome do personagem central, Manuel, bastante comum no país europeu. Esse dado, presente logo no início do texto, já "prepararia" o leitor para uma "piada de português", como alude Carmelino (2014, 2016).

A visita ao velho navio de guerra leva à necessidade de contar, uma vez mais, com os conhecimentos prévios do leitor. Este teria de enquadrar a situação ali narrada à de turistas que percorrem embarcações assim, roteiro que costuma estar vinculado a questões históricas. Deveria perceber também que os fatos mostrados por meio dos antigos artefatos costumam ser acompanhados de placas explicativas, que descrevem aquele evento a quem passa por ali.

Foi a um desses fatos históricos que Manuel teve contato, segundo relata o narrador da piada. Ele, ao contrário do habitual, tropeçou na tal placa. O tropeço o levou a ler o conteúdo da peça de bronze: "Aqui tombou o Almirante Barroso". E comenta que não seria algo de "admiraire" – a palavra procura representar o modo de falar típico dos portugueses –, já que ele mesmo quase havia caído ali.

Nesse ponto, tal qual postulado por Raskin, instauram-se no texto dois *scripts* distintos por meio da ambiguidade do verbo "tombou": o primeiro, de morte no navio; o segundo, de queda naquela embarcação. Próprio do gênero, há uma surpresa no final da narrativa, levando ao humor. O sentido cômico é justamente o inesperado, imprevisto. No caso, o de que o falecido almirante havia tropeçado na peça e caído no chão, algo que quase teria ocorrido com o português também.

Por esse viés teórico, não estaria entre os interesses descrever elementos que estivessem presentes a todas as piadas, mas, sim, os aspectos de produção de sentido comuns a qualquer texto, de qualquer gênero, e quais deles se tornam relevantes para explicar o processamento de determinada produção em uma situação concreta de uso.

O aspecto situacional fica mais evidente na revisão do modelo de Raskin. Este e Attardo destacaram a situação entre os seis parâmetros presentes a qualquer produção humorística verbal. Também ficou mais destacada a questão da estratégia narrativa, elemento que pode ser aproximado do gênero apropriado pelos sujeitos naquela situação de interação. No caso, tratava-se da piada, que, por si só, já carregava conhecimentos genéricos (referente a gênero) no processo de apropriação do texto.

Além do exposto, é possível fazer mais duas aproximações entre os modelos teóricos propostos por Raskin (1985) e Attardo e Raskin (1991) e os pressupostos da Linguística Textual. A primeira delas pode ser vista por meio de um conceito da Pragmática, adotado por ambas as perspectivas. Trata-se de um dos sete critérios de textualidade estudados por Beaugrande e Dressler (1981) e Beaugrande (1997): a intencionalidade.

De acordo com a teoria semântica do humor de Raskin (1985), na leitura de uma piada, é preciso considerar que o texto deveria apresentar uma intenção de ser uma piada. Segundo a Linguística Textual, a intencionalidade refere-se tanto à intenção de se produzir uma manifestação linguística coesa e coerente para o que se pretende (sentido específico) quanto ao modo como os sujeitos usam textos para realizar suas intenções comunicativas (sentido amplo).

No caso da piada – como reforça Carmelino (2015b) em estudo no qual busca mostrar que a intencionalidade é relevante para o processo de construção e de circulação de textos de humor – a intenção, em sentido restrito, seria a de produzir humor; já em sentido amplo, seria de "fazer rir", "divertir".

A outra aproximação pode ser feita entre o que Raskin (1985) e Attardo e Raskin (1991) chamam de "gatilho, explícito ou não" ou "um *mecanismo lógico*" que a piada deve apresentar e a estratégia textual de "balanceamento entre explícito e implícito", assinalada por Koch (2003, p. 38), na perspectiva da Linguística Textual. Segundo esta abordagem teórica, não há textos totalmente explícitos, pois não só pressupomos partilhar conhecimentos como também procuramos evitar o uso de informações redundantes.

Desse modo, na interação, observa-se que há coordenação dos princípios de economia e de explicitude: o produtor verbaliza as unidades referenciais e as representações necessárias à compreensão e o ouvinte/leitor ativa todos os componentes e estratégias cognitivas que tem à disposição para dar ao texto uma interpretação dotada de sentido. A organização dos textos, portanto, é sempre estratégica, uma vez que decorre das escolhas feitas pelo produtor a fim de mobilizar determinada(s) leitura(s).

Assim como o "gatilho/mecanismo lógico" consiste em determinado trecho, um elemento verbal, explícito ou não, que é escolhido e inserido estrategicamente para produzir o sentido humorístico da piada, a estratégia textual de balanceamento de informações explícitas e implícitas também pode assumir esse papel nos textos de humor. É o que defende Carmelino (2008a, 2008b).

Atentar-se para a calibragem das informações implícitas e explícitas em textos humorísticos, como a piada, é de extrema importância, uma vez que grande parte do sentido a ser apreendido nesses textos está no que é sugerido a partir do que se explicita. Na piada que abre este capítulo, por exemplo, o termo "tombou", presente em "Aqui tombou o Almirante Barroso" (visto como gatilho na proposta de Raskin e Attardo), taticamente escolhido e estrategicamente explicitado, é responsável por sugerir a dupla leitura.

Mais do que aproximações, entende-se que o campo da Linguística Textual apresente outros elementos teóricos que podem ajudar a explicar o sentido de produções humorísticas, sejam elas piadas, sejam de outros gêneros, e que ainda auxiliem a ampliar a análise, incorporando textos não apenas verbais, mas também de ordem visual. É o que abordaremos a seguir.

Contribuições da perspectiva textual

Um tema bastante explorado no campo da Linguística Textual é a referenciação, elemento teórico que traz grandes contribuições para explicar o sentido humorístico. Nas palavras de Cavalcante (2012, p. 98), "o processo de referenciação diz respeito à atividade de construção de referentes (ou objetos de discurso) depreendidos por meio de expressões linguísticas específicas para tal fim, chamadas de expressões referenciais".

Segundo a autora, o referente é a representação de uma determinada entidade ou categoria estabelecida no texto e que é percebida mentalmente pelo leitor ou ouvinte. A expressão referencial, por seu turno, seria "uma estrutura linguística utilizada para manifestar formalmente, na superfície do texto (ou seja, no *cotexto*), a representação de um referente" (CAVALCANTE; CUSTÓDIO FILHO; BRITO, 2014, p. 28, grifo do autor).

Tomemos um exemplo hipotético, porém articulado com essa discussão, para exemplificar melhor os conceitos. Pensemos na mesma piada analisada neste capítulo. O português seria o referente ou objeto de discurso daquele texto. Ele poderia ser recuperado ao longo da exposição, dado o contexto, como "o visitante", "o morador de Portugal", "um típico representante da terra do além-mar", entre outras possibilidades.

Coerente com o princípio da maleabilidade de se observar a língua em uso, esses referentes são frequentemente retomados e reconstruídos na condução do texto. Nesta última situação, costuma-se dizer que foram recategorizados, transformados em relação ao objeto de discurso inicial. Seguindo o mesmo exemplo anterior, a alternância de português (referente inaugural) para visitante (modificação do objeto de discurso) configura um caso de recategorização.

Para ilustrar a aplicação desses conceitos a produções humorísticas, podem ser citados os estudos de Lima (2015) e Carmelino (2015a). A primeira pesquisadora defende que o processo de recategorização em piadas pode gerar uma metáfora, que funcionaria como gatilho para a criação do sentido humorístico. Tomemos emprestado outro exemplo da coletânea de Sarrumor (1998, p. 73) para ilustrar o raciocínio da autora:

> Aí, no outro dia, é o carro do Manuel que enguiça e ele vai com seu filho caçula no mecânico. Após verificar o motor do velho carro, o mecânico diz:
> – O problema está no freio. Eu vou ter que mexer no burrinho.
> O Manuel puxa o garoto para trás e se altera:
> – Não, senhoire! No garotinho, ninguém mexe!

Optamos intencionalmente por outra piada de português, para que a discussão fique semelhante à feita até aqui no capítulo. Identifica-se que se trata de um texto assim por conta do personagem que abre a história, Manuel (informação obtida, uma vez mais, por conhecimento prévio do gênero). Também se reprisa no exemplo o uso de palavra que procura representar graficamente a variante linguística por ele utilizada ("senhoire", na última linha).

No meio da narrativa, percebe-se que é instaurado o objeto de discurso "burrinho", nome dado à bomba do freio hidráulico dos veículos.[9] A introdução

---

9 Conforme definição do *Novo Aurélio século XXI: o dicionário da língua portuguesa*.

referencial ocorre na frase "Eu vou ter que mexer no burrinho". O trecho é o que leva ao comentário inesperado de Manuel no final da piada: diz ele que, no garotinho, ninguém iria mexer.

O sentido humorístico pode ser explicado linguisticamente pela recategorização de "burrinho": de peça automobilística, passou a ser lido como característica do menino (ser burro, termo que faz menção de forma jocosa a pessoas sem inteligência). Tal qual postula Lima, teria havido aí uma metáfora: em vez de garoto, este passa a ser rotulado como burrinho. Esse jogo é o que levaria à comicidade.

Carmelino (2015a) abordou o mecanismo referencial em textos humorísticos de outro modo. A autora trabalhou com expressões referenciais de ordem nominal, ou seja, com trechos compostos por um nome e um determinante (seja ele definido, indefinido ou demonstrativo) ou modificador (como o adjetivo), podendo ser definidas ou indefinidas.

Apenas para ilustrar, pensemos que o referente seja "jogador". Nas retomadas textuais do objeto de discurso, ele pode reaparecer como o jogador (expressão nominal definida), um jogador (expressão nominal indefinida), o perna de pau (expressão nominal definida com elemento atributivo) ou um perna de pau (expressão nominal indefinida com elemento atributivo).

Para a autora, expressões referenciais de ordem nominal "que promovem uma situação humorística, na maior parte das vezes, são atributivas e consistem em sequências textuais descritivas" (CARMELINO, 2015a, p. 92). Ela também postula que tais expressões funcionam como gatilho gerador da comicidade. A pesquisadora trabalhou especificamente com dois gêneros humorísticos: a dica-piada e o esquete.

Vejamos um caso de dica-piada para ilustrar melhor como opera esse mecanismo linguístico:

As melhores profissões do futuro
Falsa loura funkeira popozuda

O futebol feminino não está com essas bolas todas, assim como os grupos de pagode feminino não andam arrebentando a boca do pandeiro. Mesmo assim, muitas mulheres de visão abriram as cabeças e outras partes de sua anatomia para viver de samba ou futebol. É a falsa loura funkeira popozuda [...]

A dica-piada – definida como "uma sugestão, com características da piada, para se resolver problemas (ou dificuldades) de diferentes situações da vida de qualquer pessoa comum" (CARMELINO, 2015a, p. 99) – foi extraída de Casseta & Planeta (2005, p. 51). Nela, segundo a autora, o humor é deflagrado pela especificação que se faz, por meio da expressão nominal referencial e atributiva, a uma profissão de sucesso no futuro: "a falsa loura funkeira popozuda".

O sentido humorístico, para Carmelino, não se deve à seleção do núcleo da expressão nominal "funkeira", mas, sim, à escolha e à ordem dos modificadores "falsa", "loura" e "popozuda" que aspectualizam o objeto de discurso, bem como aos conhecimentos prévios cultural e social que o leitor deve acionar a partir da descrição inusitada da profissional:

- as louras teriam cabelo pintado (seriam "falsas louras");
- estariam entre as preferidas dos homens;
- teriam nádegas fartas, parte do corpo feminino culturalmente cobiçada pelos homens brasileiros;
- dominariam o funk, gênero musical marcado pela sensualidade e erotização de letras e de movimentos de dança.

Pode-se inferir, portanto, que o sucesso da "falsa loura funkeira popozuda", como rotulam os autores, está mais atrelado a marcas físicas do que ao desempenho profissional em si.

A perspectiva textual permite também que se amplie o escopo de produções estritamente verbais. O conceito de texto, ao menos no modo como vem sendo trabalhado contemporaneamente no Brasil, inclui não somente os elementos verbais como seu constituinte, mas também os de ordem visual. Tal articulação configura o que se tem chamado de texto multimodal.

O conceito de multimodalidade é definido por Cavalcante, Custódio Filho e Brito (2014, p. 152) como a característica textual "cujos significados são realizados por meio de mais de um código semiótico". Para os autores, o texto será multimodal "sempre que, para a configuração dos sentidos, houver o entrecruzamento de linguagens – verbal (oral e/ou escrita), visual, sonora" (2014, p. 152).

Essa interpretação mais abrangente do que venha a ser um texto permite ampliar também o rol de produções a serem analisadas. Ao contrário dos modelos teóricos desenhados por Raskin e por ele e Attardo, que tinham na língua a orientação do conteúdo cômico, tem-se, aqui, o domínio de diferentes linguagens, entre elas a verbal, para a condução dos sentidos humorísticos.

Um dos gêneros humorísticos multimodais trabalhados sob o viés da Linguística Textual foram as tiras cômicas. Ramos (2011, 2012) defende haver diferentes pontos de contato entre elas e as piadas, como a tendência de apresentação de enunciados curtos e narrativos, com ou sem personagens fixos e com a presença de um desfecho inesperado, que levaria à comicidade.

O autor postula também que o gatilho – usado aqui na mesma acepção defendida por Raskin – para levar ao sentido humorístico nas tiras não reside somente no elemento verbal. "Em alguns casos de tiras, a chave para compreender o final imprevisto, fonte da comicidade, reside no desenho, e não nas palavras" (RAMOS, 2015, p. 139). Vejamos um caso assim:

Figura 1 Tira cômica de *Depósito do Wes,* de Wesley Samp

Fonte: SAMP, Wesley. Depósito do Wes. *Facebook.* 15 dez. 2014. Disponível em: <https://www.facebook.com/depositodowes/photos/pb.1441486892736195.
-2207520000.1457881117./1563784717173078/?type=3&theater>.
Acesso em: 20 jul. 2017.

Trata-se de um texto multimodal: a tira cômica agrega tanto elementos de ordem verbal (presentes na fala representada pelo balão) quanto visual (imagens dos dois personagens, diferentes tonalidades). A narrativa, condensada em uma cena só, é construída com o auxílio de dois personagens, que configuram objetos de discurso visuais. Um deles é uma moça, que pede desculpas a seu interlocutor. Ela diz a ele que "não vai rolar" (expressão usada para sintetizar a falta de vontade de se relacionar com alguém e que deveria ser acionada por conhecimento prévio).

A expressão é reforçada pela imagem do interlocutor, mostrado com um buquê de flores na mão direita, semblante triste e um coração rachado acima da cabeça (o coração serve de metáfora para representar desilusão amorosa, outra informação a ser compreendida por conhecimentos prévios). A pessoa é desenhada em um estilo semelhante ao de uma criança, com poucas formas básicas para indicar rosto, corpo, mãos e pés. Pela situação apresentada na tira, depreende-se que seja do sexo masculino.

O pretendente mostrado justamente com um traço infantilizado é o gatilho para levar ao sentido humorístico, elemento próprio do gênero tira cômica. A presença dele ajuda o leitor a identificar também a ambiguidade da expressão "muito infantil": de atitudes infantis ou pessoa infantil de fato. O humor estaria nessa segunda possibilidade. Por ser desenhado de modo pueril, não iria "rolar" nada com a moça, mostrada em traços bem mais detalhados e realistas que ele.

Há outros conceitos da Linguística Textual que poderiam ser citados como de grande valia para a explicação do humor, como a intertextualidade. Ela é um recurso que pode ser entendido como a remissão, explícita ou não, de um texto em outro (CAVALCANTE, 2012). O mecanismo linguístico é bastante presente na piada a seguir:

> A Branca de Neve e os Sete Anões passeavam na floresta, quando a dada altura passam junto a um lago, com água cristalina. Ao ver isso, Branca de Neve decide dar um mergulho, e então diz aos Sete Anões para se virarem ao contrário enquanto ela se banhava. Os anões protestaram veementemente, porque também eles pretendiam dar um mergulho. A Branca de Neve percebe a situação e diz:
> – Quando eu entrar dentro do lago, e vocês ouvirem o "splash" da água, então podem virar-se!

Então Branca de Neve despe-se e quando está prestes a entrar no lago, uma rã, nesse mesmo instante, salta também para dentro do lago, provocando o tal "splash" ao entrar.

No momento em que os anões ouvem o barulho, rapidamente se viram para irem também eles ao banho, mas eis que se deparam com a Branca de Neve completamente NUA!

Assumindo que isto que leram é um spot de TV, adivinhem lá qual o produto que se está a anunciar!!!!!

"SEVEN UP"

O texto foi apresentado num site específico de piadas.[10] A estratégia utilizada por quem idealizou a narrativa é se apropriar de forma do conto de fadas "Branca de Neve e os Sete Anões", escrito pelos Irmãos Grimm e popularizado no século passado por meio de um longa-metragem animado norte-americano, exibido em 1937 e produzido pelos estúdios de Walt Disney. A história, que o leitor deveria acionar por conhecimento prévio, mostra a protagonista envolta com sete anões, que passaram a cuidar da moça após esta ser perseguida por uma rainha má – que tinha inveja por ser menos bela que a outra.

A intertextualidade com o conto é explícita ("A Branca de Neve e os Sete Anões passeavam pela floresta...", entre outros trechos que poderiam ser citados). Mas a narrativa é modificada. Com vergonha de ter de tirar toda a roupa em frente aos anões para se banhar num lago, e diante do desejo de eles também mergulharem, Branca de Neve combina que eles só se virariam após ouvir o som do mergulho.

Antes de ela pular na água, no entanto, uma rã foi mais rápida e causou o som do "splash" ouvido pelos amigos da moça. Entendendo ser o sinal que esperavam, todos se viraram e viram a bela nua. O narrador propõe, então, que, se a cena se tratasse de um *spot* (comercial) de TV, qual seria o nome do produto anunciado ("a anunciar" no texto, conforme o uso da língua vigente em Portugal, de onde a história possivelmente foi reproduzida pelo site).

---

10   Piadas.com. Disponível em: <http://www.piada.com.br/busca_piadas.php?categoria= 12&eof=225&pg=3>. Acesso em: 20 jul. 2017.

A resposta, "Seven Up", faz referência a um dos refrigerantes produzidos pela empresa PepsiCo.[11] No caso, o referente refrigerante é recategorizado: o "seven" faz alusão aos sete anões e o "up" ("para cima", se traduzido do inglês), à ereção que eles tiveram ao ver Branca de Neve nua. Estaria a chave para explicar o sentido humorístico.

Há outro recurso de intertextualidade, o *détournement*, que também traz contribuições para a explicação de alguns casos de textos humorísticos. Formulado por Grésillon e Maingueneau (1984, p. 114, tradução nossa), o termo consiste em um "enunciado que possui as marcas linguísticas de uma enunciação proverbial, mas que não pertence ao estoque dos provérbios reconhecidos".[12] Segundo Koch, Bentes e Cavalcante (2007), trata-se de um tipo especial de paródia, que se restringe a enunciados mais curtos. Em estudo sobre o fenômeno nas paródias de filmes da revista *MAD*,[13] Matos e Carmelino (2014) defendem que o *détournement* visa à subversão e à produção do humor. Citemos alguns exemplos para ilustrar:

- Orange is the new brega:[14] paródia do título do seriado estadunidense "Orange is the new black", em que ocorre a substituição da palavra "Black" por "brega";
- 80 tons de zica:[15] paródia do título do longa-metragem "80 tons de cinza", construída pela substituição da palavra "cinza" por "zica";

---

11 *PepsiCo*. Disponível em: <http://www.pepsico.com.br/nossa-historia>. Acesso em: 20 jul. 2017.
12 "le détournement, qui consiste à produire un énoncé possédant les marques linguistiques de renonciation proverbiale mais qui n'appartient pas au stock des proverbes reconnus" (GRÉSILLON; MAINGUENEAU, 1984, p. 114).
13 Criada em 1952, nos EUA, a revista humorística de/com quadrinhos MAD tornou-se famosa por satirizar aspectos da cultura popular. O sucesso desse periódico, que se dirige especialmente aos jovens e adultos, fez com que ele ganhasse versões em vários países ao longo do tempo. No Brasil, a revista começou a ser publicada em 1974 e passou por quatro editoras, a saber: Vecchi (de 1974 a 1983), Record (de 1984 a 2000), Mythos (de 2000 a 2006) e, atualmente, Panini (desde 2008). Em 2015, a revista passou a ser bimestral.
14 RICHMOND, T.; DEVLIN, D. Orange is the new. *Mad*, São Paulo, Panini, n. 79, p. 11, fev. 2015.
15 TURBAY, F. Capa, *Mad*, São Paulo, Panini, n. 80, mar. 2015.

- A Era de Ultronto:[16] paródia do título do filme norte-americano "Vingadores 2 – Era de Ultron", na qual se acrescentam os fonemas "t" e "o" ("to – Ultron > Ultron**to**), sugerindo a leitura de que "Ultron" seja "tonto".

O humor, como se observa, está na subversão (substituição de termos e acréscimo de fonemas), que visualmente tende à desvalorização, ao rebaixamento do objeto parodiado. Nesse sentido, o *détournement* pode ser considerado um mecanismo que deflagra a comicidade.

Vê-se que essa perspectiva pode ser aplicada a vários gêneros. Em uma abordagem mais ampla, Travaglia (2015) postula que exista, entre as diferentes tipologias textuais possíveis, uma relacionada especificamente a produções humorísticas, vistas em oposição a outras, não humorísticas.

Os textos humorísticos, segundo o pesquisador, teriam como marca comum a presença de um modo de comunicação não confiável, que quebra com a seriedade comunicativa, tal qual expõe Raskin (1985). A contribuição de Travaglia estaria em outro aspecto, no agrupamento dessa forma de textos em gêneros e na divisão deles em necessariamente humorísticos e eventualmente humorísticos. Entre estes, caberiam como exemplos as telenovelas e os romances, entre outros.

Entre os necessariamente humorísticos, o autor cita as piadas, as piadas visuais, o esquete, a farsa, a comédia, o auto, a ópera bufa, a tira, a charge, a charge animada, a charge-okê (nome dado por ele a paródias musicais animadas), o cartum, o pega (ou pegadinha), o cúmulo (pequeno texto que aborda algum absurdo, fonte de riso), a paródia e o trava-línguas.

Não pretendendo esgotar o elenco de gêneros necessariamente humorísticos, Travaglia entende que o desafio é estudar os menos conhecidos. Segundo ele, já há pesquisas sobre os mais recorrentes, como as piadas, as tiras e as charges. Caberia aos analistas textuais a tarefa de jogar luzes onde ainda há casos um tanto obscuros sob o ponto de vista científico.

---

16 CALDAS, M.; SALIMENA, R. A era de ultronto, *Mad*, São Paulo, Panini, n. 81, p. 9, abr. 2015.

Considerações finais

Attardo e Raskin ajudaram, com seus estudos, a pôr os textos humorísticos no campo linguístico. Os modelos desenvolvidos por eles – a teoria semântica do humor baseada nos *scripts*, de Raskin, e a teoria geral do humor verbal, feita por ambos – permitiram criar um método de análise de produções cômicas, entre elas as piadas, como a que abriu este capítulo e que foi retomada ao longo da discussão.

Os trabalhos dos dois autores permitiram também a visualização de novas possibilidades de abordagem. Um dos caminhos possíveis de análise de tais produções, como demonstrado ao longo do capítulo, é via Linguística Textual. Num primeiro momento, viu-se que é possível uma aproximação desse campo teórico com o dos estudos do humor de Raskin e Attardo. O conceito de texto, a bagagem cognitiva dos sujeitos e a interação entre ele e os elementos situacionais são alguns dos pontos comuns que podem ser elencados. Também podem ser consideradas noções como a intencionalidade e o balanceamento das informações explícitas e implícitas.

Num segundo momento, sem negar a validade dos modelos dos dois autores, mas indo além deles, pode-se perceber que o arcabouço teórico--metodológico da Linguística Textual ajuda a trazer explicações para o sentido cômico de produções que tenham esse fim, seja necessária, seja eventualmente humorísticas, como postula Travaglia.

Na discussão exposta neste capítulo, pôde-se identificar nos conceitos de referenciação, intertextualidade, *détournement* e multimodalidade, além da intencionalidade, do balanceamento das informações explícitas e implícitas e da divisão entre textos necessariamente e eventualmente humorísticos, alguns dos recursos a serem observados em enunciados cômicos de diferentes gêneros. No caso específico dos textos multimodais, permite-se ainda um alargamento do escopo das produções humorísticas a serem analisadas – os estudos de Raskin e Attardo se restringiam a enunciados verbais.

É importante que se esclareça que a Linguística Textual, por sua concepção, traz contribuições para a explicação sobre o processo de construção do sentido de quaisquer produções. Cabe lembrar que a premissa é válida também para produções humorísticas, como se procurou demonstrar.

Referências

ATTARDO, S.; RASKIN, V. Script theory revis(it)ed: joke similarity and joke representation model. *Humor: International Journal of Humor Research*, Berlin; Nova York, Mouton de Gruyter, v. 4-3, n. 4, p. 293-347, 1991.

BAKHTIN, M. Os gêneros do discurso. In: _____. *Estética da criação verbal*. São Paulo: Martins Fontes, 2000. p. 277-326.

_____; VOLOCHÍNOV, V. N. *Marxismo e filosofia da linguagem*. São Paulo: Hucitec; Annablume, 2002.

BEAUGRANDE, R.-A. de. *New foundations for a science of text and discourse*: cognition, communication, and the freedom of access to knowledge and society. Norwood: Ablex, 1997.

_____.; DRESSLER, W. *Introduction to text linguistics*. Londres: Longman, 1981.

CALDAS, M.; SALIMENA, R. A era de ultronto. *Mad*, São Paulo, Panini, n. 81, p. 9, abr. 2015.

CARMELINO, A. C. A ausência da figura do feminino nas propagandas híbridas da cerveja Crystal. *Revista do GEL*, Araraquara, v. 5, p. 14-159, 2008a. Disponível em: <http://revistadogel.gel.org.org.br/rg/article/view/139/ 119>. Acesso em: 16 jul. 2017.

_____. Os explícitos e os implícitos nos Ditos Opinativos do presidente Lula. *Intercâmbio*, v. XVII, p. 29-48, 2008b. Disponível em: <http://revistas.pucsp.br/index.php/intercambio/article/view/3572/2333>. Acesso em: 16 jul. 2017.

_____. Estereótipos do brasileiro em piadas. *Intersecções*, Jundiaí, ano 7, ed. 14, n. 3, p. 98-112, nov. 2014. Disponível em: <http://www.portal.anchieta.br/revistas-e-livros/interseccoes/pdf/interseccoes_ano_7_numero_3.pdf>. Acesso em: 16 jul. 2017.

_____. (Org.). *Humor*: eis a questão. São Paulo: Cortez, 2015a.

_____. *Intencionalidade, com humor*. III CONEL – CONGRESSO DE ESTUDOS LINGUÍSTICOS. Universidade Federal do Espírito Santo, 21 nov. 2015b.

_____. *O brasileiro aos olhos do português*: piada e estereótipo. (no prelo).

CASSETA & PLANETA. *Como se dar bem na vida, mesmo sendo um bosta*. Rio de Janeiro: Objetiva, 2005.

CAVALCANTE, M. M. *Os sentidos do texto*. São Paulo: Contexto, 2012.
_____; CUSTÓDIO FILHO, V.; BRITO, M. A. P. *Coerência, referenciação e ensino*. São Paulo: Cortez Editora, 2014.
CHARAUDEAU, P.; MAINGUENEAU, D. *Dicionário de Análise do Discurso*. Coordenação e tradução de Fabiana Komesu. São Paulo: Contexto, 2004.
FERREIRA, A. B. de H. *Novo Aurélio século XXI*: o dicionário da língua portuguesa. 3. ed. 2. reimpr. Rio de Janeiro: Nova Fronteira, 1999.
GRESILLON, A.; MAINGUENEAU, D. Polyphonie, proverbe et détournement, ou un proverbe peut en cacher un autre. *Langages*, 19e. année, n. 73, p. 112-125, 1984.
GRICE, H. P. (1975). Lógica e conversação. In: DASCAL, M. (Org.). *Pragmática*: problemas críticos – Perspectivas linguísticas. Campinas: Ed. do Autor, 1982, p. 81-103.
KOCH, I. G. V. *O texto e a construção dos sentidos*. 7. ed. São Paulo: Contexto, 2003.
_____. *Introdução à Linguística Textual*: trajetória e grandes temas. 3. ed. São Paulo: Contexto, 2015.
_____; BENTES, A. C.; CAVALCANTE, M. M. *Intertextualidade*: diálogos possíveis. São Paulo: Cortez, 2007.
LIMA, S. M. C. de. Processo de recategorização metafórica: um gatilho para a construção do humor no gênero piada. In: CARMELINO, A. C. (Org.). *Humor*: eis a questão. São Paulo: Cortez, 2015. p. 117-135.
MAINGUENEAU, D. *Termos-chave da Análise do Discurso*. Tradução de Márcio Venício Barbosa, Maria Emília Amarante Torres Lima. Belo Horizonte: Editora UFMG, 2006.
MARCUSCHI, L. A. *Produção textual*: análise de gêneros e compreensão. São Paulo: Parábola Editorial, 2008.
MATOS, S. R.; CARMELINO, A. C. Humor e subversão: em foco as paródias de filmes da MAD. In: 2as JORNADAS INTERNACIONAIS DE HISTÓRIAS EM QUADRINHOS. *Anais eletrônicos*. São Paulo: ECA-USP, 2014. v. 1, p. 1-15. Disponível em: <http://www2.eca.usp.br/anais2ajornada/anais2asjornadas/Artigo_Stephanie_Ramos_Matos_e_Ana_Cristina_Carmelino.htm>. Acesso em: 16 jul. 2017.
RAMOS, P. *Faces do humor*: uma aproximação entre piadas e tiras. Campinas: Zarabatana Books, 2011.

_____. *A leitura dos quadrinhos*. 2. ed. São Paulo: Contexto, 2012.

_____. Piadas para ver: o uso da imagem como recurso de humor em tiras cômicas. In: CARMELINO, A. C. (Org.). *Humor*: eis a questão. São Paulo: Cortez, 2015. p. 137-156.

RASKIN, V. *Semantic mechanisms of humor*. Dordrecht: D. Reidel Publishing Company, 1985.

RICHMOND, T.; DEVLIN, D. Orange is the new. *Mad*, São Paulo, Panini, n. 79, p. 11, fev. 2015.

SARRUMOR, L. *Mil piadas do Brasil*. São Paulo: Nova Alexandria, 1998.

TRAVAGLIA, L. C. Texto humorístico: o tipo e seus gêneros. In: CARMELINO, A. C. (Org.). *Humor*: eis a questão. São Paulo: Cortez, 2015. p. 49-90.

TURBAY, F. Capa. *Mad*, São Paulo, Panini, n. 80, mar. 2015.

18

Linguística Textual e a perspectiva sociossemiótica da linguagem: orquestrações multimodais de significados

Sônia Pimenta
Záira Bomfante dos Santos

Tentando lançar outro olhar sobre o *design* dos textos, este capítulo propõe uma reflexão sobre a orquestração dos modos semióticos verbais e visuais utilizados nos textos na comunicação contemporânea. Para tanto, fizemos um inventário das concepções de texto abarcadas pela Linguística Textual e recorremos aos pressupostos da teoria sociossemiótica da multimodalidade, visto que consideram o *social* como o motor para as mudanças comunicacionais e semióticas, além das constantes reconstruções das fontes semióticas e culturais (KRESS, 2010, p. 35). Nessa via, selecionamos, como objeto de apreciação, um texto em circulação na esfera midiática por se colocar, de uma certa maneira, em contato imediato com os leitores e dada a multiplicidade de linguagem envolvida na sua tessitura e constituição discursiva.

Assim, com o intuito de ampliar a concepção de texto, observar-se-á a política de escolhas de modos semióticos para compreender como se dá o processo de orquestração – seleção/organização – da pluralidade de signos em diferentes modos, dentro de uma configuração, para formar um arranjo coerente no estabelecimento de relações com o leitor. Logo, observar-se-ão as semioses presentes nos textos, como se recontextualizam ou cocontextualizam na produção de significados. As perguntas que nortearão este trabalho perpassam pelas seguintes questões: Como os diversos modos semióticos são utilizados nos textos? Como esses modos são orquestrados na produção de significados para representação, estabelecimento de relações com o leitor e de organização textual?

Contextualizando os percursos da Linguística Textual

No que se refere à Linguística Textual, é ponto pacífico a sua relevância para o estudo do texto bem como o reconhecimento de que o seu desenvolvimento tenha passado por momentos diferentes e se inspirado em diferentes modelos teóricos, o que não deixa de ser bastante natural numa ciência em formação, segundo Koch (1997, p. 67). Embora pareça redundante afirmar que o objeto de estudo da Linguística Textual seja o texto, ao nos perguntarmos o que é texto, encontramos nesse campo diferentes conceitos. Esse fato se deve à própria evolução da disciplina quanto às diferentes correntes que foram entrando no campo. Nas palavras de Koch (2004, p. XI), "o desenvolvimento desse ramo [...] vem girando em torno das diferentes concepções de texto que ela tem abrigado durante seu percurso, o que acarretou diferenças bastante significativas entre uma e outra etapa de sua evolução".

Devido à diversidade das concepções de texto na linguística textual, as denominações dadas pelos autores das diversas correntes são variadas: análise transfrásticas, gramática do texto e elaborações de uma teoria de texto.

Para Koch (2004), a primeira fase se deteve aos estudos dos mecanismos interfrásticos que fazem parte do sistema gramatical da língua, cujo uso possibilitaria a duas ou mais sequências ao estatuto do texto. Nessa época, o texto era predominantemente pensado como unidade linguística (do sistema) superior à frase ou como sucessão ou combinação de frases (KOCH, 1995, p. 21). O texto, nessa perspectiva, é definido como sequência pronominal ininterrupta (HARWEG, 1968) ou sequência coerente de enunciado (ISEMBERG, 1970). Logo, o que definiria um texto era um conjunto de propriedades expressas na forma de organização do material linguístico.

As tentativas, de acordo com Koch (1997), de desenvolver uma linguística textual como uma linguística da frase ampliada mostraram-se insatisfatórias, sendo relegadas a outro plano.

Em um segundo momento cogita-se as Gramáticas Textuais (GT). De acordo com Marcuschi (1998), as *gramáticas do texto* introduziram pela primeira vez o texto como objeto de estudo da linguística, procurando estabelecer um sistema finito de regras e recorrente que seria partilhado por todos os usuários da língua. Tal sistema permitiria que os usuários identificassem se uma determinada sequência de frases constitui ou não um texto e se esse texto é bem formado. Assim, as gramáticas textuais ganharam fôlego a partir dos estudos gerativistas propostos por Chomsky, de modo a descrever a competência textual do falante, dado que todo falante nativo possui um conhecimento acerca do que seja um texto (LANG, 1972, apud BENTES, 2001, p. 249). As tarefas das gramáticas textuais seriam: a) verificar o que faz com que um texto seja um texto, ou seja, quais seus princípios de constituição; b) levantar os critérios para a delimitação de textos e c) diferenciar espécies de texto (KOCH, 1995). Nesses estudos, o texto é visto como a unidade linguística hierarquicamente mais elevada, (que) constitui uma entidade do sistema linguístico, cujas estruturas possíveis em cada língua devem ser determinadas pelas regras de uma gramática textual (KOCH, 2004, p. 6). Abandona-se, pois, o método ascendente – da frase para o texto. É a partir do texto que se pretende chegar, por meio da segmentação, às unidades menores, para, então, classificá-las.

No transcorrer do tempo, notou-se a inviabilidade de se elaborarem gramáticas do texto no estilo das gramáticas da frase, assim as GT perdem sua influência, abrindo espaço para um terceiro momento vivido pela Linguística Textual, a fase da Teoria do Texto. Nessa fase se propõe investigar a constituição, o funcionamento, a produção e compreensão dos textos dentro de um contexto pragmático, o texto passa a ser a unidade de comunicação e interação humana. Segundo Bentes (2001, p. 247),

> o texto passa a ser estudado dentro de seu contexto de produção e a ser compreendido não como um produto acabado, mas como um processo, resultado de interações comunicativas e processos linguísticos em situações sociocomunicativas.

Assim, o texto passa a ser abordado no próprio processo de planejamento, verbalização e construção (KOCH, 1995, p. 22). À virada pragmática soma-se a orientação cognitiva que os estudos assumem a partir dos anos de 1980, que surge da ideia de que toda ação é acompanhada de processos de ordem cognitiva. Há também uma relação da visão cognitivista com a abordagem interacionista, que considera a interação e o compartilhamento de conhecimentos como base da atividade linguística. Observamos, agora, que o texto, dentro dessa concepção, passa a considerar os elementos extralinguísticos e se constitui como o próprio lugar da interação e os interlocutores, sujeitos ativos que – dialogicamente – nele se constroem e por ele são construídos (KOCH, 2004, p. 33).

Elencadas essas concepções de textos abarcadas no percurso do desenvolvimento da Linguística Textual, abraçamos, no decorrer deste trabalho, a concepção dialógica na constituição do texto, o espaço interativo que se abre para as várias vozes, buscando, agora, agregar a noção de tessitura do texto por fios semióticos disponíveis numa determinada cultura, cujos significados emergem em ambientes sociais e interações sociais. Destacando o elemento *social* no âmbito da linguagem, nenhum desses elementos existem sem o outro: não pode haver nenhum *homem social* sem a *linguagem*, e nenhuma linguagem sem o homem social (HALLIDAY, 1994, p. 12).[1] Nessa perspectiva, o social é o gerador de significado, do processo semiótico e do processo da forma e, portanto, a teoria é sociossemiótica.

Desdobrando essa perspectiva, o texto, para Hodge e Kress (1988, p. 6), é um conceito utilizado "num sentido semiótico estendido que se refere à estrutura de mensagens ou traços de mensagens que tem unidades" e discurso se refere ao "processo social no qual textos estão encaixados". A esse respeito, Hodge e Kress (1988, p. 12) acrescentam que os textos são manifestações do discurso. Nesses moldes, tal noção precisa ser conservada e contrastada com a noção de discurso como processo. Para os autores, o texto é um objeto de análise limitado e parcial, sendo, portanto, processo e produto em um determinado ambiente ou contexto de situação.

---

[1] "Neither of these exists without the other: there can be no social man without language, and no language without social man." Todas as traduções foram realizadas pelas autoras.

Nesses moldes, para Halliday (1994) os textos não são constituídos só de palavras e de sentenças mas de significados. Um texto é essencialmente uma unidade semântica e um produto no sentido de que tem uma construção e pode ser representado em termos sistemáticos. Entretanto, é também um produto no sentido de ser um processo contínuo de escolhas no emaranhado de significados potenciais que constituem o sistema linguístico à disposição do produtor do texto.

Algumas questões teóricas

A unidade central da semiótica é o signo, a fusão de *forma* e *significado*. O signo existe em todos os modos e precisam ser considerados pelas suas contribuições ao significado. A gênese dos signos repousa nas ações sociais e, para tanto, são criados em vez de usados. O foco na criação do signo é um dos traços que distinguem a perspectiva da Semiótica Social de outras formas de semióticas. Na perspectiva sociossemiótica de realização do significado, os indivíduos com suas histórias sociais, moldados socialmente, situados em ambientes sociais e utilizando fontes social e culturalmente criadas, são agentes e produtores na comunicação e na produção de signos.

A teoria sociossemiótica adota a perspectiva da Teoria de Halliday (1978, 1985) e sua concepção metafuncional da linguagem propondo agregar algumas suposições fundamentais: *(i)* os signos são sempre criados em interação social; *(ii)* são motivados; *(iii)* não possuem relações arbitrárias de significados e forma; *(iv)* a relação motivada de uma forma e um significado são baseados no interesse dos produtores do signo em uma interação social em que se tornam partes das fontes semióticas de uma cultura. Outrossim, a aptidão nesse processo significa que uma determinada *forma* possui os requisitos para ser o portador de significado. Nos parâmetros sociossemióticos de representação e comunicação, todos os signos são metáforas, novamente produzidos:

> [...] representação e comunicação são processos sociais, mas diferentes. A representação está focada em mim, moldado por minhas histórias sociais, pelo meu lugar social atual, pelo meu foco em dar

forma material através de recursos socialmente disponíveis para algum elemento no ambiente. A comunicação está focada na (inter-) ação social em uma relação social entre mim com os outros, como minha ação com ou para alguma outra pessoa em um ambiente social específico, com relações específicas de poder. O interesse permanece central, mas seu foco, sua direção e atenção se deslocam: de 'mim e meu foco em representar apropriadamente alguma entidade ou fenômeno para minha satisfação', para 'mim em inter-ação com os outros em meu ambiente social e meu foco no sucesso em se envolver e persuadir outros. A representação é orientada para o eu; a comunicação está orientada para um outro. A representação realiza-se em um ambiente social, a comunicação constrói um ambiente social. Os signos (como textos) são sempre moldados por ambos os interesses: pelo meu interesse em realizar apropriadamente meu significado e meu interesse em transmiti-lo apropriadamente ao outro. (KRESS, 2010, p. 51)[2]

Mais uma vez, o ponto central repousa na ideia de que a linguagem é um tipo de comportamento social, ou seja, ela tem uma função que é construída a partir das interações humanas e está organizada em sistemas contextualmente sensíveis. O uso da linguagem está revestido de significados potenciais, associados a situações específicas e influenciados pela organização social e

---

2 "representation and communication are social processes, but differently so. Representation is focused on me, shaped by my social histories, by my present social place, by my focus to give material form through socially available resources to some element in the environment. Communication is focused on social (inter-) action in a social relation of me with others, as my action with or for someone else in a specific social environment, with specific relations of power. Interest remains central but its focus, its direction and attention shifts: from me and my focus on aptly representing some entity or phenomenon to my satisfaction, to me in inter-action with others in my social environmental and my focus on success in engaging and persuading others. Representation is oriented to self; communication is oriented to an other. Representation takes place in a social environment; communication constructs a social environment. Signs (-as- texts) area always shaped by both kinds of interest: by my interest in aptly realizing my meaning and my interest in aptly conveying it o an Other" (KRESS, 2010, p. 51).

cultural. Nesse sentido, a teoria sociossemiótica aponta como os princípios gerais de representação: os modos, meios e arranjos.

Modos

O mundo é textualizado e, cada vez mais, dialogamos com inúmeras interfaces semióticas no processo de representação e comunicação. Os modos são compreendidos como um recurso social e culturalmente moldado na produção de significados. Segundo Kress (2010, p. 81) são produtos do trabalho social e cultural, tendo significados em seus ambientes de produção, como imagem, escrita, layout, cores, tipografia, música, gesto, fala etc. Nesses termos, se todos os modos são usados para produzir significados, coloca-se em questão se eles são meramente um tipo de duplicação de significados já realizados na fala ou na escrita – ilustração ou ornamentação – ou são formas distintas, com significados distintos.

Os modos semióticos oferecem diferentes potencialidades na produção de significados, exercendo um efeito fundamental nas escolhas em uma instância específica de comunicação. Na perspectiva sociossemiótica de modo, é dada a mesma ênfase na materialidade do modo e no trabalho cultural desse material, dado que a cultura seleciona a materialidade dos modos. Em outros termos, as sociedades selecionam diferentemente e constantemente remodelam os recursos culturais/semióticos de modo. As sociedades têm preferências modais: um modo é usado para um propósito de um determinado agrupamento social e outros modos para outros propósitos. Por muitos séculos, as sociedades ocidentais preferiram utilizar escrita a imagem em muitas áreas da comunicação pública, como consequência desses fatores, o alcance dos modos varia de cultura a cultura. O significado expresso em um modo, por exemplo, um gesto, em uma cultura, pode ser falado em outra.

A rigor, podemos conceber os modos semióticos com base em uma ênfase social e formal de comunicação. Na perspectiva socialmente orientada, o modo é o que uma comunidade considera modo e utiliza em suas práticas sociais. Como vemos, o que uma comunidade decide considerar e usar como modo é um modo. Se há uma comunidade que usa recursos, por exemplo, fonte, layout, cor, com uma regularidade, consistência e suposições compartilhadas, esses recursos são modos para esse grupo. Nessa via, os significados são acordados socialmente e específicos cultural e socialmente. Formalmente, uma teoria sociossemiótica da comunicação tem exigências específicas para os modos. Para tanto, qualquer fonte semiótica precisa realizar, na perspectiva funcional da linguagem, três funções: *ideacional* representação de mundo; *interpessoal* marcar as relações sociais das pessoas envolvidas na comunicação; e *textual* – representar a função ideacional e interpessoal como entidades de mensagens (*textos*) coerentemente com o ambiente de produção. De acordo com Kress (2010, p. 104)

> [...] uma abordagem sociossemiótica multimodal assume que todos os modos de representação são, em princípio, de igual significância na representação e comunicação, como todos os modos têm potenciais para significados, embora diferentemente, com modos distintos. A suposição de que os modos têm diferentes potenciais para o significado faz com que a compreensão do que venha a ser apto seja algo curiosamente significativo. Os significados potenciais dos modos são os efeitos do trabalho de indivíduos como membros das sociedades durante períodos muito longos. Esses potenciais de significados tornam-se partes dos recursos culturais de qualquer sociedade.[3]

Vale salientar que no processo de comunicação diversos modos são utilizados simultaneamente, em um conjunto modal, projetado com funções e necessidades específicas. A implementação e instanciação de vários modos simultaneamente possibilitam cada vez mais arranjos/disposições textuais marcados por uma linguagem coreografada/plástica.

---

3 "a multimodal social-semiotic approach assumes that all modes of representation are, in principle, of equal significance in representation and communication, as all modes have potentials for meaning, though differently with different modes. The assumption that modes have different potentials for meaning makes the point about apt naming interestingly significant. The meaning-potentials of modes are the effect of the work of individuals as members of their societies over very long periods. These meaning-potentials become part of the cultural resources of any one society" (KRESS, 2010, p. 104).

Meios e *arranjos* na produção material de significados

O *design* é o termo central no trabalho semiótico, ele se situa entre o conteúdo e a expressão, ou seja, é o lado conceitual da expressão e o lado expressivo da concepção. *Design*, então, é o uso do recurso semiótico em todos os modos semióticos e combinações de modos, formas de expressão dos discursos no contexto de uma dada situação. Nesses parâmetros, o *design* projeta e organiza o arranjo de todo um conjunto de escolhas cujo resultado é o *texto*. Ele realiza as relações sociais. Assim, um *design multimodal* refere-se ao uso dos diferentes modos para realizar, (re)contextualizar posições, relações sociais, além do conhecimento em um *arranjo* para um público específico. Em suma, o *design* realiza e projeta uma organização social e é afetado pelas mudanças sociais e tecnológicas.

Considerando a possibilidade de escolhas de recursos na produção de significados, advindos dos meios tecnológicos, os textos têm adquirido variadas disposições/*arranjos*. Esses *arranjos* refletem a produção de um conhecimento a partir do interesse do seu produtor em selecionar os recursos mais aptos e plausíveis na situação de comunicação. O conhecimento e o significado, assim como os textos e objetos – que são realizações materiais –, são resultados do processo de um *design* motivado.

Uma abordagem da comunicação e da produção de entidades semióticas através do *design* – seja como textos, seja como objetos semióticos de qualquer tipo – pressupõe familiaridade com os meios de todos os materiais envolvidos, as características dos ambientes sociais nas quais os conjuntos delineados são ativos na mídia envolvida. Nessa via, a possibilidade de escolhas semióticas, assentadas no *design*, para composição de significados, vai constituindo uma forma de *estilo*. Essa política de escolhas caracteriza a *estética* do texto, ou seja, em cada composição escolhida e articulada, cria-se uma harmonia textual diferente.

Da noção de texto e discurso ao tripé metafuncional da linguagem

Encarado na sua dimensão comunicativa, como a linguagem é funcional, o texto é resultado de toda e qualquer situação de interação, isto é, é ele próprio a forma linguística de interação social, uma unidade de uso linguístico, segundo Gouveia (2009, p. 18), "uma coleção harmoniosa de significados apropriados ao seu contexto, com um objetivo comunicativo".

Outrossim, é ponto pacífico, segundo Cope e Kalantzis (2006), que todo texto é multimodal, não podendo existir em uma única modalidade, mas tendo sempre uma delas como predominante. Logo, os textos multimodais são vistos como produção de significado em múltiplas articulações. Desse modo, devido à multiplicidade de conhecimentos constituídos em uma estrutura social, as linguagens que se materializam nos textos são articuladas com o propósito de atender uma função em um contexto situacional. Nesses moldes, o discurso é compreendido como conhecimentos socialmente construídos de algum aspecto da realidade. Podendo, assim, ser construído de maneiras diferentes dependendo das combinações dos diferentes modos semióticos em forma de texto. Consumir e saber produzir inúmeros textos que se distribuem nos mais variados contextos sociais significa ter acesso a práticas comunicativas e de alguma forma assumir uma forma de poder.

Ampliando a dimensão constitutiva do texto, Kress e Van Leeuwen (2006, p. 2) pontuam que as estruturas visuais assemelham-se às estruturas linguísticas, visto que expressam interpretações particulares da experiência, além de se constituírem como formas de interação social:

> Significados pertencem à cultura, ao invés de modos semióticos específicos [...]. Por exemplo, aquilo que é expresso na linguagem através da escolha entre diferentes classes de palavras e estruturas oracionais pode, na comunicação visual, ser expresso através da escolha entre os diferentes usos de cor ou diferentes estruturas composicionais. E isso afetará o significado. Expressar algo verbalmente ou visualmente faz diferença.

Assim ancorados na postulação hallidayana de que a linguagem se organiza em torno de uma função e que essa função pode ser claramente relacionada à organização do contexto com a produção de significados com funções ideacionais, interpessoais e textuais, Halliday e Hasan (1985, p. 23) enfatizam que cada metafunção – criada na linguagem – é composta por um conjunto de sistemas internamente organizados no qual:

> Os significados são tecidos juntos em uma densa fábrica, de tal forma que para compreendê-los não olhamos separadamente para suas diferentes partes: aliás, nós olhamos o todo simultaneamente a partir de um número de diferentes ângulos, cada perspectiva contribuindo para a interpretação total. Esta é a natureza essencial de uma abordagem funcional.[4]

Nessa perspectiva, os significados ideacionais, interpessoais e composicionais são produzidos simultaneamente em qualquer amostra de linguagem. Entrelaçando os conceitos de texto e discurso na perspectiva sociossemiótica a partir da noção de função, as linguagens que tecem os textos podem ser claramente relacionadas à organização do contexto com a produção de significados e organizadas em extratos:

Contribuições da Estrutura Sistêmico-Funcional	
Linguagem	Imagens visuais
Plano do conteúdo	Plano de conteúdo
Discurso semântico	Discurso Semântico
Relações discursivas (parágrafo e texto)	Relações intervisuais
Lexicogramática	Gramática
Orações complexas	Cena
Orações	Episódio
Grupo de palavras	Figuras
Palavras	Parte
Plano de expressão	Plano de expressão
Tipografia/Grafologia e Fonologia	Gráficos

Quadro 1 Esquema sistêmico funcional para a linguagem visual e verbal (baseado em Halliday, 2004, e O'Toole, 1994)

---

4 "the meanings are woven together in a very dense fabric in such a way that, to understand them, we do not look separately at its different parts: rather, we look at the whole thing simultaneously from a number of different angles, each perspective contributing towards the total interpretation. That is the essential nature of a functional approach."

A natureza da organização da linguagem verbal e visual em extratos aponta para a organização metafuncional baseada em sistemas de produção de significados. Esses significados são fontes para a construção de conteúdo – significados ideacionais; fontes para interação negociar as relações – significados interpessoais; e fontes para a organização textual – significados textuais. A abordagem sistêmico-funcional está interessada nos significados potenciais dos recursos semióticos distribuídos em extratos – contexto, discurso, lexicogramática, fonológico e grafológico – e na análise das escolhas semióticas no discurso multimodal.

Na perspectiva de Kress e Van Leeuwen (2006, p. 2) os significados podem ser realizados na linguagem visual e na linguagem escrita. Coincidem-se em partes, algumas coisas podem ser expressas tanto visualmente como linguisticamente e em partes podem divergir. Algumas podem ser expressas, "ditas", apenas visualmente e outras apenas verbalmente. Quando forem expressas em ambos os planos, a forma como serão expressas pode ser diferente.

A estética textual na perspectiva multimodal

Buscando observar a estética textual, mapeamos as escolhas bem como a orquestração do fluxo semiótico dentro e através de recursos em um texto impresso. Observaremos se as semioses selecionadas se cocontextualizam – há relações de paralelismo de significados ou se recontextualizam –, se há relações de dissonância de significados.

A amostra do texto impresso selecionado é um anúncio veiculado pelo Ministério da Saúde com o propósito de conscientizar o público brasileiro, em sentido lato, para o ato de doação de sangue, vide Figura 1. Considerando que o *design* projeta e organiza a disposição do texto, observamos que as escolhas semióticas realizadas no anúncio criam episódios que contextualizam o leitor sobre a questão tratada bem como busca persuadi-lo, a partir da construção retórica, à ação desejada do anúncio.

Com o propósito de descortinar o desconhecido/obscuro, o anúncio apresenta uma narrativa, a partir de uma articulação entre visual e verbal, delimitando fatos específicos da vida do participante representado (PR), na busca de estabelecer uma relação de afinidade com o potencial leitor. Esse cenário é construído a partir de vários *episódios* com vistas a desfazer uma "condição" que é estabelecida no texto para o ato de doação de sangue: "Para doar sangue, você precisa conhecer a pessoa? Pronto. Agora você já conhece o Olívio". Para tanto, são feitas escolhas para descrever e identificar o PR Olívio, suas preferências, bem comuns e próximas de todo brasileiro, e o atributo possuído: de portador de anemia falciforme.

Figura 1 Campanha para doação de sangue

As escolhas linguísticas e visuais da narrativa

Na primeira parte da imagem, há uma sequência de figuras – matriz oracional – realizada por orações que vão construindo o episódio da narrativa que constitui o texto. A narrativa elucida informações pontuais do âmbito profissional até o privado do participante:

"Tenho 46 anos. Sou bombeiro. Adoro natação.
Gosto de música romântica. Meu prato preferido: arroz e feijão."

As escolhas realizadas, no plano do conteúdo, trazem o atributo do participante: *tem 46 anos*; sua identificação profissional: bombeiro, é descrito o conteúdo da consciência do participante, suas preferências – adoro natação; gosto de música romântica; arroz e feijão. Todas essas escolhas, no plano discursivo, buscam construir uma narrativa que situa o contexto de vida do participante, para que ele, na condição de um brasileiro, cidadão comum, presente em todos os lugares, crie uma identificação e seja conhecido/reconhecido por um gesto de solidariedade do potencial leitor. A paisagem semiótica do anúncio, assentada no contraste tonal preto e branco, se cocontextualiza na construção retórica, cujo propósito é humanizar a problemática do sangue, da transfusão e das pessoas que dependem da doação para sobreviver. Assim, se propõe revelar um mundo comum de muitos brasileiros, mas obscuro do leitor.

As orações vão se articulando através de vetores – setas – que interligam imagens e textos verbais, estabelecendo, semanticamente o efeito de combinação. Além de uma função interpessoal, os vetores organizam e estruturam o campo visual, sendo a organização espacial dos elementos não em uma demonstração estática, mas um material semiótico posicionado dentro de uma dinâmica sociodiscursiva. Os vetores funcionam como *links* textuais – fóricos –, sendo as setas os meios pelos quais duas unidades – visual e verbal – estão interligadas. Assim, os vetores apontam uma direcionalidade para um item visual específico que é elaborado no plano linguístico. As elaborações linguísticas, numa relação tática de dependência, trazem os atributos e a identificação do participante. O recurso utilizado para inserir as informações constrói sintagmas multimodais: o portador visual é instanciado por atributos e identificação nominalizadas.

Em outras palavras, a relação vetorial estabelecida, marcada por linhas contínuas, conecta o fluxo de informações e contribui para a integração dos sentidos: as sequências são realizadas gramaticalmente em orações complexas que se estendem, agregando informações adicionadas, como subsequências dentro da sequência total de eventos que compõe todo o episódio na narrativa. No final da narrativa encontramos uma descrição que se dá a partir de uma relação possessiva do verbo "ter", o atributo possuído do participante: portador de anemia falciforme. Essa informação adicionada com um valor adversativo constitui o argumento retórico que dá relevo às demais informações:

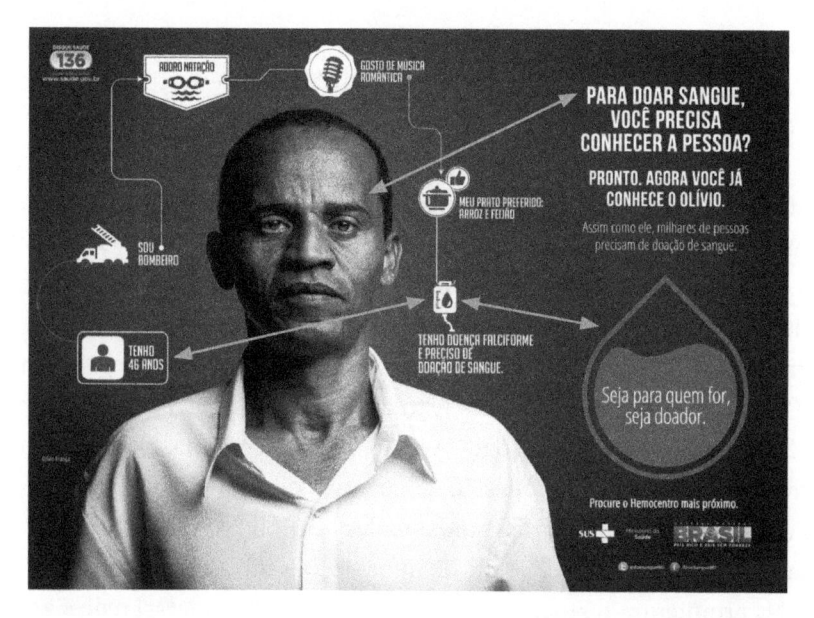

Linguística Textual e a perspectiva sociossemiótica da linguagem

Figura 2 Articulação vetorial na integração dos elementos

O episódio final da narrativa – gota de sangue – que retoma a informação *"e preciso de doação de sangue"* estabelece uma coesão semiótica com a imagem que inicia a narrativa – *um indivíduo em tom vermelho* –, estabelecendo uma coesão para o texto através da congruência de significado cultural de vida, criando, então, uma harmonia/rima visual na retomada do significado e no plano representacional de que o gesto de solidariedade de doação de sangue resulta em vida/esperança.

O arranjo das informações

Nota-se que a escolha e a disposição das informações possibilitam uma leitura não linear e mais dinâmica. As informações não estão emolduradas, mas interconectadas por vetores e, a partir do trabalho, com as cores e o brilho. Essa disposição textual não linear e circular possibilita uma escolha de diferentes percursos de leitura, tornando-se uma fonte de significados na construção do conteúdo e da interação. Nessa perspectiva circular, a leitura projeta-se para o exterior com base em uma mensagem que se torna o cerne, por assim dizer, do universo cultural, mais especificamente neste texto, a *doação de sangue*.

Lançando um olhar panorâmico sobre o desenvolvimento temático do anúncio – a hierarquia da periocidade textual –, usamos as noções tema e rema (Halliday 2004) e macrotema e hipertema (MARTIN, 1992). Nota-se que o anúncio constitui o macrotema – uma unidade textual com integração multimodal versando sobre doação de sangue. Do lado direito, há uma introdução, a partir de orações complexas que apontam para um desenvolvimento temático particular em unidades textuais subsequentes: "Para doar sangue, você precisa conhecer a pessoa?". Assentado o macrotema, ele aponta os hipertemas, no anúncio em questão, a narrativa do participante representado e o apelo à doação em várias modalidades semióticas, estabelecendo assim uma hierarquia de periodicidade de informações multimodais.

Na arquitetura textual, nota-se um princípio de integração de significados no texto, conferindo uma coerência e ordenação entre os elementos. A visualização da composição espacial nos possibilita julgar o peso de vários elementos a partir de relevos: saliência. O resultado dessa articulação não é objetivamente mensurável, mas resulta da interação complexa entre vários fatores: tamanho, contraste de cor, nitidez de foco, contraste tonal (áreas com alto contraste, por exemplo, as fronteiras entre preto e branco, têm grande saliência), peso, criam uma importância entre os elementos, selecionando os mais importantes, os que depreendem mais atenção do leitor e guiam o percurso da leitura.

A imagem do participante representado aparece no primeiro plano da imagem, ocupando a maior parte, cujo enquadramento, em nível interpessoal, o coloca em uma distância próxima do leitor, marcando uma relação de pessoalidade. A figura humana como elemento central é símbolo de preocupação das questões de humanidade/solidariedade. A imagem da gota de sangue, do lado direito do anúncio – em tom vermelho, com peso, contraste tonal e nitidez de foco – estabelece o ritmo do fluxo de informações e uma conectividade entre o vetor da narrativa do texto, criando uma hierarquia da importância entre os elementos espacialmente integrados, o que delimita algumas informações depreenderem mais atenção do que outras.

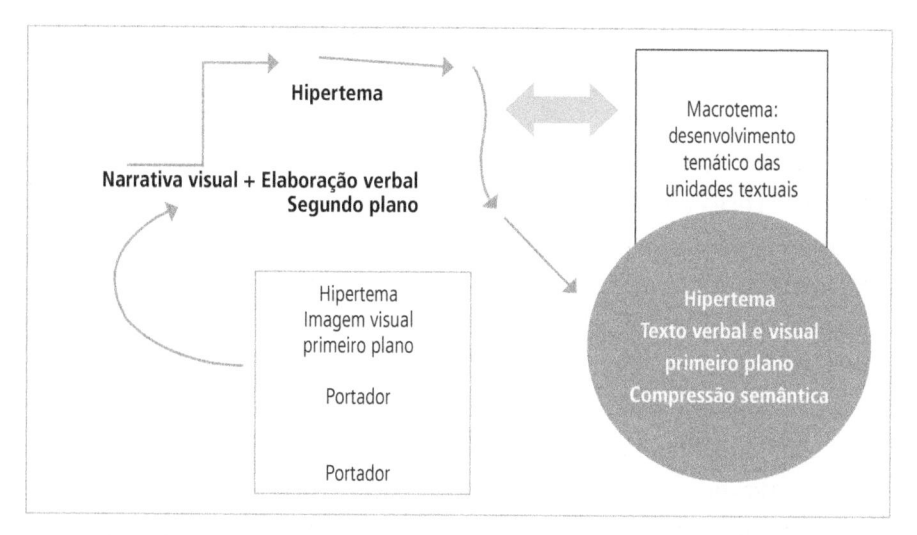

Linguística Textual e a perspectiva sociossemiótica da linguagem

```
                    Hipertema                          Macrotema:
                                          ⟷           desenvolvimento
                                                       temático das
    Narrativa visual + Elaboração verbal               unidades textuais
              Segundo plano

                         Hipertema                 Hipertema
                         Imagem visual         Texto verbal e visual
                         primeiro plano            primeiro plano
                                                Compressão semântica
                         Portador


                         Portador
```

Quadro 2 A integração verbal-visual dos elementos textuais

A imagem do participante representado é trazida dentro de uma estrutura conceitual, colocada como um portador e seus atributos – traços faciais, olhar profundo – para a apreciação do leitor. O participante Olívio é colocado como um item de informação, ele não realiza nenhuma ação, mas está sujeito a uma ação do leitor. Nota-se que os atributos a serem apreciados pelo leitor são de um indivíduo comum, que se contextualiza para sair do anonimato. A imagem representada é marcada, em seus aspectos interacionais, por um olhar de demanda, estabelecendo um endereçamento direto com o leitor, uma afinidade. A imagem é retratada em um ângulo frontal na linha dos olhos, colocando-se numa relação de igualdade com o leitor.

Observando as relações intersemióticas do texto, do lado direito, o leitor é interpelado através de pergunta condicional que constitui a base retórica de todo anúncio. Há um endereçamento direto ao leitor, a partir do pronome *você*. Esse endereçamento se cocontextualiza no plano visual, no momento em que o participante representado projeta um olhar de demanda para o leitor. Assim, a demanda se reitera nos dois planos, estabelecendo um paralelismo de significados. A linguagem verbal presente no texto é perpassada por um tom informal e conversacional, marcando uma proximidade com o leitor, como ilustra as orações "Pronto. Agora você já conhece o Olívio. Assim como ele, milhares de pessoas precisam de doação de sangue".

A forma como é dado relevo à informação "Seja para quem for, seja doador", por meio do contraste da cor vermelha e a moldura da gota de sangue, ressalta a informação dentro dos propósitos interacionais. Além disso, a disposição visual da informação condensa toda a temática do anúncio, acrescentando a ele valores estéticos e conotativos. Torna-se, assim, um recurso de compressão semântica e integração dos recursos visuais e verbais. O uso das cores constrói uma moldura metassemiótica de referência, organizando a orientação interpessoal, além de ancorar o significado experiencial do texto visual. Essa articulação implica mais que uma negociação interpessoal entre leitor e texto, serve para localizar a negociação interpessoal em um campo intertextual mais amplo de relação heteroglóssica entre textos e leitura e posições da escrita.

Na parte inferior, do lado direito do anúncio, há um ato de fala que demanda a ação requerida nos diversos planos do anúncio: "Procure o Hemocentro mais próximo". Subsequentemente, há a identificação do Sistema Único de Saúde (SUS), reforçando a instância produtora e sua preocupação realçada nos episódios que constituem a narrativa textual: no SUS muitos brasileiros necessitam da doação.

Toda orquestração do fluxo semiótico no arranjo das informações reflete a distribuição das metafunções no texto. Elas, não necessariamente, estão distribuídas de forma similar em todas as modalidades semióticas. Diferentes pesos e distribuições das metafunções são apresentados nas diferentes fases do texto para indicar o conteúdo e estabelecer as relações com o leitor, bem como integrar o fluxo textual. É por meio dessas diferentes distribuições que o texto vai se tecendo e se integrando dentro das várias modalidades semióticas, adquirindo uma estética própria.

Considerações finais

A apreciação dos textos, numa perspectiva multimodal, permite perceber como o *design* vai possibilitando escolhas para tecer o texto provendo recursos/dispositivos de integração, retomadas dos elementos em um processo intersemiótico. Toda discussão desenvolvida visa realçar: i) as possibilidades estéticas de textos na contemporaneidade; ii) as diferentes funcionalidades dos recursos semióticos e a necessidade de desenvolver estruturas teóricas para tanto; iii) a centralidade das intersemioses na compreensão da natureza da expansão e compreensão semânticas na realização e mudanças de significados.

O texto, nessa perspectiva, é simultaneamente um artefato material e uma atividade semiótica local e global, natural e cultural, marcado por diferentes estéticas cujos recursos trazem potenciais para realizar as funções de representação (significados ideacionais), interação (significados interativos) e textual (significados textuais) em cada cultura. Além disso, a atividade de leitura, a construção de múltiplos caminhos entre os recursos visuais e verbais possibilitam a articulação de um sistema verbo-visual de significados temáticos.

Essas considerações apontam para a necessidade de ampliação de um olhar sobre os textos que circulam socialmente, as formas pelas quais eles se articulam na integração dos sentidos. Nas palavras de Rojo (2010), devido à multiplicidade de linguagens e mídias nos textos contemporâneos, a linguagem verbal e outros modos de significar são vistos como recursos representacionais dinâmicos que são constantemente recriados por seus usuários, quando atuam visando atingir variados propósitos culturais.

Referências

BENTES, A. C. Linguística textual. In: MUSSALIM, F.; BENTES, A. C. (Org.). *Introdução à linguística*: domínios e fronteiras. 2. ed. São Paulo: Cortez, 2001. v. 1, p. 245-287.

COPE, B.; KALANTZIS, M. (2000). *Multiliteracies*: Literacy learning and the design of social futures. Londres: Routledge, 2006.

GOUVEIA, C. A. M. Texto e Gramática: Uma introdução à Linguística Sistêmico--Funcional. *Revista Matraga*, Rio de Janeiro, v. 16, n. 24, jan./jun. 2009.

HALLIDAY, M. A. K. *Language as social semiotic*. Londres: Edward Arnold, 1978.

_____. (1985). *An introduction to Functional Grammar*. 2. ed. Londres: Edward Arnold, 1994.

_____. *An introduction to Functional Grammar*. 3. ed. Londres: Hodder Education, 2004.

_____; HASAN, R. (1973). *Cohesion in spoken and Written English*. Londres: Longman, 1993.

_____; _____. (Eds). Language, context and text: aspects of language in a social-semiotic perspective. 2. ed. Oxford: OUP, 2002.

HARWEG, R. *Pronomina und Textkonstitution*. Munique: Fink, 1968.

HODGE, R.; KRESS, G. *Social Semiotics*. Londres: Polity Press, 1988.

ISENBERG, H. *Der Begriff "Text" in der Sprachtheorie Deutsche*. Berlim: Akademie zur Wissenschaften zu Berlin, Arbeitsgruppe Strukturelle Grammatik, Bencht, 1970. n. 8.

KRESS, G. *Multimodality*. A social semiotic approach to contemporary communication. 1. ed. Nova York: Routledge, 2010.

_____; VAN LEEUWEN, T. (1996). *Reading images*: the grammar of visual design. Londres; Nova York: Routledge, 2006.

KOCH, I. G. V. O texto: construção de sentidos. *Organon*, Porto Alegre, n. 23, p. 19-25, 1995.

_____. Linguística Textual: Retrospecto e Perspectivas. *Revista Alfa*, São Paulo, n. 48, p. 67-78, 1997.

_____. *Introdução à linguística textual*. São Paulo: Martins Fontes, 2004.

MARCUSCHI, L. A. *Aspectos linguísticos, sociais e cognitivos da produção de sentido*. 1998. (mimeo).

MARTIN, J. R. *English Text: System and Structure*. Amsterdam; Filadélfia: John Benjamins, 1992.

O'TOOLE, M. *The Language of Displayed Art*. Londres: Leicester University Press, 1994.

ROJO, R. Alfabetização e letramentos múltiplos: Como alfabetizar letrando? In: RANGEL, E. de O.; ROJO, R. (Coord.). *Língua Portuguesa*: ensino fundamental. Ministério da Educação, Secretaria de Educação básica, 2010. v. 19.

19

Linguística Textual e Linguística Cognitiva: explorando processos de recategorização

Silvana Maria Calixto Lima

Neste capítulo, tratamos do processo de recategorização focalizando a sua dinâmica na construção de sentidos do texto. Para tal fim, lançamos mão de um conjunto de pressupostos teóricos advindos das áreas da Linguística de Texto (LT) e da Linguística Cognitiva (LC). Da primeira área, convocamos naturalmente os fundamentos da perspectiva da referenciação (MONDADA; DUBOIS, 1995), em que toma lugar o processo de recategorização, desde o estudo seminal de Apothéloz e Reichler-Béguelin (1995) até os trabalhos que avançam na descrição desse fenômeno em termos teórico-metodológicos, a exemplo de Lima (2009), Custódio Filho (2011), Lima e Feltes (2013) e Lima e Cavalcante (2015). Da Linguística Cognitiva, recorremos ao aporte da Teoria dos Modelos Cognitivos Idealizados (LAKOFF, 1987, e colaboradores), particularmente dos modelos cognitivos dos tipos proposicional (*frame*) e metafórico. Dessa forma, assumimos, neste trabalho, uma abordagem do processo de recategorização configurada na perspectiva de uma interface entre a LT e a LC na concepção do citado processo referencial.

Assim, no desenvolvimento do capítulo, inicialmente apresentamos os fundamentos teóricos aos quais recorremos para o cumprimento de seu objetivo. Esses fundamentos, como anunciamos, envolvem as temáticas referenciação, recategorização e Teoria dos Modelos Cognitivos Idealizados. Preparado o terreno, a sequência do capítulo traz a análise de três exemplares de textos pertencentes aos gêneros cartaz socioeducativo e piada, focalizando a construção de referentes via processos de recategorização. Por último, tecemos algumas considerações sobre a proposta desenvolvida, de forma a evidenciar a produtividade da interface promovida em prol de uma descrição mais refinada do processo de recategorização na atividade de referenciação.

A perspectiva da referenciação

Dentro do atual quadro sociocognitivista assumido por boa parte dos pesquisadores filiados à LT, emerge a abordagem da referenciação, cujos pressupostos básicos estão em Mondada e Dubois (1995). As autoras partem do questionamento à visão clássica da referência, que é centrada num modelo de relação especular entre as palavras e os objetos do mundo, em que as formas linguísticas são avaliadas em termos de suas condições de verdade e de correspondência com o mundo ("mundo real" e "universos possíveis").

Nesse contexto, as autoras argumentam que o problema maior não é questionar a transmissão da informação ou a forma como os estados do mundo têm uma representação adequada, mas sim chegar à forma "como as atividades humanas, cognitivas e linguísticas, estruturam e dão um sentido ao mundo" (MONDADA; DUBOIS, 1995, p. 276), o que, em outras palavras, significa ter como foco a análise dos processos pelos quais as entidades da língua são constituídas. É nesse ponto que se dá a passagem da noção de referência para a noção de referenciação, configurada pelo questionamento dos processos de discretização e de estabilização das categorias, como afirmam as referidas pesquisadoras.

Assim, contrapondo-se à teoria clássica – que defende que todas as categorias têm contornos nítidos –, as autoras defendem que as categorias utilizadas para descrever o mundo "são geralmente instáveis, variáveis e flexíveis", podendo sofrer alterações sincrônicas e diacrônicas (MONDADA; DUBOIS, 1995, p. 276). A ocorrência dessa instabilidade pode ser constatada tanto nos discursos comuns quanto nos discursos científicos, configurando o que as autoras chamam de "a instabilidade generalizada". Não obstante, registra-se a existência de práticas que estabilizam as categorias, como a sedimentação em protótipos e estereótipos, as estratégias de fixação da referência no discurso e os recursos às técnicas de inscrição.

Para Mondada e Dubois (1995), portanto, os sujeitos constroem versões públicas do mundo, através de práticas discursivas e cognitivas ancoradas social e culturalmente. Assim, sendo a referenciação uma atividade discursiva, os referentes passam a ser concebidos como objetos de discurso elaborados pelos interlocutores no interior dessa atividade. Nesses termos, os objetos de discurso não podem ser compreendidos como expressões referenciais que mantêm uma relação especular com os objetos do mundo, já que somente têm razão de ser no discurso.

Por essa linha de raciocínio, "as categorias e os objetos de discurso pelos quais os sujeitos compreendem o mundo não são preexistentes, nem dados, mas se elaboram no curso de suas atividades, transformando-se a partir dos contextos" (MONDADA; DUBOIS, 1995, p. 273). É por isso que, sob essa perspectiva, os processos de categorização e de referenciação são considerados como processos dinâmicos, cuja construção põe em relevo não somente um sujeito real, mas, sobretudo, um sujeito sociocognitivo, "que constrói o mundo ao curso do cumprimento de suas atividades sociais e o torna estável graças às categorias – notadamente às categorias manifestadas no discurso" (ibid., p. 276).

Numa releitura desses fundamentos da referenciação, Cavalcante, Custódio Filho e Brito (2014) ressaltam que essa abordagem põe em foco a dinamicidade do processo de construção de referentes na atividade discursiva. Esse dinamismo da proposta da referenciação, segundo os autores, está ancorado em três princípios: i) instabilidade do real, ii) negociação dos interlocutores e iii) natureza sociocognitiva da referência.

O primeiro princípio, segundo eles, implica que a referenciação consiste numa (re)elaboração da realidade, uma vez que os objetos do mundo não são apresentados nos textos de forma objetiva e imutável, mas construídos a partir das especificidades de cada interação. Como consequência desse princípio, temos que a construção da referência, nessa perspectiva, é uma atividade em constante transformação.

O segundo princípio, que consiste na referenciação como o resultado de uma negociação, é assim apresentado pelos autores:

Quando produzem e compreendem textos, os sujeitos participam ativamente da interação, de modo que estão sempre negociando os sentidos construídos. O processo é amplamente dinâmico, porque permite modificações com o desenrolar das ações. A construção referencial nada mais é que o resultado dessa negociação. (CAVALCANTE; CUSTÓDIO FILHO; BRITO, 2014, p. 35)

A natureza sociocognitiva da referenciação, terceiro princípio, mantém uma relação intrínseca com os dois primeiros, pois, segundo Cavalcante, Custódio Filho e Brito (2014), esses princípios só são viabilizados porque os mecanismos de construção de referentes são de natureza sociocognitiva. Lembramos que a perspectiva sociocognitivista defende uma relação primordial entre os níveis cognitivo e social na construção do conhecimento. Isso porque, como explicam os autores, "a bagagem cognitiva de um indivíduo é de natureza sociocultural, pois os conhecimentos são adquiridos a partir das informações e das experiências, ou seja, a partir da imersão do sujeito no mundo" (ibid., p. 41).

De fato, esses princípios devem ser vistos de forma conjunta para a compreensão da dinâmica da atividade de referenciação. Assim, vejamos como podem ser ilustrados a partir do exemplo seguinte, citado pelos autores (ibid., p. 40).

Exemplo 1

Minha esposa estava dando dicas sobre o que ela queria para seu aniversário, que estava próximo.
Ela disse: "Quero algo que vá de 0 a 100 em cerca de 3 segundos".
Eu comprei uma balança para ela.
Aí a briga começou...

(Disponível em: <http://mais.uol.com.br/view/e8h4xmy8lnu8/ai-
-a-briga-comecou-0402983762C4B983A6?types=A&>. Acesso em:
14 jul. 2017.)

Conforme explicam Cavalcante, Custódio Filho e Brito (2014), o texto do exemplo 1 é uma piada que somente pode ter o seu efeito cômico reconstruído a partir da compreensão de que o presente desejado pela mulher era um carro potente, considerando a descrição "algo que vá de 0 a 100 em cerca de 3 segundos". Entretanto, esse objeto de desejo, por essa mesma caracterização, é entendido pelo marido como uma balança. E a briga começa por conta dessa atitude dele, que tem em sua implicitude a definição de sua esposa como uma mulher gorda, considerando que fica claro que a balança avança para o número 100 quando utilizada pela esposa. Nada mais desagradável para quem esperava ganhar de presente um carro potente.

Certamente que esse quadro que acabamos de descrever para a compreensão do efeito cômico do exemplo 1 não está totalmente materializado no texto, mas, como dizem os autores, somos capazes de reconstruir essas referências a partir de nossa bagagem sociocognitiva, completando as lacunas existentes no texto, uma vez que a referenciação é também um trabalho cognitivo. No caso da piada analisada, é preciso evocar um modelo cultural de beleza feminina vivenciado por nós em que o excesso de peso é sinônimo de mulher feia. Assim, é comum que as brigas de casais, a exemplo do que constatamos nessa piada, tenham como um de seus motivos a insinuação dos maridos de que as esposas são gordas.

A construção dos referentes "carro potente" e "balança" como "algo que vá de 0 a 100 em cerca de três segundos", bem como a de "esposa" como "uma mulher gorda" é viabilizada por meio de um processo de referenciação designado como recategorização, nosso foco neste capítulo, do qual passamos a tratar no próximo tópico.

O processo de recategorização numa abordagem cognitivo-discursiva

O mecanismo da recategorização foi definido inicialmente, em estudo pioneiro de Aphotéloz e Reichler-Béguelin (1995), como uma estratégia de designação pela qual os referentes ou objetos de discurso podem ser transformados na cadeia textual-discursiva em função do propósito comunicativo dos interlocutores. É o que ilustra o exemplo 2 em que o referente "um rapaz" [suspeito de ter desviado uma linha telefônica] é recategorizado como "o tagarela", em função de sua atitude.

Exemplo 2

> Um rapaz suspeito de ter desviado uma linha telefônica foi interrogado há alguns dias pela polícia de Paris (...) O tagarela...
> (APOTHÉLOZ; REICHLER-BÉGUELIN, 1995, p. 262).

Ocorre que nem sempre esse processo acontece de forma totalmente explícita, tendo a sua homologação confirmada na superfície textual por meio de expressões referenciais, como é o caso deste último exemplo. Tal fato nos motivou a aprofundar a investigação desse processo, resultando numa proposta de redimensionamento de sua concepção nos seguintes termos:

> i) a recategorização nem sempre pode ser reconstruída diretamente no nível textual-discursivo, não se configurando apenas pela remissão ou retomada de itens lexicais; ii) em se admitindo (i), a recategorização deve, em alguns casos, ser (re)construída pela evocação de elementos radicados num nível cognitivo, mas sempre sinalizados por pistas linguísticas, para evitar-se extrapolações interpretativas; iii) em decorrência de (ii), a recategorização pode ter diferentes graus de explicitude e implicar, necessariamente, processos inferenciais. (LIMA, 2009, p. 57)

Assim, passamos a abordar a recategorização de uma perspectiva cognitivo-discursiva,[1] viabilizada por meio de uma interface entre a LT e a LC. É essa abordagem que também assumimos neste trabalho, por entendermos que

---

1   Não podemos aqui deixar de citar os trabalhos de Marcuschi e Koch (2002) e Cavalcante (2005), que também serviram como base para a elaboração dessa proposta, uma vez que já apresentam avanços em termos da concepção de recategorização postulada por Apothéloz e Reichler-Béguelin (1995).

melhor dá conta dos vários níveis de realização desse fenômeno em termos de graus de explicitude, bem como permite ampliar a sua descrição no âmbito das mais diversas práticas discursivas.

Por esse viés, é possível, conforme definimos em Lima e Cavalcante (2015, p. 306), "o entendimento de que o processo de recategorização pode, ou não, revelar-se por e concentrar-se em expressões referenciais". Em outros termos, isso significa que a construção desse processo não está restrita aos casos de retomadas anafóricas correferenciais, como vimos no exemplo 1, mas pode também acontecer sem a necessária homologação do referente por uma expressão referencial. Como já afirmamos em Lima e Feltes (2013, p. 33):

> Se os objetos de discurso emergem e são elaborados progressivamente na dinâmica do discurso, podemos desatrelar a concepção de referente da condição de uma necessária materialidade por meio de uma expressão referencial, de modo que nem sempre o referente é homologado por meio de uma expressão referencial textualmente explícita.

O exemplo a seguir é ilustrativo desse posicionamento que é fundamental para que se compreenda o processo de recategorização de uma perspectiva cognitivo-discursiva.

Exemplo 3

O camarada está no tribunal, sendo julgado porque encontraram em sua casa uma velha máquina de refinar cocaína. O promotor o acusa:
– Está querendo fazer crer a esse tribunal que possui um equipamento de refino de cocaína em sua residência e mesmo assim não produz a droga?
O sujeito se defende:
– Eu comprei num antiquário, apenas como objeto de decoração.
O promotor não se convence:
– Pois eu considero que o fato de possuir o equipamento já demonstra a sua culpa!

– Sendo assim, o senhor pode me acusar também de estupro.
– Por quê? Também cometeu esse crime?
– Não! Mas possuo o equipamento completo!
(SARRUMOR, 1998, p. 106).

No texto 3, destacamos a recategorização do referente "órgão sexual masculino" como "equipamento completo", a qual funciona como gatilho para gerar o seu efeito cômico. Note-se, porém, que essa recategorização não se confirma por uma retomada explícita do referente recategorizado, uma vez que este não é homologado textualmente por uma expressão referencial, mas reconstruído, por um processo inferencial, com base da evocação do modelo cognitivo de relacionamento sexual não consentido, sinalizado no texto pela expressão "estupro". Como veremos adiante, a interface com a LC pode proporcionar um maior poder descritivo para esse tipo de ocorrência, contemplando também outros casos de recategorização que, por economia, não serão exemplificados aqui, mas que se afiguram como bastante produtivos. Designamos esses casos, em Lima e Cavalcante (2015), como recategorizações sem menção de expressão referencial.[2]

Assim, apresentamos na próxima seção alguns aspectos do modelo teórico convocado para essa interface que nos interessam mais de perto para a realização das análises procedidas na sequência.

A Teoria dos Modelos Cognitivos Idealizados

A Teoria dos Modelos Cognitivos Idealizados (TMCI) tem os seus princípios explicitados na obra *Women, fire and dangerous things*, lançada em 1987 e assinada por George Lakoff. Nessa obra, o autor defende a tese de que os Modelos Cognitivos Idealizados (MCIs) são estruturas que organizam o conhecimento, bem como que a estrutura de categorias e os efeitos prototípicos resultam dessa organização.

---

[2] Em Lima e Cavalcante (2015), propomos esse rótulo que contempla também os casos que Custódio Filho (2011) designou como "recategorização sem menção referencial".

O autor argumenta ainda que o ser humano é dotado da capacidade de conceitualização, uma ideia central para o experiencialismo, a qual, por sua vez, é definida como "a capacidade geral para formar modelos cognitivos idealizados"[3] (LAKOFF, 1987, p. 281). Desse modo, a compreensão é a de que a categorização só se viabilize por meio de MCIs, embora, como ele próprio afirme, seja preciso ficar claro que:

> Os modelos cognitivos [...] não são representações internas da realidade externa. Não são por duas razões: primeiro porque eles são entendidos em termos de corporalidade, não em termos de uma conexão direta com o mundo externo; e, segundo, porque eles incluem aspectos imaginativos da cognição, como metáfora e metonímia. (ibid., p. 341)

Ademais, para o autor, o significado não pode ser compreendido como uma 'coisa', uma vez que é estruturado somente a partir da experiência. Desse modo, "a significação linguístico-conceitual só pode ser tratada em termos de MCIs" (FELTES, 2007, p. 127). Dito de outro modo, os MCIs são estruturas cognitivas que constituem domínios nos quais os conceitos adquirem significação.

Nesse contexto, dos cinco tipos de MCIs[4] definidos por Lakoff (1987), vamos tratar brevemente apenas dos dois que estão mais diretamente relacionados ao nosso propósito neste estudo, ou seja, os modelos proposicionais (do tipo *frame*) e os metafóricos. Recorremos também a Feltes (2007) para o cumprimento desse propósito, uma vez que a autora traz contribuições significativas na descrição desses modelos, principalmente os proposicionais, tratados por Lakoff (1987) de forma muito econômica.

---

3   Feltes (2007) acrescenta que os modelos cognitivos podem também ser compreendidos como modelos culturais, no sentido de que são conhecimentos compartilhados.
4   Os cinco tipos de modelos cognitivos idealizados propostos por Lakoff (1987) são os seguintes: i) proposicionais; ii) de esquemas de imagens; iii) metafóricos; iv) metonímicos e v) simbólicos.

A definição de *frame* no âmbito da LT tem como base os estudos de Fillmore (1976, 1977, 1982a, 1982b, 1985), que culminam no desenvolvimento da Teoria da Semântica de *Frame*. Lakoff e Johnson (1999, p. 116) acrescentam que a Semântica de *Frame* provê "uma estrutura conceptual global, definindo as relações semânticas entre todos os 'campos' de conceitos relacionados e as palavras que os expressam". Os autores afirmam que os *frames* não são apenas intencionais e representacionais, mas também proposicionais, ilustrado esse pressuposto com o *frame* de restaurante. Como eles explicam, o referido *frame*

> caracteriza o conhecimento relativo de *background* estruturado em que conceitos como restaurantes, garçons, *maître*, cardápios e contas fazem sentido. Ele contém uma informação proposicional: um garçom entrega-lhe um cardápio, anota o seu pedido, traz a sua comida, e assim por diante. A informação proposicional é intencional: é sobre garçons, cardápios, comida, e assim por diante. O *frame* representa a estrutura da experiência de restaurantes. (LAKOFF; JOHNSON, 1999, p. 116)

Eles destacam ainda que os *frames* conceituais radicados no inconsciente cognitivo contribuem semanticamente para a construção dos sentidos das palavras e sentenças. Lembramos que na Semântica de *Frames* já se defende o pressuposto de que as palavras e construções evocam *frames*, entendendo-se que estes podem ser conduzidos da memória de longo termo para a memória operacional, porém, como afirma Feltes (2007, p. 135), "não como 'pacotes' estocados, mas como estruturas em contínua construção a partir da experiência".

Os modelos cognitivos metafóricos, por sua vez, são definidos por Lakoff (1987) a partir da Teoria da Metáfora Conceitual, cujos pressupostos básicos estão em Lakoff e Johnson (1980). Nesse modelo teórico, os autores propõem uma abordagem sistematicamente cognitiva da metáfora, a partir do entendimento de que "nosso sistema conceitual comum, em termos do qual pensamos e agimos, é de natureza fundamentalmente metafórica" (ibid., 1980, p. 3), integrando a metáfora a nossa vida cotidiana, e não apenas a linguagem. Assim, eles põem em xeque a concepção tradicional de metáfora como figura de linguagem.

Desse modo, Lakoff (1987, p. 288) assim apresenta os modelos cognitivos metafóricos:

Um mapeamento metafórico envolve um domínio-fonte e um domínio-alvo. O domínio-fonte é presumido como estruturado por um modelo proposicional ou de esquema de imagens. O mapeamento é tipicamente parcial; mapeia a estrutura do MCI no domínio-fonte para a estrutura correspondente no domínio-alvo. [...] os domínios-fonte e alvo são representados estruturalmente pelo esquema do CONTAINER, e o mapeamento é representado pelo esquema ORIGEM-PERCURSO-META.

Um exemplo desse tipo de modelo é a metáfora conceitual O AMOR É GUERRA, que licencia expressões metafóricas na língua do tipo "Ela lutou por ele, mas sua amante venceu" e "Ele é conhecido por suas conquistas muito rápidas" (LAKOFF; Johnson, 1980, p. 49). Nesse caso, temos uma projeção de base experiencial, que se processa a partir de um domínio conceitual bem-estruturado (o domínio-fonte) para um outro domínio conceitual (o domínio-alvo), que necessita ser estruturado para efeitos de sua compreensão. Nesse mapeamento, ocorre uma transferência de muitos dos aspectos do domínio experiencial de guerra para o domínio de amor.

Em Lima (2009), apresentamos as metáforas conceituais como um dos modelos cognitivos que licenciam expressões referenciais recategorizadoras, as quais designamos como recategorizações metafóricas. É exatamente esse tipo de recategorização que vamos explorar na análise de três textos desenvolvida na sequência.

A recategorização de referentes numa interface entre LT e LC

Nas seções anteriores, apresentamos os fundamentos teóricos que dão base ao propósito deste capítulo de apresentar a aplicação de uma proposta de interface entre a LT e a LC na abordagem do processo de recategorização.

Compreendemos que essa interface possibilita um maior poder descritivo para esse tipo de ocorrência e, consequentemente, para a construção dos sentidos do texto. Vejamos, então, o primeiro texto:

Exemplo 4

[Cartaz: A PEÇA QUE O CAPACETE PROTEGE NÃO TEM REPOSIÇÃO — MOTOCICLISTA USE CAPACETE]

Disponível em: <http://projetovidanotransitoteresina.blogspot.com.br/2011/10/campanha-realizada-no-mes-de-julho-em.html>. Acesso em: 14 jul. 2017.

No exemplo 4, temos um cartaz publicitário de campanha socioeducativa realizada pela Superintendência de Trânsito da Prefeitura Municipal de Teresina, no ano de 2011, que tinha como público-alvo os motociclistas. A constituição verbo-imagética do cartaz da referida campanha é fundamental para a construção do referente "cabeça", homologado imageticamente e recategorizado verbalmente como "a peça que o capacete protege". Interessante notar que essa recategorização metafórica funciona como um gatilho para acionar o mote da campanha que, em sua essência, alerta para o uso correto do equipamento capacete, que pode se mostrar sem nenhuma eficácia se não for afivelado, como muitas pessoas o fazem.

Assim, a partir da concepção cognitivo-discursiva da recategorização assumida neste capítulo, julgamos por bem trazer a estrutura cognitiva subjacente à recategorização de que estamos tratando, muito embora a sua explicitude em termos de processo referencial seja revelada na superfície textual pela conjunção das semioses verbal e imagética. Com isso, temos o intuito de oferecer uma maior clareza para a motivação desse processo no âmbito da composição textual-discursiva do cartaz da campanha socioeducativa ora analisado.

De início, destacamos a abertura do *frame* "CAMPANHA DE TRÂNSITO PARA MOTOCICLISTAS", a partir do conjunto dos elementos verbais e imagéticos presentes na superfície textual. Além desse *frame*, temos um segundo modelo cognitivo que atua de forma mais direta no licenciamento da recategorização metafórica do referente "cabeça" como "peça que o capacete protege", ou seja, a metáfora conceitual "CORPO HUMANO É UMA MÁQUINA". Tal metáfora, estruturada pelo domínio-fonte MÁQUINA e pelo domínio-alvo CORPO HUMANO, permite o entendimento de que o corpo humano é experienciado como uma máquina, considerando que é constituído por um conjunto de partes (órgãos) que devem funcionar de forma harmônica. Cumpre lembrar que o mapeamento entre traços do domínio-fonte para o domínio-alvo é apenas parcial, pois nem todos os traços do domínio "MÁQUINA" são mapeados para o domínio "CORPO HUMANO". Isso não acontece, por exemplo, com o traço material das peças da máquina. Assim, temos ainda que algumas das partes periféricas do corpo humano, a exemplo da cabeça, não podem ser substituídas mesmo que seja por uma peça mecânica. Desse modo, um dano à cabeça, a depender de sua extensão, pode resultar em limitações para o funcionamento do corpo ou até mesmo na sua própria falência. Como diz o *slogan* da campanha, "A peça que o capacete protege não tem reposição", daí o cuidado que é preciso ter com o uso do capacete afivelado para evitar esse tipo de dano em caso de acidente.

O exemplo seguinte também é constituído por recategorizações metafóricas licenciadas pela metáfora conceitual "CORPO HUMANO É UMA MÁQUINA".

Exemplo 5

– Papi, o meu namorado me disse umas coisas que eu não entendi... falou que eu tenho um belo chassis, 2 lindos *air-bags* e um para-choques fenomenal...
E o pai:
– Diga ao seu namorado, que se ele lhe abrir o capô e tentar trocar o óleo do motor, eu arrebento o escapamento dele!!
(Disponível em: <http://devaneiosaoriente.blogspot.com.br/2013/05/namoro-com-o-mecanico.html>. Acesso em: 14 jul. 2017.)

No exemplo 5, diferentemente do anterior, podemos ter um nível de especificidade maior com relação à descrição da metáfora de que estamos tratando, pois temos pistas textuais que nos indicam que o domínio-fonte "MÁQUINA" é específico do *frame* "CARRO". Como o texto em análise se trata do gênero piada, de fato a construção de seu efeito cômico se dá pela sobreposição de dois modelos cognitivos incongruentes: o de carro e o de relação sexual. A ruptura do primeiro modelo, evocado inicialmente pelas palavras inocentes da filha, se confirma no final do texto pelas palavras do pai que evocam o *frame* de relação sexual.

Interessante notar que é exatamente o processo de recategorização metafórica que vai desencadear no texto a passagem para esse segundo modelo. Em Lima (2003; 2015), já defendemos a hipótese de que o referido processo referencial é um dos gatilhos para a construção do efeito cômico no gênero piada, o que se confirma mais uma vez nesse exemplo.

Assim, temos seis ocorrências do processo de recategorização metafórica na constituição do texto do exemplo 5: a de "aparência física" como "um belo chassis"; a de "seios" como "dois lindos *air bags*"; a de "nádegas" como "um para-choques fenomenal"; a de "órgão sexual feminino" como "capô"; a de "relação sexual" como "troca de óleo" e a de "órgão sexual masculino" como "escapamento". É preciso dizer, entretanto, que a construção dos referentes recategorizados não é homologada no cotexto, mas ancorada no plano das estruturas e do funcionamento cognitivo, que envolve particularmente os dois modelos cognitivos descritos. Temos, portanto, recategorizações com um menor grau de explicitude, mas sempre sinalizadas pelas pistas linguísticas.

De forma semelhante ao exemplo 5, vejamos o próximo exemplo, que também envolve a sobreposição de dois modelos cognitivos para a construção do efeito cômico do texto.

Exemplo 6

Mas não é só a mulher do Brito que é econômica e tem tino comercial, não. A mulher é, por si só, a maior capitalista de todos os tempos: Ela abre o negócio, recebe o bruto, faz o balanço e ainda fica com o líquido.
(SARRUMOR, 1998, p. 106.)

No exemplo 6, inicialmente ocorre a recategorização metafórica do referente "mulher" como "a maior capitalista de todos os tempos", processo esse lexicalmente explícito no cotexto. Tal recategorização e as demais que são descritas posteriormente podem ser ditas como licenciadas pela metáfora conceitual "RELACIONAMENTO SEXUAL É UM NEGÓCIO", em que traços do domínio-fonte "NEGÓCIO" são mapeados para a compreensão do domínio-alvo "RELACIONAMENTO SEXUAL", a exemplo de produto em oferta, troca e lucro, devendo-se compreender que, nesse contexto, a transação comercial não necessariamente envolve dinheiro.

Na sequência, quatro outras recategorizações são apresentadas em cadeia como uma espécie de argumento para validar essa primeira, ou seja, a de "órgão sexual feminino" como "negócio", a de "órgão sexual masculino" como "[capital]bruto", a de "movimento erótico" como "balanço [contábil]" e a de "esperma" como "[capital] líquido". Esses quatro referentes recategorizados não são confirmados na superfície do texto por nenhuma expressão referencial, mas podem ser reconstruídos pela ancoragem no *frame* de relação sexual evocado a partir das pistas linguísticas, como também vimos no exemplo 5.

Novamente, nesse exemplo, o processo de recategorização responde como gatilho para a construção da comicidade do texto, viabilizada pela sobreposição dos modelos cognitivos do capitalismo e de relação sexual. Note-se que, na construção do efeito cômico dessa piada, há uma relação de interdependência entre as expressões recategorizadoras, ditadas por uma sequência temporal de realização das ações. A violação dessa sequência compromete o efeito cômico do texto por não permitir a evocação do *frame* de relação sexual em sua totalidade.

Nos três exemplos analisados, de 4 a 6, não esgotamos todas as possibilidades de ocorrência do processo de recategorização metafórica, conforme apresentamos em Lima e Cavalcante (2015). Não obstante, temos uma pequena amostra do quanto pode ser produtiva uma interface entre a LT e a LC na descrição desse processo, considerando a sua natureza cognitivo-discursiva.

Considerações finais

Ratificamos o nosso entendimento de que a interface entre a LT e a LC, desenvolvida neste capítulo para o trato do processo de recategorização, pode ter desdobramentos para a investigação da construção de sentidos de outros gêneros discursivos em que normalmente esse processo toma lugar. Além disso, permite que se tenha uma visão mais ampliada de como mobilizamos nossa bagagem sociocognitiva na atividade de referenciação, que, como dissemos, tem a dinamicidade como uma de suas principais características.

Ressaltamos também, como já defendido em Lima (2009), que o processo de recategorização não necessariamente se realiza na linearidade do texto, mas tem a sua configuração mais propícia a um movimento de circularidade que envolve tanto a superfície do texto quanto o seu entorno sociocognitivo.

A natureza interdisciplinar da LT é uma característica dessa área que nos autoriza a fazer o tipo de proposta desenvolvida neste capítulo, a benefício de uma descrição mais pormenorizada de seu objeto de estudo, ou seja, o texto em suas múltiplas faces.

Referências

APOTHÉLOZ D.; REICHLER-BÉGUELIN, M. J. Construction de la référence et stratégies de désignation. In: BERRENDONNER, A.; REICHLER-BÉGUELIN, M-J. (Eds.). *Du syntagme nominal aux objects-de-discours*: SN complexes, nominalizations, anaphores. Neuchâtel: Institute de linguistique de l'Université de Neuchâtel, 1995. p. 227-271.

CAVALCANTE, M. M. Anáfora e dêixis: quando as retas se encontram. In: KOCH, I. V.; MORATO, E. M.; BENTES, A. C. *Referenciação e discurso*. São Paulo: Contexto, 2005. p. 125-149.

_____; CUSTÓDIO FILHO, V.; BRITO, M. A. P. *Coerência, referenciação e ensino*. São Paulo: Cortez, 2014.

CUSTÓDIO FILHO, V. *Múltiplos fatores, distintas interações*: esmiuçando o caráter heterogêneo da referenciação. 2011. 330 f. Tese (Doutorado em Linguística) - Centro de Humanidades, Universidade Federal do Ceará, Fortaleza, 2011.

FELTES, H. P. M. *A Semântica cognitiva*: ilhas, pontes e teias. Porto Alegre: EDIPUCRS, 2007.

FILLMORE, C. J. Frames semantics and the nature of language. NEW YORK ACADEMY OF SCIENCE: Conference on the origin and development of language and speech. *Anais*, Nova York, v. 280, p. 2032, 1976.

_____. The need for a frames semantics in linguistics. In: KARLGREN, H. (Ed.). *Statistical Methods in Linguistics*, n. 12, p. 5-29, 1977.

_____. Towards a descriptive framework for especial deixis. In: JARVELLA, R. J.; KLEINS, W. (Eds.). *Speech, place, and action*. Londres: John Wiley, 1982a. p. 31-59.

_____. Frames semantics. In: LINGUISTIC SOCIETY OF KOREA (Eds.). *Linguistics in the morning calm*. Seoul: Hanshin, 1982b.

_____. Frames and semantics of understanding. *Quaderni di Semantica*, v. 6, n. 2, p. 222-255, 1985.

LAKOFF, G. *Women, fire and dangerous thing*. Chicago: University of Chicago Press, 1987.

_____; JOHNSON, M. *Metaphors we live by*. Chicago: University of Chicago Press, 1980.

_____; _____. *Philosophy in the flesh*: the embodied mind and its challenge to western thought. Nova York: Basic Books, 1999.

LIMA, S. M. C. de. *(Re)categorização metafórica e humor*: trabalhando a construção dos sentidos. 2003. 171 f. Dissertação (Mestrado em Linguística) – Centro de Humanidades, Universidade Federal do Ceará, Fortaleza, 2003.

_____. *Entre os domínios da metáfora e metonímia*: um estudo de processos de recategorização. 2009. 204f. Tese (Doutorado em Linguística) - Centro de Humanidades, Universidade Federal do Ceará, Fortaleza, 2009.

_____. Processo de recategorização metafórica: um gatilho para a construção do humor no gênero piada. In: CARMELINO, A. C. (Org.). *Humor*: eis a questão. São Paulo: Cortez, 2015. p. 117-135.

_____; CAVALCANTE, M. M. Revisitando os parâmetros do processo de recategorização. *ReVEL*, v. 13, n. 25, p. 295-315, 2015.

_____; FELTES, H. P. M. A construção de referentes no texto/discurso: um processo de múltiplas âncoras. In: CAVALCANTE, M. M.; LIMA, S. M. C. (Org.). *Referenciação*: teoria e prática. São Paulo: Cortez, 2013.

MARCUSCHI, L. A., KOCH, I. G. V. Estratégias de referenciação e progressão referencial na língua falada. In: ABAURRE, M. B.; RODRIGUES, A. C. S. (Org.). *Gramática do Português Falado*. Campinas: Editora da Unicamp, 2002. v. 8, p. 31-56.

MONDADA, L.; DUBOIS, D. Construction des objets de discours et catégorisation: une approche des processus de reférentiation. *TRANEL* (*Travaux neuchâtelois de Linquistique*), n. 23, p. 273-302, 1995.

_____. Gestion du topic et organization de la conversation. *Cadernos de Estudos Linguísticos*, Campinas, n. 41, p. 7-36, 2001.

SARRUMOR, L. *Mil piadas do Brasil*. São Paulo: Nova Alexandria, 1998.

20

Linguística Textual e ensino: panorama e perspectivas

Leonor Werneck dos Santos
Claudia de Souza Teixeira

Com o desenvolvimento dos estudos ou teorias sobre o texto, desde as décadas finais do século XX, tornou-se quase unânime considerar que o ensino de língua deve estar centrado no texto. Por esse motivo, muitas das diretrizes e concepções apresentadas nos *Parâmetros Curriculares Nacionais de Língua Portuguesa* – PCN-LP, publicados na década de 1990, estão respaldadas em fundamentos da Linguística Textual (LT).

Porém, quando se planeja/desenvolve o ensino de língua baseado no texto, deve-se ter o cuidado, como lembram Antunes (2008), Santos (2005), entre outros autores, de não tomá-lo como pretexto para atividades mecânicas de leitura – exercícios de "copiação", segundo Marcuschi (1996) – ou de identificação pura de elementos gramaticais, pois isso não significa trabalhar o texto como unidade de ensino (TRAVAGLIA, 1996).

Importa, portanto, articular as contribuições dos estudos textuais ao ensino de língua a fim de concretizar, em sala de aula, o que se defende há algum tempo: tomar o texto como unidade de ensino, analisando aspectos textuais e discursivos que colaboram para a construção de sentidos em gêneros textuais variados (orais e escritos).

Nosso objetivo, neste capítulo, é demonstrar como a LT tem colaborado – e pode colaborar ainda mais – com o ensino de língua portuguesa. Para isso, analisaremos um artigo de divulgação científica, mostrando algumas propostas de atividades que podem ser utilizadas nas aulas de língua portuguesa, baseadas em alguns conceitos estudados pela LT, como tipos e gêneros textuais, suporte, referenciação e modalização.

Texto e ensino de língua: a contribuição da Linguística Textual

Desde a década de 1980, diversos autores se pronunciaram a favor do ensino de língua portuguesa baseado na abordagem textual para que o professor perceba, como destaca Souza (1984, p. 6, grifo do autor), a importância de "ensinar a pensar *a* e *na* sua língua".

Embora levar o aluno a ampliar as habilidades de leitura e escrita não seja atribuição apenas do professor de português, sem dúvida, é ele quem mais sistematicamente pode ajudar a desenvolver a competência comunicativa/discursiva do educando – objetivo principal do ensino de língua. Essa competência pode ser entendida como a capacidade de compreender e produzir textos considerando determinados efeitos de sentidos e a situação de interação comunicativa/discursiva (TRAVAGLIA, 1996).

Para atingir tal objetivo, em sua prática pedagógica, deve abandonar a perspectiva frástica, que, por muitos anos, dominou (e, em muitas escolas, ainda domina) o ensino de língua portuguesa, para privilegiar uma perspectiva mais ampla: a do texto e suas propriedades. É o que preconizam os PCN-LP (BRASIL, 1998, p. 29):

> Se o objetivo é que o aluno aprenda a produzir e interpretar textos, não é possível tomar como unidade básica de ensino nem a letra, nem a sílaba, nem a palavra, nem a frase que, descontextualizadas, pouco têm a ver com a competência discursiva, que é a questão central. Dentro desse marco, a unidade básica de ensino só pode ser o texto.

Essa concepção do texto como unidade de ensino que visa desenvolver a competência comunicativa/discursiva dos alunos também é defendida por

Travaglia (2003, p. 17), para quem a língua consiste em um "conjunto de conhecimentos linguísticos que o usuário tem internalizados para uso efetivo em situações concretas de interação comunicativa/discursiva". E essa concepção de língua enfatiza a promoção de um ensino conforme preconizam os PCN-LP (BRASIL, 1998, p. 23): "Toda educação comprometida com o exercício da cidadania precisa criar condições para que o aluno possa desenvolver sua competência discursiva".

Isso implica aceitar que o domínio das regras da sintaxe frasal, da metalinguagem, das normas da variedade culta não é suficiente para habilitar o indivíduo a ler e produzir textos satisfatoriamente. Para Marcuschi (2008, p. 72):

> O texto é o resultado de uma ação linguística cujas fronteiras são, em geral, definidas por seus vínculos com o mundo no qual ele surge e funciona. Esse fenômeno não é apenas uma extensão da frase, mas uma entidade teoricamente nova. [...] falamos de texto como um evento que atualiza sentidos e não como uma entidade que porta sentidos na independência de seus leitores.

Portanto, atualmente, o texto é entendido como uma manifestação verbal que permite aos indivíduos não apenas a depressão de conteúdos semânticos, devido à ativação de estratégias e processos cognitivos, mas também a interação (ou atuação) de acordo com práticas socioculturais (KOCH, 2000). Em sala de aula, essa concepção de texto reflete em um ensino de língua contextualizado e produtivo, que vai além de classificações e regras. Assim, conforme enfatizam os PCN-LP (BRASIL, 1998, p. 49):

> No trabalho com os conteúdos previstos nas diferentes práticas, a escola deverá organizar um conjunto de atividades que possibilitem ao aluno desenvolver o domínio da expressão oral e escrita em situações de uso público da linguagem, levando em conta a situação de produção social e material do texto (lugar social do locutor em relação ao(s) destinatário(s); destinatário(s) e seu lugar social; finalidade ou intenção do autor; tempo e lugar material da produção e

do suporte) e selecionar, a partir disso, os gêneros adequados para a produção do texto, operando sobre as dimensões pragmática, semântica e gramatical.

Dessa forma, os PCN-LP apresentam as três práticas de linguagem – escuta de textos orais/leitura de textos escritos, produção de textos orais e escritos, análise linguística –, que sustentam o ensino de língua portuguesa, funcionando como um bloco na formação dos alunos. Os conteúdos partem, portanto, de gêneros textuais variados, valorizando-se e destacando-se diferenças e semelhanças, fazendo com que o aluno discuta o que vê/lê para conseguir se sentir usuário competente da língua e participante ativo do processo de aprendizagem.

A adoção do texto como unidade básica de ensino de língua decorre, em grande parte, dos estudos da LT. Como afirma Koch (2003b, p. 1, grifo do autor), com relação ao que mudou no ensino de língua portuguesa a partir dos estudos da LT:

> A maior mudança foi que se passou a tomar o TEXTO como objeto central do ensino, isto é, a priorizar, nas aulas de língua portuguesa, as atividades de leitura e produção de textos, levando o aluno a refletir sobre o funcionamento da língua nas diversas situações de interação verbal, sobre o uso dos recursos que a língua lhes oferece para a concretização de suas propostas de sentido, bem como sobre a adequação dos textos a cada situação.

Segundo Marcuschi (1983, p. 12), a LT constitui-se em um estudo das "operações linguísticas e cognitivas reguladoras e controladoras da produção, construção, funcionamento e recepção de textos escritos ou orais". Da mesma forma, Koch (2009, p. 93) defende que a LT pode oferecer subsídios necessários para a realização do trabalho não intuitivo com a leitura e a produção de texto na escola, uma vez que "a ela cabe o estudo dos recursos linguísticos e condições discursivas que presidem à construção da textualidade".

Assim, a LT explica as regras de funcionamento do texto em uso e fornece um arcabouço teórico que dá conta dos fenômenos que envolvem a produção e a recepção dos textos no processo de interação dos indivíduos através da linguagem verbal. Pode, portanto, nas aulas de língua portuguesa, embasar atividades com textos que, de fato, ajudem os alunos a desenvolverem a competência comunicativa/discursiva.

A LT passou por diferentes fases nos últimos 40 anos, adotando diferentes concepções de texto e ampliando seus temas de interesse, porém suas aproximações com o ensino de língua estiveram presentes em toda sua trajetória (GOMES-SANTOS et al., 2010). A partir da década de 1990, passou a adotar uma perspectiva dialógica de língua, e o texto começou a ser visto como espaço de interação. Dessa forma, segundo Vilela e Koch (2001, p. 452), a LT

> passou a ter como centro de preocupação não apenas o texto em si, mas também todo o contexto – no sentido mais amplo do termo (situacional, sociocognitivo e cultural) – e a interferência desta na constituição, no funcionamento e, de modo especial, no processamento estratégico-interacional dos textos, vistos como a forma básica de interação através da linguagem.

Conforme afirmam Gomes-Santos et al. (2010), a visão sociointeracionista da LT na análise dos gêneros textuais, enfatizando os aspectos linguísticos, estruturais e contextuais, coaduna com as propostas dos PCN-LP (1998) para leitura e produção de diferentes gêneros textuais (orais e escritos) como base para a formação dos alunos. Ainda para os autores, a interseção entre os pressupostos da LT referentes a essas duas atividades e a necessidade de priorizar a competência comunicativa são as principais contribuições dessa linha de estudos para o ensino de língua.

Linguística Textual e práticas de linguagem na escola: leitura/escuta de textos, produção textual e análise linguística

As atividades de leitura/escuta de textos, produção textual e análise linguística, direcionadas para o desenvolvimento da competência comunicativa/discursiva dos alunos, conforme preconizam os PCN-LP (BRASIL, 1998), devem considerar os diversos gêneros textuais (orais e escritos) e focalizar aspectos da linguagem que vêm sendo estudados, há algumas décadas, pela LT.

O domínio dos diferentes gêneros será alcançado pelos alunos com atividades linguísticas significativas baseadas em descrições das características do funcionamento da linguagem e na sua transposição didática de forma adequada às necessidades comunicativas dos alunos, inclusive no que se refere à escolha dos gêneros que serão trabalhados.

Segundo Lopes-Rossi (2011), os professores, para ajudarem os educandos a apropriar-se de características discursivas (condições de produção e circulação dos textos, como, por exemplo, quem escreve/lê, quando, por quê etc.) e linguísticas dos diversos gêneros, devem, nas atividades, visar "ao conhecimento, à leitura, à discussão sobre o uso e as funções sociais dos gêneros escolhidos e, quando pertinente, a sua produção escrita e circulação social" (LOPES-ROSSI, 2011, p. 71).

A leitura (interação autor-texto-leitor), segundo pressupostos da LT, pode ser entendida como uma atividade de produção de sentidos com base não só nos elementos linguísticos e na forma de organização textual, mas também em saberes mobilizados no interior do evento comunicativo (KOCH; ELIAS, 2006). Dessa forma, envolve aspectos linguísticos, cognitivos, sociais e interacionais. Assim, os elementos textuais fornecem "pistas" que o leitor seguirá para construir os possíveis sentidos do texto, acionando conhecimentos prévios e empregando estratégias de interpretação.

É essencial, então, que o professor de língua portuguesa se preocupe em despertar a atenção dos educandos para essas pistas a fim de desenvolverem estratégias conscientes de apreensão de sentidos, sem esquecer as características da situação discursiva. Como afirmam Santos, Cuba Riche e Teixeira (2012, p. 47), "Deve ser uma preocupação da escola estimular os alunos a perceberem as marcas linguísticas e a fazerem sua leitura observando que nenhum texto é neutro".

Deve-se destacar que ajudar a desenvolver a competência comunicativa dos alunos envolve também trabalhar com o texto oral na escola. Tal posição tem sido defendida por autores como Travaglia (1996) e Fávero, Andrade e Aquino (2002). Segundo os PCN-LP, a questão principal não é corrigir a fala do aluno, mas levá-lo a "saber coordenar satisfatoriamente o que falar e como fazê-lo, considerando a quem e por que se diz determinada coisa" (BRASIL, 1998, p. 26).

A perspectiva adotada para o trabalho com o texto oral (escuta e produção) deve ser semelhante à preconizada para o escrito: possibilitar o domínio dos gêneros textuais. Nesse sentido, o conhecimento, por parte do professor, dos estudos da LT sobre os gêneros orais e suas peculiaridades é importante para que ele possa ajudar os alunos a compreenderem o que ouvem e saberem "utilizar a linguagem oral com eficácia, sabendo adequá-la a intenções e situações comunicativas" (BRASIL, 1998, p. 68).

Com relação ao ensino da produção textual, adotando as perspectivas sociocognitivas e sociointeracionais da LT, o texto (oral e escrito) terá sempre que ser visto como parte de um evento de interação, que pressupõe um interlocutor e uma finalidade (GOMES-SANTOS et al., 2010). Assim, o objetivo do professor, ao pedir que os alunos produzam textos, não deve ser apenas o de avaliar as habilidades linguísticas dos educandos, mas possibilitar que exerçam uma atividade social e reflexiva.

A produção de textos também requer a ativação de conhecimentos prévios de variados tipos (linguístico, textual, enciclopédico, contextual, interacional) e a capacidade de seleção, organização e desenvolvimento das informações. Cabe à escola promover atividades que possibilitem aos alunos produzir textos de diferentes gêneros, conjugando, adequadamente, saberes sobre os conteúdos temáticos, os parâmetros da situação comunicativa e os mecanismos que caracterizam sua materialidade linguística (GOMES--SANTOS et al., 2010), ou seja, os recursos e estratégias de coesão e coerência textuais, que podem também ser explicitados através da análise linguística.

A prática de análise linguística, por sua vez, ajuda os alunos a construir um conjunto de conhecimentos sobre o sistema linguístico relevantes para a compreensão e produção de textos orais e escritos. Incluem-se, nessa prática, reflexões sobre os significados dos elementos ou recursos linguísticos e/ou suas funções. Silva e Suassuna (2011, p. 96) esclarecem:

> a atividade de AL teria como ponto de partida o uso da língua, enfocando aspectos linguísticos e discursivos desse uso, para, em seguida, permitir o retorno, com conhecimentos ampliados, às práticas

linguísticas de leitura e escrita. Nessa situação de reflexão sobre os usos da língua, devem ser priorizados os níveis pragmático e discursivo de análise, funcionando os outros níveis (ortográfico e gramatical, p. ex.) como suportes da compreensão dos fenômenos estudados.

Nesse sentido, mostra-se aos alunos que as escolhas gramaticais e lexicais dos interlocutores, mesmo que inconscientes, são consequência de objetivos e intenções comunicativas (KLEIMAN, 2000).

Essa perspectiva coaduna com a recomendação de Travaglia (1996) de que o material linguístico do texto, para o desenvolvimento da competência comunicativa, deve ser analisado em sua dimensão significativa, constituindo o que o autor denomina de ensino de "gramática reflexiva". Neste, analisa-se o que os recursos/elementos linguísticos significam (ou podem significar) em dado contexto ou cotexto e que efeitos de sentidos podem provocar.

A análise linguística diferencia-se do ensino tradicional de gramática em diversos aspectos, entre eles, pela integração com a leitura e a produção de textos, pela centralidade nos efeitos de sentido e pela fusão com o trabalho com os gêneros (MENDONÇA, 2006). Reforça-se que essa concepção de análise é também consequência das contribuições da LT para o ensino, pois, conforme afirmam Gomes-Santos et al. (2010, p. 343), ela possibilitou que

> se saísse do mero conhecimento e classificação de unidades e se passasse para atividades que permitem o desenvolvimento da competência comunicativa, justamente porque permite saber como os recursos da língua funcionam nos textos e no discurso como pistas e instruções de sentido.

Alguns conceitos essenciais ao ensino de língua portuguesa

A partir dessa perspectiva que integra leitura/escuta de textos, análise linguística e produção textual, a concepção atual de ensino deve, então, considerar alguns pressupostos teórico-metodológicos, contemplando "os conceitos de tipologia e de gêneros textuais – e tal reflexão constitui uma das contribuições dos estudos textuais para a sala de aula" (GOMES-SANTOS et al., 2010, p. 319). Além desses conceitos, também destacamos, aqui, suporte, referenciação e modalização, igualmente importantes na compreensão dos efeitos de sentido dos textos e na formação de um leitor e produtor eficientes nas mais diversas situações de interação.

Começando pela diferença entre tipologia e gênero, para Marcuschi (2008, p. 154-55, grifo do autor),

> [os tipos textuais] muito mais como sequências linguísticas (sequências retóricas) do que como textos materializados; a rigor, são modos textuais. Em geral, os *tipos textuais* abrangem cerca de meia dúzia de categorias conhecidas como: *narração, argumentação, exposição, descrição, injunção*. [...] Em contraposição aos tipos, os gêneros são entidades empíricas em situações comunicativa/discursivas e se expressam em designações diversas, constituindo em princípio listagens abertas. [...] Como tal, os gêneros são formas textuais escritas ou orais bastante estáveis, histórica e socialmente situadas.

Marcuschi (ibid., p. 160) destaca, também, que não há dicotomia, mas complementaridade entre gêneros e tipos: "Por isso mesmo, os gêneros são em geral tipologicamente heterogêneos". Os textos circulam em domínios discursivos (por exemplo, jornalístico, didático, religioso, jurídico...), que se referem a práticas discursivas.

Quanto às tipologias textuais, deixando de lado a diferença de nomenclatura (sequências textuais, segundo alguns autores), o importante é perceber que elas se misturam na configuração dos gêneros, com marcas linguísticas que se destacam (cf. SANTOS, CUBA RICHE, TEIXEIRA, 2012, p 36-37). No gênero romance, por exemplo, junto à narração, pode haver descrição e argumentação. Marcuschi (2008) chama essa mistura de tipos textuais em um mesmo gênero de heterogeneidade tipológica.

Atrelado a esses conceitos, está a ideia de suporte, que, embora pouco discutida pelos teóricos, influencia na concepção dos gêneros. Para Marcuschi (2008), suporte refere-se à materialização dos gêneros e, mais que simplesmente representar o meio no qual eles circulam, determina-os, pois haveria preferências quanto ao suporte. Assim, por exemplo, comumente se pensa em notícias em jornais impressos, mas também pode haver notícias divulgadas em *sites*. A diferença de suporte, se não altera a compreensão da notícia, certamente influencia na relação do interlocutor com as informações, uma vez que, nesse caso, as escolhas que faz diante de cada um dos suportes (por exemplo, abrir *links* enquanto lê a notícia online, passar do texto verbal para a foto enquanto lê a notícia impressa) interfere no processamento textual.

O objetivo de trabalhar com a pluralidade de gêneros orais e escritos é desenvolver nos educandos uma competência metagenérica que "possibilita a produção e a compreensão de gêneros textuais, e até mesmo que os denominemos" (KOCH; ELIAS, 2006, p. 102). Entretanto, como lembra Coscarelli (2007, p. 81), temos que tomar cuidado com a aplicação desse conceito, pois, segundo a autora, "Estamos criando uma nova camisa de força. Sai a gramática tradicional e entra o gênero textual". Concordamos, também, com Bunzen (2007), que constata que a Teoria dos Gêneros ainda precisa ser mais bem estudada e detalhada em estudos voltados para o trabalho "com gêneros" (e não "sobre gêneros") no ensino de língua materna.

Em relação à referenciação, esta é um conceito atrelado à progressão textual, pois as estratégias referenciais ajudam na construção dos objetos de discurso, colaborando para os efeitos de sentido, as retomadas e as antecipações de elementos ou partes do texto. Atualmente, a LT tem tratado a referenciação de maneira a associar esse conceito à coesão e à coerência, sem separá-las e sem diferenciar as retomadas retrospectivas das prospectivas (anáfora e catáfora, respectivamente), como tradicionalmente se fazia. Há também os casos de dêixis, quando as referências estão associadas a local, tempo, pessoa em relação a quem enuncia.

Segundo Santos (2015c, p. 173),

> a referenciação não é a simples substituição de um termo por outro equivalente, mas uma prática discursiva, que pressupõe uma interação entre os sujeitos do discurso, responsáveis por escolhas significativas para representar os referentes de acordo com a sua proposta de sentido.

Estudiosos brasileiros contemporâneos, como Koch (2003a, 2014), Cavalcante (2003), Santos e Colamarco (2014), entre outros, têm classificado as estratégias de referenciação em anáforas diretas, indiretas e encapsuladoras. As anáforas diretas (AD) são correferenciais, ou seja, referem-se ao mesmo objeto de discurso. As anáforas indiretas (AI) associam-se, por inferência, a outro objeto de discurso do texto, sem substituí-lo, mas formando uma rede de relações (por exemplo, parte-todo). Já as anáforas encapsuladoras, ou encapsulamentos (AE), sintetizam porções textuais. Em sala de aula, não é necessário abordar esses termos técnicos, mas podem ser mostradas as estratégias em atividades de leitura e análise linguística. Vejamos um exemplo:

> **Ontem, eu** conheci João, **um menino** que entrou no restaurante **onde** costumo almoçar. **Nenhum cliente** percebeu **sua** presença até que **ele** atacou **a carne** e saiu correndo. **O pivete** sumiu de vista, e **o gerente** avisou que **o problema** acontece sempre.

Se analisarmos os termos destacados, veremos que vários objetos de discurso são apresentados. O objeto de discurso **João** é retomado ao longo do texto pelas ADs "um menino/sua/ele/o pivete"; mais que identificar que essas estratégias são correferenciais em relação a João, o importante é perceber como as escolhas feitas agregam sentido ao texto, pois "pivete", por exemplo, tem uma carga axiológica muito forte no texto. Já o objeto de discurso **restaurante** é retomado pela AD "onde" e pelas AIs "nenhum cliente/a carne/o gerente", que associamos ao termo restaurante pelo nosso conhecimento de mundo de que em restaurantes há clientes, alguém gerencia o estabelecimento e lá se podem vender vários produtos, entre eles, carne.

Já "o problema" é uma AE que resume tudo o que foi relatado anteriormente e, além de promover essa síntese, marca avaliativamente o relato, devido à carga negativa que a palavra "problema" carrega. Finalmente, os termos "ontem" e "eu" funcionam como elementos dêiticos, que apontam o sujeito da enunciação (eu) e o momento no tempo (ontem), anterior à enunciação.

Observamos, portanto, que, num texto pequeno como esse do exemplo, são utilizadas muitas estratégias de referenciação. É comum professores reclamarem das "redações" produzidas pelos alunos, quanto à coesão e à coerência, mas nem sempre são feitas análises de textos, como esse breve relato, observando de que maneira o uso de anáforas colabora para a construção de sentido, para a progressão textual, e influencia nossa visão de mundo.

Outro fenômeno de interesse da LT é a modalização, realizada por elementos linguísticos denominados indicadores modais, índices de modalidade ou modalizadores. Segundo Koch (2000), o estudo desses elementos vem, desde a Antiguidade, associado à lógica clássica. No entanto, entende-se que esse estudo continua a ser de grande importância para a compreensão dos recursos de constituição dos textos.

A modalização pode ser entendida como a marca que o falante/escritor confere ao seu texto a fim de indicar sua relação com o que é dito. Por meio dela, podem-se perceber os pontos de vista e o grau de adesão (afastamento/apagamento; comprometimento/evidenciamento) do autor do texto às informações e opiniões expressas. Conforme Castilho e Castilho (1996, p. 217), a modalização é "uma avaliação prévia do falante sobre o conteúdo da proposição que ele vai veicular, decorrendo daqui suas decisões sobre afirmar, negar, interrogar, ordenar, permitir, expressar a certeza ou dúvida sobre esse conteúdo etc.".

Koch (1987, p. 138) considera modalizadores todos os elementos linguísticos que funcionam como "indicadores de intenções, sentimentos e atitudes do locutor com relação ao seu discurso" e, por isso, esses elementos

> caracterizam os tipos de atos de fala que deseja desempenhar, revelam o maior ou menor grau de engajamento do falante com relação ao conteúdo proposicional veiculado, apontam as conclusões para as quais os diversos enunciados podem servir de argumento, selecionam os encadeamentos capazes de continuá-los [...].

A modalização pode ser expressa por diferentes recursos morfológicos, sintáticos e lexicais, como os modos e tempos verbais, expressões cristalizadas do tipo "é + adjetivo" (ex.: é provável, é útil etc.), advérbios ou locuções adverbiais (ex.: possivelmente, certamente, talvez etc.), verbos auxiliares modais (ex.: poder, dever etc.), entre outros. Mesmo os sinais de pontuação podem ser empregados com intenção modalizadora, como no caso do uso das aspas para demonstrar ironia ou descrédito (ex.: Os agressores são de classe média e "bem-educados"). No texto oral, podem ser utilizados, inclusive, recursos da prosódia, como o alongamento de vogais (CASTILHO e CASTILHO, 1996).

No texto a seguir, observa-se o uso de alguns recursos de modalização:

> **Infelizmente** o pagamento dos salários dos funcionários estaduais continua atrasado. O secretário de administração **teria** dito que, na próxima semana, o pagamento será realizado; no entanto, **é provável** que o governo não tenha verbas para isso.

Já no início, foi empregado o advérbio "infelizmente" para denotar o sentimento de insatisfação do produtor do texto com relação aos fatos apresentados. Em seguida, o uso do verbo "ter" no futuro do pretérito e da expressão "é provável" demonstra dúvida ou não comprometimento com a veracidade das informações.

Pode-se perceber que, se os leitores/alunos estiverem atentos a essas "pistas" de significação, às expressões que indicam "o modo como aquilo que se diz é dito" (KOCH, 1987, p. 141), poderão detectar, também, os sentidos implícitos dos textos e, portanto, compreendê-los melhor.

Os conceitos aqui apresentados, quando adequadamente adaptados ao trabalho com os diferentes gêneros textuais, nas aulas de língua portuguesa, poderão ajudar a cumprir o que propõem os PCN-LP: mesclar leitura, análise linguística e produção textual de forma produtiva.

Objetivando demonstrar como esses conceitos podem ser aplicados pelos professores de língua portuguesa em suas aulas, serão, em seguida, sugeridas atividades que visam "desenvolver nos alunos um olhar diferenciado em relação aos recursos linguísticos, textuais e discursivos presentes nos diferentes gêneros e que são responsáveis pelo sentido global produzido" (BENTES, 2011, p. 99).

Sugestões de atividades baseadas em conceitos da LT

Sugerimos, a seguir, algumas atividades que podem ser realizadas em sala de aula, colocando em prática alguns pressupostos teóricos da LT. O texto analisado é um artigo de divulgação científica publicado em revista voltada para público adolescente. As atividades são destinadas a leitores com nível de proficiência de leitura equivalente ao que se espera ao final do ensino fundamental. Não elaboramos enunciados, mas sugestões de análise, de maneira que o professor fique à vontade para adaptá-las às suas necessidades e objetivos. O principal é mostrar que as estratégias utilizadas são essenciais para que percebamos a intencionalidade, a estruturação e a progressão textuais.

Texto 1:

As façanhas de Arquimedes
O gênio que inspirou esta seção brilhou na física e na matemática

Se houvesse um concurso para escolher o maior gênio de todos os tempos, o grego Arquimedes (287-212 ou 211 a.C.) seria um concorrente muito sério. Seu pai havia sido um astrônomo de pouco destaque na história da ciência, chamado Fídias, mas o que o pai não fez, o filho realizou com sobra. Não houve assunto importante daquela época em que Arquimedes não tenha dado um palpite inteligente, e muitas vezes fundou áreas do conhecimento que ainda não existiam. Conta a lenda que Arquimedes descobriu, enquanto tomava banho, que um corpo imerso em um líquido sofre a ação de uma força, vertical e para cima, que alivia o peso do corpo. Essa força do líquido sobre o corpo chama-se empuxo. Ao descobri-la, ele teria saído nu, às pressas pela rua, dizendo: "Eureca!" (achei, em grego), a palavra que dá nome a esta seção de Galileu.

Ele foi o primeiro a deduzir as leis das alavancas e das roldanas e a descobrir por que os arcos e navios flutuam. Gostava de máquinas e inventou um sem-número de engenhocas úteis, como um aparelho de bombear água que até hoje é usado em algumas partes do mundo, e terríveis catapultas de guerra, com as quais se podiam lançar pedras de um quarto de tonelada a 1 quilômetro de distância. Seu prestígio era tão grande, que se atribui a ele até façanhas improváveis, como a de ter montado um jogo de espelhos capaz de concentrar a luz do sol e incendiar navios de guerra no mar. Experiências atuais mostram que o aparelho era mesmo engenhoso, mas dificilmente teria essa capacidade.

Na matemática, Arquimedes ensinou a calcular o número π e a determinar a área de figuras, como elipses, parábolas e cilindros. Também bolou um sistema de numeração com o qual se podia escrever números gigantescos, inimagináveis em seu tempo, que chegavam a quantidades de até 80 quatrilhões.

Nascido numa família de aristocratas, ele foi amigo do rei Heron, de Siracusa, na atual Sicília, cidade-estado grega então sob ameaça de Roma, o que explica o empenho do sábio em criar máquinas de guerra. Mas sua criatividade não foi páreo para a força bélica romana. Siracusa foi tomada, e Arquimedes, morto durante a batalha final por um soldado invasor.

(DIEGUEZ, Flavio. As façanhas de Arquimedes. *Galileu*, Seção Eureca, p. 84, dez./2001)

As atividades para esse artigo de divulgação científica podem enfatizar a compreensão do gênero textual, do suporte, das estratégias de referenciação e de modalização.

Inicialmente, o leitor, para compreender melhor as informações desse texto, precisa perceber a relação entre o que se diz de Arquimedes, o tipo de publicação na qual foi veiculado o texto (suporte) e em que seção se encontra (e por quê). Para tanto, a leitura deve vir após o contato inicial com o artigo em questão, pois o professor pode analisar primeiro, com os alunos, a revista *Galileu*, seu público-alvo e os textos que veicula; que objetivos tem a seção "Eureca", na qual o artigo foi publicado.

Após saber que "Eureca!" é uma frase atribuída a Arquimedes e significa "Achei!", em grego, os alunos devem atentar para o título e o subtítulo, que instigam a curiosidade e antecipam informações que serão reiteradas ao longo do texto. É importante observar, também, o vocabulário positivo relacionado a Arquimedes e "suas façanhas", assim como os efeitos de sentido decorrentes das escolhas lexicais. Também o diálogo entre o texto e a seção "Eureca", da revista *Galileu*, rende atividades inferenciais, pois nem todos os alunos conseguem entender a referência feita à seção ao longo do texto.

A respeito do gênero textual, é comum que artigos de divulgação científica juntem informações científicas com curiosidades. Segundo Giering (2011, p. 119), especialmente quando destinados a crianças e jovens, esses artigos "buscam a adesão do leitor seja para chamar a atenção para a leitura do artigo, seja para mantê-la ao longo do texto" e, para isso, o produtor do texto busca "estratégias textuais/discursivas peculiares". Uma dessas estratégias é mesclar exposição de informação científica com breves narrativas, visando captar a atenção do leitor. Para Giering (ibid., p. 121), "A sequência narrativa permite ao produtor textual, na verdade, construir as condições situacionais para a explicação".

Uma das atividades, portanto, pode ser pedir aos alunos que separem em duas colunas o que é conhecimento científico e o que é ficção (lenda, segundo o texto) a respeito de Arquimedes. A atividade ficará mais completa se houver desdobramento, como solicitar que os alunos observem a linguagem utilizada para se referir a Arquimedes, destacando a presença de humor ao longo do artigo.

Seria interessante, também, levar os alunos a observar que, diferentemente do texto de divulgação científica para adultos, não há marcação explícita da voz do cientista (através de citações diretas ou indiretas). A ausência do depoimento de autoridade parece demonstrar que isso não é considerado relevante para o convencimento do público-alvo (LUPPI, 2007).

Ainda em se tratando de gênero textual e suporte, outra relação que pode ser feita pelo professor é discutir a pertinência da informalidade em artigos de divulgação científica publicados em revistas populares, de ampla circulação, que têm, como público-alvo, adolescentes e jovens interessados em curiosidades. Certamente, os alunos gostarão de destacar exemplos como "palpite", "bolou", "engenhoca", "façanhas" e associá-los à construção de sentidos no texto. Se for interesse do professor, dependendo do nível de maturidade e proficiência de leitura dos alunos, pode-se também comparar o texto 1 a outros sobre Arquimedes,[1] visando mostrar a diferença na abordagem do tema conforme o público-alvo, gênero e suporte.

Em relação às estratégias de referenciação associadas a Arquimedes, podemos listar termos como "gênio" "o sábio", "o grego", "ele" e o uso de elipses. É importante o professor mostrar que, no processo de referenciação, novos sentidos vão sendo agregados ao referente conforme o texto progride (ou seja, não ocorre apenas a retomada/substituição de termos) e que a análise dessas estratégias auxiliará na construção dos sentidos textuais.

É também importante destacar para os alunos a necessidade da repetição do nome de Arquimedes. A repetição geralmente é associada a um problema de coesão, mas, muitas vezes, não só é relevante no texto como é essencial para a manutenção do tópico e para a progressão textual (SANTOS, 2015b).

Outra estratégia de referenciação importante para o professor abordar com os alunos é o encapsulamento, como "Essa força do líquido sobre o corpo" (1º parágrafo). Os encapsuladores conseguem resumir, sintetizar, uma porção de texto precedente, como nesse exemplo, sendo elementos essenciais para a costura do texto; ao mesmo tempo que acenam para algo já citado, colaboram para a progressão textual. Além disso, para o aluno entender o que significa "Essa força do líquido sobre o corpo", é necessário fazer inferências com base no que é narrado anteriormente, entendendo que a descoberta de Arquimedes chama-se, atualmente, "empuxo".

Para aplicar o conceito de modalização, o professor pode analisar o trecho que relata o momento em que Arquimedes teria descoberto o "empuxo". A história tem sido repetida através dos séculos, no entanto, no artigo aqui analisado, parece haver dúvida quanto aos fatos narrados, uma vez que se emprega a palavra "lenda" e o futuro do pretérito do indicativo na forma verbal "teria" ("teria saído nu"). Os alunos podem comparar o uso desse tempo

---

1   Como sugestão, há o texto "Arquimedes e a coroa", escrito por Elisa Batalha e Silvio Bento, divulgado no *site Invivo*, da Fundação Oswaldo Cruz (RJ). Disponível em: <http://www.invivo.fiocruz.br/cgi/cgilua.exe/sys/start.htm?infoid=946&sid=7>. Acesso em: 13 jul. 2017.

verbal com o do pretérito perfeito e imperfeito do indicativo nos outros trechos em que se demonstra certeza sobre as afirmações.

A modalização, por ser uma estratégia que denuncia o posicionamento ou as intenções do produtor do texto, precisa ser conhecida pelos alunos para que eles possam perceber essa estratégia quando leem e utilizá-la quando produzem seus próprios textos.

Considerações finais

Estudiosos como Koch (1987), Travaglia (1996), Geraldi (1997), apenas para citar alguns, já sugerem um ensino mais produtivo de língua portuguesa há algumas décadas. Da mesma forma, pesquisas por todo o Brasil mostram como se pode melhorar a competência comunicativa/discursiva dos alunos com atividades que privilegiam o uso da língua e a reflexão sobre ela. Porém, na escola, ainda há dificuldades para selecionar e organizar os conteúdos considerando uma abordagem produtiva dos gêneros textuais que demonstre que os produzimos em situações reais de interação.

Muitas vezes o problema acontece porque os professores não conhecem conceitos mais atualizados formulados pelos estudos da LT. Koch (2009) defende que é desejável um intercâmbio entre a LT e aqueles que se dedicam ao ensino de língua materna e/ou à elaboração de propostas que visem ao seu aperfeiçoamento. No entanto, os professores precisam saber adequar os conceitos científicos ao ensino sem sobrecarregar os alunos com mais metalinguagem. O objetivo principal deverá ser sempre desenvolver a competência comunicativa/discursiva através da prática significativa da compreensão e produção de textos.

Dolz e Schneuwly (2013), porém, chamam a atenção para o fato de, na escola, os gêneros não serem somente um instrumento de comunicação, mas também objetos de aprendizagem. Os alunos encontram-se num espaço do "como se", em que as práticas de linguagem estabelecidas pelos gêneros, em parte, são fictícias, uma vez que sua utilização tem fins de aprendizagem. Portanto, para os autores, os professores devem colocar os alunos em situações de comunicação que sejam as mais próximas possíveis de verdadeiras situações de comunicação, que tenham sentido para eles, a fim de melhor dominá-las como realmente são, ao mesmo tempo sabendo, o tempo todo, que os objetivos visados são (também outros). (DOLZ; SCHNEUWLY, p. 69)

O conhecimento das características linguísticas, textuais e discursivas dos gêneros, a partir das descrições realizadas pela LT por parte dos educandos e dos professores, é essencial para que o trabalho didático, nas aulas de língua portuguesa, possa levar os alunos a dominar os diferentes gêneros textuais. Isso certamente os ajudará a posicionarem-se melhor nos diversos espaços em que necessitam produzir e compreender textos.

Referências

ANTUNES, I. *Língua, texto e ensino*. São Paulo: Parábola, 2008.
BENTES, A. C. Gênero e ensino: algumas reflexões sobre a produção de materiais didáticos para a educação de jovens e adultos. In: KARWOSKI, A. M.; AYDECZKA, B.; BRITO, K. S. (Org.). *Gêneros textuais*: reflexões e ensino. 4. ed. São Paulo: Parábola, 2011. p. 69-82.
BRASIL. Ministério da Educação. *Parâmetros Curriculares Nacionais* – Língua Portuguesa. 3º e 4º ciclos. Brasília: MEC, 1998.
BUNZEN, C. Um olhar sobre os gêneros interpessoais nos manuais escolares de ensino médio. *Letras & Letras*, Uberlândia, v. 1, n. 23, p. 7-25, 2007. Disponível em: <http://www.seer.ufu.br/index.php/letraseletras/article/view/25271>. Acesso em: 15 fev. 2016.
CASTILHO, A. T.; CASTILHO, C. M. M. Advérbios modalizadores. In: ILARI, R. (Org.). *Gramática do português falado*. Campinas: Unicamp, 1996. v. 2, p. 213-260.
CAVALCANTE, M. et al. (Org.). *Referenciação*. São Paulo: Contexto, 2003.
COSCARELLI, C. V. Gêneros textuais na escola. *Veredas on line: ensino*, n. 21, p. 78-86, 2007. Disponível em: <http://www.revistaveredas.ufjf.br/volumes/21/artigo05.pdf>. Acesso em: 13 jul. 2017.

DOLZ, J.; SCHNEUWLY, B. Os gêneros escolares – das práticas de linguagem aos objetos de ensino. In: _____. *Gêneros orais e escritos na escola*. 3. ed. Campinas: Mercado de Letras, 2013. p. 61-80.

FÁVERO, L. L.; ANDRADE, M. L. C. V. O.; AQUINO, Z. G. O. *Oralidade e escrita*: perspectivas para o ensino de língua materna. 3. ed. São Paulo: Cortez, 2002.

GERALDI, J. W. (Org.). *O texto na sala de aula*. São Paulo: Ática, 1997.

GIERING, M. E. Explicar temas científicos para crianças: regulações descendentes e ascendentes sobre a macro-organização do texto. *Revista Diadorim*, Rio de Janeiro, v. 10, p. 110-124, dez. 2011. Disponível em: <https://revistas.ufrj.br/index.php/diadorim/article/view/3938>. Acesso em: 13 jul. 2017.

GOMES-SANTOS, S. N. et al. A contribuição da(s) teoria(s) do texto para o ensino. In: BENTES, A. C.; LEITE, M. Q. (Org.). *Linguística de texto e análise da conversação*: panorama das pesquisas no Brasil. São Paulo: Cortez, 2010. p. 315-353.

KLEIMAN, A. B. *Oficina de leitura*: teoria e prática. 7. ed. Campinas: Pontes, 2000.

KOCH, I. G. V. *Argumentação e linguagem*. São Paulo: Cortez, 1987.

_____. *A inter-ação pela linguagem*. São Paulo: Contexto, 2000.

_____. Linguística Textual – uma entrevista com Ingedore Villaça Koch. *Revista Virtual de Estudos da Linguagem – ReVEL*, v. 1, n. 1, p. 1-4, ago. 2003a. Disponível em: <https://edisciplinas.usp.br/pluginfile.php/117442/mod_resource/content/1/ENTREVISTA%20INGEDORE%20VILLA%C3%87A%20KOCH%20-%20REVEL%20%281%29.pdf>. Acesso em: 13 jul. 2017.

_____. *Desvendando os segredos do texto*. São Paulo: Cortez, 2003b.

_____. A possibilidade de intercâmbio entre Linguística Textual e o ensino de língua materna. *Veredas – Revista de Estudos Linguísticos*, Juiz de Fora, v. 5, n. 2, p. 85-95, 2009. Disponível em: <http://www.ufjf.br/revistaveredas/files/2009/12/cap073.pdf>. Acesso em: 13 jul. 2017.

_____. *As tramas do texto*. 2. ed. São Paulo: Contexto, 2014.

_____; ELIAS, V. *Ler e compreender*: os sentidos do texto. São Paulo: Contexto, 2006.

LOPES-ROSSI, M. A. G. Gêneros discursivos no ensino de leitura e produção de textos. In: KARWOSKI, A. M.; GAYDECZKA, B.; BRITO, K. S.

(Org.). *Gêneros textuais*: reflexões e ensino. 4. ed. São Paulo: Parábola, 2011. p. 69-82.

LUPPI, S. E. O gênero divulgação científica para crianças: alternativas para o ensino, p. 1-20, 2007. Disponível em: <http://www.diaadiaeducacao.pr.gov.br/portals/pde/arquivos/612-4.pdf>. Acesso em: 13 jul. 2017.

MARCUSCHI, L. A. *Linguística de Texto*: o que é e como se faz? Recife: Universidade Federal de Pernambuco, 1983. (Série Debates I).

_____. Exercícios de compreensão ou copiação dos manuais de ensino de língua? *Em Aberto*, Brasília, n. 69, p. 50-71, 1996. Disponível em: <http://emaberto.inep.gov.br/index.php/emaberto/article/view/2067>. Acesso em: 13 jul. 2017.

_____. *Produção textual, análise de gêneros e compreensão*. São Paulo: Parábola Editorial, 2008.

MENDONÇA, M. Análise linguística no ensino médio: um novo olhar, um outro objeto. In: BUNZEN, C.; MENDONÇA, M. (Org.). *Português no ensino médio e formação do professor*. São Paulo: Parábola, 2006. p. 199-226.

SANTOS, L. W. dos. O ensino de língua portuguesa e os PCN. In: PAULIUKONIS, M. A.; GAVAZZI, S. (Org.). *Da língua ao discurso*: reflexões para o ensino. Rio de Janeiro: Lucerna, 2005a. p. 173-184.

_____. Referenciação. *Revel na Escola*, v. 13, n. 25, p. 1-8, 2015b. Disponível em: <http://www.revel.inf.br/files/725acb4415e9ddbde01a657826817ec3.pdf>. Acesso em: 13 jul. 2017.

_____. Leitura e produção textual: abordagem e processos referenciais. In: VALENTE, A. (Org.). *Unidade e variação na língua portuguesa*: suas representações. São Paulo: Parábola, 2015c. p. 163-173.

_____; COLAMARCO, M. Referenciação e ensino: panorama teórico e sugestões de abordagem de leitura. *Gragoatá*, Niterói, n. 36, p. 43-62, 1 sem. 2014. Disponível em: <http://www.gragoata.uff.br/index.php/gragoata/article/view/26/60>. Acesso em: 13 jul. 2017.

_____; RICHE, R. C.; TEIXEIRA, C. S. *Análise e produção de textos*. São Paulo: Contexto, 2012.

SILVA, M. T. M.; SUASSUNA, L. Ensino de análise linguística – reflexão e construção de conhecimentos ou memorização e reconhecimento de estruturas? *Estudos em Educação e Linguagem*, v. 1, n. 1, p. 91-107, jan./jun. 2011.

Disponível em: <http://www.repositorios.ufpe.br/revistas/index.php/CEEL/article/view/68>. Acesso em: 13 jul. 2017.

SOUZA, L. M. de. *Por uma gramática pedagógica*. 1984. Tese (Doutorado em Linguística) – Faculdade de Letras, Universidade Federal do Rio de Janeiro, Rio de Janeiro, 1984.

TRAVAGLIA, L. C. *Gramática e interação*: uma proposta para o ensino de gramática no 1º e 2º graus. São Paulo: Cortez, 1996.

_____. *Gramática*: ensino plural. São Paulo: Cortez, 2003.

VILELA, M.; KOCH, I. G. V. *Gramática da língua portuguesa*: gramática da palavra, gramática da frase, gramática do texto/discurso. Coimbra: Almedina, 2001.

Os autores

Alessandra Castilho da Costa

Doutora em Linguística pela Universidade de Halle, Alemanha. É professora do Departamento de Letras da UFRN e do Programa de Pós-Graduação em Estudos da Linguagem (PPGEL/UFRN). Atua em Linguística do Texto e Tradições Discursivas.

Ana Cristina Carmelino

Professora do Departamento de Letras da UNIFESP. É doutora em Linguística e Língua Portuguesa pela UNESP. Atua nas áreas de Texto, Discurso e Retórica, com pesquisas sobre produções humorísticas. Coordena o Grupo de Estudos de Textos Humorísticos (CNPq). É organizadora de vários livros.

Ana Lúcia Tinoco Cabral

Doutora em Língua Portuguesa pela PUC/SP. É professora titular da UNICSUL e pesquisadora na área de Linguística, com ênfase em leitura e escrita, focalizando os seguintes temas: linguagem argumentativa, interação verbal escrita, linguagem jurídica, polidez linguística e uso da linguagem em práticas educativas a distância. É autora do livro *A força das palavras: dizer e argumentar* (Contexto).

Antônio Suárez Abreu

Possui doutorado e livre-docência em Linguística pela USP e pós-doutorado em Linguística pela Unicamp. É, atualmente, professor colaborador do Programa de Pós-Graduação em Linguística e Língua Portuguesa da UNESP, em Araraquara. É autor de vários livros na área de Linguística.

Claudia de Souza Teixeira

Doutora em Letras Vernáculas pela UFRJ. Desde 2005, é professora do IFRJ, onde atua nos ensinos médio-técnico e superior. Participou, duas vezes, da seleção de acervo para bibliotecas públicas realizada pelo Ministério da Cultura. É uma das autoras dos livros *Análise e produção de textos* e *Ensino de produção textual*, publicados pela editora Contexto.

Gustavo Ximenes Cunha

Doutor em Linguística pela UFMG, onde atua na Faculdade de Letras e no Programa de Pós-Graduação em Estudos Linguísticos (POSLIN). É também coordenador do Grupo de Estudos sobre a Articulação do Discurso (GEAD/UFMG). Seus interesses de pesquisa são, em especial, a organização estratégica de discursos midiáticos e oficiais e o papel da articulação textual e de suas marcas como estratégias discursivas.

Leonor Lopes Fávero

Titular em Linguística na USP e titular em Língua Portuguesa na PUC-SP. Fez doutorado na PUC-SP, livre-docência na USP e pós-doutorado na Universidade de Paris VII, sob supervisão de Sylvain Auroux. Desenvolve e orienta pesquisas em Linguística Textual, Análise da Conversação, História das Ideias Linguísticas e Ensino e Aprendizagem da Língua materna. Autora de diversos livros, além de inúmeros capítulos de livros e artigos publicados em periódicos no Brasil e no exterior.

Leonor Werneck dos Santos

Possui mestrado e doutorado em Letras Vernáculas (Língua Portuguesa) pela UFRJ, onde é professora desde 1995. Ex-professora de ensino fundamental e médio, integra o Grupo de Trabalho em Linguística de Texto e Análise da Conversação da Anpoll. Site: <http://leonorwerneck.wixsite.com/leonor>.

Márcia A. G. Molina

Possui doutorado em Linguística pela USP e pós-doutorado em Língua Portuguesa pela PUC-SP. Atualmente exerce suas atividades junto ao Bacharelado Interdisciplinar em Ciências e Tecnologias da UFMA. É uma das autoras das obras *As concepções Linguísticas no Século XIX: a gramática no Brasil* e *Cancioneiros Urbanos*. Possui vários artigos publicados em veículos nacionais e internacionais, além de desenvolver projetos de pesquisa com estudiosos do Brasil e do exterior.

Maria Cristina Taffarello

Possui doutorado em Linguística pela Unicamp. Tem experiência na área de Letras, com ênfase em Linguística e Língua Portuguesa. É membro do Grupo de Trabalho de Linguística de Texto e Análise da Conversação da Anpoll.

Maria da Conceição de Paiva

Possui doutorado em Linguística pela UFRJ e tem pós-doutoramento na Universidade Paris VIII, na França. É professora do Programa de Pós-Graduação em Linguística da UFRJ e pesquisadora do CNPq. Atuou também como professora visitante do curso de Mestrado em Estudos Linguísticos da UFES. Dedica-se principalmente ao estudo da variação linguística e mudança por gramaticalização.

Maria da Penha Pereira Lins

Possui doutorado em Linguística pela UFRJ. É professora permanente do Programa de Pós-Graduação em Estudos Linguísticos da UFES. Tem experiência nas áreas de Linguística de Texto e Pragmática, com ênfase em Texto e Discurso, abordando principalmente os seguintes temas: texto, discurso, humor, linguagem e interação, contexto, observando gêneros da mídia em geral.

Maria das Graças Soares Rodrigues

Professora Associada IV da UFRN, atua na linha de pesquisa Estudos Linguísticos do Texto, do Programa de Pós-Graduação em Estudos da Linguagem. É professora do PROFLETRAS, líder do Grupo de Pesquisa Análise Textual dos Discursos e tradutora do francês para o português.

Maria Lúcia C. V. O. Andrade

É professora de Língua Portuguesa na FFLCH-USP. Doutorou-se em Semiótica e Linguística pela mesma instituição. Fez estudos de pós-doutorado na área de Análise Crítica do Discurso, na Universitat Pompeu Fabra, Barcelona (Espanha), sob supervisão do professor Van Dijk, com bolsa FAPESP (2010-2011), e sob supervisão da professora Montserrat Ribas-Bisbal (2014--2015). É autora de livros, capítulos de livros e artigos em revistas científicas nas áreas de Linguística Textual, Análise da Conversação e Estudos Críticos do Discurso.

Mariza Angélica Paiva Brito

Professora da Unilab e do Mestrado Interdisciplinar em Humanidades (MIH/Unilab); bolsista de produtividade em pesquisa da Funcap (BPI); líder do Grupo de Pesquisa em Linguística Textual – GELT (CNPq/Unilab) e vice-líder do PROTEXTO (CNPq/UFC). É membro do Grupo de Trabalho de Linguística de Texto e Análise da Conversação da Anpoll e desenvolve pesquisas na área de Linguística Textual, heterogeneidades enunciativas e Teoria da Argumentação no Discurso.

Micheline Mattedi Tomazi

Professora do Departamento de Línguas e Letras e do Programa de Pós-Graduação em Linguística da UFES. É doutora em Linguística pela UFF e mestre pela PUC-MG. Atua na área de Texto e Discurso com pesquisas sobre mídia, sociedade, violência de gênero contra mulher e discurso jurídico. Coordena o Grupo de Estudos em Discursos da Mídia (Gedim), na UFES.

Mônica Magalhães Cavalcante

Professora da UFC, pesquisadora do CNPq, líder do grupo PROTEXTO (CNPq/UFC) e atual vice-coordenadora do Grupo de Trabalho de Linguística do Texto e Análise da Conversação da Anpoll. Tem experiência em Linguística Textual, com ênfase em referenciação, intertextualidade, metadiscursividade, teoria da argumentação no discurso, heterogeneidades enunciativas, gêneros do discurso, articulação tópica e sequências textuais.

Paulo de Tarso Galembeck (*in memorian*)

Doutor em Filologia e Língua Portuguesa pela USP. Foi professor de Linguística e Língua Portuguesa do curso de graduação em Letras e do Programa de

Pós-Graduação em Estudos Linguísticos da UEL. O foco de suas pesquisas é a descrição da língua falada e os processos de construção de textos falados e escritos, considerados a partir da perspectiva sociodiscursiva e interacional.

Paulo Ramos

Professor do Departamento de Letras da Universidade Federal de São Paulo, onde coordena o Grupo de Pesquisa sobre Quadrinhos – Grupesq, cadastrado no CNPq. Possui pós-doutorado em Linguística (Unicamp) e em Comunicação (USP). É autor de várias obras sobre histórias em quadrinhos, tema de suas pesquisas.

Regina L. P. Dell'Isola

Professora titular da Faculdade de Letras da UFMG, onde é coordenadora do Mestrado Profissional (PROFLETRAS/UFMG). É pesquisadora colaboradora do Centro de Linguística da Universidade Nova de Lisboa em Portugal. Integra a Comissão Técnica do exame Celpe-Bras e é autora de diversos livros acadêmicos na área de Linguística, Linguística Aplicada e Linguística do Texto.

Rivaldo Capistrano Júnior

Doutor em Língua Portuguesa pela PUC-SP. É professor da UFES, onde atua nos cursos de graduação e no Programa de Pós-Graduação em Estudos Linguísticos (PPGEL). É líder do Grupo de Estudos em Linguística de Texto – GELT do CNPq/UFES e membro do Grupo de Trabalho de Linguística do Texto e Análise da Conversação da Anpoll.

Rosalice Pinto

Doutora em Linguística pela Faculdade de Ciências Sociais e Humanas da Universidade Nova de Lisboa e Pós-Doutora em Ciências da Comunicação pela Universidade de Genebra e Universidade Nova de Lisboa. Atualmente é docente universitária e pesquisadora do CLUNL e do CEJEA da Universidade Nova de Lisboa. É autora de trabalhos, em Portugal e no estrangeiro, na sua especialidade.

Silvana Maria Calixto de Lima

Doutora em Linguística pela UFC. Professora da graduação e pós-graduação da Universidade Estadual do Piauí (UESPI) e coordenadora do grupo de pesquisa Getexto (CNPq-UESPI). Desenvolve pesquisas nas áreas de Linguística de Texto e de Linguística Cognitiva.

Sônia Maria Oliveira Pimenta

Doutora em Linguística Aplicada e Estudos da Linguagem pela PUC-SP. Atualmente é professora associada da UFMG. Tem experiência na área de Linguística, com ênfase em Língua Estrangeira, atuando principalmente nos seguintes temas: multimodalidade, semiótica social, gramática sistêmico-funcional, avaliatividade, análise do discurso e gênero, semiótica social. Pós-doutorado em multimodalidade pela UFSC.

Sueli Cristina Marquesi

Professora titular de Língua Portuguesa da PUC-SP e da UNICSUL. É doutora em Linguística Aplicada (PUC-SP) e líder do Grupo de Pesquisa Texto, Escrita e Leitura (CNPq/PUC-SP) e atual coordenadora do GT Linguística do Texto e Análise da Conversação. Desenvolve pesquisas relacionadas a plano e estrutura composicional de textos, linguagem jurídica e uso da linguagem verbal em ambientes virtuais. É reitora da UNICSUL e avaliadora institucional do Ministério da Educação.

Vanda Maria Elias

Doutora em Língua Portuguesa (PUC-SP). É professora do Departamento de Letras e do Programa de Pós-Graduação em Letras da Unifesp. Desenvolve pesquisas relacionadas à leitura, produção de textos e ensino de língua portuguesa. Integra os grupos de pesquisa Protexto (CNPq/UFC) e Texto, Escrita e Leitura (CNPq/PUC-SP).

Záira Bonfante dos Santos

Doutora em Estudos Linguísticos pela UFMG. Líder do grupo de Pesquisa em Multiletramentos, Textos e Leitura – GEMULTE, na UFES. Atualmente é professora adjunta da UFES, campus CEUNES, no Departamento de Educação e Ciências Humanas – DECH, e professora permanente do Programa de Pós-Graduação em Ensino na Educação Básica – PPGEEB.

Colofão